KB132615

한끝 진도 교재

3·1

초등 국어

구성과 특징 진도 교재

단원 들어가기

단원 도입
국어과 교과 역량, 단원명, 단원에서 배울 내용을 알아봅니다.

교과서 핵심
단원에서 배울 학습 내용을 한눈에 들어오는 핵심 정리와 확인 문제로 알아봅니다.

『국어』 학습   준비 》 기본 》 실천

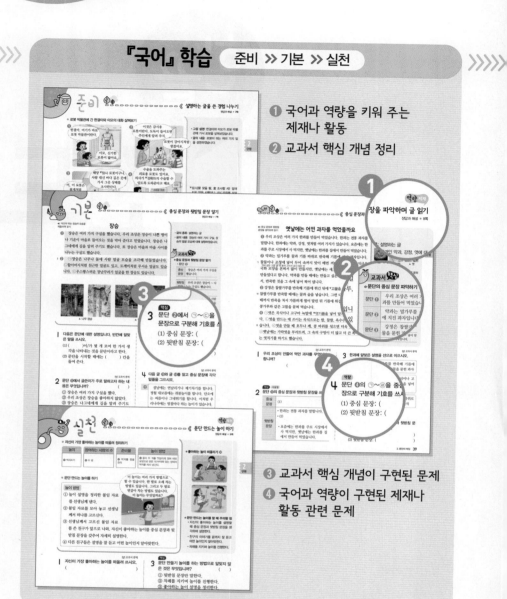

① 국어과 역량을 키워 주는 제재나 활동
② 교과서 핵심 개념 정리

③ 교과서 핵심 개념이 구현된 문제
④ 국어과 역량이 구현된 제재나 활동 관련 문제

- 준비에서 앞으로 학습할 단원 목표와 내용을 쉽게 이해할 수 있습니다.

- 기본에서 핵심 개념과 관련된 다양한 형태의 문제를 통해 기본적인 학습 내용을 충분히 익힐 수 있습니다.

- 실천에서는 기본에서 학습한 내용을 실천할 수 있는 다양한 활동 문제를 구성하였습니다.

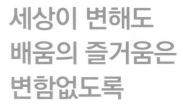

세상이 변해도
배움의 즐거움은
변함없도록

시대는 빠르게 변해도
배움의 즐거움은
변함없어야 하기에

어제의 비상은
남다른 교재부터
결이 다른 콘텐츠
전에 없던 교육 플랫폼까지

변함없는 혁신으로
교육 문화 환경의 새로운 전형을
실현해왔습니다.

비상은 오늘, 다시 한번
새로운 교육 문화 환경을 실현하기 위한
또 하나의 혁신을 시작합니다.

오늘의 내가 어제의 나를 초월하고
오늘의 교육이 어제의 교육을 초월하여
배움의 즐거움을 지속하는 혁신,

바로, 메타인지 기반 완전 학습을.

상상을 실현하는 교육 문화 기업 비상

메타인지 기반 완전 학습
초월을 뜻하는 meta와 생각을 뜻하는 인지가 결합한 메타인지는
자신이 알고 모르는 것을 스스로 구분하고 학습계획을 세우도록 하는
궁극의 학습 능력입니다. 비상의 메타인지 기반 완전 학습 시스템은
잠들어 있는 메타인지를 깨워 공부를 100% 내 것으로 만들도록 합니다.

독서 단원

책을 읽고
생각을 나누어요

이 단원은 '한 학기 한 권 읽기'를 실천하는 단원입니다.
독서 단원은 한 학기 동안 언제든지 공부할 수 있습니다.
학교 수업에 맞추어 활용하세요.

독서 활동

[독서 준비]
읽을 책을 정하고 내용 예상하기

[독서]
책 읽기 방법을 정하고 자신의 경험과 관련지어 읽기

[독서 후]
책 내용을 간추리고 생각 나누기

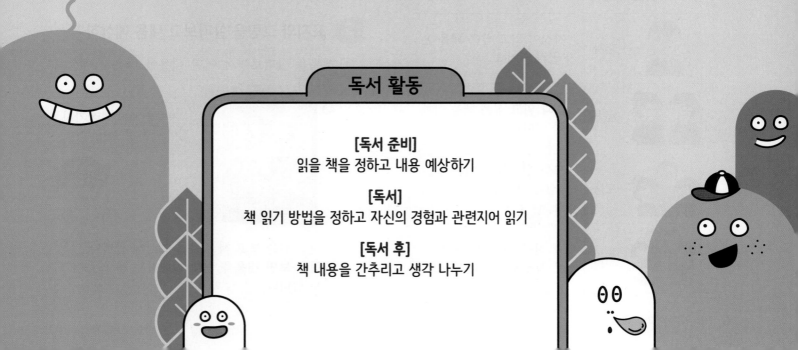

≫ 읽을 책을 정하고 내용 예상하기

1 읽을 책 정하기

○ 경험 나누기

① 책을 읽고 난 느낌을 말합니다.

 〔예〕 얼마 전, 학교 독서 잔치 때 읽은 이야기 가운데에서 역사 동화가 기억에 남아.

② 책을 골라 본 경험을 나누어 봅니다.

○ 책 찾아보기

① 책을 고르는 방법을 알아봅니다.

- 평소에 관심이 많았던 내용인가요?
- 읽기에 적당한 쪽수인가요? 적당하지 않다면 너무 적은가요, 많은가요?
- 어느 한 쪽을 펼쳐서 읽었을 때 모르는 낱말은 몇 개인가요?

② 자신에게 맞는 책을 고르는 기준을 더 정해 봅니다.

〔예〕 나는 먼저 첫 장만 읽어 보고 이해가 잘되는지 알아볼 거야.

③ 우리 집, 학급 문고, 학교 도서관, 지역 도서관 등 책을 어디에서 어떻게 고르는 것이 좋을지 알아봅니다.

○ 누구와 읽을지 정하기

	혼자	자신이 읽고 싶은 책을 혼자 골라 읽어요.
	짝	짝과 읽고 싶은 책을 함께 골라 읽어요.
	모둠	모둠 친구들과 의논해 읽고 싶은 책을 함께 골라 읽어요.
	학급	반 친구들과 의논해 읽고 싶은 책을 함께 골라 읽어요.

○ 읽을 책 결정하기

혼자서 읽을 때

- 읽고 싶은 책이 여러 권일 때에는 좀 더 자세히 살펴보고 결정해 봅니다.

 〔예〕 이 책에는 과학 사진이 많아서 좋아.

- 자신이 그 책을 읽고 싶은 까닭을 생각해서 결정해 봅니다.

 〔예〕 이 책이 쪽수도 알맞고 내가 좋아하는 분야여서 이 책을 읽고 싶어.

친구와 함께 읽을 때

- 친구와 함께 읽고 싶은 책을 고르고 그 까닭을 이야기해 봅니다.

 〔예〕 이 책이 쪽수도 알맞고 우리와 같은 초등학생이 주인공이라서 재미있게 읽을 수 있겠어.

- 친구들이 추천한 책을 함께 살펴봅니다.
- 친구들의 의견을 듣고 같이 읽고 싶은 책을 의논해서 정해 봅니다.

2 표지와 그림을 살펴보고 내용 예상하기

① 제목을 살펴보면서 어떤 내용이 나올지 예상해 봅니다.

 〔예〕

 제목을 보니 여러 가지 집이 나올 것 같아.

② 표지 그림을 보고 책 내용을 예상해 봅니다.
③ 그림을 보면 내용을 쉽게 이해하는 데 도움이 되기도 합니다.

>> 책 읽기 방법을 정하고 자신의 경험과 관련지어 읽기

1 읽기 방법 정하기

친구와 번갈아 가며 읽기

혼자 소리 내지 않고 읽기

어떤 방법으로 읽을까?

?

선생님께서 읽어 주시는 내용 듣기

선생님과 번갈아 가며 읽기

2 경험과 관련지어 책 읽기

① 글과 그림에 나타난 인물의 말과 행동을 보고 인물이 어떤 마음이 들었을지 짐작해 봅니다.
② 자신도 비슷한 경험을 했는지 떠올려 봅니다.

호랑이가 두리번거렸습니다.
"킁킁……."
그러고는 냄새를 찾아 갔습니다.
"어라!"
조금 떨어진 풀숲에서 조그맣고 둥그런 것이 슬금슬금 기어가고 있었습니다.
호랑이가 입맛을 쩝쩝 다셨습니다.
"고거 참, 먹음직스럽게 생겼네."
호랑이는 기어가는 것을 여유 있게 한 발로 턱 잡았습니다. 그러고는 덥석 물었답니다.
"아 따가워……."
깜짝 놀란 호랑이는 입에 문 것을 얼른 뱉었습니다.
호랑이가 뱉어 낸 것은 온몸에 가시가 송송 돋아 있는 고슴도치였답니다.
'아이코, 입이야…….'
호랑이는 이리 펄쩍 저리 펄쩍 정신없이 뛰어다녔습니다. 따가워서 입을 다물 수도 없었습니다.
'옹달샘? 그래, 얼른 가자.'

84

이렇게 생각한 호랑이는 옹달샘으로 달려갔습니다.
호랑이는 입을 쩍 벌리고 옹달샘 물에 비추어 보았습니다. 거울 같은 옹달샘 물에 비친 입안은 온통 가시투성이였답니다.
호랑이는 거울을 보듯 옹달샘 물을 보면서 가시를 뽑기 시작했습니다.
"어흥."
가시 하나 뽑고 눈물 찔끔.
"어흐흥."
가시 하나 뽑고 눈물 찔끔.

방송이 형님 85

 예
자세히 살펴보지도 않고 고슴도치를 먹다니 호랑이는 생각이 깊지 못한 것 같아.

나도 깜깜한 밤에 검은 봉지가 굴러가는 것을 보고 깜짝 놀라 크게 소리를 지른 적이 있어.

>> 책 내용을 간추리고 생각 나누기

1 책 내용 간추리기

① 책 한 권을 끝까지 읽고 책 내용을 간추려 봅니다.
② 이야기 글은 누가, 언제, 어디에서, 무엇을 했나를 생각해 보고 간추립니다. 그리고 설명하는 글은 중요한 낱말을 중심으로 정리한 뒤에 관련 있는 내용을 덧붙이며 간추립니다.
③ 책 제목을 쓰고 간추린 책 내용을 씁니다.

2 생각 나누기

선택 1 새롭게 안 내용 정리하기

① 정리하기
 • 읽은 책 제목을 씁니다.
 • 책을 읽은 후 새롭게 안 점은 무엇인지 정리합니다.
 • 읽은 책 내용 중 더 알고 싶은 점은 무엇인지 정리합니다.
② 정리한 내용 말하기

선택 2 인상 깊은 장면 표현하기

① 인상 깊은 장면과 그 까닭 생각하기
 • 책을 읽은 후 인상 깊은 장면을 떠올려 봅니다.
 • 그 까닭을 생각해 봅니다.
② 인상 깊은 장면 그리기

 예
『종이 봉지 공주』에 나오는 용감한 공주를 그릴 거야. 공주는 종이 봉지를 입고도 용감하게 왕자를 구하러 갔어.

선택 3 선물하고 싶어요

① 책에 나오는 인상 깊은 물건을 골라 선물하기
 • 자신이 아는 사람 가운데에서 그 물건이 꼭 필요할 것 같은 사람을 떠올려 보고, 그 물건을 주고 싶은 까닭을 생각해 봅니다.
 • 책 제목, 선물할 물건, 선물할 사람, 선물하고 싶은 까닭을 정리해 봅니다.
② 정리한 내용 발표하기

1 책을 읽기 전에 책 내용을 예상해 보면 효과적으로 책을 읽을 수 있습니다. 책을 읽기 전에 책 내용을 예상해 보는 방법을 <u>두 가지</u> 쓰시오.

(1) _____

(2) _____

도움말 책 표지에 나타난 정보들이 무엇인지 생각해 봅니다.

2 보기 에서 한 가지 방법을 골라 자신이 읽은 책에 대한 생각을 정리하시오.

> 보기
> (가) 새롭게 안 내용 정리하기
> (나) 인상 깊은 장면 표현하기

(가) 새롭게 안 내용 정리하기	책 제목	
	새롭게 안 점	· · ·
	더 알고 싶은 점	
(나) 인상 깊은 장면 표현하기	책 제목	
	인상 깊은 장면	
	그 까닭	

도움말 설명하는 글을 읽었다면 새롭게 안 점이나 더 알고 싶은 점을 정리하는 것이 좋고, 이야기 글을 읽었다면 인상 깊은 장면과 그 까닭을 생각해 정리하는 것이 좋습니다.

1
재미가 톡톡톡

무엇을 배울까요?

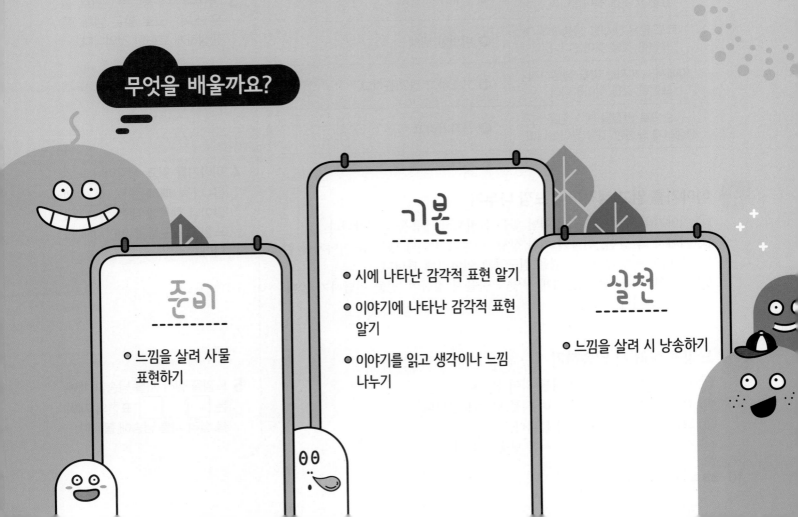

준비

● 느낌을 살려 사물 표현하기

기본

● 시에 나타난 감각적 표현 알기

● 이야기에 나타난 감각적 표현 알기

● 이야기를 읽고 생각이나 느낌 나누기

실천

● 느낌을 살려 시 낭송하기

1 느낌을 살려 사물 표현하기

① 우리는 눈으로 보고, 귀로 듣고, 입으로 맛보고, 코로 냄새 맡고, 손으로 만지면서 사물을 느낄 수 있습니다.

② 사물의 느낌을 생생하게 표현한 것을 감각적 표현이라고 합니다.

 새싹의 초록빛 발차기

2 시에 나타난 감각적 표현 알기

① 눈으로 보고, 귀로 듣고, 입으로 맛보고, 코로 냄새 맡고, 손으로 만지듯이 생생하게 표현한 부분을 찾아봅니다.

② 시에 나타난 감각적 표현은 대상을 직접 보거나 듣는 것처럼 생생하게 느껴지도록 합니다.

3 이야기에 나타난 감각적 표현 알기

귀로 들은 소리를 생생하게 표현한 것을 찾아봅니다.	예 뿌우우우우웅!
코로 맡은 냄새를 생생하게 표현한 것을 찾아봅니다.	예 비릿한 냄새
입에서 느껴지는 맛을 생생하게 표현한 것을 찾아봅니다.	예 고소하고 짭조름하고
손으로 만졌을 때 느낌을 생생하게 표현한 것을 찾아봅니다.	예 끈적거리고

4 이야기를 읽고 생각이나 느낌 나누기

① 이야기의 배경, 인물, 일어난 일을 살펴보고 내용을 파악합니다.

② 이야기 속 장면, 인물이 처한 상황, 인물의 말이나 행동 등 이야기를 읽고 떠오른 생각이나 느낌을 친구들과 이야기해 봅니다.

③ 이야기에 나오는 인물에게 무엇을 물을지 정하여 '인물 면담하기 놀이'를 해 봅니다.

5 느낌을 살려 시 낭송하기

① 시의 장면을 상상하며 시를 읽어 봅니다.

② 감각적 표현의 재미를 살려 시를 낭송해 봅니다.

③ 노래하듯이 시를 낭송해 봅니다.

④ 시에 어울리는 목소리로 시를 낭송해 봅니다.

핵심 확·인·문·제

정답과 해설 ● 2쪽

1 감각적 표현은 무엇을 생생하게 표현한 것입니까?

( )

2 시에 나타난 감각적 표현은 대상을 직접 보거나 듣는 것처럼 생생하게 느껴지도록 합니다.

(○ , ×)

3 "뿌우우우우웅!"은 (귀로 들은 소리 , 코로 맡은 냄새)를 생생하게 표현한 것입니다.

4 이야기를 읽고 생각이나 느낌을 나눌 때에는 ☐☐의 말이나 행동에 대한 생각이나 느낌을 친구들과 이야기해 봅니다.

5 느낌을 살려 시를 낭송할 때에는 ☐☐☐ 표현의 재미를 살려 시를 낭송해 봅니다.

1~2 그림을 보고, 물음에 답하시오.

● 봄이 오는 모습을 어떻게 표현하는지 살펴보기

❶

진희야, 봄이 왔나 봐. 햇살이 제법 따스해졌어.

엄마, 정말이네요. 개나리가 노랗게 불을 켜고, 진달래가 분홍빛으로 물들었어요.

❷

봄이 오는 소리는 폭! 폭! 폭! 팡! 팡! 팡!

응? 그게 무슨 말이야?

와! 우리 진수가 봄이 오는 모습을 감각적으로 말했네.

❸ 개나리는 "폭!" 하고 꽃이 피어나고, 진달래는 "팡!" 하고 꽃이 피어난다는 말씀.

응. 봄에 꽃이 피는 모습을 귀에 들리듯이 말했잖아. 그런 표현을 ㉠감각적 표현 이라고 해.

❹

네? 감각적요?

📖 교과서 문제

1 진수는 봄이 오는 모습을 어떻게 감각적으로 표현했습니까?

( )

핵심

2 ㉠'감각적 표현'이란 무엇을 말하는지 쓰시오.

( )

📖 교과서 문제

3 다음 그림에 어울리는 감각적 표현을 보기 에서 찾아 쓰시오.

보기
총총 내리는 봄비
새싹의 초록빛 발차기
쉬이익쉬이익 파도의 숨소리

(1)

(2)

(3)

4 다음 '무엇일까요' 놀이에 대한 답은 무엇이겠습니까? ( )

모양은 주먹처럼 둥글고 색은 붉어요. 냄새가 향긋하고 만지면 연하고 부드러워요. 이것은 무엇일까요?

① 조개　　② 얼음　　③ 미역
④ 사과　　⑤ 조약돌

🦉 교과서 핵심

● 느낌을 살려 사물 표현하기

봄이 오는 모습을 감각적으로 표현하기

예 봄이 오는 소리는 폭! 폭! 폭! 팡! 팡! 팡!

■: 비 오는 날의 느낌을
떠올리며 읽기

소나기

오순택

⊙누가 잘 익은 콩을
저렇게 쏟고 있나

♥또로록 마당 가득
실로폰 소리 난다

소나기 그치고 나면
하늘빛이 더 맑다

• 글의 종류: 시
• 글의 내용: 소나기가 오는 모습과 그치고 난 뒤의 모습에 대한 느낌을 표현하였습니다.

♥또로록 '또르르'의 시적 표현임.

교과서 핵심

○시에 나타난 감각적 표현

또로록 마당 가득
실로폰 소리 난다

소나기가 내리는 소리를 '또로록'이라고 표현하여 비가 내리는 모습이 더 생생하고 실감 나게 느껴진다.

📖 교과서 문제

1 ⊙처럼 표현한 까닭은 무엇입니까? (　　)

① 비가 조용하게 소리 없이 내려서
② 콩이 쏟아지는 소리가 너무 커서
③ 마당에 콩을 누가 쏟는지 궁금해서
④ 잘 익은 콩을 마당에 쏟는 것이 이상해서
⑤ 소나기가 내리는 소리와 콩을 쏟는 소리가 비슷하게 느껴졌기 때문에

핵심 서술형

2 '또로록'이라는 표현을 넣고 읽을 때와 빼고 읽을 때 느낌이 어떻게 다른지 쓰시오.

_____

_____

3 소나기가 그치고 나면 하늘이 어떻다고 했습니까? (　　)

① 하늘빛이 더 맑다.
② 하늘이 컴컴해진다.
③ 하늘빛이 더 어둡다.
④ 하늘빛이 더 탁하다.
⑤ 하늘에 구름이 많아진다.

4 이 시를 읽고 떠오르는 생각이나 느낌을 알맞지 <u>않게</u> 말한 사람을 쓰시오.

주희: 빗방울을 콩이라고 표현한 게 재미있었어.
민성: 마당에 하얀 눈이 가득 쌓인 장면이 떠올랐어.
하린: 소나기가 그치고 높고 파란 하늘을 보았던 경험이 떠올랐어.

(　　　　　)

🔊 시의 장면을
떠올리며 읽기

공 튀는 소리

신형건

이틀째 앓아누워
학교에 못 갔는데, 누가 벌써
학교 갔다 돌아왔는지
골목에서 공 튀는 소리 들린다.

탕탕– / 땅바닥을 두들기고
탕탕탕– / 담벼락을 두들기고
탕탕탕탕– / 꽉 닫힌 창문을 두들기며
골목 가득 울리는 / 소리

내 방 안까지 들어와
이리 튕기고 저리 튕겨 다닌다.

까무룩 또 잠들려는 나를
뒤흔들어 깨우고는, 내 몸속까지
튀어 들어와 탕탕탕– / 내 ♥맥박을 두들긴다.

• 글의 종류: 시
• 글의 내용: 몸이 아파서 집에 누워 있지만 밖에 나가서 놀고 싶은 마음이 나타나 있습니다.

♥맥박(脈 맥 **맥**, 搏 잡을 **박**) 심장이 뛰면서 생기는 핏줄의 움직임.
예 갑자기 빨리 달려서 맥박이 심하게 뛰었습니다.

👀 교과서 핵심

○ 시에 나타난 감각적 표현

| 탕탕– |
| 땅바닥을 두들기고 |
| 탕탕탕– |
| 담벼락을 두들기고 |

• 공 튀는 소리가 들리는 듯하다.
• 공이 튕겨 다니는 모습이 눈에 보이는 듯하다.

📖 교과서 문제

5 말하는 이는 무엇을 하고 있습니까? (　　　)

① 골목에서 뛰고 있다.
② 닫힌 창문을 열고 있다.
③ 친구들과 공놀이를 하고 있다.
④ 학교에 갔다 집으로 돌아오고 있다.
⑤ 이틀째 앓아누워 학교에 못 가고 까무룩 또 잠들려 하고 있다.

📖 교과서 문제

6 이 시에서 공이 튀는 소리를 어떻게 표현했는지 빈칸에 쓰시오.

• (1) (　　　　　　) 땅바닥을 두들기고 (2) (　　　　　　) 담벼락을 두들기고 (3) (　　　　　　) 꽉 닫힌 창문을 두들긴다고 표현했습니다.

7 "내 맥박을 두들긴다."에서는 어떤 마음을 표현하였습니까?

(　　　　　　　　　　　　　　　　)

핵심

8 이 시에서 느껴지는 감각을 바르게 말한 것을 두 가지 찾아 기호를 쓰시오.

| ㉠ 공에 맞아 아픈 듯하다. |
| ㉡ 쓴 약의 맛이 느껴지는 듯하다. |
| ㉢ 공이 튀는 소리가 들리는 듯하다. |
| ㉣ 공이 튕겨 다니는 모습이 눈에 보이는 듯하다. |

(　　　　　　　　　　)

🔊 갈매기의 생김새를
떠올리며 읽기

바삭바삭 갈매기

전민걸

❶ 나는 갈매기야.

큰 바위섬에 살고 있지. 파란 하늘과 구름은 언제 봐도 좋아.

따뜻한 바람이 불면 높이 날아올라 물고기 떼를
5 찾고, 배가 부르면 친구들과 모여서 수다를 떨지.

잡은 물고기를 먹는 것도 아주 좋아해.

적어도 그때까지는 그랬어.

중심 내용 '나'는 큰 바위섬에 살고 있는 갈매기이다.

❷ "뿌우우우우웅!"

어느 날, 큰 배가 바위섬으로 다가왔어.
10 "쿵작 뽕짝 띠리리라라."

노랫소리와 함께 큰 배가 바위섬 옆을 지났지.

소리를 지르고, 손을 흔들고, 뽀뽀를 하고, 노래를 부르는 많은 사람이 있었어.

큰 배 뒤쪽에서는 아이들이 무언가를 던지고 있
15 었어.

툭툭! 바스락!

어, 이게 뭐지? / 콕콕 쪼아 봤어.

♥짭조름하고 고소한 냄새에 코끝이 찡했어.

조심스럽게 한 입 깨물어 보았지.

와그작. / 바삭! 바삭!

"꺄아악!" / 이…… ⊙이 맛은 뭐지?
5
그건 마치 훌쩍 날아오른 뒤에 바다 한쪽이 "쿵!"

무너져 내린 거대한 구멍 속으로 바닷물과 함께 빨려 드는 느낌이었어.

바삭! 바삭!

- 글의 종류: 이야기
- 글의 특징: 갈매기들이 처음 과자를 먹었을 때의 느낌과 그것을 찾아다니는 갈매기들의 모습을 감각적으로 재미있게 표현했습니다.

♥짭조름하고 조금 짠맛이 있고.
예 나는 짭조름하고 고소한 맛이 나는 멸치 반찬을 좋아합니다.

🦉 교과서 핵심 ○ 감각적 표현 알기 예

소리를 생생하게 표현한 것	뿌우우우우웅! / 쿵작 뽕짝 띠리리라라. / 바스락! / 와그작. / 바삭! 바삭!
냄새를 생생하게 표현한 것	짭조름하고 고소한 냄새에 코끝이 찡했어.

---

1 '나'에 대한 설명으로 알맞지 <u>않은</u> 것은 무엇입니까? ( )

① 갈매기이다.
② 큰 바위섬에 살고 있다.
③ 잡은 물고기는 잘 먹지 않는다.
④ 배가 부르면 친구들과 수다를 떤다.
⑤ 따뜻한 바람이 불면 높이 날아올라 물고기 떼를 찾는다.

2 "뿌우우우우웅!"은 무슨 소리를 표현한 것인지 쓰시오.

( )

핵심

3 이 이야기에서 코로 맡은 냄새를 생생하게 표현한 것은 무엇입니까? ( )

① 바스락!
② 와그작.
③ 바삭! 바삭!
④ 쿵작 뽕짝 띠리리라라.
⑤ 짭조름하고 고소한 냄새에 코끝이 찡했어.

4 '나'는 ⊙'이 맛'을 어떤 느낌이라고 표현했는지 빈칸에 알맞은 말을 쓰시오.

- 훌쩍 날아오른 뒤에 바다 한쪽이 "쿵!" 무너져 내린 거대한 구멍 속으로 ( ) 느낌

"더 먹고 싶어!" / 우리는 큰 배를 따라 날았어.

사람들이 던져 주는 바삭바삭을 먹기 위해서는 배에 바짝 붙어서 날아야 했지.

고등어 떼를 잡을 때와는 달랐어.

5 한 개라도 더 먹기 위해 우리는 싸우듯 날았어.

정신없이 먹다 보니 어느새 사람들 마을이었어.

큰 배에서는 더 이상 바삭바삭이 나오지 않았지.

"짭조름하고 고소해!"

"물고기처럼 ♥비린내도 안 나고, 물컹하지도 않

10 아!" / "끼룩! 더 먹고 싶어!"

우리는 바삭바삭 이야기로 정신이 없었어.

중심 내용 갈매기들은 사람들이 던져 주는 '바삭바삭'을 먹기 위해 큰 배를 따라 날았다.

❸ 우리는 한동안 바삭바삭을 맛볼 수 없었지만, 잊을 수가 없었어.

사람들 마을 이곳저곳을 찾아다녔지.

15 비슷해 보이는 것은 앞다투어 깨물어 보았고,
　　　　　　　남보다 먼저 하거나 잘하려고 경쟁적으로 애써

운이 좋으면 부스러기 같은 것을 발견할 때도 있
　　　　　잘게 부스러진 물건

었어. / 때로는 부둣가에 모여 소리쳤어.

㉠"꺄악! 깍! 끼룩! 끽!"

사람들은 먹다 남은 생선 대가리 같은 것만 던져 줬어.

그건 ㉡끈적거리고 비린내만 나지, 맛이 없었어.

자꾸만 화가 났어.

"고소하고 짭조름하고 바삭바삭한 그걸 달라고!" 5

중심 내용 갈매기들은 '바삭바삭'을 더 먹기 위해 사람들 마을 이곳저곳을 찾아다녔다.

♥비린내 날콩이나 물고기에서 나는 역겹고 매스꺼운 냄새.
예 물고기에서 나는 비린내를 싫어합니다.

교과서 핵심 ○감각적 표현 알기 예

소리를 생생하게 표현한 것	꺄악! 깍! 끼룩! 끽!
피부에서 느껴지는 촉감을 생생하게 표현한 것	끈적거리고
맛을 생생하게 표현한 것	고소하고 짭조름하고 바삭바삭한

📖 교과서 문제

5 갈매기들이 큰 배를 따라간 까닭은 무엇인지 쓰시오.

(　　　　　　　　　　　　)

6 '바삭바삭'은 물고기와 비교하면 어떤 느낌이 난다고 했는지 두 가지 고르시오. (　　,　　)

① 싱겁다.
② 맛이 없다.
③ 끈적거린다.
④ 물컹하지 않다.
⑤ 비린내가 안 난다.

핵심

7 ㉠은 무엇을 생생하게 표현한 것입니까?

(　　　)

① 갈매기들이 잠자는 소리
② 갈매기들이 노래하는 소리
③ '바삭바삭'을 깨물 때 나는 소리
④ 갈매기가 부둣가에서 소리치는 소리
⑤ 사람들이 생선 대가리를 던지는 소리

서술형

8 ㉡은 무엇을 표현한 것인지 쓰시오.

_____

_____

④ 달이 밝은 어느 날 밤에 난 사람들이 살고 있는 마을 깊숙이 들어갔어.

어디선가 고소하고 짭조름한 냄새가 나는 것 같았거든.

5 깊은 골목 안쪽에서 크고 살찐 개를 만났어.

개를 묶고 있는 쇠사슬은 꽤나 무거워 보였어.

"고소하고 짭조름한 맛이 나고 ♥요렇게 생긴 거 못 봤어? 바삭바삭 소리도 나는데……."

그 개는 별로 가르쳐 주고 싶지 않은 것 같았어.

10 큰 개가 사납게 짖어 댔지만 결국 바삭바삭이 있는 곳을 알게 해 줬지.

나는 정말 행복했어.

바삭바삭을 꽉 물고 달렸어.

달리고 달렸어.

15 골목 ♥모퉁이를 돌아 바삭바삭을 물어뜯으려는데,

"바삭! 바삭!" / 소리가 들렸어.

어? 얘들은 누구지?

어째서 이런 곳에…….

털도 빠져 있고, 똥에다가 쓰레기…….

얘네 날 수는 있을까?

중심 내용 밤에 마을 깊숙이 들어간 '나'는 '바삭바삭'을 찾다가 '바삭바삭'을 먹고 있는 지저분한 친구들을 보았다.

♥요렇게 '요러하게'가 줄어든 말.
예 요렇게 예쁜 시계를 가지고 싶습니다.

♥모퉁이 구부러지거나 꺾어져 돌아간 자리.
예 모퉁이에서 엄마가 기다리고 계셔서 기뻤습니다.

9 '나'는 마을 깊숙이 들어가 누구에게 '바삭바삭'에 대해 물어보았습니까?

(   )

10 마을에서 '바삭바삭'을 발견한 '나'는 어떻게 행동했습니까? (   )

① '바삭바삭'을 큰 개에 주었다.
② '바삭바삭'을 꽉 물고 달렸다.
③ '바삭바삭'을 쓰레기통에 넣었다.
④ '바삭바삭'을 단숨에 먹어 버렸다.
⑤ '바삭바삭'을 골목 모퉁이에 숨겨 놓았다.

서술형

11 '나'는 '바삭바삭'을 물어뜯으려다가 어떤 장면을 보았는지 쓰시오.

_____

_____

12 11번 문제 답의 모습을 본 '나'의 마음은 어떠하겠습니까? (   )

① 기쁘다.
② 속상하다.
③ 기분이 좋다.
④ 정말 행복하다.
⑤ 마음이 편안하다.

❺ 그때였어!

㉠"야아아아아아옹!"

난 깜짝 놀라서 튀어 올랐어.

웬일인지 잘 날 수가 없었어.

5 숨이 ♥가쁘고 목이 말랐어.

쿵쾅쿵쾅 심장이 뛰더니 점점 작아져서 좁쌀만

하게 되는 것 같았어.

더 숨이 가빠 왔어.

나는 날개를 ♥젓고 또 저었어.

10 겨우 날아오른 곳은 어느 빨간 지붕 위였지.

아침 해가 뜨고 있었어.

"뿌우우우웅."

친구들은 여전히 큰 배 주위에 몰려 있었어.

먼 바다에서 따뜻한 바람이 불어왔어.

부둣가의 비릿한 냄새도 사람들의 복잡한 냄새 5

도 나지 않았지.

오랜만에 멀리 날았어.

(중심 내용) 고양이를 만난 '나'는 깜짝 놀라서 도망쳤고, 마을을 떠나 오랜만에 멀리 날았다.

♥가쁘고 숨이 몹시 차고.
  예 산 정상까지 올라갔더니 숨이 가쁘고 힘들었습니다.

♥젓고 팔이나 어깨 따위 신체의 일부를 일정한 방향으로 계속해서 움직이고. 예 양팔을 젓고 걷는 모습이 씩씩해 보였습니다.

교과서 핵심 ○ 감각적 표현 알기 예

| 소리를 생생하게 표현한 것 | 야아아아아아옹! / 쿵쾅쿵쾅 심장이 뛰더니 |
| 냄새를 생생하게 표현한 것 | 비릿한 냄새 |

핵심

13 ㉠은 어떤 감각을 생생하게 표현한 것인지 번호를 쓰시오.

> ① 코로 맡은 냄새
> ② 귀로 들은 소리
> ③ 입에서 느껴지는 맛
> ④ 손으로 만졌을 때 느낌

( )

📖 교과서 문제

14 고양이를 만난 '내'가 하늘을 잘 날 수 없었던 까닭을 쓰시오.

_____

_____

15 '내'가 오랜만에 멀리 날 수 있었던 까닭은 무엇이겠습니까? ( )

① 사람들이 좋아졌기 때문에
② '바삭바삭'을 먹었기 때문에
③ 마음이 편안해졌기 때문에
④ 마을에서 배불리 먹었기 때문에
⑤ 사람들이 사는 마을을 찾았기 때문에

논술형

16 이 이야기 전체를 읽고, 떠오른 생각이나 느낌을 써 보시오.

_____

_____

🔊 이야기 속 장면을
상상하며 읽기

으악, 도깨비다!

• 글: 손정원 • 그림: 유애로

❶ 기차 타고 쿨쿨, 버스 타고 털털, 다시 ♥타박타박 ♥반나절을 가면 바람만 아는 깊은 ♥산골에 ♥장승 마을이 있어요.

이곳에 장승 친구들이 살고 있지요.

지루한 한낮, 멋쟁이 장승이 뻐드렁니 장승을 놀렸어요.

5 "하하, 넌 이가 뻐드러져 수박 먹기 좋겠다."

뻐드렁니가 눈을 흘기면서 말했어요.

"그럼 수박 좀 가져와 봐. 이 '잘난 척 왕자'야!"

그러자 낮잠을 자던 퉁눈이 장승이 소리를 질렀어요.

10 "아휴, 시끄러워. 낮잠 좀 자게 조용히 해."

중심 내용 깊은 산골 장승 마을에는 장승 친구들이 살고 있었다.

❷ 하지만 밤이 되면 장승 친구들은 신바람이 나요. 팔다리가 생겨 마음껏 뛰어놀 수 있거든요. 날아서 훨훨, 헤엄치며 첨벙첨벙.

• 글의 종류: 이야기
• 글의 내용: 장승 친구들이 도둑들에게 잡혀가는 멋쟁이를 구하고 나서 힘을 합치면 친구도 구하고 마을도 지킬 수 있다는 것을 깨달았습니다.

♥타박타박 조금 느릿느릿 힘없는 걸음으로 걸어가는 모양.
♥반나절 하룻낮의 반.
♥산골 외지고 으슥한 깊은 산속.
♥장승 돌이나 나무에 사람의 얼굴을 새겨서 마을 또는 절 어귀나 길가에 세운 푯말.

🐛 교과서 핵심

◦ 이야기를 읽고 생각이나 느낌 나누기

에 장승 친구들이 밤에 신나게 노는 장면이 재미있었다.

📖 교과서 문제

1 이 이야기는 어디에서 일어난 일입니까?

(   )

2 이 이야기로 보아 뻐드렁니의 생김새는 어떠합니까? (   )

① 입이 작다.
② 머리가 크다.
③ 코가 주먹 모양이다.
④ 이가 뻐드러져 있다.
⑤ 눈이 툭 튀어 나와 있다.

3 장승 친구들은 왜 밤이 되면 신바람이 났습니까? (   )

① 장승 마을이 조용해져서
② 환한 보름달이 떠올라서
③ 사람들을 괴롭힐 수 있어서
④ 팔다리가 생겨 마음껏 뛰어놀 수 있어서
⑤ 하늘에 있는 별님과 달님을 만나 함께 놀 수 있어서

핵심

4 이 이야기를 읽고 떠오른 생각이나 느낌을 바르게 말한 친구를 쓰시오.

민영: 장승 친구들이 밤에 신나게 노는 장면이 재미있었어.
수미: 깊은 산골에서 지내는 장승 친구들이 쓸쓸해 보였어.

(   )

그렇지만 날이 밝기 전에 꼭 ♥제자리로 돌아와야 해요. ㉠그 약속을 ♥어기면 다시는 움직일 수 없게 되니까요.

장승 친구들은 환한 보름달 아래에서 숨바꼭질도 해요.

"꼭꼭 숨어라. 머리카락 보인다."

5 "야, 이빨 보인다."

"아이고, 넌 배꼽 보여."

"♥주먹코도 보인다!"

별빛처럼 맑은 웃음소리가 밤하늘을 수놓아요.

장승 친구들은 날이 밝는 줄도 몰랐어요.

10 "꼬끼오!"

멀리서 ♥새벽닭 소리가 들려오자 뻐드렁니가 소리쳤어요.

"벌써 아침이야! 빨리 돌아가지 않으면 여기서 꼼짝 못 하게 돼!"

모두들 정신없이 달렸어요.

그런데 멋쟁이가 보이지 않아요. 어디에 있는 걸까요?

15 멋쟁이는 잘난 척하고 꼭꼭 숨어 있다가 그만 날이 밝은 줄도 모른 거예요.

멋쟁이는 이제 밤이 되어도 움직일 수 없게 되었어요.

♥제자리 본래 있던 자리.
⟨예⟩ 물건을 쓰고 나서는 제자리에 두어야 합니다.

♥어기면 규칙, 명령, 약속, 시간 따위를 지키지 아니하면.
⟨예⟩ 약속을 쉽게 어기면 안 됩니다.

♥주먹코 뭉뚝하고 크게 생긴 코. 또는 그런 코를 가진 사람.

♥새벽닭 날이 샐 무렵에 우는 닭.
⟨예⟩ 시골 할머니 댁에서 새벽닭 소리를 듣고 일어났습니다.

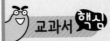 교과서 핵심

● 이야기를 읽고 생각이나 느낌 나누기

⟨예⟩ 몸을 움직이지 못하게 된 멋쟁이 장승이 안타까웠다.

📖 교과서 문제

5 ㉠'그 약속'의 내용은 무엇인지 쓰시오.

(   )

6 이 이야기 속 장면을 상상한 것으로 알맞지 않은 것은 무엇입니까? (   )

① 장승 친구들이 밤에 깊이 잠든 모습

② 장승 친구들이 웃으며 대화하는 모습

③ 장승 친구들이 즐겁게 숨바꼭질 하는 모습

④ 장승 친구들이 환한 보름달 아래에서 노는 모습

⑤ 장승 친구들이 새벽닭 소리를 듣고 정신없이 달리는 모습

7 멋쟁이가 꼼짝하지 못하게 된 까닭은 무엇입니까? (   )

① 뻐드렁니 장승을 놀려서

② 한낮에 낮잠을 오래 자서

③ 장승 친구들에게 잘못한 것이 많아서

④ 숨바꼭질을 하다가 몸이 젖게 되어서

⑤ 날이 밝기 전에 제자리로 돌아와야 한다는 약속을 어겨서

핵심 서술형

8 이 이야기를 읽고 떠오른 생각이나 느낌을 써 보시오.

_____

_____

친구들이 밤마다 놀러 왔지만 멋쟁이는 조금도 즐겁지 않았어요.

뻐드렁니가 '잘난 척 왕자'라고 약을 올려도 대꾸도 하지 않고 한숨만 푹푹 내쉬었지요.

어느 날, 멋쟁이는 물에 ♥비친 제 얼굴을 보고 깜짝 놀랐어요.

5 멋쟁이의 얼굴은 ♥곰팡이도 ♥슬고 조금씩 썩어 가고 있었거든요.

"내 얼굴이 왜 이렇게 됐지? 정말 이상해졌잖아!"

멋쟁이는 엉엉 울고 말았어요.

중심 내용 밤이 되어 자유롭게 뛰어놀며 숨바꼭질을 하던 멋쟁이가 날이 밝은 줄도 모르고 꼭꼭 숨어 있다가 약속을 어겨 움직일 수 없게 되었다.

❸ 며칠이 지난 뒤, 멋쟁이한테 놀러 갔던 짱구가 헐레벌떡 달려와서 말했어요.

10 "없어졌어. 멋쟁이가 ♥감쪽같이 사라져 버렸어!"

"뭐라고? 어떻게 된 거지?"

모두들 놀랐어요.

짱구가 말했어요.

"사람들이 자꾸 옹기를 가져가더니 멋쟁이도 데려간 것 같아."

15 "빨리 도망가자! 안 그러면 우리도 멋쟁이처럼 잡혀갈 거야."

♥비친 물체의 그림자나 영상이 나타나 보인.

♥곰팡이 어둡고 축축할 때 음식물·옷·가구 등에 생기는 균.

♥슬고 곰팡이가 생기고.

♥감쪽같이 꾸미거나 고친 것이 전혀 알아챌 수 없을 정도로 티가 나지 않게.

▲ 옹기

🐌 교과서 핵심

○ 이야기를 읽고 생각이나 느낌 나누기

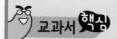
예 멋쟁이 장승이 다시 움직일 수 있는 방법이 없는지 궁금했다.

---

9 멋쟁이의 얼굴은 어떻게 변했습니까? (   )

① 점점 작아졌다.
② 돌로 변해 갔다.
③ 빛이 나고 멋져졌다.
④ 다른 장승을 닮아 갔다.
⑤ 곰팡이가 슬고 조금씩 썩어 갔다.

10 이 이야기에서 멋쟁이에게 일어난 일은 무엇입니까? (   )

① 사람들이 멋쟁이를 데려갔다.
② 멋쟁이가 놀다가 물에 빠졌다.
③ 멋쟁이가 이웃 마을로 여행을 갔다.
④ 멋쟁이에게 새로운 장승 친구들이 생겼다.
⑤ 멋쟁이가 가족들을 만나러 장승 마을을 떠났다.

11 짱구의 말을 듣고 장승 친구들이 빨리 도망가자고 한 까닭은 무엇입니까?

(   )

서술형
12 이야기에 나오는 인물이 되어 친구들과 이야기 나누기 놀이 방법을 보고, 멋쟁이가 된 친구에게 무엇을 물을지 생각하여 쓰시오.

┌─────────────────────────────┐
│ 놀이 방법   │
│ • 모둠에서 이야기에 나오는 인물이 되어 볼   │
│   친구를 정한다.   │
│ • 다른 친구들은 이야기에 나오는 인물에게   │
│   무엇을 물을지 정한다.   │
│ • 이야기에 나오는 인물이 된 친구는 다른   │
│   친구들 물음에 답한다.   │
└─────────────────────────────┘

_____

_____

퉁눈이가 주먹을 ♥불끈 쥐고 대답했어요.

"그럼 멋쟁이를 그냥 내버려 두자는 말이야?" ㉠

"없어진 멋쟁이를 어디서 찾겠니? 그러다 우리도 잡혀가면 어떡해?"

결국 장승 친구들 사이에 싸움이 벌어졌어요.

5 "여긴 돌아가신 옹기 할아버지가 만들어 준 우리 마을이야. 끝까지 이

곳을 지키겠다고 한 약속 벌써 잊어버렸어?"

모두들 정신이 번쩍 났어요.

그래요. 지금까지 그 약속을 잘 지켰기 때문에 장승 친구들은 밤마다

자유롭게 움직일 수 있었던 거예요.

10 "자, 어서 멋쟁이를 찾아보자!"

중심 내용 며칠이 지난 뒤, 장승 친구들은 옹기를 가져가던 사람들이 멋쟁이도 데려간 것을 알고 찾으러 나섰다.

❹ ♥앞장서던 뻐드렁니가 외쳤어요.

"저기다!"

자동차 불빛을 따라가 보니, 트럭에 실려 가는 멋쟁이가 보였어요.

장승 친구들은 옹기랑 멋쟁이를 싣고 가는 도둑들을 놀래 주기로 했

15 어요.

♥불끈 주먹에 힘을 주어 꽉 쥐는 모양.
예 출발선에 선 친구는 주먹을 불끈 쥐고 달릴 준비를 했습니다.

♥앞장서던 무리의 맨 앞에 서던.
예 길을 안다며 앞장서던 친구가 갑자기 걸음을 멈췄습니다.

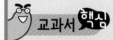 교과서 핵심

◦ 이야기를 읽고 생각이나 느낌 나누기

예 멋쟁이 장승을 찾으러 나선 장승 친구들의 우정이 보기 좋았다.

13 ㉠에서 퉁눈이는 어떤 마음일지 쓰시오.

( )

15 장승 친구들이 옹기 할아버지와 한 약속은 무엇인지 쓰시오.

( )

14 장승 친구들이 싸운 까닭은 무엇입니까? ( )

① 뻐드렁니가 옹기를 잃어버려서
② 멋쟁이가 약속을 지키지 않아서
③ 퉁눈이가 멋쟁이를 자꾸 괴롭해서
④ 멋쟁이를 구하는 것에 대한 생각이 달라서
⑤ 사람들이 어떤 장승을 데려갈지 정하라고 해서

16 장승 친구들은 멋쟁이를 구하기 위해 어떻게 하기로 했습니까? ( )

① 트럭을 고장 내기로 했다.
② 도둑들을 놀래 주기로 했다.
③ 도둑들에게 선물을 주기로 했다.
④ 도둑들 몰래 멋쟁이를 데려오기로 했다.
⑤ 도둑들에게 멋쟁이를 돌려 달라고 부탁하기로 했다.

"크아악!"

"가르르륵."

"으악, 도깨비다!"

도둑들은 도깨비처럼 살아 움직이는 장승들을 보고 너무 놀라 도망쳤
5 어요.

장승 친구들은 도둑들을 ♥물리치고 멋쟁이를 구해 냈어요.

뻐드렁니가 말했어요.

"멋쟁이야, 놀렸던 것 미안해. 우리가 힘을 합치면 이렇게 널 찾고 마을
을 지킬 수 있다는 것을 몰랐어."

10 멋쟁이도 웃으며 말했지요.

"고마워, 얘들아. 마을로 돌아간다는 것이 정말 꿈만 같아. 나 좀 꼬집
어 봐."

멋쟁이를 구하고 마을을 지키게 된 장승들은 신바람이 났어요.

언덕을 넘고 개울을 건너 바람만 아는 깊은 산골로 돌아갔지요. 오늘
15 밤에도 장승 마을에서는 별빛처럼 맑은 웃음소리가 들릴 거예요.

중심 내용 잡혀가는 멋쟁이를 구하고 마을을 지키게 된 장승 친구들은 신바람이 났다.

♥물리치고 적이나 귀신 등을 쳐서 물러
가게 하고.
예 이순신 장군이 왜군을 물리치고 돌
아왔습니다.

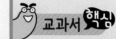교과서 **핵심**

◦ 이야기를 읽고 생각이나 느낌 나누기

> **예** 멋쟁이 장승은 자신을 구해
> 준 친구들에게 참 고마워서 다시
> 는 친구들을 놀리지 않았을 것
> 같다. / 장승들은 서로 힘을 합쳐
> 서 멋쟁이 장승을 구했다는 점
> 때문에 더 기뻤을 것 같다. / 친
> 구들끼리 힘을 합치면 어떤 어려
> 움도 이겨 낼 수 있다는 생각이
> 들었다.

📖 교과서 문제

17 도둑들이 도망친 까닭은 무엇입니까? (　　)

① 자동차가 고장 나서

② 옹기가 다 사라져서

③ 갑자기 밝은 빛이 비쳐서

④ 멋쟁이가 갑자기 움직여서

⑤ 움직이는 장승을 보고 깜짝 놀라서

18 뻐드렁니가 멋쟁이에게 말한 내용으로 알맞
은 것은 무엇입니까?　　　　　　(　　)

① 네 잘못이다.

② 놀렸던 것 미안하다.

③ 마을을 지킬 수 없다.

④ 마을로 돌아가기 싫다.

⑤ 너 때문에 우리가 싸웠다.

19 이야기에 나오는 인물이 되어 친구들과 이야기
나누기 놀이에서 뻐드렁니가 된 친구에게 다음
과 같이 물었다면 무엇이라고 답할지 생각하여
쓰시오.

> 힘을 합쳐서 멋쟁이를 구했을 때 어떤 기분
> 이 들었나요?

(　　　　　　　　　　　　　　)

핵심 서술형

20 장승 친구들이 한 일에 대한 생각이나 느낌을
써 보시오.

_____

_____

🔊 시의 장면을 상상하며 읽기

강아지풀

• 글: 강현호   • 그림: 히치

풀숲에서
귀여운 강아지를 만났다.

솜털같이 ♥복슬복슬한
꼬리를 살랑살랑

요요요
요요요요
정답게 부르면

우리 집까지
따라올 것 같아
자꾸만 숲길을 뒤돌아보았다.

• 글의 종류: 시
• 글의 내용: 강아지풀을 귀여운 강아지로 표현했습니다.

♥복슬복슬 살이 찌고 털이 많아서 귀엽고 탐스러운 모양.
예 마당에 복슬복슬한 흰 강아지 한 마리가 있었습니다.

교과서 핵심

○ 느낌을 살려 시 낭송하기 예

| 솜털같이 복슬복슬한 |
| 꼬리를 살랑살랑 |

손으로 만져지는 느낌이 잘 드러나도록 낭송해 본다.

| 요요요 |
| 요요요요 |
| 정답게 부르면 |

강아지를 부르는 것처럼 낭송해 본다.

📖 교과서 문제

1 강아지풀 모습을 표현한 것으로 알맞지 <u>않은</u> 것은 무엇입니까?   (   )

① 귀엽다.
② 강아지 같다.
③ 꼬리를 살랑살랑 흔든다.
④ '내' 뒤를 졸졸 따라다닌다.
⑤ 솜털같이 복슬복슬한 꼬리를 가졌다.

📖 교과서 문제

2 강아지풀을 어떻게 부른다고 했습니까?

(   )

3 이 시를 읽고 떠오르는 장면을 상상한 것으로 알맞은 것은 무엇입니까?   (   )

① 강아지와 함께 잠자는 아이
② 강아지풀을 만지며 좋아하는 아이
③ 숲에서 새의 소리를 흉내 내는 아이
④ 학교에 가는 길에 친구를 만나 아이
⑤ 숲길에서 사슴을 보고 신기해하는 아이

핵심 역량

4 느낌을 살려 이 시를 잘 낭송한 사람은 누구인지 쓰시오.

> 민희: 겁먹은 아이의 마음이 느껴지도록 슬픈 목소리로 낭송했어.
> 현우: 강아지풀이 손으로 만져지는 느낌이 잘 드러나도록 낭송했어.

(   )

🔊 시의 장면을
떠올리며 읽기

아기 고래

김륭

뭐든 제멋대로 되지 않으면
온몸을 ♥바동바동

울지 마 울지 마
달래면 달랠수록 더 큰
울음을 내뿜는
내 동생

㉠아기 고래다!

대왕오징어였으면
큰일 날 뻔했다

식구 모두 시커멓게
먹물을 뒤집어썼을 테니까
앞이 캄캄했을 테니까

• 글의 종류: 시
• 글의 내용: 달래면 달랠수록 크게 우는
동생을 아기 고래라고 표현했습니다.

♥바동바동 덩치가 작은 것이 매달리거
나 자빠지거나 주저앉아서 자꾸 팔다
리를 내저으며 움직이는 모양.
㉮ 개울에 빠진 동생이 바동바동 움직
였습니다.

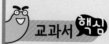

○느낌을 살려 시 낭송하기 ㉮

> 아기 고래다!

신기한 것을 발견한 듯이 뒷부분을
올려서 낭송해 본다.

---

5 이 시를 읽고 떠오르는 장면은 무엇입니까?
( )
① 형제가 사이좋게 노는 모습
② 동생이 평화롭게 잠이 든 모습
③ 동생이 귀엽게 애교를 부리는 모습
④ 엄마 고래와 아기 고래의 정다운 모습
⑤ 제멋대로 되지 않으면 울면서 떼쓰는
동생의 모습

핵심 서술형
6 ㉠ 부분을 어떻게 낭송하면 좋을지 쓰시오.

_____

_____

7 말하는 이는 동생의 어떤 점이 아기 고래와 비
슷하다고 생각하였습니까? ( )
① 개구진 것
② 잠이 많은 것
③ 물을 좋아하는 것
④ 울음을 내뿜는 것
⑤ 엄마 옆에 달라붙어 있는 것

8 물을 내뿜는 아기 고래를 떠올리며 동생이 어
떻게 울었을지 실감 나게 표현해 보시오.
( )

기본 · 12~13쪽 시에 나타난 감각적 표현 알기

산 샘물

권태응

바위 틈새 속에서
쉬지 않고 송송송.

맑은 물이 고여선
넘쳐흘러 졸졸졸.

푸고 푸고 다 퍼도
끊임없이 송송송.

푸다 말고 놔두면
다시 고여 졸졸졸.

1 이 시에 나타난 감각적 표현을 찾아 선으로 이으시오.

(1) 샘물이 바위 틈새에서 솟아나는 모양을 표현한 말 ·

(2) 샘물이 넘쳐흐를 때 들리는 소리를 표현한 말 ·

· 졸졸졸

· 콸콸콸

· 톡톡톡

· 송송송

· 뚝뚝뚝

기본 · 14~17쪽 이야기에 나타난 감각적 표현 알기

귀신보다 더 무서워

· 글: 허은순 · 그림: 김이조

"딸깍!"

엄마가 불을 끄고 나갔어요. 그런데, 어? 저게 뭐지? 벽에 감나무 그림자가 생겼어요. 그림자가 이리저리 흔들려요. 꼭 그림자 극장에 온 것 같아요. 바람이 부나 봐요. 나뭇잎 부딪치는 소리가 나요.

5 ㉠"스스스스스 샤아아 샤아아아."

그때였어요.

㉡"삐익 삐이이익 삐익 삑."

만만이가 피리 소리를 냈어요. 만만이가 응석 부릴 때 내는 소리
어리광을 부리거나 귀여워해 주는 것을 믿고 버릇없이 구는 일
예요. 아직도 자기 집에 안 들어갔나 봐요.

10 "스스스슥 샤아아 샤아사사."

"삑 삐이이익 삐익."

"형아, 나 무서워. 귀신 나올 거 같아."

동만이가 이불을 뒤집어썼어요.

시커먼 그림자가 어른어른, 만만이 피리 소리가 삐익삐익.

2 이 이야기에 나타난 감각적 표현을 찾아 빈칸에 알맞은 말을 쓰시오.

감각적 표현	(　　　　　　　) 에 온 것 같아요.
표현한 대상	벽에 감나무 그림자가 비치는 모습

3 ㉠, ㉡의 표현이 있어서 어떤 느낌이 드는지 쓰시오.

_____

_____

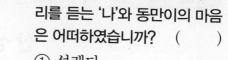

동만이가 무서워하는 건 당연해요.

낮에는 몰랐는데 밤에 피리 소리를 들으니까 좀……

그래도 나는 형이니까 꾹 참고 말했어요.

"괜찮아. 만만이는 삽사리야. 귀신도 쫓아 버리는 삽사리!"

"정말? 진짜 삽사리가 귀신을 쫓아내? 형이 봤어?"

삽살개(개 종류의 하나)

동만이가 이불에서 얼굴을 쏙 내밀고 물었어요.

"그걸 꼭 봐야 알아? 넌 책도 안 봤어?"

"우리 만만이도? 만만이도 귀신 쫓아낼 수 있어?"

동만이가 꼬치꼬치 캐물어요. 그걸 내가 어떻게 알아요?

하지만 만만이가 귀신을 쫓아내는 건 못 봤어도 뱀을 물리친 건 똑똑히 봤어요.

"뱀도 잡고 너 물에 빠졌을 때 구해 준 게 누구더라?"

"아, 뱀! 맞아. 우리 만만이는 용감해."

동만이는 더 묻지 않았어요. 그런데 용감한 만만이가 또 삐익삐익 소리를 내요.

"삐익 삐이이익 삐익 삑."

아무래도 안 되겠어요. / "나가 보자."

내가 침대에서 일어나 말했어요.

"왜?" / 동만이가 물었어요.

"만만이 집에 넣어 주고 오게."

"형, 조금만 더 들어가."

동만이가 나를 밀었어요. 만만이는 들어오자마자 벌렁 드러누웠어요. 엄마 말이 맞아요. 개는 집 안에서 앉아 있지 않아요. 나는 만만이 배를 베고 누웠어요. 동만이는 내 배를 베고 누웠어요. 아빠가 만만이 집을 진짜 크게 만들었어요. 만만이가 기분이 좋은지 꼬리로 바닥을 탁탁 쳐요. 만만이가 숨을 쉴 때마다 내 머리도 같이 오르락내리락해요. 그때였어요.

4 방에서 만만이가 내는 피리 소리를 듣는 '나'와 동만이의 마음은 어떠하였습니까? ( )

① 설렌다.
② 즐겁다.
③ 무섭다.
④ 행복하다.
⑤ 편안하다.

5 '나'와 동만이가 밖으로 나간 까닭은 무엇입니까? ( )

① 만만이와 놀아 주려고
② 만만이에게 밥을 주려고
③ 만만이와 함께 산책을 가려고
④ 만만이를 만만이 집에 넣어 주려고
⑤ 만만이를 자신들의 방에 데려오려고

6 만만이의 어떤 행동을 보고 기분이 좋다고 생각하였는지 쓰시오.

( )

㉠"스스스스 샤아아 샤아아샤."

감나무 나뭇잎이 바람에 흔들려요. 이 소리, 어디서 들었더라? 생각이 날 듯 말 듯 생각이 안 나요.

"스스스슥 샤아삭 샤아샤아아."

5 아, 맞다! 파도 소리!

"동만아, 파도 소리 같지 않아? 잘 들어 봐."

동만이가 귀를 기울였어요. 만만이도 귀를 쫑긋했어요.

"진짜!"

"우리 바다에 온 거 같다. 그렇지?"

10 내가 동만이에게 말했어요.

"응, 형아. 우리, 바닷가에 텐트 치고 누워 있는 거 같다."

"만만아, 너도 그렇지?"

만만이가 꼬리로 바닥을 탁탁 쳐요. 만만이가 숨을 쉴 때마다 내 머리가 오르락내리락해요. 만만이도 기분이 좋은가 봐요.

15 만만이 집은 참 아늑하고 좋아요. 꼭 엄마가 안아 주는 것처럼 포근해요. 내 동생 동만이, 만만이랑 같이 누워 있으니까 더 좋아요.

"아직도 무서워?"

내가 동만이에게 물었어요.

"아니, 이제 안 무서워. 우리 만만이는 뱀도 물리쳤어. 귀신보다

20 우리 만만이가 더 힘세."

나는 피식 웃었어요. 파도 소리가 살살 들려요. 잠이 솔솔 와요.

7 '나'는 ㉠의 소리가 무엇과 비슷하다고 생각하였습니까?

( )

① 개가 짖는 소리
② 파도가 치는 소리
③ 비가 내리는 소리
④ 땅이 흔들리는 소리
⑤ 개가 꼬리를 흔드는 소리

8 감각적 표현을 생각하며 이야기를 읽으면 좋은 점을 찾아 ○표를 하시오.

(1) 이야기 흐름을 정확하게 이해할 수 있다. ( )
(2) 이어질 이야기를 쉽게 알 수 있다. ( )
(3) 직접 보거나 듣는 것처럼 장면이 생생하게 그려진다. ( )

기초 다지기 낱말의 표기에 주의하기

9 다음 그림을 살펴보고, 파란색으로 쓰인 낱말 가운데에서 바른 표기를 고르시오.

| 고집쟁이 | 개구쟁이 | 대장장이 | 옹기장이 |

(1) 옹기를 만드는 사람을 (옹기장이 , 옹기쟁이)라고 해.
(2) 우리 이모는 옷을 잘 입는 (멋장이 , 멋쟁이)야.
(3) 벽에 종이를 붙이는 일을 직업으로 하는 사람을 (도배장이 , 도배쟁이)라고 해.

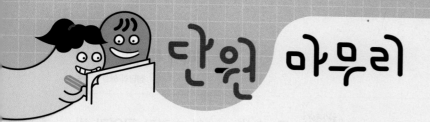

단원 마무리

준비 ......

》 느낌을 살려 사물 표현하기

예 봄이 오는 모습을 감각적으로 표현하기

말풍선: 봄이 오는 소리는 폭! 폭! 폭! 팡! 팡! 팡!

▲ 진수

진수는 봄에 꽃이 피는 모습을 "폭! 폭! 폭! 팡! 팡! 팡!"이라고 귀에 들리듯이 감각적으로 표현했습니다. 이렇게 사물의 느낌을 생생하게 표현한 것을 ❶ ⬜⬜⬜ 표현이라고 합니다.

기본 ......

》 시에 나타난 감각적 표현 알기

예 「소나기」에 나타난 감각적 표현

또로록 마당 가득 실로폰 소리 난다

소나기가 내리는 소리를 '또로록'이라고 표현하여 ❷ ⬜이/가 내리는 모습이 더 생생하고 실감 나게 느껴집니다.

예 「공 튀는 소리」에 나타난 감각적 표현

탕탕–
땅바닥을 두들기고
탕탕탕–
담벼락을 두들기고

공 튀는 소리를 '탕탕', '탕탕탕'이라고 표현하여 공 튀는 소리가 들리는 듯하고, 공이 튕겨 다니는 모습이 눈에 보이는 듯이 생생하게 표현하였습니다.

기본 ......

》 이야기에 나타난 감각적 표현 알기

예 「바삭바삭 갈매기」에 나타난 감각적 표현

귀로 들은 소리를 생생하게 표현한 부분	뿌우우우우웅! / 쿵작 뿡짝 띠리리라라. / 바스락! / 와그작. / 바삭! 바삭! / 꺄악! 깍! 끼룩! 끽! / 야아아아아옹! / 쿵쾅쿵쾅 심장이 뛰더니
코로 맡은 ❸ ⬜⬜을/를 생생하게 표현한 부분	짭조름하고 고소한 냄새에 코끝이 찡했어. / 비린내 / 비릿한 냄새
입에서 느껴지는 맛을 생생하게 표현한 부분	고소하고 짭조름하고 바삭바삭한 그걸 달라고!
피부에서 느껴지는 촉감을 생생하게 표현한 부분	끈적거리고

정답과 해설 ● 6쪽

기본 ······

〉이야기를 읽고
생각이나 느낌
나누기

예 「으악, 도깨비다!」를 읽고 생각이나 느낌 나누기

1. 이야기의 배경, 인물, 일어난 일을 살펴보고 내용을 파악합니다.

배경	장승 마을
인물	멋쟁이, 뻐드렁니, 퉁눈이, 짱구, 주먹코 등
일어난 일	숨바꼭질을 하다가 아침에 제자리에 돌아가지 못한 멋쟁이 장승이 움직일 수 없게 되었습니다. 도둑들이 옹기와 멋쟁이 장승을 데려가서 장승 친구들이 도둑들을 물리치고 멋쟁이 장승을 구했습니다.

2. 이야기 속 장면, 인물이 처한 상황, 인물의 말이나 행동 등 이야기를 읽고 떠오른 생각이나 느낌을 친구들과 이야기해 봅니다.

장승 친구들이 밤에 신나게 노는 장면이 재미있었어.

몸을 움직이지 못하게 된 ❹ ☐☐☐ 장승이 안타까웠어.

멋쟁이 장승이 다시 움직일 수 있는 방법이 없는지 궁금했어.

실천 ······

〉느낌을 살려
시 낭송하기

예 「강아지풀」을 느낌을 살려 낭송하기

솜털같이 복슬복슬한 꼬리를 살랑살랑	손으로 만져지는 느낌이 잘 드러나도록 낭송해 봅니다.
요요요 요요요요 정답게 부르면	❺ ☐☐☐을/를 부르는 것처럼 낭송해 봅니다.

예 「아기 고래」를 느낌을 살려 낭송하기

|  아기 고래다! | 신기한 것을 발견한 듯이 뒷부분을 올려서 낭송해 봅니다. |

• 단원 평가 **더 풀기** >> 평가 교재 2~7쪽

1~2 그림을 보고, 물음에 답하시오.

봄이 오는 소리는 폭! 폭! 폭! 팡! 팡! 팡!

응? 그게 무슨 말이야?

개나리는 "폭!" 하고 꽃이 피어나고, 진달래는 "팡!" 하고 꽃이 피어난다는 말씀.

와! 우리 진수가 봄이 오는 모습을 감각적으로 말했네.

1 진수가 표현한 "폭!", "팡!"은 무슨 소리인지 찾아 선으로 이으시오.

(1) "폭!" •

(2) "팡!" •

• ① 진달래가 피는 소리

• ② 개나리가 피는 소리

2 진수처럼 사물의 느낌을 생생하게 표현한 것을 무엇이라고 합니까?

( )

3 다음 그림에 어울리는 감각적 표현에 ○표를 하시오.

(1) 총총 내리는 봄비 ( )
(2) 새싹의 초록빛 발차기 ( )
(3) 쉬이익쉬이익 파도의 숨소리 ( )

4~6 시를 읽고, 물음에 답하시오.

소나기

누가 잘 익은 콩을 / 저렇게 쏟고 있나

㉠또로록 마당 가득 / 실로폰 소리 난다

소나기 그치고 나면 / 하늘빛이 더 맑다

중요

4 ㉠'또로록'은 어떤 소리를 표현한 것입니까?

( )

5 이 시를 읽고 떠오르는 장면이 <u>아닌</u> 것은 무엇입니까? ( )

① 소나기가 내리는 모습
② 흰 눈이 펑펑 내리는 모습
③ 마당에서 실로폰을 연주하는 모습
④ 소나기가 그친 후 햇빛이 비추는 모습
⑤ 소나기가 그친 후 높고 파란 하늘의 모습

논술형

6 이 시를 읽고 떠오르는 생각이나 느낌을 쓰시오.

_____

_____

7 국어 활동 다음 시에서 샘물이 바위 틈새에서 솟아나는 모양을 표현한 말을 찾아 쓰시오.

> ### 산 샘물
>
> 바위 틈새 속에서 / 쉬지 않고 송송송.
>
> 맑은 물이 고여선 / 넘쳐흘러 졸졸졸.

( )

8~10 글을 읽고, 물음에 답하시오.

> ㉮ 나는 갈매기야. / 큰 바위섬에 살고 있지. 파란 하늘과 구름은 언제 봐도 좋아.
> ㉯ 큰 배 뒤쪽에서는 아이들이 무언가를 던지고 있었어.
> 툭툭! 바스락! / 어, 이게 뭐지?
> 콕콕 쪼아 봤어.
> 짭조름하고 고소한 냄새에 코끝이 찡했어.
> 조심스럽게 한 입 깨물어 보았지.
> 와그작. / 바삭! 바삭!
> ㉰ 우리는 한동안 바삭바삭을 맛볼 수 없었지만, 잊을 수가 없었어.
> 사람들 마을 이곳저곳을 찾아다녔지.
> ㉱ 때로는 부둣가에 모여 소리쳤어.
> "꺄악! 깍! 끼룩! 끽!"
> 사람들은 먹다 남은 생선 대가리 같은 것만 던져 줬어.
> 그건 끈적거리고 비린내만 나지, 맛이 없었어.
> 자꾸만 화가 났어.

8 갈매기들이 먹은 '바삭바삭'은 무엇을 말하는 것일지 쓰시오.

( )

9 중요 '바삭바삭'의 냄새를 생생하게 표현한 부분을 찾아 쓰시오.

( )

10 생선 대가리의 느낌을 어떻게 표현했는지 두 가지를 고르시오. (,)

① 차갑다.　　　　② 향기롭다.
③ 맛이 좋다.　　　④ 끈적거린다.
⑤ 비린내가 난다.

11 국어 활동 다음 중 낱말을 바르게 쓰지 못한 것은 무엇입니까? ( )

① 멋쟁이　　② 대장장이　　③ 고집쟁이
④ 개구장이　　⑤ 옹기장이

12~13 글을 읽고, 물음에 답하시오.

> 밤이 되면 장승 친구들은 신바람이 나요. 팔다리가 생겨 마음껏 뛰어놀 수 있거든요. 날아서 훨훨, 헤엄치며 첨벙첨벙.
> 그렇지만 날이 밝기 전에 꼭 제자리로 돌아와야 해요. 그 약속을 어기면 다시는 움직일 수 없게 되니까요. / 장승 친구들은 환한 보름달 아래에서 숨바꼭질도 해요.
> "꼭꼭 숨어라. 머리카락 보인다."
> "야, 이빨 보인다."
> "아이고, 넌 배꼽 보여."
> "주먹코도 보인다!"
> 별빛처럼 맑은 웃음소리가 밤하늘을 수놓아요.

12 밤이 되면 장승 친구들은 어떤 기분이라고 했습니까? ( )

① 무섭다.　　　　② 재미없다.
③ 지루하다.　　　④ 쓸쓸해진다.
⑤ 신바람이 난다.

13 이 이야기를 읽고 재미있었던 장면을 떠올려 쓰시오.

• ( ) 장면이 재미있었다.

14~15 글을 읽고, 물음에 답하시오.

> "벌써 아침이야! 빨리 돌아가지 않으면 여기서 꼼짝 못 하게 돼!"
> 모두들 정신없이 달렸어요.
> 그런데 멋쟁이가 보이지 않아요. 어디에 있는 걸까요?
> 멋쟁이는 잘난 척하고 꼭꼭 숨어 있다가 그만 날이 밝은 줄도 모른 거예요. / 멋쟁이는 이제 밤이 되어도 움직일 수 없게 되었어요.
> 친구들이 밤마다 놀러 왔지만 멋쟁이는 조금도 즐겁지 않았어요.

14 멋쟁이에게 일어난 일은 무엇입니까? ( )

① 말을 못하게 되었다.
② 소리를 듣지 못하게 되었다.
③ 친구들을 보지 못하게 되었다.
④ 밤이 되어도 움직일 수 없게 되었다.
⑤ 밤에 자유롭게 돌아다닐 수 있게 되었다.

<u>논술형</u>
15 이야기에 나오는 인물이 되어 친구들과 이야기 나누기 놀이를 할 때 멋쟁이가 된 친구에게 무엇을 물을지 생각하여 쓰시오.

_____

_____

16~18 시를 읽고, 물음에 답하시오.

강아지풀

풀숲에서
귀여운 강아지를 만났다.

㉠솜틸같이 복슬복슬한
꼬리를 살랑살랑

요요요 / 요요요요
정답게 부르면

16 ㉠은 어떤 느낌이 잘 드러나도록 낭송하면 좋을지 보기 에서 찾아 쓰시오.

> 보기
>
> 맛을 보는 느낌, 냄새를 맡는 느낌, 소리가 들리는 느낌, 손으로 만지는 느낌

( )

17 ㉠과 같은 감각이 느껴지게 표현한 것을 찾아 번호를 쓰시오.

> ① 부글부글 내 마음 끓는 소리
> ② 보들보들 푹신한 내 곱슬머리

( )

<u>중요</u>
18 강아지를 부르는 것처럼 낭송하면 좋은 부분을 찾아 쓰시오.

( )

19~20 시를 읽고, 물음에 답하시오.

> 울지 마 울지 마
> 달래면 달랠수록 더 큰
> 울음을 내뿜는
> 내 동생
>
> ㉠아기 고래다!

19 이 시에서 울고 있는 것은 누구입니까?

( )

20 ㉠을 느낌을 살려 잘 낭송한 친구를 쓰시오.

> 영민: 여유가 느껴지게 느리게 낭송했어.
> 은주: 신기한 것을 발견한 듯이 뒷부분을 올려서 낭송했어.

( )

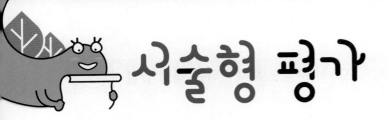
1~2 시를 읽고, 물음에 답하시오.

공 튀는 소리

이틀째 앓아누워
학교에 못 갔는데, 누가 벌써
학교 갔다 돌아왔는지
골목에서 공 튀는 소리 들린다.

탕탕–
땅바닥을 두들기고
탕탕탕–
담벼락을 두들기고
탕탕탕탕–
꽉 닫힌 창문을 두들기며
골목 가득 울리는
소리

내 방 안까지 들어와
이리 튕기고 저리 튕겨 다닌다.

까무룩 또 잠들려는 나를
뒤흔들어 깨우고는, 내 몸속까지
튀어 들어와 탕탕탕–
내 맥박을 두들긴다.

1 말하는 이는 무엇을 하고 있는지 쓰시오.

_____

_____

2 공이 튀는 소리를 어떻게 표현했는지 쓰시오.

_____

_____

3~4 글을 읽고, 물음에 답하시오.

㉮ 나는 갈매기야.
　큰 바위섬에 살고 있지. 파란 하늘과 구름은 언제 봐도 좋아.
㉯ 큰 배 뒤쪽에서는 아이들이 무언가를 던지고 있었어.
툭툭! 바스락! / 어, 이게 뭐지?
콕콕 쪼아 봤어.
짭조름하고 고소한 냄새에 코끝이 찡했어.
조심스럽게 한 입 깨물어 보았지.
㉠와그작. / 바삭! 바삭!
"꺄아악!" / 이…… 이 맛은 뭐지?
그건 마치 훌쩍 날아오른 뒤에 바다 한쪽이 "쿵!" 무너져 내린 거대한 구멍 속으로 바닷물과 함께 빨려 드는 느낌이었어.
　바삭! 바삭! / "더 먹고 싶어!"
　우리는 큰 배를 따라 날았어.
　사람들이 던져 주는 바삭바삭을 먹기 위해서는 배에 바짝 붙어서 날아야 했지.
　고등어 떼를 잡을 때와는 달랐어.
　한 개라도 더 먹기 위해 우리는 싸우듯 날았어. / 정신없이 먹다 보니 어느새 사람들 마을이었어.

3 ㉠은 무엇을 생생하게 표현한 것인지 쓰시오.

_____

_____

4 '내'가 사람들 마을에 가서 '바삭바삭'을 찾아 다닌다면 어떻게 될지 상상해 쓰시오.

_____

_____

낱말 퀴즈

● 다음 교과서 문장의 파란색 낱말 중에서 알맞은 것을 골라 인물들이 한 말을 완성하시오.

- 냄새가 향긋하고 만지면 연하고 부드러워요.
- 내 맥박을 두들긴다.
- 비슷해 보이는 것은 앞다투어 깨물어 보았고, 운이 좋으면 부스러기 같은 것을 발견할 때도 있었어.
- 장승 친구들은 도둑들을 물리치고 멋쟁이를 구해 냈어요.

정답 | ❶ 향긋하고 ❷ 발견 ❸ 물리치고 ❹ 맥박

2
문단의 짜임

무엇을 배울까요?

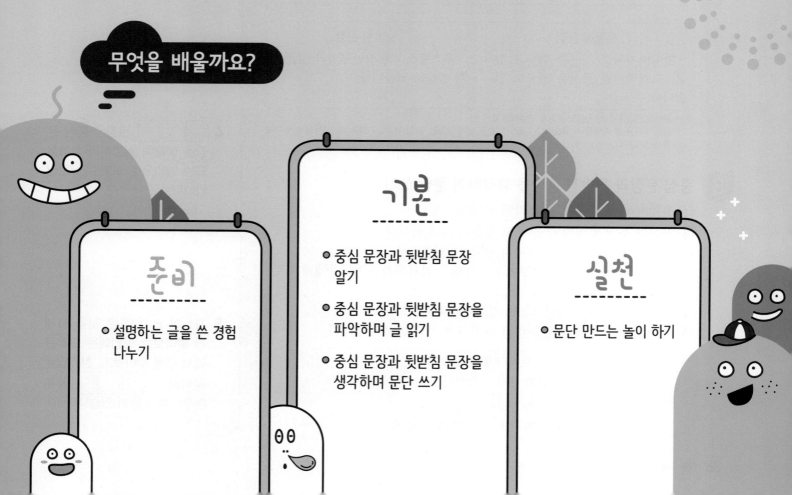

준비

● 설명하는 글을 쓴 경험 나누기

기본

● 중심 문장과 뒷받침 문장 알기

● 중심 문장과 뒷받침 문장을 파악하며 글 읽기

● 중심 문장과 뒷받침 문장을 생각하며 문단 쓰기

실천

● 문단 만드는 놀이 하기

교과서 핵심

1 문단의 뜻과 특징

문단의 뜻	문장이 몇 개 모여 한 가지 생각을 나타내는 것을 문단이라고 합니다.
문단의 특징	• 문단이 모여서 한 편의 글이 됩니다. • 문단을 시작할 때에는 한 칸을 들여 쓰고 한 문단이 끝나면 줄을 바꿉니다. • 중심 문장과 뒷받침 문장으로 이루어집니다.

2 중심 문장과 뒷받침 문장 알기

중심 문장	• 문단 내용을 대표하는 문장입니다. • 중심 문장은 문단의 앞이나 뒤에 있는 경우가 많습니다.
뒷받침 문장	• 중심 문장을 뒷받침하는 문장입니다. • 중심 문장을 덧붙여 설명하거나 예를 드는 방법으로 도와주는 문장입니다.

예 「장승」에서 중심 문장과 뒷받침 문장 알기

중심 문장	장승은 나무나 돌에 사람 얼굴 모습을 조각해 만들었습니다.

뒷받침 문장	뒷받침 문장
할아버지처럼 친근한 얼굴도 있고, 도깨비처럼 무서운 얼굴도 있습니다.	우스꽝스러운 장난꾸러기 얼굴을 한 장승도 있습니다.

↳ 문단의 중심 문장과 뒷받침 문장을 구별하면 좋은 점
글의 내용을 잘 이해할 수 있습니다. / 글의 내용을 쉽게 정리할 수 있습니다. / 설명하는 내용을 쉽게 이해할 수 있습니다.

3 중심 문장과 뒷받침 문장을 생각하며 문단 쓰기

① 무엇에 대해 글을 쓸지 생각해 봅니다.
② 자신이 무엇에 대해 글을 쓰고 싶은지 정해 봅니다.
③ 자신이 쓰고 싶은 것을 자세히 알아봅니다.
　　예 도서관에서 책을 찾아보기 / 컴퓨터로 검색하기 / 전문가에게 여쭈어보기
④ 자신이 쓸 내용을 생각그물로 정리해 봅니다.
⑤ 중심 문장과 뒷받침 문장이 잘 드러나게 한 문단으로 씁니다.

중심 문장	• 생각이 잘 드러나게 씁니다. • 가장 중요한 내용을 씁니다.
뒷받침 문장	• 중심 문장을 덧붙여 설명하도록 씁니다. • 중심 문장의 내용을 잘 알려 주는 예를 들 수 있습니다.

핵심 확 인 문 제

정답과 해설 ● 7쪽

1 문장이 몇 개 모여 한 가지 생각을 나타내는 것을 □□(이)라고 합니다.

2 문단을 시작할 때에는 한 칸을 들여 씁니다.
(　　○ , × 　　)

3 문단 내용을 대표하는 문장을 무엇이라고 합니까?
(　　　　　)

4 □□□ 문장은 중심 문장을 덧붙여 설명하거나 예를 드는 방법으로 도와주는 문장입니다.

5 자신이 쓰고 싶은 것을 자세히 알아보는 방법에는 도서관에서 책을 찾아보기, 컴퓨터로 검색하기, □□□에게 여쭈어보기 등이 있습니다.

준비

● 로봇 박물관에 간 한결이와 이모의 대화 살펴보기

❶ 한결아, 여기가 바로 로봇 박물관이란다.

이모, 신기한 로봇이 많아요.

❷ 이것은 감시용 로봇이란다. 도둑이 들어오면 주인에게 알려 주지.

로봇이 강아지처럼 생겼어요.

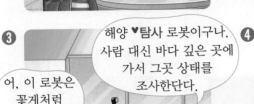

❸ 어, 이 로봇은 꽃게처럼 생겼어요.

해양 ♥탐사 로봇이구나. 사람 대신 바다 깊은 곳에 가서 그곳 상태를 조사한단다.

❹ 수술을 도와주는 의료용 로봇도 있어요. 의사가 ♥정확하게 수술할 수 있도록 도와준다고 해요.

의료용 로봇

● 한결이가 학급 누리집에 쓴 글 읽기

로봇은 여러 가지 일을 합니다. 감시용 로봇은 도둑이 집에 들어오는지 살피는 일을 합니다. 해양 탐사 로봇은 바다 깊은 곳에 가서 그곳 상태를 조사합니다. 정확하게 수술할 수 있도록 도와주는 의료용 로봇도 있습니다.

• 그림 설명: 한결이와 이모가 로봇 박물관에 가서 로봇을 살펴보았습니다.
• 글의 내용: 로봇이 하는 여러 가지 일을 설명하였습니다.

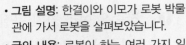

♥탐사(探 찾을 탐, 査 조사할 사) 알려지지 않은 사물이나 사실 따위를 샅샅이 더듬어 조사함.
예 전국을 탐사하여 유물 자료를 정리하였습니다.

♥정확(正 바를 정, 確 굳을 확)하게 바르고 확실하게.

🐛 **교과서 핵심**

● 설명하는 글을 쓴 경험 나누기

예 한결이는 로봇이 하는 여러 가지 일을 설명하는 글을 썼다.

📖 교과서 문제

1 한결이와 이모는 어떤 박물관에 갔습니까?

( )

핵심

3 한결이는 무엇을 설명하는 글을 썼습니까?

( )

① 로봇의 가격
② 로봇의 미래
③ 로봇을 만드는 방법
④ 로봇 과학자가 하는 일
⑤ 로봇이 하는 여러 가지 일

서술형

2 해양 탐사 로봇은 어떤 일을 하는지 쓰시오.

_____

_____

📖 교과서 문제

4 한결이가 쓴 글에서 가장 중심이 되는 문장을 찾아 쓰시오.

( )

🔊 자신이 아는 장승의 모습을
떠올리며 읽기

장승

❶   장승은 여러 가지 구실을 했습니다. 우리 조상은 장승이 나쁜 병이나 기운이 마을로 들어오는 것을 막아 준다고 믿었습니다. 장승은 나그네에게 길을 알려 주기도 했습니다. 또 장승은 마을과 마을 사이를 나누는 구실도 했습니다.

5 ❷   ㉠장승은 나무나 돌에 사람 얼굴 모습을 조각해 만들었습니다. ㉡할아버지처럼 친근한 얼굴도 있고, 도깨비처럼 무서운 얼굴도 있습니다. ㉢우스꽝스러운 장난꾸러기 얼굴을 한 장승도 있습니다.

▲ 나무 장승   ▲ 돌 장승

- 글의 종류: 설명하는 글
- 글의 내용: 장승의 여러 가지 구실, 장승의 얼굴 모습에 대해 설명하였습니다.

🐛 **교과서 핵심**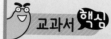

● **중심 문장과 뒷받침 문장 알기**
- 문단 ❶

중심 문장	장승은 여러 가지 구실을 했습니다.
뒷받침 문장	우리 조상은 장승이 ~ 나누는 구실도 했습니다.

- 문단 ❷

중심 문장	장승은 나무나 돌에 사람 얼굴 모습을 조각해 만들었습니다.
뒷받침 문장	할아버지처럼 ~ 얼굴을 한 장승도 있습니다.

1 다음은 문단에 대한 설명입니다. 빈칸에 알맞은 말을 쓰시오.

(1) (   )이/가 몇 개 모여 한 가지 생각을 나타내는 것을 문단이라고 한다.

(2) 문단을 시작할 때에는 (   ) 칸을 들여 쓴다.

📖 교과서 문제

2 문단 ❶에서 글쓴이가 주로 말하고자 하는 내용은 무엇입니까?   (   )

① 장승은 여러 가지 구실을 했다.
② 우리 조상은 장승을 좋아하지 않았다.
③ 장승은 나그네에게 길을 알려 주기도 했다.
④ 장승은 마을과 마을 사이를 나누는 구실을 했다.
⑤ 우리 조상은 장승이 나쁜 병이나 기운이 마을로 들어오는 것을 막아 준다고 믿었다.

핵심

3 문단 ❷에서 ㉠~㉢을 중심 문장과 뒷받침 문장으로 구분해 기호를 쓰시오.

(1) 중심 문장: (   )
(2) 뒷받침 문장: (   )

📖 교과서 문제

4 다음 글 ㉮와 글 ㉯를 읽고 중심 문장에 각각 밑줄을 그으시오.

㉮   설날에는 연날리기나 제기차기를 합니다. 정월 대보름에는 쥐불놀이를 합니다. 단오에는 씨름이나 그네뛰기를 합니다. 이처럼 우리나라에는 명절마다 하는 놀이가 있습니다.

㉯   불은 원시인의 삶을 크게 바꾸어 놓았습니다. 원시인들은 불을 피워 추위를 이겨 냈습니다. 불을 피워 사나운 동물의 공격도 피할 수 있었습니다. 원시인들은 불로 음식을 익혀 먹기도 했습니다.

🔊 중심 문장과 뒷받침
문장을 생각하며 읽기

옛날에는 어떤 과자를 먹었을까요

❶ 우리 조상은 여러 가지 한과를 만들어 먹었습니다. 한과는 전통 과자를
말합니다. 한과에는 약과, 강정, 엿처럼 여러 가지가 있습니다. 요즘에는 한
과를 주로 시장에서 사 먹지만, 옛날에는 한과를 집에서 만들어 먹었습니다.

❷ 약과는 밀가루를 꿀과 기름 따위로 반죽해 기름에 지진 과자입니다.

5 꿀물이나 조청에 넣어 두어 속까지 맛이 배면 꺼내어 먹습니다. 지금은
엿과 같은 것을 골 때 묽게 고아서 굳지 않은 엿
국화 모양을 본떠서 많이 만들지만, 옛날에는 새, 물고기 같은 모양으로
만들었다고 합니다. 약과를 만들 때에는 만들고 싶은 모양으로 나무를 파
서, 반죽한 것을 그 속에 넣어 찍어 냅니다.

❸ 강정은 찹쌀가루를 반죽해 기름에 튀긴 뒤에 ♥고물을 묻힌 과자입니다.

10 찹쌀가루를 반죽할 때에는 꿀과 술을 넣습니다. 그런 다음에 끈기가 생길
물건의 끈적끈적한 기운
때까지 반죽을 쳐서 갸름하게 썰어 말린 뒤 기름에 튀깁니다. 깨, 잣가루,
콩가루와 같은 고물을 묻혀 먹습니다.

❹ ㉠엿은 곡식이나 고구마 녹말에 ♥엿기름을 넣어 달게 졸인 과자입니
다. ㉡엿을 만드는 데 쓰이는 곡식으로는 쌀, 찹쌀, 옥수수, 조 따위가 있

15 습니다. ㉢엿을 만들 때 호두나 깨, 콩 따위를 섞으면 더욱 맛있습니다.
㉣옛날에는 가락엿을 부러뜨려, 그 속의 구멍이 더 많고 더 큰 쪽이 이기
는 엿치기를 하기도 했습니다.

• 글의 종류: 설명하는 글
• 글의 내용: 한과인 약과, 강정, 엿에 대
해 설명하였습니다.

▲ 약과　　　▲ 강정　　　▲ 엿

♥고물 인절미나 경단 따위의 겉에 묻히
는 가루로 된 재료.
♥엿기름 보리에 물을 부어 싹이 트게
한 다음에 말린 것.

🐌 교과서 핵심

◦문단의 중심 문장 파악하기

문단 ❶	우리 조상은 여러 가지 한 과를 만들어 먹었습니다.
문단 ❷	약과는 밀가루를 ~ 기름 에 지진 과자입니다.
문단 ❸	강정은 찹쌀가루를 ~ 고 물을 묻힌 과자입니다.
문단 ❹	엿은 곡식이나 ~ 넣어 달 게 졸인 과자입니다.

📖 교과서 문제

1 우리 조상이 만들어 먹던 과자를 무엇이라고
합니까?

(　　　　　　　　　　)

핵심 서술형

2 문단 ❶의 중심 문장과 뒷받침 문장을 쓰시오.

| 중심
문장	(1)
뒷받침
문장	• 한과는 전통 과자를 말합니다.
• (2)
• 요즘에는 한과를 주로 시장에서 사 먹지만, 옛날에는 한과를 집 에서 만들어 먹었습니다. |

📖 교과서 문제

3 한과에 알맞은 설명을 선으로 이으시오.

약과　•

강정　•

엿　•

• ① 찹쌀가루를 반죽해 기름에
튀긴 뒤에 고물을 묻힌 과자

• ② 쌀, 찹쌀 같은 곡식이나 고
구마 녹말에 엿기름을 넣어
달게 졸인 과자

• ③ 밀가루를 꿀과 기름 따위로
반죽해 기름에 지진 과자

역량

4 문단 ❹의 ㉠~㉣을 중심 문장과 뒷받침 문
장으로 구분해 기호를 쓰시오.

(1) 중심 문장: (　　　　　　　　)
(2) 뒷받침 문장: (　　　　　　　　)

2
단원

📖 교과서 문제

1~2 다음을 보고, 물음에 답하시오.

● 중심 내용을 생각하며 생각그물 살펴보기

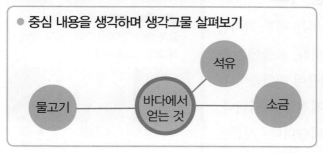

1 이 생각그물에서 중심 내용은 무엇입니까?

(   )

📖 교과서 문제

2 이 생각그물을 참고해 문단을 완성할 때 빈칸에 들어갈 알맞은 문장은 무엇입니까? (   )

> 우리는 바다에서 많은 것을 얻습니다. 바닷물로 소금을 만들 수 있습니다. 바다에서 석유도 얻을 수 있습니다. ＿＿＿＿＿＿＿

① 바다는 넓습니다.
② 바다는 위험합니다.
③ 바다에 가지 말아야 합니다.
④ 바다에서 재미있게 놀 수 있습니다.
⑤ 바다에서 물고기를 잡을 수 있습니다.

서술형

3 다음 생각그물을 참고해 문단을 완성하시오.

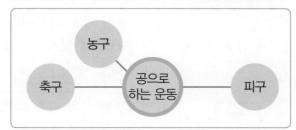

> 공으로 하는 운동에는 여러 가지가 있습니다. 축구는 발로 공을 차서 골대에 넣는 운동입니다. ＿＿＿＿＿＿＿
> ＿＿＿＿＿＿＿ 피구는 공을 던져 상대를 맞히는 운동입니다.

4 자신이 무엇에 대해 글을 쓰고 싶은지 한 가지 써 보시오.

(   )

5 자신이 쓰고 싶은 것을 자세히 알아보는 방법입니다. 빈칸에 알맞은 말을 쓰시오.

| 도서관에서 책을 찾아본다. | (   )로 검색해 본다. | 부모님이나 전문가께 여쭈어본다. |

핵심

6 쓰고 싶은 것을 정해 한 문단으로 글을 쓸 때, 다음에서 중심 문장과 뒷받침 문장으로 어울리는 것을 골라 기호를 쓰시오.

> ㉠ 우리를 가르쳐 주시는 선생님이 있습니다.
> ㉡ 우리의 안전을 지켜 주시는 경찰관이 있습니다.
> ㉢ 우리 주변에는 다양한 직업이 있습니다.
> ㉣ 또 맛있는 음식을 만들어 주시는 요리사도 있습니다.

(1) 중심 문장: (   )
(2) 뒷받침 문장: (   )

🐌 교과서 핵심

● 중심 문장과 뒷받침 문장을 생각하며 문단 쓰기

중심 문장	• 생각이 잘 드러나게 쓴다. • 가장 중요한 내용을 쓴다.
뒷받침 문장	• 중심 문장을 덧붙여 설명하도록 쓴다. • 중심 문장의 내용을 잘 알려 주는 예를 들 수 있다.

● 자신이 가장 좋아하는 놀이를 떠올려 정리하기

놀이	참여하는 사람의 수	준비물	놀이 방법
예 딱지치기	예 두 명	예 딱지를 접을 종이	예 종이 두 개를 엇갈리게 접어 네모 모양으로 만든 뒤 바닥에 있는 상대의 딱지를 쳐서 넘긴다.

●좋아하는 놀이 떠올리기 예

● 문단 만드는 놀이를 하기

이 놀이는 여러 가지 방법으로 할 수 있습니다. 한 발로 오래 차는 방법도 있습니다. 그리고 두 발로 번갈아 차는 방법도 있습니다. 이 놀이는 무엇일까요?

놀이 방법

① 놀이 설명을 정리한 붙임 자료를 선생님께 낸다.
② 붙임 자료를 모아 놓고 선생님께서 하나를 고르신다.
③ 선생님께서 고르신 붙임 자료를 쓴 친구가 앞으로 나와, 자신이 좋아하는 놀이를 중심 문장과 뒷받침 문장을 갖추어 자세히 설명한다.
④ 다른 친구들은 설명을 잘 듣고 어떤 놀이인지 알아맞힌다.

○문단 만드는 놀이를 할 때 주의할 점
• 자신이 좋아하는 놀이를 설명할 때 중심 문장과 뒷받침 문장을 생각하며 설명한다.
• 친구의 이야기를 끝까지 잘 듣고 어떤 놀이인지 알아맞힌다.
• 차례를 지키며 놀이를 진행한다.

📖 교과서 문제

1 자신이 가장 좋아하는 놀이를 떠올려 쓰시오.
(   )

2 놀이에 대한 설명을 정리한 다음 표에서 빈칸에 알맞은 말을 쓰시오.

놀이	딱지치기
참여하는 사람의 수	두 명
	딱지를 접을 종이(신문지나 두꺼운 종이)
놀이 방법	종이 두 개를 엇갈리게 접어 네모 모양으로 만든 뒤 바닥에 있는 상대의 딱지를 쳐서 넘긴다.

핵심

3 문단 만들기 놀이를 하는 방법으로 알맞지 않은 것은 무엇입니까? (   )
① 뒷받침 문장만 말한다.
② 차례를 지키며 놀이를 진행한다.
③ 좋아하는 놀이 설명을 정리한다.
④ 친구의 이야기를 끝까지 잘 듣는다.
⑤ 중심 문장과 뒷받침 문장을 갖추어 설명한다.

역량

4 딱지치기 놀이에 대해 한 문단으로 글을 쓰려고 할 때 빈칸에 알맞은 내용을 써 보시오.
• 제가 좋아하는 놀이는 딱지치기입니다. 딱지치기에 참여하는 사람의 수는 두 명입니다.

_____

_____

2
단원

기본 · 39쪽 중심 문장과 뒷받침 문장을 파악하며 글 읽기

동물들의 보호색

　㉠동물들은 보호색으로 자신의 몸을 지킵니다. ㉡나뭇잎을 기어
다니는 애벌레는 초록색이어서 눈에 잘 띄지 않습니다. ㉢나방은 나
무껍질과 비슷한 보호색으로 천적을 속입니다. ㉣개구리도 사는 곳
에 따라 녹색이나 갈색으로 색깔을 바꾸어 자신을 보호합니다. ㉤눈
5 신토끼는 계절에 따라 털색을 바꾸는 동물입니다.

▲ 애벌레　　　▲ 나방　　　▲ 개구리　　　▲ 눈신토끼

1 이 글의 중심 문장과 뒷받침 문장을 찾아 빈칸에 ㉠~㉤의 기호를 쓰시오.

중심 문장	

뒷받침 문장	
뒷받침 문장	
뒷받침 문장	
뒷받침 문장	

기본 · 40쪽 중심 문장과 뒷받침 문장을 생각하며 문단 쓰기

내가 좋아하는 동물, 햄스터

　　[　　　　　　　　] 햄스터는 작고 귀엽게 생겼습
니다. 햄스터는 영리해서 똥오줌도 스
스로 가립니다. 또 햄스터는 자기 집을
늘 깨끗하게 청소합니다. 햄스터는 종류
5 도 다양합니다. 그래서 내가 키우고 싶
은 종류를 선택해서 기를 수 있습니다.

▲ 햄스터

2 빈칸에 들어갈 중심 문장으로 알맞은 것을 찾아 ○표를 하시오.

(1) 나는 햄스터를 좋아합니다.　　　　　　(　　)
(2) 햄스터는 좁은 공간에서도 기를 수 있습니다. (　　)

기초 다지기 낱말의 표기에 주의하기

3 다음 글에서 파란색으로 쓰인 '않 갔다', '않 나아서'를 바르게 고쳐 쓰시오.

> 오늘은 공휴일이어서 학교에 않 갔다. 친구들이랑 축구를 하려고 먼저 현지에게 전화
> 를 걸었다. 현지는 지난번에 다친 발이 아직 않 나아서 축구를 할 수 없다고 했다.

(1) 않 갔다 → (　　　　　　　　　　)　　(2) 않 나아서 → (　　　　　　　　　　)

4 파란색으로 쓰인 낱말 가운데에서 바른 표기를 고르시오.

(1) 친구에게 (안 , 않) 좋은 일이 생기지 않도록 기도하자.
(2) 친구는 까닭도 묻지 (않고 , 안고) 나를 도와주었습니다.
(3) 평소에 운동을 하지 (않았다면 , 안았다면) 몸이 많이 약해졌을 거야.

단원 마무리

준비 ......

❯ 설명하는 글을 쓴 경험 나누기

⑩ 한결이가 쓴 글 살펴보기

설명하는 내용	❶ ☐☐이/가 하는 여러 가지 일
가장 중심이 되는 문장	로봇은 여러 가지 일을 합니다.

기본 ......

❯ 중심 문장과 뒷받침 문장 알기

⑩ 「장승」에서 중심 문장과 뒷받침 문장 알기

문단 ❶ | 중심 문장 장승은 여러 가지 ❷☐☐을/를 했습니다.

뒷받침 문장	뒷받침 문장	뒷받침 문장
우리 조상은 장승이 나쁜 병이나 기운이 마을로 들어오는 것을 막아 준다고 믿었습니다.	장승은 나그네에게 길을 알려 주기도 했습니다.	또 장승은 마을과 마을 사이를 나누는 구실도 했습니다.

기본 ......

❯ 중심 문장과 뒷받침 문장을 파악하며 글 읽기

⑩ 「옛날에는 어떤 과자를 먹었을까요」에서 중심 문장과 뒷받침 문장 파악하기

문단	중심 문장	뒷받침 문장
❶	우리 조상은 여러 가지 ❸☐☐을/를 만들어 먹었습니다.	• 한과는 전통 과자를 말합니다. • 한과는 약과, ~ 여러 가지가 있습니다. • 요즘에는 한과를 ~ 만들어 먹었습니다.
❷	약과는 밀가루를 꿀과 기름 따위로 반죽해 기름에 지진 과자입니다.	• 꿀물이나 조청에 ~ 꺼내어 먹습니다. • 지금은 국화 ~ 만들었다고 합니다. • 약과를 만들 때에는 ~ 찍어 냅니다.
❸	강정은 찹쌀가루를 반죽해 기름에 튀긴 뒤에 고물을 묻힌 과자입니다.	• 찹쌀가루를 반죽할 ~ 술을 넣습니다. • 그런 다음에 끈기가 ~ 기름에 튀깁니다. • 깨, 잣가루 ~ 고물을 묻혀 먹습니다.
❹	엿은 곡식이나 고구마 녹말에 엿기름을 넣어 달게 졸인 과자입니다.	• 엿을 만드는 데 ~ 조 따위가 있습니다. • 엿을 만들 때 호두나 ~ 더욱 맛있습니다. • 옛날에는 ~ 엿치기를 하기도 했습니다.

• 단원 평가 **더 풀기** >> 평가 교재 8~13쪽

1~2 글을 읽고, 물음에 답하시오.

> ㉠로봇은 여러 가지 일을 합니다. ㉡감시용 로봇은 도둑이 집에 들어오는지 살피는 일을 합니다. ㉢해양 탐사 로봇은 바다 깊은 곳에 가서 그곳 상태를 조사합니다. ㉣정확하게 수술할 수 있도록 도와주는 의료용 로봇도 있습니다.

1 글쓴이는 무엇을 설명하는 글을 썼습니까?

( )

① 로봇의 모양
② 로봇을 발명한 사람
③ 의료용 로봇의 미래
④ 로봇이 하는 여러 가지 일
⑤ 바다의 상태를 조사하는 방법

2 ㉠~㉣ 중 글에서 가장 중심이 되는 문장은 무엇인지 기호를 쓰시오.

( )

3~7 글을 읽고, 물음에 답하시오.

> ㉠장승은 여러 가지 구실을 했습니다. ㉡우리 조상은 장승이 나쁜 병이나 기운이 마을로 들어오는 것을 막아 준다고 믿었습니다. ㉢장승은 나그네에게 길을 알려 주기도 했습니다. ㉣또 장승은 마을과 마을 사이를 나누는 구실도 했습니다.
> 장승은 나무나 돌에 사람 얼굴 모습을 조각해 만들었습니다. 할아버지처럼 친근한 얼굴도 있고, 도깨비처럼 무서운 얼굴도 있습니다. 우스꽝스러운 장난꾸러기 얼굴을 한 장승도 있습니다.

3 이 글은 크게 몇 가지 내용으로 구분할 수 있는지 쓰시오.

( )

4 문단 사이는 어떻게 되어 있는지 알맞은 것에 ○표를 하시오.

(1) 한 줄을 비우고 나서 시작했다. ( )
(2) 줄을 바꾼 다음에 한 칸을 들여 쓰고 시작했다. ( )
(3) 줄을 바꾸지 않고 바로 다음 문단의 내용을 이어서 시작했다. ( )

중요

5 ㉠~㉣ 중에서 문단 내용을 대표하는 문장의 기호를 쓰시오.

( )

서술형

6 두 번째 문단에서 글쓴이가 주로 말하고자 하는 내용은 무엇인지 쓰시오.

_____

_____

7 이 글에 나타난 장승에 대한 내용으로 알맞지 않은 것은 무엇입니까? ( )

① 장승은 나그네에게 길을 알려 주었다.
② 할아버지처럼 친근한 얼굴의 장승도 있었다.
③ 장승은 마을과 마을 사이를 나누는 구실을 했다.
④ 장승의 얼굴 모습은 무섭게 보이는 것이 중요했다.
⑤ 우리 조상은 장승이 나쁜 병이나 기운이 마을로 들어오는 것을 막아 준다고 믿었다.

8 다음 문장들이 한 문단에 들어갈 때 중심 문장으로 어울리는 것에 ○표를 하시오.

(1) 정월 대보름에는 쥐불놀이를 합니다.
( )

(2) 단오에는 씨름이나 그네뛰기를 합니다.
( )

(3) 설날에는 연날리기나 제기차기를 합니다.
( )

(4) 우리나라에는 명절마다 하는 놀이가 있습니다.
( )

9~11 글을 읽고, 물음에 답하시오.

우리 조상은 여러 가지 한과를 만들어 먹었습니다. 한과는 전통 과자를 말합니다. 한과는 약과, 강정, 엿처럼 여러 가지가 있습니다. 요즘에는 한과를 주로 시장에서 사 먹지만, 옛날에는 한과를 집에서 만들어 먹었습니다.
㉠약과는 밀가루를 꿀과 기름 따위로 반죽해 기름에 지진 과자입니다. ㉡꿀물이나 조청에 넣어 두어 속까지 맛이 배면 꺼내어 먹습니다. ㉢지금은 국화 모양을 본떠서 많이 만들지만, 옛날에는 새, 물고기 같은 모양으로 만들었다고 합니다. ㉣약과를 만들 때에는 만들고 싶은 모양으로 나무를 파서, 반죽한 것을 그 속에 넣어 찍어 냅니다.

9 한과는 무엇을 말합니까?
( )

10 다음 중 한과에 해당하는 것을 세 가지 고르시오.
(, ,)

① 엿 　　② 약과 　　③ 전병
④ 강정 　　⑤ 피자

11 두 번째 문단의 ㉠~㉣을 중심 문장과 뒷받침 문장으로 구분해 기호를 쓰시오.

(1) 중심 문장: ( )

(2) 뒷받침 문장: ( )

12~14 글을 읽고, 물음에 답하시오.

강정은 찹쌀가루를 반죽해 기름에 튀긴 뒤에 고물을 묻힌 과자입니다. 찹쌀가루를 반죽할 때에는 꿀과 술을 넣습니다. 그런 다음에 끈기가 생길 때까지 반죽을 쳐서 갸름하게 썰어 말린 뒤 기름에 튀깁니다. 깨, 잣가루, 콩가루와 같은 고물을 묻혀 먹습니다.
엿은 곡식이나 고구마 녹말에 엿기름을 넣어 달게 졸인 과자입니다. 엿을 만드는 데 쓰이는 곡식으로는 쌀, 찹쌀, 옥수수, 조 따위가 있습니다. 엿을 만들 때 호두나 깨, 콩 따위를 섞으면 더욱 맛있습니다. 옛날에는 가락엿을 부러뜨려, 그 속의 구멍이 더 많고 더 큰 쪽이 이기는 엿치기를 하기도 했습니다.

12 다음은 어떤 과자에 대한 설명인지 쓰시오.

찹쌀가루를 반죽해 기름에 튀긴 뒤에 고물을 묻힌 과자

( )

13 강정에 들어가는 재료가 아닌 것은 무엇입니까?
( )

① 술 　　　② 깨 　　　③ 꿀
④ 엿기름 　⑤ 찹쌀가루

중요
14 다음 중 두 번째 문단의 중심 문장은 무엇인지 번호를 쓰시오.

① 엿을 만들 때 호두나 깨, 콩 따위를 섞으면 더욱 맛있습니다.
② 엿은 곡식이나 고구마 녹말에 엿기름을 넣어 달게 졸인 과자입니다.
③ 엿을 만드는 데 쓰이는 곡식으로는 쌀, 찹쌀, 옥수수, 조 따위가 있습니다.
④ 옛날에는 가락엿을 부러뜨려, 그 속의 구멍이 더 많고 더 큰 쪽이 이기는 엿치기를 하기도 했습니다.

( )

국어 활동

15 다음 글의 뒷받침 문장에서 예로 든 동물의 이름을 <u>모두</u> 찾아 쓰시오.

> 동물들은 보호색으로 자신의 몸을 지킵니다. 나뭇잎을 기어 다니는 애벌레는 초록색이어서 눈에 잘 띄지 않습니다. 나방은 나무껍질과 비슷한 보호색으로 천적을 속입니다. 개구리도 사는 곳에 따라 녹색이나 갈색으로 색깔을 바꾸어 자신을 보호합니다. 눈신토끼는 계절에 따라 털색을 바꾸는 동물입니다.

( )

서술형

16 다음 **보기** 를 참고해 문단을 완성할 때 빈칸에 알맞은 말을 쓰시오.

보기

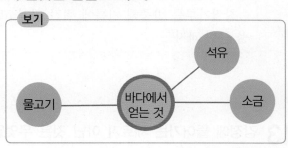

> 우리는 바다에서 많은 것을 얻습니다. 바닷물로 소금을 만들 수 있습니다. 바다에서 석유도 얻을 수 있습니다. 바다에서

_____

_____

17 '공으로 하는 운동'에 대한 글을 쓰려고 합니다. 떠올릴 내용으로 알맞지 <u>않은</u> 것은 무엇입니까? ( )

① 축구　　② 농구
③ 야구　　④ 피구
⑤ 수영

18 무엇에 대해 글을 쓸지 생각한 다음 내용을 보고 어울리는 중심 문장을 쓰시오.

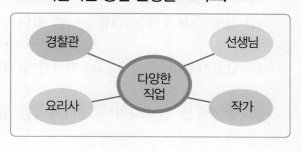

_____

_____

국어 활동

19 다음 글의 빈칸에 들어갈 중심 문장으로 알맞은 것은 무엇입니까? ( )

> ┌─────────────────────┐
> └─────────────────────┘
> 햄스터는 작고 귀엽게 생겼습니다. 햄스터는 영리해서 똥오줌도 스스로 가립니다. 또 햄스터는 자기 집을 늘 깨끗하게 청소합니다. 햄스터는 종류도 다양합니다. 그래서 내가 키우고 싶은 종류를 선택해서 기를 수 있습니다.

① 나는 동물을 좋아합니다.
② 나는 햄스터를 좋아합니다.
③ 햄스터를 괴롭히면 안 됩니다.
④ 햄스터의 종류는 여러 가지입니다.
⑤ 햄스터는 좁은 공간에서도 기를 수 있습니다.

중요

20 문단의 뒷받침 문장을 쓰는 방법으로 알맞은 것을 두 가지 고르시오. (,)

① 문장을 길게 쓴다.
② 꾸미는 말을 꼭 넣어 쓴다.
③ 중심 문장의 내용과 반대되는 내용을 쓴다.
④ 중심 문장을 덧붙여 설명하는 내용으로 쓴다.
⑤ 중심 문장의 내용을 이해하기 쉽게 예를 들어 쓴다.

서술형 평가

1 문단에서 첫 문장의 첫 글자는 어디에서 시작하는지 쓰시오.

_____

_____

2 다음 글에서 글쓴이가 주로 말하고자 하는 내용은 무엇인지 쓰시오.

> 장승은 여러 가지 구실을 했습니다. 우리 조상은 장승이 나쁜 병이나 기운이 마을로 들어오는 것을 막아 준다고 믿었습니다. 장승은 나그네에게 길을 알려 주기도 했습니다. 또 장승은 마을과 마을 사이를 나누는 구실도 했습니다.

_____

_____

3 첫 번째 문단의 중심 문장과 뒷받침 문장을 쓰시오.

(1) 중심 문장	
(2) 뒷받침 문장	

4 엿치기는 어떻게 하는 놀이인지 쓰시오.

_____

_____

3~4 글을 읽고, 물음에 답하시오.

> 강정은 찹쌀가루를 반죽해 기름에 튀긴 뒤에 고물을 묻힌 과자입니다. 찹쌀가루를 반죽할 때에는 꿀과 술을 넣습니다. 그런 다음에 끈기가 생길 때까지 반죽을 쳐서 갸름하게 썰어 말린 뒤 기름에 튀깁니다. 깨, 잣가루, 콩가루와 같은 고물을 묻혀 먹습니다.
>
> 엿은 곡식이나 고구마 녹말에 엿기름을 넣어 달게 졸인 과자입니다. 엿을 만드는 데 쓰이는 곡식으로는 쌀, 찹쌀, 옥수수, 조 따위가 있습니다. 엿을 만들 때 호두나 깨, 콩 따위를 섞으면 더욱 맛있습니다. 옛날에는 가락엿을 부러뜨려, 그 속의 구멍이 더 많고 더 큰 쪽이 이기는 엿치기를 하기도 했습니다.

5 보기 를 참고해 문단을 완성하시오.

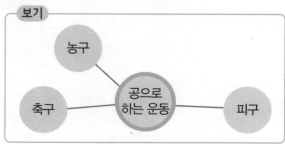

> 축구는 발로 공을 차서 골대에 넣는 운동입니다. 농구는 손으로 공을 상대편 골대에 던져서 넣는 운동입니다. 피구는 공을 던져 상대를 맞히는 운동입니다.

낱말 퀴즈

● 다음 교과서 문장의 파란색 낱말 중에서 알맞은 것을 골라 인물들이 한 말을 완성하시오.

> • 해양 **탐사** 로봇은 바다 깊은 곳에 가서 그곳 상태를 조사합니다.
> • 장승은 여러 가지 **구실**을 했습니다.
> • 우리 **조상**은 장승이 나쁜 병이나 기운이 마을로 들어오는 것을 막아 준다고 믿었습니다.
> • 장승은 나무나 돌에 사람 얼굴 모습을 **조각**해 만들었습니다.

정답 | ❶ 탐사 ❷ 조각 ❸ 구실 ❹ 조상

3
알맞은 높임 표현

무엇을 배울까요?

기본

● 높임 표현을 사용하는 방법 알기

● 높임 표현과 언어 예절을 생각하며 대화하기

준비

● 높임 표현을 사용하는 경우 알기

실천

● 높임 표현을 사용해 역할놀이하기

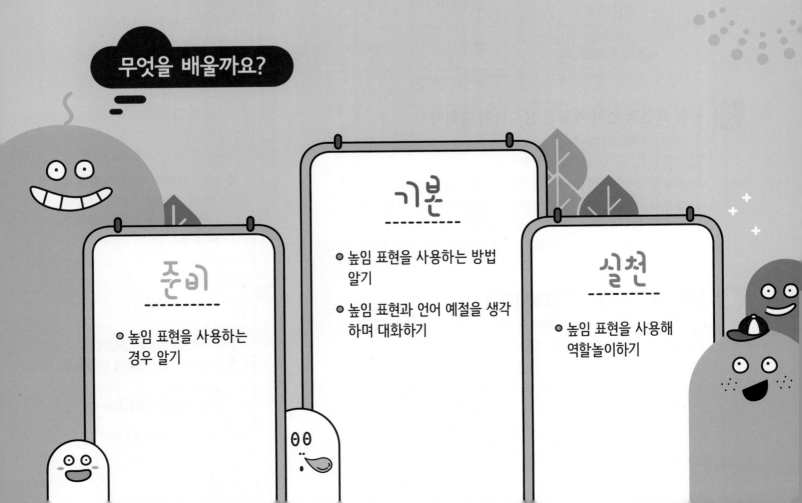

1 높임 표현을 사용하는 경우

① 높임 표현이란 대상을 높이기 위한 표현입니다.
② 높임 표현에는 대상을 공경하는 마음이 담겨 있습니다.
③ 듣는 사람이 웃어른일 때, 행동하는 사람이 웃어른일 때, '누구에게'에 해당하는 사람이 웃어른일 때 높임 표현을 씁니다.

예
아버지, 이 책이 재미있을 것 같아요.

저기 선생님께서 가신다.

→ 높임 표현을 사용하는 경우는 다양합니다. 대상이 웃어른인지 아닌지, 말하는 사람과 어느 정도 친한지, 듣는 사람이 혼자인지 여럿인지 등에 따라 높임 표현이 달라집니다.

2 높임 표현을 사용하는 방법

'-습니다' 또는 '요'를 써서 문장을 끝맺습니다.	예 아버지, 학교에 다녀왔습니다.
높임을 나타내는 '-시-'를 넣습니다.	예 선생님께서도 여기로 오시니?
높임의 대상에게 '께서'나 '께'를 사용합니다.	예 할아버지께서 오셨어요.
높임의 뜻이 있는 특별한 낱말을 사용합니다.	예 할아버지, 진지 잡수세요.

→ 높임의 뜻이 있는 특별한 낱말로 '생신', '댁', '여쭈어보다' 등이 있습니다.

3 높임 표현과 언어 예절을 생각하며 대화하기

① 바른 자세로 말합니다.
② 듣는 사람을 바라보면서 말합니다.
③ 알맞은 높임 표현을 사용하여 예의 바르게 말합니다.
④ 상대를 존중하고 공경하는 마음, 겸손한 마음을 지닙니다.
⑤ 높이지 않아도 되는 물건에 높임 표현을 사용하지 않습니다.
   예 이 신발이 요즘 인기 있는 신발이세요.(×) → 신발이에요.(○)

4 높임 표현을 사용해 역할놀이하기

① 역할놀이 할 장면을 떠올려 봅니다.
② 역할놀이 대본을 만들어 봅니다.
③ 역할놀이를 할 때 주의할 점을 지키며 역할놀이를 합니다.
   • 높임의 대상에 맞게 알맞은 높임 표현을 사용해야 합니다.
   • 높임의 방법에 맞게 높임을 나타내야 합니다.
   • 높이는 상대를 존중하고 존경하는 마음이 있어야 합니다.

---

1 ☐☐ 표현이란 대상을 높이기 위한 표현입니다.

2 듣는 사람이나 행동하는 사람이 어느 경우일 때 높임 표현을 쓰는지 찾아 ○표를 하시오.
(1) 웃어른일 때 ( )
(2) 친구나 동생일 때 ( )

3 다음 높임 표현은 무엇을 써서 문장을 끝맺었습니까?

학교에 다녀왔습니다.

( )

4 높임 표현과 언어 예절을 생각하며 대화할 때에는 상대를 (존중하는 , 무시하는) 마음을 지닙니다.

5 높임 표현을 사용해 역할놀이를 할 때 ☐☐의 방법에 맞게 높임을 나타내야 합니다.

준비

높임 표현을 사용하는 경우 알기

정답과 해설 ● 11쪽

3
단원

● 높임 표현을 사용하는 경우를 생각하며 대화 보기

가 진수야, 이 책이 재미있을 것 같아.

나 아버지, 이 책이 재미있을 것 같아요.

다 저기 진호가 간다.

라 저기 선생님께서 가신다.

마 동생에게 줄 선물이야.

바 어머니께 드릴 선물이야.

● **그림 설명:** 듣는 사람, 행동하는 사람, '누구에게'에 해당하는 사람이 누구인 지에 따라 사용하는 말이 다른 상황이 나타나 있습니다.

교과서 핵심

◎ 높임 표현을 사용하는 경우

대화	높인 대상	사용한 높임 표현
나	아버지	같아요
라	선생님	께서, 가신다
바	어머니	께, 드릴

듣는 사람, 행동하는 사람, '누구에 게'에 해당하는 사람이 웃어른일 때 높임 표현을 사용한다.

---

1 높임 표현에 대한 설명입니다. 빈칸에 알맞은 말을 쓰시오.

(1) 높임 표현이란 대상을 ( ) 위한 표현입니다.

(2) 높임 표현에는 대상을 ( ) 하는 마음이 담겨 있습니다.

📖 교과서 문제

2 대화 나, 라, 바에서 높인 대상을 쓰시오.

대화	높인 대상
나	(1)
라	(2)
바	(3)

핵심

3 대화 가~바에서 사용한 높임 표현이 아닌 것은 무엇입니까? ( )

① 께 　　　② 에게
③ 드릴 　　④ 가신다
⑤ 같아요

역량

4 높임 표현을 사용하는 경우를 세 가지 고르시오. (, ,)

① 듣는 사람이 웃어른일 때
② 행동하는 사람이 웃어른일 때
③ 듣는 사람이 자신보다 어릴 때
④ 행동하는 사람이 모르는 사람일 때
⑤ '누구에게'에 해당하는 사람이 웃어른일 때

기본 〈 높임 표현을 사용하는 방법 알기

● 대화에서 알맞은 높임 표현 고르기

가 아버지, 학교에 (다녀왔다 , 다녀왔습니다).

나 친구에게 고운 말을 사용하면 (좋겠다 , 좋겠습니다).

다 선생님께서도 여기로 (오니 , 오시니)?

아마 그러실 거야.

라 어머니, 오늘은 출근 안 (하나요 , 하시나요)?

응, 오늘은 회사 쉬는 날이야.

• 그림 설명: 높임 표현을 사용해야 하는 상황에서 높임을 표현하는 방법이 나타나 있습니다.

교과서 핵심

○높임 표현을 사용하는 방법

대화	알맞은 높임 표현	높임을 표현한 방법
가	다녀왔습니다	'-습니다'를 써서 문장을 끝맺는다.
나	좋겠습니다	
다	오시니	높임을 나타내는 '-시-'를 넣는다.
라	하시나요	

📖 교과서 문제

1 대화 가, 나에서 알맞은 높임 표현에 ○표를 하시오.

(1) 아버지, 학교에 (다녀왔다 , 다녀왔습니다).

(2) 친구에게 고운 말을 사용하면 (좋겠다 , 좋겠습니다).

핵심

2 1번 문제 답에서 높임을 표현한 방법은 무엇입니까? ( )

① '-해'를 써서 문장을 끝맺는다.
② '-야'를 써서 문장을 끝맺는다.
③ '-래'를 써서 문장을 끝맺는다.
④ '-거나'를 써서 문장을 끝맺는다.
⑤ '-습니다'를 써서 문장을 끝맺는다.

📖 교과서 문제

3 대화 다, 라에서 알맞은 높임 표현에 ○표를 하시오.

(1) 선생님께서도 여기로 (오니 , 오시니)?

(2) 어머니, 오늘은 출근 안 (하나요 , 하시나요)?

역량

4 3번 문제 답에서 높임을 표현한 방법을 정리해 보시오.

높임을 나타내는 '( )'을/를 넣는다.

3 단원

● 대화에서 알맞은 높임 표현 고르기

가 할아버지(㉠) 오셨어요.

나 할머니(㉡) 선물을 드릴게요.

다 할아버지, (밥 , 진지) 잡수세요.

라 할머니, (물어볼 , 여쭈어볼) 것이 있어요.

• 그림 설명: 높임 표현을 사용해야 하는 상황에서 높임을 표현하는 방법이 나타나 있습니다.

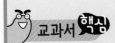 교과서 **핵심**

◦ **높임 표현을 사용하는 방법**

대화	알맞은 높임 표현	높임을 표현한 방법
가	께서	높임의 대상에게 '께서'나 '께'를 사용한다.
나	께	
다	진지	높임의 뜻이 있는 특별한 낱말을 사용한다.
라	여쭈어볼	

📖 교과서 문제

5 ㉠, ㉡에 들어갈 알맞은 높임 표현을 찾아 선으로 이으시오.

㉠ •
            • ① 가
            • ② 께
㉡ •
            • ③ 에게
            • ④ 께서

서술형

6 5번 문제 답에서 알 수 있는 높임을 표현한 방법을 정리하여 쓰시오.

_____

_____ 사용한다.

핵심

7 대화 다, 라의 낱말은 각각 어떤 경우에 사용하는지 알맞지 않은 것은 무엇입니까? (　　　)

① '진지'는 웃어른께 사용한다.
② '여쭈어볼'은 웃어른께 사용한다.
③ '밥'은 친구나 동생에게 사용한다.
④ '물어볼'은 친구나 동생에게 사용한다.
⑤ '밥'은 높임의 뜻이 있는 특별한 낱말이다.

8 대화 다, 라에 나온 것 이외에 높임의 뜻이 있는 특별한 낱말을 생각하여 한 가지 쓰시오.

(　　　　　　　　　)

● 웃어른과 대화할 때 지켜야 할 언어 예절을 생각하며 대화보기

애야, 무엇을 그렇게 재미있게 보니?

지난겨울에 찍은 내 사진이야. 할머니도 한번 볼래?

• 그림 설명: 사진을 보는 여자아이와 할머니가 대화를 나누고 있습니다.

🐛 교과서 핵심

◦ 여자아이가 지켜야 할 언어 예절

자세	• 바른 자세로 말한다. • 듣는 사람을 바라보면서 말한다.
표현	• 알맞은 높임 표현을 사용한다. • 예의 바르게 말한다.

📖 교과서 문제

1 할머니와 대화를 하는 여자아이에 대한 설명으로 알맞지 <u>않은</u> 것은 무엇입니까? (　　)

① 아무 대답도 하지 않았다.
② 엎드린 자세로 대화하였다.
③ 스마트폰을 보면서 대화하였다.
④ 무뚝뚝한 표정으로 대화하였다.
⑤ 높임 표현을 사용하지 않고 대화하였다.

핵심

3 여자아이가 할머니와 대화할 때 지켜야 할 언어 예절로 알맞지 <u>않은</u> 것은 무엇입니까?

(　　)

① 예의 바르게 말한다.
② 바른 자세로 말한다.
③ 큰 소리로 말하지 않는다.
④ 알맞은 높임 표현을 사용한다.
⑤ 듣는 사람을 바라보면서 말한다.

📖 교과서 문제

2 여자아이와 대화하는 할머니의 마음은 어떠하시겠습니까?

_____

_____

서술형

4 여자아이가 한 말을 언어 예절에 맞게 고쳐 쓰시오.

_____

_____

◀: 언어 예절에 맞는 표현 생각하기

백화점, 편의점 등에서 물건을 높이는 말, 들어 보셨나요?

백화점, 편의점 등에서 물건을 높이는 말, 들어 보셨나요?

구두 판매원: ㉠<u>이 구두는 특별 할인 제품이시고 요.</u>
　　　　　　일정한 값에서 얼마를 뺌.

5 구두: 뭐? 내가 제품이시라고?

커피 가게 점원: ㉡<u>주문하신 아메리카노 나오셨습 니다.</u>

커피: 뭐? 내가 나오셨다고?

휴대 전화 판매원: ㉢<u>이 핸드폰은 ♥매진되셨어요.</u>

10 핸드폰: 뭐? 내가 매진되셨다고?

사회자: 이분들은 왜 이러시는 걸까요? 백화점이 나 편의점 같은 매장에서 물건을 고객처럼 존대 하는 이 불편한 현실. 여러분은 어떠십니까?
　　　　존경하여 받들어 대접하거나 대하는

물건을 높인다고 사람이 높아지지는 않습니다. 물건을 높이는 것은 버려야 할 언어 습관입니다. 　5

- • 글의 특징: 물건을 높이는 말을 사용한 잘못된 사례를 보여 주는 동영상 대본입니다.
- ♥매진(賣 팔 매, 盡 다할 진) 하나도 남지 아니하고 모두 다 팔림.

교과서 핵심 ○ 언어 예절에 맞는 표현

잘못된 말	바른 표현
㉠ 이 구두는 특별 할인 제품이시고요.	이 구두는 특별 할인 제품입니다.
㉡ 주문하신 아메리카노 나오셨습니다.	주문하신 커피 나왔습니다.
㉢ 이 핸드폰은 매진되셨어요.	이 휴대 전화는 매진되었습니다.

5 ㉠의 표현이 잘못된 까닭은 무엇인지 빈칸에 알맞은 말을 쓰시오.

- • 높임을 나타내는 '-시-'를 사용해 (　　　　　　)을/를 높였기 때문이다.

핵심

6 ㉡의 표현을 알맞은 표현으로 바르게 고친 것에 ○표를 하시오.

(1) 주문한 커피 나왔습니다.　　　　(　　)
(2) 주문하신 커피 나왔습니다.　　　(　　)
(3) 주문한 커피 나오셨습니다.　　　(　　)

서술형

7 ㉢에서 사용된 높임 표현을 바르게 고쳐 쓰시 오.

_____

_____

8 이 글에서 이야기하는, 버려야 할 언어 습관 은 무엇입니까?　　　　　　　(　　)

① 혼자서만 말하는 것
② 부정적인 말을 하는 것
③ 자신감 없는 말을 하는 것
④ 물건을 높이는 말을 사용하는 것
⑤ 다른 사람을 무시하는 말을 하는 것

● 알맞은 높임 표현 생각하기

가

저는 책 읽기를
(좋아해 , 좋아합니다).

자신이 무엇을
좋아하는지 친구들에게
발표해 봅시다.

나

정음아, 할머니
들어오셨니?

(어 , 네). 거실에
(있어요 , 계세요).

다

선생님, (할 말 , 드릴 말씀)이
(있어 , 있어요 , 있습니다). 그래요?

라

이 신발이 요즘 인기 있는
신발(이에요 , 이세요).

요즘 어떤
신발이 인기
있나요?

• 그림 설명: 높임 표현을 바르게 사용하는 방법이 나타나 있습니다.

교과서 핵심

○ 알맞은 높임 표현

대화	알맞은 높임 표현
가	듣는 사람이 선생님과 친구들이므로 '좋아합니다'를 쓴다.
나	듣는 사람이 어머니이므로 '네'를 쓴다. 거실에 있는 사람이 할머니이므로 높임을 나타내는 '계세요'를 쓴다.
다	선생님께 말씀드리므로 '드릴 말씀'을 쓴다. 듣는 사람이 선생님이므로 '있어요' 또는 '있습니다'를 쓴다.
라	신발은 물건이므로 '이에요'를 쓴다.

9 대화 가~다 중에서 듣는 사람이 선생님과 여러 명의 친구들인 경우는 무엇입니까?

(   )

📖 교과서 문제

10 대화 가~다에서 알맞은 표현에 모두 ○표를 하시오.

(1) 대화 가
저는 책 읽기를 (좋아해 , 좋아합니다).

(2) 대화 나
(어 , 네). 거실에 (있어요 , 계세요).

(3) 대화 다
선생님, (할 말 , 드릴 말씀)이 (있어 , 있어요 , 있습니다).

핵심 서술형

11 대화 라에서 (   ) 안에 들어갈 알맞은 표현을 고르고, 그 표현이 알맞다고 생각하는 까닭을 쓰시오.

_____

_____

역량

12 다음 중 높임 표현을 알맞지 않게 사용해 대화한 친구를 쓰시오.

강희: 할머니께 "진지 잡수세요."라고 말씀
드렸다.
수지: 할아버지께 "생일 축하해요."라고 말
씀드렸다.

(   )

🔖 교과서 문제

1~2 글을 읽고, 물음에 답하시오.

◀ 선생님의 말씀을 어떻게 전할지 생각하기

훈민이의 대화

선생님께서 수업 시간에 쓴 학생들의 활동지를 보고 계셨습니다. 그러다가 수현이를 찾으셨습니다.

선생님: 김수현, 수현이 어디 있니?

훈민: 조금 전에 화장실에 간 것 같던데요.

선생님: 그럼 수현이가 교실에 들어오면 좀 오라고 하렴.

잠시 뒤, 수현이가 교실에 들어와 자리에 앉았습니다. 훈민이는 수현이를 보고는 다가가서 말합니다.

훈민: 수현아, 선생님이 너 오래.

수현: 그래. 그런데 높임 표현이 좀 이상한 것 같지 않니?

훈민: 아, 선생님이 너 오시래. 아니다, 선생님께서 너 오라고 하셔. 이 표현이 맞나?

훈민이가 수현이에게 선생님의 말씀을 전하며 사용해야 할 알맞은 높임 표현은 무엇일까요?

🔖 교과서 문제

1 훈민이가 수현이에게 선생님 말씀을 전하며 사용해야 할 높임 표현을 찾아 ○표를 하시오.

(1) 선생님이 너 오래. ( )

(2) 선생님이 너 오시래. ( )

(3) 선생님께서 너 오라고 하셔. ( )

서술형

2 1번 문제에서 고른 높임 표현이 알맞다고 생각하는 까닭을 쓰시오.

_____

_____

3단원

🔖 교과서 문제

3 다음 대화에서 파란색으로 쓰인 부분을 알맞은 높임 표현을 사용해 고쳐 쓰시오.

선생님: 종이접기를 하고 남은 색종이를 사물함에 넣어 두세요.

정음: 네.

훈민: 정음아, 선생님이 뭐라고 하셨어?
　　　└ (1) (　　　　　　　　　)

정음: 남은 색종이를 사물함에 넣어 두라고 했어.
　　　└ (2) (　　　　　　　　).

4~5 그림을 보고, 물음에 답하시오.

● 알맞은 높임 표현을 생각하며 대화를 보기

4 여자아이가 한 말을 알맞은 높임 표현을 사용해 고쳐 쓴 것을 찾아 ○표를 하시오.

(1) 아버지께서 뭐래? ( )

(2) 아버지가 뭐라셔? ( )

(3) 아버지께서 뭐라고 하셨어? ( )

핵심

5 남동생이 여자아이에게 대답할 말을 알맞은 높임 표현을 사용하여 쓰시오.

(　　　　　　　　　　　)

🐌 교과서 **핵심**

● 높임 표현을 사용해 역할놀이하기

높임의 대상에 맞게 알맞은 높임 표현을 사용하기	예 선생님께서 너 오라고 하셔.

실천

● 높임 표현을 사용하는 상황 살펴보기

❶ 훈민아, 동생이랑 옆집 어른께 김치 좀 갖다드리고 올래?

네. 그런데 ㉠옆집 어른이 집에 있으실까요?

❷ 무슨 일이니?

㉡어머니께서 갖다주래요.

❸ 어머니께 이 취나물 좀 잡숴 보시라고 하렴.

와! 그런데 ㉢쟁반이 너무 예쁘세요.

네, 감사합니다.

❹ 심부름 다녀왔습니다.

그래. 우리 훈민이와 서경이가 심부름을 잘했구나.

㉣옆집 어른이 고맙다고 했어.

• 그림 설명: 훈민이와 동생 서경이가 어머니의 심부름으로 옆집 어른께 김치를 가져다드렸습니다.

교과서 핵심

○ 높임 표현을 바르게 사용하기

❶	옆집 어른께서 댁에 계실까요?
❷	어머니께서 갖다드리래요. (갖다드리라고 하셨어요.)
❸	쟁반이 너무 예뻐요.
❹	옆집 어른께서 고맙다고 하셨어요.

📖 교과서 문제

6 훈민이와 동생은 어떤 심부름을 했습니까?
( )

① 옆집 어른께 쟁반을 빌려 오는 것
② 옆집 어른께 김치를 얻어 오는 것
③ 옆집 어른께 취나물을 받아 오는 것
④ 옆집 어른께 김치를 갖다드리는 것
⑤ 옆집 어른께서 집에 계시는지 보고 오는 것

핵심

7 ㉠~㉣을 알맞은 높임 표현을 사용해 바르게 고쳐 쓰시오.

㉠	
㉡	
㉢	
㉣	

📖 교과서 문제

8 어머니와 옆집 어른께서 알맞은 높임 표현을 들었을 때와 그렇지 않았을 때 마음이 어떠하실지 짐작해 선으로 이으시오.

(1) 훈민이와 서경이가 높임 표현을 알맞게 사용하니 ( )

① 어색하게 느껴지는구나.

(2) 훈민이와 서경이가 높임 표현을 제대로 사용하지 못하니 ( )

② 공경하는 마음이 느껴져 기분이 좋구나.

기본 • 52~53쪽 **높임 표현을 사용하는 방법 알기**

(1) 분명한 목소리로 발표해야 해요.

높임을 표현한 방법: (　　　)

(2) 아버지와 함께 할머니를 모시고 병원에 다녀왔습니다.

높임을 표현한 방법: (　　　)

(3) 우리 어머니께서도 이 영화를 좋아하셔서.

높임을 표현한 방법: (　　　)

(4) 부모님께 카네이션을 달아 드릴 거야.

높임을 표현한 방법: (　　　)

1 파란색으로 쓰인 낱말에 주의하며 높임을 표현한 방법을 보기 에서 모두 찾아 (1)~(4)의 빈칸에 번호를 쓰시오.

보기

① '–습니다' 또는 '요'를 써서 문장을 끝맺는다.
② 높임을 나타내는 '–시–'를 넣는다.
③ 높임의 대상에게 '께서'나 '께'를 사용한다.
④ 높임의 뜻이 있는 특별한 낱말을 사용한다.

기본 • 54~56쪽 **높임 표현과 언어 예절을 생각하며 대화하기**

반말 왕자님

강민경

가 "아드님, 콩나물 반찬은 어떠세요?" / "응, 좋아."

"시금치도 조금 살까요?" / "마음대로 해."

엄마의 높임말은 마트 안에서도 계속 되었어요. 범수는 엄마가 자기에게 높임말을 하는 것이 재미있고 신기해서 이제는 오히려 자꾸
5 말을 걸었어요.

나 주변에 있던 사람들과 계산을 하던 아줌마가 엄마와 범수를 이상한 눈으로 쳐다보며 수군거렸어요. 특히 계산을 하는 아줌마는 엄마를 정신이 이상한 사람으로 보는 것 같았어요.

다 "엄마, 왜 누나한테는 반말 써? 나한테도 반말 써라. 할머니도
10 그래라, 응?" / 범수가 사정하는 눈빛을 보냈지만, 엄마는 웃으며 한마디로 거절했어요.

"아드님은 누나랑 다르시잖아요. 누나는 엄마한테 높임말을 쓰지만, 아드님은 그러지 않으시니까요."

2 글 가 에서 범수는 엄마가 자신에게 높임말을 쓰자 어떤 기분이 들었습니까? (　　　)

① 괴롭다.
② 슬프다.
③ 재미있다.
④ 속상하다.
⑤ 화가 난다.

3 엄마가 범수에게 왜 높임말을 사용했을지 빈칸에 알맞은 말을 써 보시오.

• 범수가 웃어른께 (　　　)을/를 사용하지 않는 잘못을 깨닫게 하려는 것입니다.

라 "아드님, 오늘도 운동 열심히 하세요. 저는 먼저 갈게요."

"몰라. 빨리 가!"

범수는 엄마가 창피하여 눈도 마주치지 않았어요. 다른 아이들이 킥킥대며 수군거리는 통에 범수는 얼굴이 빨개졌어요.

5 "최범수, 뭐야? 너희 엄마는 네 하녀냐?"

"그러게, '아드님, 아드님' 하는 거 너도 봤지?"

아이들이 놀리자 범수는 더는 참지 못하고 발끈해 소리를 질렀어요. / "웃기지 마! 그런 거 아니야!"

"아니긴 뭐가 아니야? 그럼 왜 너한테 높임말을 쓰냐? 너는 엄마

10 한테 그렇게 반말을 팍팍 하는데."

"하녀 아니야! 우리 엄마야!"

소리치는 범수의 목이 갑자기 콱 메었어요.

주책없이 눈물도 막 쏟아졌어요.

엄마가 범수에게 높임말을 써 주면 범수는 왕자님이 되는 줄 알았

15 는데, 엄마가 하녀가 되는 것이었어요.

범수가 엄마에게 말을 낮추면 범수가 높아지는 줄 알았는데 엄마가 낮아지는 것이었어요. 엄마가 하녀이면 범수는 왕자가 아니라 하녀의 아들이 되는 것이었어요. / "우리 엄마 하녀 아니야!"

범수는 그대로 태권도장을 뛰쳐나오고 말았어요.

4 범수가 태권도장을 뛰쳐나온 까닭으로 알맞지 <u>않은</u> 것은 무엇입니까? ( )

① 엄마가 무시당하는 것이 속상해서

② 자신이 엄마보다 높아지는 게 좋아서

③ 엄마를 하녀라고 하는 것이 화가 나서

④ 자신이 하녀의 아들이 되는 것이 속상해서

⑤ 그동안 엄마에게 반말을 한 자신이 창피해서

5 범수에게 일어난 일을 떠올려 볼 때 웃어른께 높임말을 사용해야 하는 까닭을 쓰시오.

_____

_____

_____

기초 다지기 **낱말의 발음에 주의하기**

6 다음에서 파란색으로 쓰인 '않고', '쌓지'를 어떻게 발음하는 것이 바른지 알맞은 것을 찾아 ○표를 하시오.

물을 마시지 않고 며칠을 견딜 수 있을까?

[안꼬]?

나는 물을 마시지 않고는 한 시간도 못 견뎌.

[안코]?

계단에는 물건을 쌓지 말라고 하셨어.

[싸찌]?

책상 위에 책을 쌓지 말고 책꽂이에 꽂자.

[싸치]?

(1) 않고: ① [안꼬] ② [안코]   (2) 쌓지: ① [싸찌] ② [싸치]

단원 마무리

준비 ......

》 높임 표현을
사용하는 경우
알기

아버지, 이 책이 재미있을 것 같아요.

저기 선생님께서 가신다.

어머니께 드릴 선물이야.

| 듣는 사람이 말하는 사람보다 웃어른일 때 | 행동하는 사람이 말하는 사람보다 ❶ □□□ 일 때 | '누구에게'에 해당하는 사람이 말하는 사람보다 웃어른일 때 |

기본 ......

》 높임 표현을
사용하는 방법
알기

'−습니다' 또는 '요'를 써서 문장을 끝맺습니다.

높임을 나타내는 '−❷ □ −'을/를 넣습니다.

아버지, 학교에 다녀왔습니다.

선생님께서도 여기로 오시니?

높임의 대상에게 '께서'나 '께'를 사용합니다.

높임의 뜻이 있는 특별한 ❸ □□ 을/를 사용합니다.

할아버지께서 오셨어요.

할아버지, 진지 잡수세요.

기본 ......

》 높임 표현과
언어 예절을
생각하며
대화하기

⑩ 여자아이가 지켜야 할 언어 예절

지난겨울에 찍은 내 사진이야. 할머니도 한번 볼래?

• ❹ □□ 자세로 듣는 사람을 바라보면서 말합니다.
• 알맞은 높임 표현을 사용해 예의 바르게 말합니다.
　➡ ⑩ 지난겨울에 찍은 제 사진이에요. 할머니께서도 한번 보시겠어요?

⑩ 「백화점, 편의점 등에서 물건을 높이는 말, 들어 보셨나요?」에서 말하는 언어 예절

| "이 구두는 특별 할인 제품이시고요."(×) | ❺ □□ 을/를 높이는 말을 하지 않습니다. |

1~2 그림을 보고, 물음에 답하시오.

1 대화 ㉮와 ㉯에서 듣는 사람은 각각 누구인지 쓰시오.

(1) 대화 ㉮: (   )

(2) 대화 ㉯: (   )

2 대화 ㉯에서 말하는 사람이 높임 표현을 사용한 까닭을 골라 ○표를 하시오.

(1) 행동하는 사람이 말하는 사람보다 어리기 때문이다. ( )

(2) 듣는 사람이 말하는 사람보다 웃어른이기 때문이다. ( )

(3) '누구에게'에 해당하는 사람이 여러 명이기 때문이다. ( )

중요

3 다음 문장의 끝부분에 공통으로 쓴 표현은 무엇인지 빈칸에 알맞은 말을 쓰시오.

> • 아버지, 학교에 다녀왔습니다.
> • 친구에게 고운 말을 사용하면 좋겠습니다.

• (   )(으)로 끝냈다.

4~5 그림을 보고, 물음에 답하시오.

4 대화 ㉮와 ㉯에서 높임의 대상이 된 사람은 각각 누구인지 쓰시오.

(1) 대화 ㉮: (   )

(2) 대화 ㉯: (   )

5 밑줄 그은 부분에서 공통으로 높임을 표현한 방법은 무엇입니까? ( )

① '요'를 써서 문장을 끝맺는다.

② 높임을 나타내는 '-시-'를 넣는다.

③ '-습니다'를 써서 문장을 끝맺는다.

④ 높임의 대상에게 '께서'나 '께'를 사용한다.

⑤ 높임을 뜻하는 특별한 낱말을 사용한다.

6 다음 대화에서 알맞은 높임 표현을 골라 ○표를 하시오.

7 다음 중 높임의 뜻이 있는 특별한 낱말을 두 가지 고르시오. (,)

① 밥 ② 진지 ③ 주다

④ 물어보다 ⑤ 여쭈어보다

8 국어 활동 다음을 높임의 뜻이 있는 특별한 낱말을 사용하여 높임 표현으로 바꾸어 쓰시오.

(   )

9~11 그림을 보고, 물음에 답하시오.

9 여자아이는 누구와 대화하고 있습니까?

(   )

10 대화하는 여자아이의 자세는 어떠한지 두 가지 고르시오.   (,   )

① 엎드린 자세로 대화하고 있다.
② 바르게 앉아서 대화하고 있다.
③ 밝은 표정으로 대화하고 있다.
④ 대화하는 사람을 바라보고 있다.
⑤ 스마트폰을 보면서 대화하고 있다.

11 서술형 여자아이에게 바른 언어 예절을 알려 주는 말을 써 보시오.

_____

_____

12~13 대화를 읽고, 물음에 답하시오.

> 커피 가게 점원: ㉠주문하신 아메리카노 나오셨습니다.
> 커피: 뭐? 내가 나오셨다고?

12 ㉠이 잘못된 표현인 까닭을 알맞게 말한 친구는 누구입니까?

> 정후: '커피'를 높이는 말을 했기 때문이야.
> 은석: '–습니다'를 써서 문장을 끝맺었기 때문이야.

(   )

13 중요 알맞은 높임 표현을 생각하여, ㉠을 바르게 고쳐 쓰시오.

(   )

14 높임 표현을 사용할 때 알맞은 마음가짐이 아닌 것은 무엇입니까?   (   )

① 겸손한 마음을 지닌다.
② 상대를 높이는 마음을 지닌다.
③ 상대를 존중하는 마음을 지닌다.
④ 상대를 공경하는 마음을 지닌다.
⑤ 상대를 함부로 대하는 마음을 지닌다.

15 다음 대화에서 남자아이의 대답으로 알맞은 것은 무엇입니까? ( )

자신이 무엇을 좋아하는지 친구들에게 발표해 봅시다.

① 나는 책 읽기를 좋아해.
② 저는 책 읽기를 좋아해.
③ 저는 책 읽기를 좋아합니다.
④ 나는 책 읽기를 좋아하십니다.
⑤ 저는 책 읽기를 좋아하십니다.

16 다음 ㉠에 들어갈 알맞은 높임 표현은 무엇입니까? ( )

❶ 수현이가 교실에 들어오면 좀 오라고 하렴.

네.

❷ ㉠

수현

① 선생님이 너 오래.
② 선생님이 너 오시래.
③ 선생님이 너 오라셔.
④ 선생님께서 너 오시라고 해.
⑤ 선생님께서 너 오라고 하셔.

17 다음 밑줄 그은 부분을 알맞은 높임 표현을 사용해 고쳐서 빈칸에 쓰시오.

선생님: 종이접기를 하고 남은 색종이를 사물함에 넣어 두세요.
정음: 네.
훈민: 정음아, 선생님이( ) 뭐라고 했어( )?

18~20 그림을 보고, 물음에 답하시오.

훈민아, 동생이랑 옆집 어른께 김치 좀 갖다드리고 올래?

네. 그런데 ㉠

18 어머니께서 훈민이와 동생에게 시키신 심부름은 무엇입니까?

( )

19 중요 ㉠에 들어갈 알맞은 높임 표현은 무엇입니까? ( )

① 옆집 어른이 댁에 계실까요?
② 옆집 어른이 집에 있으실까요?
③ 옆집 어른께서 댁에 계실까요?
④ 옆집 어른께서 댁에 있을까요?
⑤ 옆집 어른께서 집에 있으실까요?

20 서술형 19번 답의 말을 들은 어머니의 마음은 어떠하실지 써 보시오.

_____

_____

서술형 평가

1 높임 표현을 사용하는 경우를 한 가지 쓰시오.

_____

_____

_____

2 다음 대화에서 높임을 표현한 방법을 정리해 쓰시오.

_____

_____

3 다음에서 여자아이가 잘못한 일은 무엇인지 쓰시오.

_____

_____

4 다음 대화에서 밑줄 그은 말이 알맞지 않은 까닭을 쓰시오.

_____

_____

5 다음 대화에서 여자아이의 말을 알맞은 높임 표현으로 고쳐 쓰시오.

_____

_____

● 다음 교과서 문장의 파란색 낱말 중에서 알맞은 것을 골라 인물들이 한 말을 완성하시오.

- 이 구두는 특별 할인 제품이시고요.
- 주문하신 아메리카노 나오셨습니다.
- 이 핸드폰은 매진되셨어요.
- 백화점이나 편의점 같은 매장에서 물건을 고객처럼 존대하는 이 불편한 현실.

정답 | ❶ 고객 ❷ 제품 ❸ 매진 ❹ 주문

4

내 마음을 편지에 담아

무엇을 배울까요?

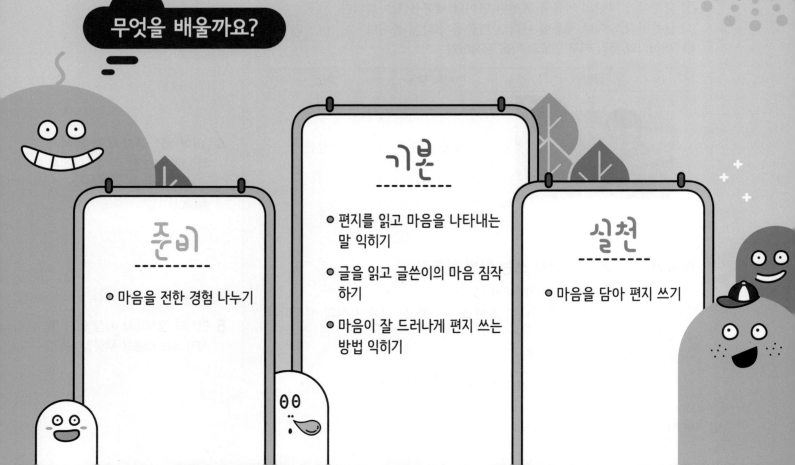

준비

- 마음을 전한 경험 나누기

기본

- 편지를 읽고 마음을 나타내는 말 익히기
- 글을 읽고 글쓴이의 마음 짐작하기
- 마음이 잘 드러나게 편지 쓰는 방법 익히기

실천

- 마음을 담아 편지 쓰기

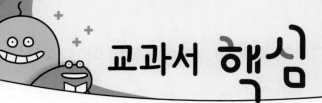
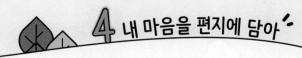
1 마음을 전한 경험 나누기

① 마음을 전하는 말을 할 때에는 어떤 마음을 전할지 떠올려 봅니다.
② 마음을 전하는 말을 하는 까닭이 잘 드러나게 이야기합니다.
예 마음을 전하려면 어떤 말을 해야 하는지 생각하기

상황	인물의 마음	해야 할 말
	축하하는 마음	할머니, 생신 축하드려요!

2 편지를 읽고 마음을 나타내는 말 익히기

① 편지글을 읽고 누가 어떤 마음을 나타내는 글인지 알아봅니다.
② 편지글에서 "괜찮아.", "잘했어.", "고마워.", "그때 그렇게 하지 말았어야 했는데…….", "너는 정말 열심히 했어."와 같은 마음을 나타내는 말을 찾아봅니다.

3 글을 읽고 글쓴이의 마음 짐작하기

① 글쓴이가 자신의 마음을 표현한 말이나 행동을 찾아봅니다.
② 글쓴이의 말이나 행동에 나타난 마음을 짐작해 봅니다.
예 「어머니와 물감」에서 인물의 마음 짐작하기

상황	민서의 행동	마음
	책상에 엎드림.	속상함

4 마음이 잘 드러나게 편지 쓰는 방법 익히기

① 전하고 싶은 마음이 잘 나타나게 씁니다.
② 전하고 싶은 마음을 드러내는 표현을 사용하고, 그때 자신의 생각이나 느낌을 자세히 씁니다.
③ 편지의 형식에 맞게 씁니다.

> 받을 사람, 첫인사, 전하고 싶은 말, 끝인사, 쓴 날짜, 쓴 사람

핵심 확·인·문·제

정답과 해설 ● 15쪽

1 마음을 전하는 말을 할 때에는 마음을 전하는 말을 하는 까닭이 잘 드러나게 이야기합니다.
(○ , ×)

2 할머니 생신 잔치에서는 할머니께 □□하는 마음을 전하는 말을 합니다.

3 마음을 나타내는 말에 해당하는 것에 모두 ○표를 하시오.
(1) 괜찮아. ( )
(2) 잘했어. ( )
(3) 그럼 안녕. ( )

4 「어머니와 물감」에서 민서가 책상에 엎드린 □□에서 속상한 마음을 짐작할 수 있습니다.

5 편지의 형식에서 가장 먼저 편지에 쓰는 내용은 무엇입니까?
( )

준비

정답과 해설 ● 15쪽

4 단원

● 그림과 같은 상황에서 어떤 마음을 전하면 좋을지 생각하기

가

나

다

라

• 그림 설명: 할머니의 생신을 축하드리는 상황, 친구가 달리기를 하다가 넘어진 상황, 짝이 책을 빌려주는 상황, 친구의 그림에 물통을 엎지른 상황이 나타나 있습니다.

 교과서 핵심

○ 마음을 전한 경험 나누기

그림	마음을 전하는 말 예
가	할머니, 생신 축하드려요!
나	넘어져서 속상했지? / 다음에는 더 잘할 수 있을 거야.
다	책을 빌려줘서 고마워. / 책을 빌려주다니 넌 참 친절하구나.
라	내 잘못이야. 미안해.

📖 교과서 문제

1 그림 **가**∼**라**에서 ◯표를 한 사람은 어떤 마음을 전하면 좋을지 보기 에서 찾아 쓰시오.

> **보기**
> 미안한 마음, 고마운 마음, 위로하는 마음, 축하하는 마음

(1) 그림 **가**: (   )

(2) 그림 **나**: (   )

(3) 그림 **다**: (   )

(4) 그림 **라**: (   )

핵심

2 그림 **가**∼**라**에서 ◯표를 한 사람이 마음을 전하려면 어떤 말을 해야 하는지를 찾아 선으로 이으시오.

(1) **가** •   • ① 책을 빌려줘서 고마워.

(2) **나** •   • ② 할머니, 생신 축하드려요!

(3) **다** •   • ③ 내 잘못이야. 미안해.

(4) **라** •   • ④ 넘어져서 속상했지?

논술형

3 마음을 전한 경험을 떠올리며 그때 어떤 말을 했는지 써 보시오.

(1) 무슨 일이 있었나요?	
(2) 어떤 말로 마음을 전했나요?	

4 마음을 전하는 말을 하는 방법입니다. 빈칸에 알맞은 말을 쓰시오.

• 마음을 전하는 말을 할 때에는 어떤 (   )을/를 전할지 떠올려 봅니다. 그리고 마음을 전하는 말을 하는 (   )이/가 잘 드러나게 이야기합니다.

● 어떤 상황인지 생각하며 그림 ②∼④ 살펴보기

● 자신의 마음을 나타내려고 쓴 편지글 ②∼④ 읽기

② 나리에게 / 나리야, 안녕? 나 민경이야.

　나리야, 어제 네가 내 가방을 들어 주어서 고마웠어. 내가 팔을 다쳐서 가방을 어떻게 들까 걱정했는데 네가 와서 도와준다고 했을 때 정말 기뻤어. 그런데 어제는 고맙다는 말을 제대로 하지 못해서 이렇게 편지를 써.

　지난 체육 시간에 너와 달리기 경주를 해서 내가 졌잖아. 달리기만큼은 자신 있었는데 내가 지니까 많이 속상했어. 그래서 그동안 너한테 말도 제대로 하지 않았어. 그런데 너는 오히려 나를 걱정해 주고 가방도 들어 주어서 미안했어.

　나리야, 고마워! 너는 운동도 잘하고, 마음도 참 따뜻한 멋진 친구야. 앞으로도 친하게 지내자. 안녕.

20○○년 4월 13일 / 민경이가

교과서 핵심 ○ 마음을 나타내는 말 찾아보기

글 ②	고마웠어, 걱정했는데, 정말 기뻤어, 많이 속상했어, 미안했어, 고마워, 멋진 친구야, 친하게 지내자

---

1 그림 ②∼④를 보고 어떤 상황인지 찾아 선으로 이으시오.

(1) ② •
(2) ④ •
(3) ④ •

　• ① 상을 받지 못해 실망하는 상황

　• ② 가족이 할아버지의 생신을 축하드리는 상황

　• ③ 팔을 다친 친구의 가방을 들어 주는 상황

2 편지글 ②에서 민경이는 나리에게 어떤 일을 고마워하고 있습니까?
(　　　　　　　　　　　　　)

3 편지글 ②에서 민경이는 나리가 어떤 친구라고 했는지 두 가지 고르시오. (　, 　)
① 이기적이다.
② 인기가 많다.
③ 운동을 잘한다.
④ 책을 좋아한다.
⑤ 마음이 참 따뜻하다.

핵심

4 편지글 ②에서 마음을 나타내는 말이 아닌 것은 무엇입니까? (　)
① 졌잖아
② 미안했어
③ 정말 기뻤어
④ 많이 속상했어
⑤ 친하게 지내자

4
단원

나 할아버지, 그동안 안녕하셨어요?

할아버지, 생신 축하드려요.

할아버지 댁에 가면 항상 반갑게 맞아 주시고, 재미있는 이야기도 많이 들려주셔서 감사합니다.

작년 할아버지 생신에는 제가 다리를 다쳐서 찾아뵙지 못해 많이 아쉬웠어요. 그런데 이번 생신에는 가족 모두 모여서 즐거운 시간을 보낼 수 있어서 정말 기뻐요.

할아버지, 다시 한번 생신 축하드려요. 항상 건강하시길 바랄게요.

20○○년 4월 14일

손자 정혁 올림

다 호준이에게 / 호준아, 나 민재 형이야.

한 달 동안이나 저녁마다 줄넘기 연습을 열심히 하는 너를 보면서 네가 기특하고 대단하다고 생각했어. 그런데 어제 있었던 줄넘기 대회에서 상을 받지 못했다는 소식을 들었어. 많이 속상했지? ㉠그래도 포기하지 않고 꾸준히 연습하면 다음에는 더 좋은 결과가 있을 거야.

형은 언제나 너를 응원하고 있어. 그럼 안녕.

20○○년 4월 15일 / 민재 형이

교과서 핵심 ㅇ마음을 나타내는 말 찾아보기

글 **나**	축하드려요, 감사합니다, 많이 아쉬웠어요, 정말 기뻐요, 건강하시길 바랄게요
글 **다**	기특하고 대단하다고 생각했어, 많이 속상했지, 더 좋은 결과가 있을 거야, 응원하고 있어

📖 교과서 문제

5 편지글 **나**에서 전하는 마음을 <u>두 가지</u> 고르시오. (,)

① 감사한 마음   ② 서러운 마음
③ 죄송한 마음   ④ 위로하는 마음
⑤ 축하드리는 마음

핵심

6 편지글 **나**에서 마음을 나타내는 말을 빈칸에 쓰시오.

• 작년 할아버지 생신에는 제가 다리를 다쳐서 찾아뵙지 못해 ( ).

7 편지글 **다**의 내용으로 보아 호준이에게는 어떤 일이 있었습니까? ( )

① 줄넘기 연습을 하지 않았다.
② 아끼던 줄넘기를 잃어버렸다.
③ 줄넘기 대회에 나가지 않았다.
④ 줄넘기 연습을 열심히 해서 줄넘기 대회에서 상을 받았다.
⑤ 줄넘기 연습을 열심히 했는데 줄넘기 대회에서 상을 받지 못했다.

8 편지글 **다**에서 마음을 나타내는 말을 <u>두 가지</u> 고르시오. (,)

① 두근거렸지   ② 기뻤을 거야
③ 많이 속상했지   ④ 응원하고 있어
⑤ 끈기가 없다고 생각했어

논술형

9 자신이 경험한 일을 바탕으로 하여 ㉠ 부분을 바꾸어 써 보시오.

> 친구가 실망했을 때 친구를 위로하는 마음을 나타내는 말

> 그래도 포기하지 않고 꾸준히 연습하면 다음에는 더 좋은 결과가 있을 거야.
>
> ↓
>
> _____
>
> _____
>
> _____

◀ 민서의 마음을 생각
하며 읽기

어머니와 물감

❶ "어머니, 제 곰돌이 머리핀 못 보셨어요?"

책상 위에 놓아두었던 머리핀이 보이지 않았다.

"머리핀? 조금 전에 민주가 꽂고 유치원에 갔는
데……."

5 ㉠ "제 머리핀인데 왜 민주가 꽂고 갔어요?"

"네가 일찍 일어나서 챙기지 않으니 그런 일이
생기지. 오늘은 그냥 다른 것으로 하고 가. 그러
다 지각하겠다."

민주가 내 물건을 마음대로 가져간 건데 어머니
10 께서는 내 탓이라고 하신다.

어머니께서는 늘 동생 편만 드신다.

"오늘 물감 가져가야 한다고 하지 않았니? 가방
에 잘 넣었어?"

가방을 메고 방을 나서는데 어머니께서 또 말씀
15 하셨다. 나는 어머니 말씀에 대꾸도 하지 않고 집
을 나섰다.

중심 내용 아침에 동생 민주가 민서 머리핀을 꽂고 갔는데 어머니께서는 동
생 편을 드셔서 민서는 기분이 좋지 않았다.

❷ 학교에 왔는데 기분이 좋지 않았다.

"민서야, 이것 봐라. 어머니께서 새 물감 사 주
셨다."

내 짝 정아가 새로 산 물감을 가방에서 꺼내며
자랑했다. 나는 괜히 짜증이 났다. 맞다, '그림물 5
감'. 가방을 살펴봤다. 물감이 없었다. 아침에 분명
챙겼는데 보이지 않았다. 그때서야 신발 신을 때
물감을 현관에 두고 온 것이 떠올랐다.

• **글의 종류:** 이야기
• **글의 내용:** 민서는 아침에 자신의 머리핀을 동생이 꽂고 갔는데 어
머니께서 동생 편을 드셔서 화가 난 채로 학교에 갔습니다. 그런
데 놓고 간 준비물을 어머니께서 친구 편에 보내 주시자 민서는
어머니께 죄송한 마음이 들었습니다.

교과서 핵심 ○ 민서의 마음 짐작하기

말이나 행동	마음
"제 머리핀인데 왜 민주가 꽂고 갔어요?"	화남
물감을 가방에 넣었는지 물으시는 어머니 말씀에 대꾸도 하지 않음.	서운함, 화남

핵심

1 ㉠의 말에서 민서의 어떠한 마음을 짐작할 수
있습니까? ( )

① 기쁨   ② 화남   ③ 죄송함

④ 즐거움   ⑤ 고마움

📖 교과서 문제

2 어머니께 서운하고 화난 마음을 짐작할 수 있
는 민서의 행동은 무엇인지 번호를 쓰시오.

> ① 가방에서 물감을 찾아봄.
> ② 책상 위에 놓아둔 머리핀을 찾음.
> ③ 물감을 가방에 넣었는지 물으시는 어머니
> 말씀에 대꾸도 하지 않음.

( )

📖 교과서 문제

3 민서가 아침에 어머니께 화가 난 까닭은 무엇
인지 빈칸에 알맞은 말을 쓰시오.

• 동생이 민서의 머리핀을 꽂고 갔는데 어
머니께서 ( ) 동생
편만 드셔서입니다.

📖 교과서 문제

4 짝이 새로 산 물감을 자랑하자 민서는 왜 괜
히 짜증이 났는지 쓰시오.

( )

4 단원

짝은 새 물감이라고 빌려주지 않을지도 모른다. 그리고 물감을 준비하지 않았다고 선생님께 꾸중을 들을 수도 있다. 복도에 있는 공중전화 수화기를 들었다가 다시 내렸다. 어머니께서는 출근하셨을 것이다.

'내가 가장 좋아하는 미술 시간인데……'

이게 다 민주와 어머니 때문이다. ㉠나는 책상에 엎드렸다. 눈물이 날 것 같았다.

중심 내용 정아가 새로 산 물감을 자랑하자 민서는 준비물인 그림물감을 집에 두고 온 것이 생각나 속상해서 책상에 엎드렸다.

❸ 그때 단짝 친구 소은이가 나를 불렀다.

"민서야, 너희 어머니께서 이거 너 주라고 하셨어."

내 물감이었다.

"우리 어머니 만났어?"

"교문 앞에서 만났는데, 시간이 없어서 그러신다며 나한테 대신 전해 달라고 하셨어."

나는 어머니 말씀에 대꾸도 하지 않고 학교에 왔는데, 어머니께서는 출근하느라 바쁘신데도 학교까지 오셔서 물감을 주고 가셨나 보다. 집에 가서 어머니께 죄송하다고 말씀드려야겠다.

중심 내용 단짝 친구 소은이가 민서에게 어머니께서 주라고 했다며 물감을 주자 민서는 어머니께 죄송한 마음이 들었다.

교과서 핵심 ○ 민서의 마음 짐작하기

행동	마음
책상에 엎드림.	속상함

핵심

5 ㉠의 행동에서 민서의 어떠한 마음을 짐작할 수 있는지 쓰시오.

( )

📖 교과서 문제

6 민서는 왜 어머니께 죄송한 마음이 들었습니까? ( )

① 어머니께서 감기에 걸려 아프셔서
② 어머니께서 물감을 새로 사 주셔서
③ 어머니께서 동생을 크게 혼내 주셔서
④ 동생이 미안하다고 자신에게 사과해서
⑤ 어머니 말씀에 대꾸도 하지 않고 학교에 왔는데, 어머니께서 바쁘신데도 물감을 주고 가셔서

논술형

7 민서가 어머니께 죄송한 마음을 어떻게 표현하면 좋을지 써 보시오.

_____

_____

역량

8 민서에게 마음을 전하는 글을 쓴 다음 내용 중 알맞지 않은 부분을 찾아 기호를 쓰시오.

> ㉠민서야, 나도 동생이 내가 아끼는 장난감을 망가뜨린 적이 있었어. ㉡그래서 내가 동생에게 화를 냈는데 동생이 우니까, 어머니께서 사이좋게 놀지 않는다고 꾸중하셔서 뿌듯했단다. ㉢그래도 어머니께 화를 낸 것은 잘못한 것 같아. ㉣집에 가서 꼭 어머니께 사과드리렴.

( )

● 다음을 보고 리디아의 상황을 짐작해 보기

❶ 꽃을 사랑하는 소녀 리디아는 아버지가 ♥일자리를 잃고 생활이 어려워지자 도시에서 빵 가게를 하는 외삼촌 댁으로 가게 된다.

❷ 외삼촌은 ♥무뚝뚝하기만 하고 도시 생활은 힘들지만, 리디아는 일하는 틈틈이 빵 가게 옥상에 멋진 꽃밭을 가꾼다.

❸ 어느 날, 리디아는 외삼촌을 꽃으로 뒤덮인 옥상으로 모시고 간다. 외삼촌은 리디아가 가꾼 꽃에 감격한다.

❹ 그리고 일주일 뒤에 외삼촌은 리디아에게 직접 만든 케이크와 함께 ㉠기쁜 소식을 전해 준다.

• 글의 특징: 「리디아의 정원」의 일부로, 「리디아의 정원」은 미국이 경제적으로 아주 어려웠던 1930년대의 이야기입니다.

♥일자리 생계를 꾸려 나갈 수 있는 수단으로서의 직업.
 예 도시에는 일자리가 많이 있었습니다.

♥무뚝뚝하기만 말이나 행동, 표정 따위가 부드럽고 상냥스러운 면이 없어 정답지가 않기만.
 예 무뚝뚝하기만 했던 할아버지께서 반갑게 인사해 주셔서 기분이 좋았습니다.

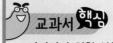 교과서 핵심

◦리디아가 처한 상황

> 리디아는 생활이 어려워지자 외삼촌 댁으로 가게 되었다.

핵심

1 리디아는 왜 외삼촌 댁으로 가야 했습니까?
( )

① 외삼촌 댁에서 방학을 보내려고
② 외삼촌 댁 근처에 좋은 학교가 있어서
③ 외삼촌 댁에서 리디아를 보고 싶어 해서
④ 외삼촌 댁에서 쉬면서 건강을 회복하려고
⑤ 아버지가 일자리를 잃고 생활이 어려워져서

2 외삼촌은 어떤 일을 하셨는지 쓰시오.
( )

3 리디아가 외삼촌 댁에서 한 일은 무엇입니까?
( )

① 하는 일 없이 놀았다.
② 꽃 가게를 열어 꽃을 팔았다.
③ 집안일을 가끔 도와주며 편안히 지냈다.
④ 일하는 틈틈이 옥상에 꽃밭을 가꾸었다.
⑤ 꽃을 가꾸는 방법을 외삼촌에게 가르쳤다.

서술형

4 ㉠'기쁜 소식'은 무엇일지 생각하여 쓰시오.

_____

_____

● 리디아가 쓴 편지 읽기

> 엄마, 아빠, 할머니께 ──────────────── 【받을 사람】
>
> ㉠가슴이 너무 쿵쿵거려서 아래층 손님들한테
> 까지 제 심장 뛰는 소리가 들릴 것만 같아요.
>
> 오늘 점심때 짐 외삼촌이 가게 문에 '♥휴업'이
> 라는 팻말을 걸고는 에드 아저씨와 엠마 아줌마
> 와 저에게 위층으로 올라가서 기다리라고 하셨
> 어요. 외삼촌은 제가 지금까지 한 번도 보지 못
> 한 ㉡♥굉장한 케이크를 들고 나타나셨어요. 꽃
> 으로 뒤덮인 케이크였어요. 저한테는 그 케이크
> 한 개가 외삼촌이 천 번 웃으신 것만큼이나 의미
> 있었어요.
>
> 그리고…… 그리고 외삼촌이 주머니에서 편지
> 를 꺼내셨어요. 아빠가 취직을 하셨다는 소식이
> 담긴 편지였어요. 저, 이제 집으로 돌아가요. ──── 【전하고 싶은 말】
>
> 　　　　　　　　　　1936년 7월 11일 ──────── 【쓴 날짜】
>
> 　　모두에게 사랑을 담아서, 그리고 곧 ──────── 【끝인사,
> 　　만날 날을 기다리며 리디아 그레이스 　　　　　 쓴 사람】

• 글의 종류: 편지글
• 글의 내용: 리디아가 엄마, 아빠, 할머니께 집으로 돌아간다는 소식을 전하였습니다.

♥휴업(休 쉴 휴, 業 업 업) 사업이나 영업, 작업 따위를 일시적으로 중단하고 하루 또는 한동안 쉼.
　⑩ 개인적인 사정으로 잠시 휴업하게 되었습니다.
♥굉장한 아주 크고 훌륭한.

교과서 핵심

● 마음이 잘 드러나게 편지를 쓰는 방법

> 전하고 싶은 마음이 잘 나타나게 쓴다.

　가슴이 너무 쿵쿵거려서 아래층 손님들한테까지 제 심장 뛰는 소리가 들릴 것만 같아요. ➡ 기쁜 마음

> 편지의 형식에 맞게 쓴다.

　받을 사람, 첫인사, 전하고 싶은 말, 끝인사, 쓴 날짜, 쓴 사람
➡ 첫인사가 빠져 있음.

📖 교과서 문제

5 리디아가 쓴 편지를 읽고 편지의 형식 가운데에서 빠진 부분은 무엇인지 쓰시오.

　　　　　　(　　　　　　　　)

📖 교과서 문제

6 ㉠에 드러난 리디아의 마음을 나타내는 말로 알맞지 <u>않은</u> 것은 무엇입니까? (　　)

① 즐겁다. 　　　　② 기쁘다.
③ 유쾌하다. 　　　④ 가슴이 벅차다.
⑤ 가슴이 무너져 내리다.

📖 교과서 문제

7 쓰임에 따라 ㉡'굉장한'과 바꾸어 사용할 수 있는 뜻이 비슷한 낱말을 <u>두 가지</u> 고르시오.
　　　　　　　　　　(　　, 　　)

① 작은 　　② 근사한 　　③ 엄청난
④ 형편없는 　⑤ 보잘것없는

핵심

8 마음이 드러나게 편지 쓰는 방법을 정리하려고 합니다. 빈칸에 알맞은 말을 쓰시오.

• 전하고 싶은 (1)(　　　　　　)을/를 드러내는 표현을 사용하고, 그때 자신의 (2)(　　　　　　)을/를 자세히 쓴다.

역량

9 주변에서 마음을 전하고 싶은 사람을 떠올려 전하고 싶은 마음을 정리해 보시오.

(1) 누구에게 마음을 전하고 싶나요?	
(2) 어떤 일 때문에 마음을 전하고 싶은가요?	
(3) 그때 어떤 생각이나 느낌이 들었나요?	

기본 · 70~71쪽 **편지를 읽고 마음을 나타내는 말 익히기**

리디아의 정원

· 글: 세라 스튜어트 · 옮김: 이복희

> **㉮ 엄마**
>
>   엄마가 입던 옷으로 이렇게 예쁜 옷을 만들어 주셔서 고맙습니다. 이 옷을 입고 있어서인지 제가 무척이나 예쁘게 보입니다. 엄마가 이 옷 때문에 속상해하지 않았으면 좋겠어요.
>
> **㉯ 보고 싶은 할머니**
>
>   챙겨 주신 꽃씨, 정말 고맙습니다. 기차가 흔들거리고 있어요. 졸음이 옵니다. 깜빡깜빡 잠이 들 때마다 저는 꽃 가꾸는 꿈을 꿉니다.
>
> 1935년 9월 4일
>
> 모두에게 사랑을 담아서, 리디아 그레이스

1 리디아의 편지에는 어떤 마음이 잘 드러나 있습니까?

( )

① 속상한 마음
② 불행한 마음
③ 고마운 마음
④ 죄송한 마음
⑤ 원망하는 마음

2 리디아는 1번 문제 답의 마음을 어떤 일로 느꼈는지 쓰시오.

_____

_____

기본 · 74~75쪽 **마음이 잘 드러나게 편지 쓰는 방법 익히기**

● 지수가 영주에게 쓴 편지 읽기

> 영주에게
> 안녕! 나, 지수야.
> 네가 다리를 다쳐서 병원에 입원했다는 소식을 들었어.
> 그럼 안녕!
>
> 20○○년 4월 17일 / 지수가

● 마음이 잘 드러나게 편지 완성하기

> 승현이에게
> 승현아, 안녕? 나, 영지야.
>   지난번 비가 왔을 때, 아침에 우산을 챙겨 오지 않아 속으로 걱정했거든. 그런데 네가 우산을 씌워 주었잖아?
>
> ㉠
>
> 우리, 앞으로도 사이좋게 지내자.

3 지수가 쓴 편지에 어떤 내용이 더 들어가면 좋겠습니까?

( )

① 첫인사 ② 끝인사
③ 쓴 사람 ④ 받을 사람
⑤ 전하고 싶은 말

4 ㉠에 들어갈 수 있는 말을 생각하여 쓰시오.

_____

_____

단원 마무리

준비 ······

》마음을 전한 경험 나누기

예 그림과 같은 상황에서 해야 할 마음을 전하는 말

넘어져서 속상했지?

책을 빌려줘서 고마워.

내 잘못이야. ❶ ☐☐ 해.

기본 ······

》편지를 읽고 마음을 나타내는 말 익히기

예 편지글 ㉮~㉯에서 마음을 나타내는 말 익히기

㉮	고마웠어, 걱정했는데, 정말 기뻤어, 많이 속상했어, 미안했어, 고마워, 멋진 친구야, 친하게 지내자
㉯	축하드려요, 감사합니다, 많이 아쉬웠어요, 정말 기뻐요, 건강하시길 바랄게요
㉰	기특하고 대단하다고 생각했어, 많이 속상했지, 더 좋은 결과가 있을 거야, 응원하고 있어

기본 ······

》글을 읽고 글쓴이의 마음 짐작하기

예 「어머니와 물감」에서 민서의 마음 짐작하기

민서의 말이나 행동	민서의 마음
"제 머리핀인데 왜 민주가 꽂고 갔어요?"	❷ ☐☐
물감을 가방에 넣었는지 물으시는 어머니 말씀에 대꾸도 하지 않음.	서운함, 화남
책상에 엎드림.	❸ ☐☐함

기본 ······

》마음이 잘 드러나게 편지 쓰는 방법 익히기

1. 전하고 싶은 마음을 드러내는 표현을 사용하고, 자신의 생각이나 느낌을 자세히 씁니다.
2. 편지의 형식에 맞게 씁니다.

예 리디아의 편지에 나타난 형식

받을 사람	엄마, 아빠, 할머니께	쓴 날짜	1936년 7월 11일
❹ ☐☐☐	빠져 있음.	끝인사	모두에게 사랑을 담아서, 그리고 곧 만날 날을 기다리며
전하고 싶은 말	~ 저, 이제 집으로 돌아가요.	쓴 사람	리디아 그레이스

1~3 그림을 보고, 물음에 답하시오.

1 그림 ㉮~㉺ 중에서 다음 상황에 해당하는 것은 무엇입니까?

> 짝이 책을 빌려주는 상황

( )

2 그림 ㉮~㉺와 같은 상황에서 ○표를 한 사람은 어떤 마음을 전하면 좋을지 선으로 이으시오.

(1) 그림 ㉮ •   • ① 미안한 마음

(2) 그림 ㉯ •   • ② 고마운 마음

(3) 그림 ㉰ •   • ③ 축하하는 마음

(4) 그림 ㉱ •   • ④ 위로하는 마음

3 그림 ㉯에서 ○표를 한 사람이 마음을 전하려면 어떤 말을 해야 할지 써 보시오.

( )

4~6 글을 읽고, 물음에 답하시오.

> 나리야, 어제 네가 내 가방을 들어 주어서 고마웠어. 내가 팔을 다쳐서 가방을 어떻게 들까 걱정했는데 네가 와서 도와준다고 했을 때 정말 기뻤어. 그런데 어제는 고맙다는 말을 제대로 하지 못해서 이렇게 편지를 써.

4 나리는 어제 무슨 일을 했습니까?

( )

5 글쓴이가 편지를 통해 전하려는 마음은 무엇입니까? ( )

① 미운 마음   ② 고마운 마음
③ 충고하는 마음   ④ 축하하는 마음
⑤ 위로하는 마음

중요

6 이 편지에서 글쓴이의 마음을 나타내는 말을 두 가지 고르시오. (,)

① 이렇게   ② 고마웠어
③ 도와준다고   ④ 정말 기뻤어
⑤ 팔을 다쳐서

7 다음 ㉠, ㉡에 들어갈 마음을 나타내는 말을 찾아 선으로 이으시오.

> 할아버지, 생신 (㉠)
> 할아버지 댁에 가면 항상 반갑게 맞아 주시고, 재미있는 이야기도 많이 들려주셔서 (㉡)

(1) ㉠ •   • ① 감사합니다.

(2) ㉡ •   • ② 축하드려요.

8 다음 ㉠은 어떠한 마음을 나타내는 말인지 알맞은 것에 ○표를 하시오.

> 어제 있었던 줄넘기 대회에서 상을 받지 못했다는 소식을 들었어. 많이 속상했지? ㉠그래도 포기하지 않고 꾸준히 연습하면 다음에는 더 좋은 결과가 있을 거야.

• (놀리는 , 위로하는) 마음을 나타내는 말이다.

국어 활동

9 다음 편지에는 어떤 마음이 잘 드러나 있습니까?

> 엄마가 입던 옷으로 이렇게 예쁜 옷을 만들어 주셔서 고맙습니다. 이 옷을 입고 있어서인지 제가 무척이나 예쁘게 보입니다.

(   )

10~11 글을 읽고, 물음에 답하시오.

> "제 머리핀인데 왜 민주가 꽂고 갔어요?"
> "네가 일찍 일어나서 챙기지 않으니 그런 일이 생기지. 오늘은 그냥 다른 것으로 하고 가. 그러다 지각하겠다."
> 민주가 내 물건을 마음대로 가져간 건데 어머니께서는 내 탓이라고 하신다.
> 어머니께서는 늘 동생 편만 드신다.
> "오늘 물감 가져가야 한다고 하지 않았니? 가방에 잘 넣었어?"
> 가방을 메고 방을 나서는데 어머니께서 또 말씀하셨다. ㉠나는 어머니 말씀에 대꾸도 하지 않고 집을 나섰다.

중요

10 ㉠에 나타난 '나'의 마음을 두 가지 고르시오.
(,   )

① 화남   ② 기쁨
③ 놀람   ④ 서운함
⑤ 부끄러움

11 '내'가 10번 문제 답과 같은 마음이 든 까닭은 무엇입니까?   (   )

① 아침에 늦잠을 자서
② 어머니께서 깨워 주시지 않아서
③ 동생이 자기보다 머리핀이 많아서
④ 어머니께서 머리핀을 사 주시지 않아서
⑤ 어머니께서 동생 편만 드시는 것 같아서

12~13 글을 읽고, 물음에 답하시오.

> ㉮ 물감이 없었다. 아침에 분명 챙겼는데 보이지 않았다. 그때서야 신발 신을 때 물감을 현관에 두고 온 것이 떠올랐다.
> ㉯ "민서야, 너희 어머니께서 이거 너 주라고 하셨어."
> 내 물감이었다.
> "우리 어머니 만났어?"
> "교문 앞에서 만났는데, 시간이 없어서 그러신다며 나한테 대신 전해 달라고 하셨어."
> 나는 어머니 말씀에 대꾸도 하지 않고 학교에 왔는데, 어머니께서는 출근하느라 바쁘신데도 학교까지 오셔서 물감을 주고 가셨나 보다. 집에 가서 어머니께 죄송하다고 말씀드려야겠다.

서술형

12 어머니께서 '나'를 위해 하신 일을 쓰시오.

_____

_____

13 '내'가 집에 가서 어머니께 편지를 쓴다면 어떤 마음을 표현하겠습니까?   (   )

① 설레는 마음   ② 괘씸한 마음
③ 부러운 마음   ④ 죄송한 마음
⑤ 불평하는 마음

14~18 글을 읽고, 물음에 답하시오.

> 엄마, 아빠, 할머니께
>
> 가슴이 너무 쿵쿵거려서 아래층 손님들한테까지 제 심장 뛰는 소리가 들릴 것만 같아요.
>
> 오늘 점심때 짐 외삼촌이 가게 문에 '휴업'이라는 팻말을 걸고는 에드 아저씨와 엠마 아줌마와 저에게 위층으로 올라가서 기다리라고 하셨어요. 외삼촌은 제가 지금까지 한 번도 보지 못한 ㉠굉장한 케이크를 들고 나타나셨어요. 꽃으로 뒤덮인 케이크였어요. 저한테는 그 케이크 한 개가 외삼촌이 천 번 웃으신 것만큼이나 의미 있었어요.
>
> 그리고…… 그리고 외삼촌이 주머니에서 편지를 꺼내셨어요. 아빠가 취직을 하셨다는 소식이 담긴 편지였어요. 저, 이제 집으로 돌아가요.
>
> 1936년 7월 11일
모두에게 사랑을 담아서, 그리고 곧
만날 날을 기다리며 리디아 그레이스

14 편지의 형식 가운데에서 이 편지에 빠진 부분은 무엇입니까? (   )

① 첫인사　　② 끝인사
③ 쓴 사람　　④ 받을 사람
⑤ 전하고 싶은 말

서술형
15 외삼촌께서 굉장한 케이크를 들고 나타나신 까닭은 무엇인지 쓰시오.

_____

_____

16 리디아가 편지를 쓴 까닭은 어떤 마음을 전하기 위해서입니까? (   )

① 일하기 싫은 마음
② 케이크를 먹고 싶은 마음
③ 외삼촌 때문에 속상한 마음
④ 취직을 해서 돈을 벌고 싶은 마음
⑤ 집으로 돌아갈 수 있다는 기쁜 마음

17 쓰임에 따라 ㉠'굉장한'과 뜻이 비슷한 낱말이 아닌 것은 무엇입니까? (   )

① 엄청난　　② 근사한
③ 훌륭한　　④ 대단한
⑤ 하찮은

18 리디아에게 축하하는 마음을 전하는 말을 떠올린 것으로 알맞지 않은 것은 무엇입니까?
(   )

① 축하해.　　② 안됐어.
③ 참 잘됐어.　　④ 내 일처럼 기뻐.
⑤ 내 마음도 하늘을 나는 것 같아.

중요
19 마음이 드러나게 편지 쓰는 방법이 아닌 것은 무엇입니까? (   )

① 편지의 형식에 맞게 쓴다.
② 자신의 생각이나 느낌을 자세히 쓴다.
③ 전하고 싶은 마음이 잘 나타나게 쓴다.
④ 마음을 전하고 싶은 일은 생략하여 쓴다.
⑤ 전하고 싶은 마음을 드러내는 표현을 사용한다.

20 다음 편지 내용으로 알맞지 않은 것은 무엇입니까? (   )

> 민지야, 안녕? 나는 나은이야.
>
> 너, 나라 사랑 그리기 대회에서 금상을 받았다며? 축하해.
>
> 네가 내 친구라서 정말 자랑스러워.
>
> 앞으로 더 노력해서 화가가 되고 싶다는 네 꿈을 꼭 이루길 바랄게.

① 민지의 꿈은 화가이다.
② 나은이는 축하하는 마음을 전하고 있다.
③ 민지는 그리기 대회에서 금상을 받았다.
④ 나은이는 '축하해'라는 말로 마음을 표현했다.
⑤ 나은이는 민지가 화가가 아닌 다른 꿈을 갖기를 바라고 있다.

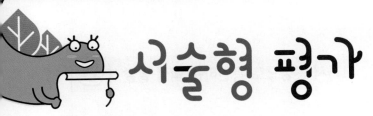

서술형 평가

1~2 글을 읽고, 물음에 답하시오.

㉮ "제 머리핀인데 왜 민주가 꽂고 갔어요?"
"네가 일찍 일어나서 챙기지 않으니 그런 일이 생기지. 오늘은 그냥 다른 것으로 하고 가. 그러다 지각하겠다."
민주가 내 물건을 마음대로 가져간 건데 어머니께서는 내 탓이라고 하신다.
어머니께서는 늘 동생 편만 드신다.
"오늘 물감 가져가야 한다고 하지 않았니? 가방에 잘 넣었어?"
가방을 메고 나서는데 어머니께서 또 말씀하셨다. 나는 어머니 말씀에 대꾸도 하지 않고 집을 나섰다.
㉯ "민서야, 너희 어머니께서 이거 너 주라고 하셨어." / 내 물감이었다.
"우리 어머니 만났어?"
"교문 앞에서 만났는데, 시간이 없어서 그러신다며 나한테 대신 전해 달라고 하셨어."
나는 어머니 말씀에 대꾸도 하지 않고 학교에 왔는데, 어머니께서는 출근하느라 바쁘신데도 학교까지 오셔서 물감을 주고 가셨나 보다. 집에 가서 어머니께 죄송하다고 말씀드려야겠다.

1 민서가 어머니께 죄송한 마음이 든 까닭은 무엇인지 쓰시오.

_____

_____

2 민서가 어머니께 죄송한 마음을 어떻게 표현하면 좋을지 민서에게 마음을 전하는 글을 쓰시오.

```



```

3~4 글을 읽고, 물음에 답하시오.

㉮ 꽃을 사랑하는 소녀 리디아는 아버지가 일자리를 잃고 생활이 어려워지자 도시에서 빵 가게를 하는 외삼촌 댁으로 가게 된다.
외삼촌은 무뚝뚝하기만 하고 도시 생활은 힘들지만, 리디아는 일하는 틈틈이 빵 가게 옥상에 멋진 꽃밭을 가꾼다.
㉯ 엄마, 아빠, 할머니께
외삼촌은 제가 지금까지 한 번도 보지 못한 굉장한 케이크를 들고 나타나셨어요. 꽃으로 뒤덮인 케이크였어요. 저한테는 그 케이크 한 개가 외삼촌이 천 번 웃으신 것만큼이나 의미 있었어요.
그리고…… 그리고 외삼촌이 주머니에서 편지를 꺼내셨어요. 아빠가 취직을 하셨다는 소식이 담긴 편지였어요. 저, 이제 집으로 돌아가요.
　　　　　　　1936년 7월 11일
　　　모두에게 사랑을 담아서, 그리고 곧
　　　만날 날을 기다리며 리디아 그레이스

3 리디아의 편지로 보아 어떤 상황이 되었는지 쓰시오.

• 외삼촌 댁에 가서 지내다가 아빠가 취직

을 하셔서 _____

_____

4 리디아에게 마음을 전하는 편지를 써 보시오.

```
리디아에게
리디아야, 안녕?
나는 진우라고 해. 「리디아의 정원」에 나오는
네 편지를 읽고 너에게 편지를 쓰고 싶었어.




20○○년 ○○월 ○○일 / 한국에서 진우가
```

낱말 퀴즈

● 다음 교과서 문장의 파란색 낱말 중에서 알맞은 것을 골라 인물들이 한 말을 완성하시오.

- 지난 체육 시간에 너와 달리기 **경주**를 해서 내가 졌잖아.
- 민주가 내 물건을 마음대로 가져간 건데 어머니께서는 내 **탓**이라고 하신다.
- 어머니께서는 늘 동생 **편**만 드신다.
- 아침에 분명 챙겼는데 보이지 않았다.

정답 | ❶ 경주 ❷ 편 ❸ 분명 ❹ 탓

5

중요한 내용을 적어요

무엇을 배울까요?

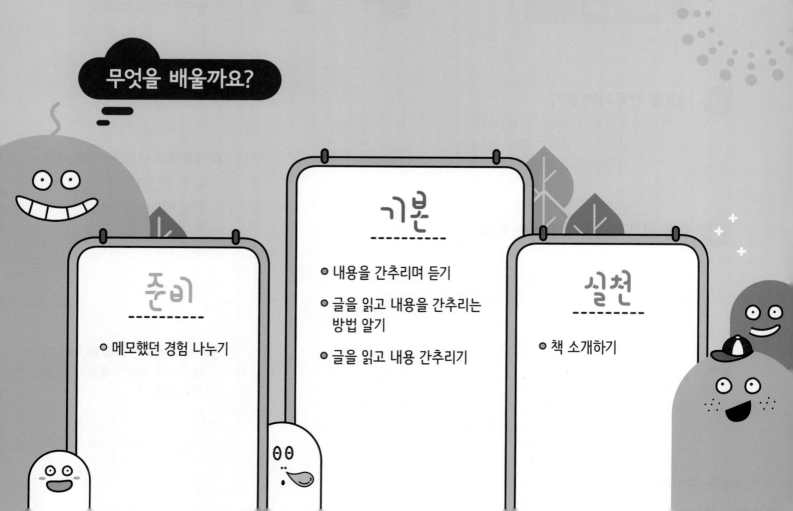

준비

● 메모했던 경험 나누기

기본

● 내용을 간추리며 듣기

● 글을 읽고 내용을 간추리는 방법 알기

● 글을 읽고 내용 간추리기

실천

● 책 소개하기

1 메모에 대하여 알기

메모의 뜻	다른 사람에게 말을 전하거나 자신이 기억한 것을 잊지 않으려고 짧게 쓴 글입니다.
메모가 필요한 상황	중요한 내용을 들을 때, 기억해야 할 내용이 너무 많을 때, 잊지 않으려고 할 때 메모가 필요합니다.
메모가 필요한 까닭	• 한꺼번에 많은 내용을 들으면 오래 기억하지 못하기 때문입니다. • 나중에 기억하기 위해서입니다. • 중요한 내용을 표시해 두기 위해서입니다.
메모를 하면 좋은 점	메모를 해 두면 시간이 많이 흐른 뒤에도 듣고 보고 생각한 것을 다시 떠올리는 데 도움이 됩니다.

예 메모가 필요한 상황

2 내용을 간추리며 듣기

① 필요한(중요한) 내용만 정리합니다.
② 중요한 낱말을 중심으로 짧게 씁니다.
  → 메모는 다양하게 할 수 있지만, 중요한 내용을 간단하게 정리하는 게 중요합니다.

3 글을 읽고 내용을 간추리는 방법

① 각 문단의 중요한 내용을 찾아 정리합니다.
② 묶을 수 있는 낱말을 이용해서 간단하게 정리합니다.
③ 중요한 내용을 이어서 전체 내용을 하나로 묶습니다.

4 책 소개하기

① 어떤 책의 어떤 내용을 소개하고 싶은지 생각해 봅니다.
② 책 제목, 책을 고른 까닭, 소개할 내용, 책을 읽고 느낀 점 등을 넣어 책을 소개하는 글을 써 봅니다.

핵심 **확 인 문 제**
정답과 해설 ● 18쪽

1 다른 사람에게 말을 전하거나 자신이 기억한 것을 잊지 않으려고 짧게 쓴 글을 무엇이라고 합니까?

(   )

2 ☐☐ 해야 할 내용이 너무 많을 때 메모가 필요합니다.

3 내용을 간추리며 들을 때에는 중요한 내용을 씁니다.

(○ , ×   )

4 글을 읽고 내용을 간추릴 때에는 각 문단의 ☐☐☐ 내용을 찾아 정리하여 전체 내용을 하나로 묶습니다.

5 책을 소개하는 글을 쓸 때에 어떤 내용을 넣으면 좋을지 한 가지 쓰시오.

(   )

● 어린이 박물관으로 견학을 간 민건이네 모둠에 생긴 일 살펴보기

❶ 우리 모둠 과제는 옛이야기 속 과학 지식을 조사하는 것이지?

응. 선생님 말씀을 잘 듣고 과제부터 해결하러 가자.

「박물관 선생님 말씀」

❷ 지금부터 어린이 박물관을 안내하겠습니다. 어린이 박물관은 1층의 역사 전시관과 2층의 옛이야기 전시관으로 이루어져 있어요. 옛이야기 전시관에서는 매달 옛이야기 하나를 정해서 전시하고 있는데, 이번 달 옛이야기는 「흥부와 놀부」예요. 옛이야기 전시관 안으로 들어가면, '이야기 알기', '이야기 속으로', '이야기 세상' 구역으로 나누어지지요. 먼저 '이야기 알기'에서는 옛이야기의 줄거리를 그림으로 알아볼 수 있어요. 그리고 '이야기 속으로'에서는 옛이야기에 나오는 여러 가지 체험활동을 할 수 있어요. 마지막으로 '이야기 세상'에서는 옛이야기와 관련된 조상의 생활 모습과 옛이야기 속 과학 지식을 알아볼 수 있어요.

❸ 모두 잘 들었지? 그럼 어디로 갈까?

옛이야기 속 과학 지식을 배우려면 '이야기 속으로'에 가야 해!

아니야, '이야기 알기'로 가야 해!

❹ 들을 때에는 다 기억할 것 같았는데, 지금 떠올리니 잘 기억이 안 나네. 어디로 가야 할지 모르겠어.

나도 어느 쪽이 옳은지 모르겠어. 분명히 열심히 들었는데.

민건아, 너는 혹시 기억나니?

…….

• 그림 설명: 견학을 가서 박물관 선생님 말씀을 들을 때 메모하지 않아 생긴 일이 나타나 있습니다.

교과서 핵심 ● 메모했던 경험 나누기

예 민건이는 중요한 내용을 듣고 기억해야 하는 상황에서 메모했다.

📖 교과서 문제

1 민건이네 모둠 과제는 무엇입니까?

( )

📖 교과서 문제

2 민건이네 모둠이 어디로 가야 하는지 모르는 까닭을 두 가지 고르시오. (,)

① 선생님께서 알려 주시지 않아서
② 선생님 말씀을 기억하지 못해서
③ 친구들마다 가고 싶은 곳이 달라서
④ 박물관에서 길을 잃어버렸기 때문에
⑤ 선생님 말씀을 제대로 듣지 않았기 때문에

역량

3 「박물관 선생님 말씀」을 들으며 민건이가 쓴 다음 내용에서 빠진 부분을 채워 써 보시오.

옛이야기 전시관

이번 달 옛이야기: (1) ( )
1. 이야기 알기: 줄거리를 그림으로 알아보기
2. 이야기 속으로: 옛이야기에 나오는
 (2) ( )
3. (3) ( ): 조상의 생활 모습, 옛이야기 속 과학 지식

핵심

4 3번 문제처럼 다른 사람에게 말을 전하거나 자신이 기억한 것을 잊지 않으려고 짧게 쓴 글을 무엇이라고 합니까?

( )

● 메모가 왜 필요한지 생각하며 보기

갑자기 좋은 생각이 났어!

가게에 가서 사야 할 게 콩나물이랑 파, 통조림…….

기억해야 할 게 너무 많아요.

'동물의 한살이'란 동물이 태어나서 어린 시절을 보내고 성장해서 자손을 남기고 죽을 때까지 그 과정을 말합니다.

・ 그림 설명

가	남자아이에게 갑자기 좋은 생각이 났습니다.
나	아버지께서 딸에게 가게에 가서 사야 할 물건을 말하고 있습니다.
다	학생들이 공부를 하고 있습니다.

교과서 핵심

◦ 메모가 필요한 상황

가	좋은 생각이 떠오른 상황
나	심부름을 갈 때 기억할 게 많은 상황
다	공부하는 상황

📖 교과서 문제

5 그림 가~다는 각각 어떤 상황인지 찾아 선으로 이으시오.

(1) 가 •

(2) 나 •

(3) 다 •

• ① 공부하는 상황

• ② 좋은 생각이 떠오른 상황

• ③ 심부름을 갈 때 기억할 게 많은 상황

📖 교과서 문제

6 그림 가~다와 같은 상황에서 기억을 잘하려면 무엇을 하면 좋겠습니까?

( )

핵심

7 메모가 필요한 까닭으로 알맞지 않은 것은 무엇입니까? ( )

① 잊지 않기 위해서
② 나중에 기억하기 위해서
③ 일의 원인과 결과를 알기 위해서
④ 중요한 내용을 표시해 두기 위해서
⑤ 한꺼번에 많은 내용을 들으면 오래 기억하지 못하기 때문에

논술형

8 메모했던 경험을 한 가지 떠올려 쓰시오.

_____

_____

기본

◀: 한비가 어린이 박물관에서
들은 설명 보기

복을 물어다 주는 제비

우리 조상은 제비를 복과 ♥재물을 가져다주는 좋은 새라고 여겼습니다. 제비는 주로 음력 9월 9일 즈음 강남에 갔다가 3월 3일 즈음에 돌아오는데, 우리 조상은 이처럼 홀수가 겹치는 날을 운이 좋은 날이라 하여 길일이라고 불렀습니다. 따라서 좋은 날에

운이 좋거나 상서로운 날

5 떠나 좋은 날에 돌아오는 제비는 그만큼 영리하고 행운을 가져다주는 동물일 것이라고 생각했던 것입니다. 그래서 집에 제비가 들어와 둥지를 틀면 좋은 일이 생길 것이라고 믿고 반겼습니다.

▲ 제비

• **글의 특징**: 한비가 어린이 박물관에서 제비에 대해 들은 설명입니다.

♥재물(財 재물 재, 物 물건 물) 돈이나 그 밖의 값나가는 모든 물건.

교과서 핵심

◉ 내용을 간추리며 듣기

메모하는 방법 예

제비에 대한 조상들의 생각이 나타나도록 중요한 내용을 간단하게 정리해야 한다.

📖 교과서 문제

1 우리 조상은 제비를 어떤 새라고 여겼습니까?

( )

📖 교과서 문제

2 이 설명을 듣고 메모를 가장 잘한 친구는 누구입니까?

한비

복을 물어다 주는 제비
• 제비는 복과 재물을 가져다주는 새
• 좋은 날(홀수가 겹치는 날)에 떠나 좋은 날에 돌아옴. 그만큼 영리하고 행운을 가져다줄 것이라고 생각함.

진호

복을 물어다 주는 제비
우리 조상은 제비를 복과 재물을 가져다주는 좋은 새라고 여겼습니다. 제비는 주로 음력 9월 9일 즈음 강남에 갔다가 3월 3일 즈음에 돌아오는데, 우리 조상은 이처럼…….

수영

복을 물어다 주는 제비
• 9월 9일, 3월 3일
• 제비 둥지

( )

📖 교과서 문제

3 메모를 어떻게 하면 좋겠습니까? ( )

① 긴 문장으로 쓴다.
② 들은 내용을 모두 쓴다.
③ 중요하지 않은 내용도 쓴다.
④ 똑같은 내용을 반복해서 쓴다.
⑤ 중요한 내용만 간단하게 정리하여 쓴다.

핵심

4 이 설명의 내용에 맞게 다음 메모의 빈칸에 알맞은 내용을 쓰시오.

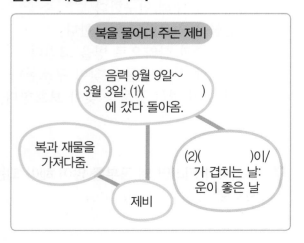

복을 물어다 주는 제비

음력 9월 9일~
3월 3일: (1)( )
에 갔다 돌아옴.

복과 재물을
가져다줌.

(2)( )이/
가 겹치는 날:
운이 좋은 날

제비

🐵 **기본** ━━━━━━━━━━━━━━━━━━━━━━━━━

◀ 중요한 내용을
메모하며 듣기

동물을 ♥치료하는 직업

흥부는 제비의 다리를 치료해 주고 복이 담긴 박씨를 얻었습니다. 요즘이라면 제비의 다리를 고치기 위해 동물 병원에 갔겠죠. 이렇게 동물 병원에서 동물의 병을 치료해 주는 직업을 '수의사'라고 합니다. 수의사는 애완동물부터 가축, 야생 동물, 희귀 동물까지 모든 동물을 진료하는 의사입니다.

_{드물어서 특이하거나 매우 귀함.}

5

여러분도 수의사가 되고 싶다고요? 수의사가 되려면 질병이나 동물에 대한 전문적인 지식이 필요하기 때문에 공부를 많이 해야 합니다. 또 흥부처럼 동물을 사랑하는 마음과 생명을 소중하게 여기는 마음을 지녀야 합니다.

● **글의 내용**: 동물의 병을 치료하는 직업인 '수의사'에 대해 설명하고 있습니다.

♥**치료**(治 다스릴 **치**. 療 병고칠 **료**) 병이나 상처 따위를 잘 다스려 낫게 함.
예 치료를 잘 받고 감기가 나았습니다.

🐛 교과서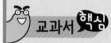

◉ 내용을 간추리며 듣기

수의사	동물을 진료하고 치료하는 직업
수의사가 되려면	• 질병이나 동물에 대해 공부를 많이 해야 함. • 동물을 사랑하는 마음과 생명을 소중하게 여기는 마음을 지녀야 함.

---

5 이 설명에서 중요한 낱말은 무엇입니까?
( )

① 복 　　② 제비 　　③ 흥부
④ 박씨 　　⑤ 수의사

6 수의사는 어떤 일을 합니까? ( )

① 식물에 대해 연구한다.
② 동물을 진료하고 치료한다.
③ 한의술과 한약으로 병을 고친다.
④ 위험에 처한 동물을 찾아 구조한다.
⑤ 살 곳이 없는 동물을 찾아 보호한다.

7 수의사가 되려면 왜 공부를 많이 해야 되는지 쓰시오.
( )

8 수의사가 되려면 평소에 어떤 마음을 지녀야 할지 두 가지 고르시오. (,)

① 동물을 사랑하는 마음
② 다른 사람을 배려하는 마음
③ 생명을 소중하게 여기는 마음
④ 모든 일에 앞장서고자 하는 마음
⑤ 자연을 아끼고 보호하고자 하는 마음

핵심 서술형

9 이 설명에서 중요한 내용을 메모해 보시오.

동물을 치료하는 직업

● 각 글의 특징과 각 글과 같은 쓰기 방식이 필요한 상황을 생각하며 읽기

가

　　악기는 타악기, 현악기, 관악기로 나눌 수 있어요. 타악기는 두드리거나 때려서 소리를 내는 악기로 타악기에는 장구나 큰북 등이 있으며, 현악기는 줄을 사용하는 악기로 현악기에는 가야금이나 바이올린 등이 있어요. 그리고 관악기는 입으로 불어서 소리를 내는 악기로 관악기에는 단소나 트럼펫 등이 있어요.

나

　　악기는 타악기, 현악기, 관악기로 나눌 수 있다.

다

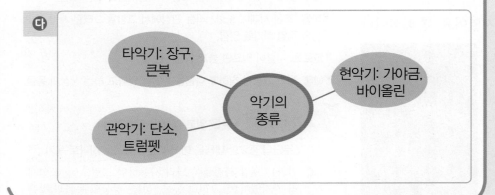

● 글의 특징: 글 **가**~**다**는 악기의 종류에 대해 각각 다른 방식으로 썼습니다.

교과서 핵심

○ **글의 특징과 쓰기 방식이 필요한 상황**

• 글 **가**

특징	전달하고 싶은 내용을 자세히 썼다.
필요한 상황	자세히 알려 주는 글을 쓸 때

• 글 **나**

특징	전체 내용을 한두 문장으로 짧게 간추려 썼다.
필요한 상황	전체 내용을 간단하게 정리할 때

• 글 **다**

특징	중요한 내용을 낱말 중심으로 짧게 썼다.
필요한 상황	읽거나 들은 내용을 빠르게 정리할 때

📖 교과서 문제

1 글 **가**~**다**는 무엇에 대해 쓴 글입니까?

（　　　）

① 악기의 종류
② 악기를 연주하는 방법
③ 악기를 제작하는 방법
④ 우리나라의 전통 악기
⑤ 악기를 쉽게 배울 수 있는 방법

2 다음에 해당하는 악기의 예를 각각 찾아 쓰시오.

(1) 타악기	
(2) 현악기	
(3) 관악기	

핵심

3 글 **가**~**다**의 특징을 찾아 알맞게 선으로 이으시오.

(1) **가** •

(2) **나** •

(3) **다** •

• ① 전체 내용을 한두 문장으로 짧게 간추려 썼다.

• ② 중요한 내용을 낱말 중심으로 짧게 썼다.

• ③ 전달하고 싶은 내용을 자세히 썼다.

📖 교과서 문제

4 글 **나**와 같은 쓰기 방식이 필요한 상황을 써 보시오.

（　　　　　　　）

🔊 내용을 어떻게 간추려야
할지 생각하며 읽기

민화

장세현

❶ 민화는 옛날 사람들이 널리 사용하던 그림이에요. 따라서 민화 속에는 우리 조상의 삶과 신앙, 멋이 깃들어 있어요. 민화가 여느 그림과 다른 점은 생활에 필요한 실용적인 그림이라는 것이에요.
5 다시 말해, 선비들이 그린 격조 높은 ♥산수화나 솜씨 좋은 ♥화원이 그린 작품들은 오래 두고 감상하는 그림이지만, 민화는 어떤 특별한 목적을 위해 사용한 그림이지요.

　문예 작품 따위에서, 격식과 운치에 어울리는 가락

❷ 민화의 쓰임새는 여러 가지였어요. 혼례식이나
10 잔치를 치를 때 장식용으로 쓰던 병풍 그림도 민화였고, 대문이나 벽에 부적처럼 걸어 둔 것도 민화였고, 자신의 소망을 빌거나 누군가를 축하하는 그림도 민화였어요.
15
　귀신을 쫓고 나쁜 일을 피하려고 글씨를 쓰거나 그림을 그려 몸에 지니거나 집에 붙이는 종이

❸ 민화는 호랑이, 까치, 물고기, 사슴, 학, 거북, 토끼, 매와 같은 동물이나 소나무와 대나무, 모란, ♥불로초, 연꽃, 석류 같은 식물 등의 다양한 소재를 사용했어요. ♥해태나 용 같은 상상의 동물도 있지요. 우리 조상은 민화에 복을 기원하고, 악귀나 5 나쁜 것을 몰아내는 힘이 있다고 믿었던 거예요.

- 글의 종류: 정보를 전달하는 글
- 글의 특징: 옛날 사람들이 널리 사용하던 그림인 민화의 쓰임새, 사용한 소재 등을 설명하고 있습니다.

♥산수화 산과 물이 어우러진 자연의 아름다움을 그린 그림.

♥화원 조선 시대에 도화서라는 관청에서 그림을 그리던 사람. 오늘날의 직업 화가를 말함.

♥불로초 사람이 먹으면 늙지 않는다는 풀.

♥해태 옳고 그름과 착하고 나쁨을 판단해 안다고 하는 상상의 동물.

🐌 교과서 핵심 ○글을 읽고 내용을 간추리기

각 문단의 중요한 내용을 이어서 전체 내용을 하나로 묶기

💬 민화는 옛날 사람들이 널리 사용하던 그림으로, 쓰임새가 여러 가지였어요. 그리고 동물, 식물, 상상의 동물과 같은 다양한 소재를 사용했어요.

5 민화에 대한 설명으로 알맞지 <u>않은</u> 것은 무엇입니까? (　　)

① 병풍 그림에 쓰이기도 했다.
② 오래 두고 감상하는 그림이다.
③ 생활에 필요한 실용적인 그림이다.
④ 조상의 삶과 신앙, 멋이 깃들어 있다.
⑤ 옛날 사람들이 널리 사용하던 그림이다.

📖 교과서 문제

6 다음 낱말을 묶을 수 있는 낱말을 각각 찾아 쓰시오.

민화의 소재		
(1)	(2)	(3)
호랑이, 까치, 물고기, 사슴, 학, 거북, 토끼, 매	소나무, 대나무, 모란, 불로초, 연꽃, 석류	해태, 용

서술형

7 이 글 전체 내용을 간추릴 때 빈칸에 알맞은 내용을 써 보시오.

- 민화는 옛날 사람들이 널리 사용하던 그림으로, 쓰임새가 여러 가지였어요. 그리고

_____

_____

핵심

8 글을 간추리는 방법으로 알맞은 것을 세 가지 고르시오. (　　,　　,　　)

① 전체 내용을 다 쓰도록 노력한다.
② 각 문단의 중요한 내용을 정리한다.
③ 묶을 수 있는 낱말로 간단하게 정리한다.
④ 문장을 이을 때 꾸며 주는 말을 사용한다.
⑤ 중요한 내용을 이어서 전체 내용을 하나로 묶는다.

5
단원

◀: 중요한 내용을
생각하며 읽기

플랑크톤이란?

김종문

❶ 우리가 아는 모든 생물에게 물은 생명을 유지하는 데 반드시 필요한 물질입니다. 그래서 바다와 강, 호수, 연못뿐만 아니라 빗물이 고인 작은 웅덩이까지 물이 있는 곳이라면 다양한 생물이 살아갑니다. 다만 어떤 종류의 생물이 사는지가 다를 뿐이지요.

❷ 빗물이 고인 작은 병 속에는 아무 생물도 없다고요? 혹시 너무 작아서 안 보이는 건 아닐까요? 맨눈으로는 볼 수 없는 작은 생물까지 포함하면 자연적인 상태의 물이 있는 곳에는 어떤 형태로든 생물이 산다고 보아도 좋을 것입니다.

❸ 물에 사는 생물들은 살아가는 모습에 따라서 크게 세 가지로 나뉩니다. 바다 생활을 하는 생물, 헤엄을 치는 생물, 그리고 떠다니는 생물이 있습니다. 이 가운데 물에 둥둥 떠다니는 생물을 <u>통틀어서</u> '플랑크톤'이라고 합니다.
<small>있는 대로 모두 한데 묶어서</small>

❹ 플랑크톤이라고 해서 모두 물에 가만히 떠 있기만 하는 것은 아니며, 어떤 종류는 스스로 헤엄치기도 합니다. 그러나 운동 능력이 워낙 약해서 물의 흐름을 거슬러 이동할 수는 없습니다. 그러므로 물속에 사는 아주 작은 생물들은 모두 플랑크톤이라고 생각할 수 있습니다. 해파리처럼 제법 큰 생물이라도 물의 흐름을 거슬러 헤엄칠 수 없다면 모두 플랑크톤으로 분류합니다.

▲ 해파리

• 글의 종류: 정보를 전달하는 글
• 글의 내용: 물에 사는 플랑크톤에 대해 설명하고 있습니다.

교과서 **핵심** ○글을 읽고 내용 간추리기

> **예** 생물이 생명을 유지하는 데 물은 반드시 필요합니다. 그래서 물이 있는 곳에는 생물이 산다고 할 수 있습니다. 이 가운데 물에 둥둥 떠다니는 생물을 플랑크톤이라고 합니다. 스스로 헤엄칠 수 있는 큰 생물이라도 물의 흐름을 거슬러 헤엄칠 수 없다면 플랑크톤입니다.

1 다음 빈칸에 들어갈 말은 무엇입니까? ( )

> ( )은 살아가는 모습에 따라서 크게 바다 생활을 하는 생물, 헤엄을 치는 생물, 떠다니는 생물로 나눌 수 있습니다.

① 물에 사는 생물들
② 갯벌에 사는 생물들
③ 땅위에 사는 생물들
④ 땅속에 사는 생물들
⑤ 지구에 사는 생물들

서술형

📖 교과서 문제

2 문단 ❸의 중요한 내용을 간단하게 정리해 쓰시오.

_____

_____

핵심

3 이 글 전체 내용을 간추려 쓴 것입니다. 이어주는 말을 빈칸에 알맞게 쓰시오.

> 생물이 생명을 유지하는 데 물은 반드시 필요합니다. ( ) 물이 있는 곳에는 생물이 산다고 할 수 있습니다. 이 가운데 물에 둥둥 떠다니는 생물을 플랑크톤이라고 합니다. 스스로 헤엄칠 수 있는 큰 생물이라도 물의 흐름을 거슬러 헤엄칠 수 없다면 플랑크톤입니다.

4 이와 같은 글의 종류에 대한 설명입니다. 빈칸에 알맞은 말을 쓰시오.

• ( )을/를 전달하는 글을 읽으면 궁금한 내용이나 새로운 사실을 알 수 있습니다.

실천

● 윤지가 책에 있는 재미있는 정보를 간추려 쓴 소개하는 글 읽기

최근에 『세상을 돌고 도는 놀라운 물의 여행』을 읽고 물에 대한 정보를 알게 되었습니다. 그 책에 나온 물에 대한 정보를 소개하겠습니다.

우리가 사는 지구에는 몇십억 년 전부터 물이 있었습니다. 그리고 그 물은 모양을 바꾸며 세상 곳곳을 끊임없이 돌아다니며 여행합니다.

5 물은 하늘에서 땅과 바다로, 그리고 우리 몸속이나 동물들 몸속으로 끊임없이 돌고 돕니다. 물은 오랜 시간에 걸쳐 모습만 바꾸어 돌아다니기 때문에 지금 수도꼭지에서 흘러내리는 물은 아주 오래전에 공룡이 발을 담근 물일지도 모른다고 합니다.

● 글의 특징: 윤지가 책에 있는 재미있는 정보를 간추려 쓴 소개하는 글입니다.

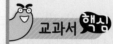

교과서 핵심

● 책 소개하기

책 제목	『세상을 돌고 도는 놀라운 물의 여행』
소개하고 싶은 정보	물에 대한 정보
책 내용을 간추린 부분	우리가 사는 지구에는 ~ 물일지도 모른다고 합니다.

📖 교과서 문제

1 윤지가 읽은 책 제목은 무엇입니까?

( )

📖 교과서 문제

2 윤지가 소개하고 싶은 정보는 무엇입니까?

( )

① 물에 대한 정보
② 지구에 대한 정보
③ 환경 오염에 대한 정보
④ 세계의 여행지에 대한 정보
⑤ 물속에 사는 다양한 생물에 대한 정보

📖 교과서 문제

3 책 내용을 간추린 부분에 밑줄을 그으시오.

핵심

4 책을 소개하는 글에 들어갈 내용으로 알맞지 않은 것은 무엇입니까? ( )

① 책 제목
② 책을 고른 까닭
③ 책을 읽고 느낀 점
④ 책을 읽은 시간과 장소
⑤ 책을 읽고 소개하고 싶은 정보

역량

5 자신이 읽은 책 내용을 간추려 친구들에게 소개할 내용을 정리해 보시오.

(1) 책 제목	
(2) 소개할 내용	

기본 · 87~88쪽 내용을 간추리며 듣기

① 선생님, 도서관에서는 어떤 일을 하나요?

② 도서관에서 하는 일은 아주 많아요. 먼저, 책이나 신문과 같은 자료를 모으는 일을 하지요. 그리고 그 자료들을 분류·정리·보존하는 일을 해요. 또 많은 사람이 그 자료를 이용할 수 있게 해요.

③ 그럼 저는 도서관에서 어떤 것을 할 수 있나요?

④ 석현이는 오늘 도서관이 어떤 곳인지 알아보려고 왔죠? 도서관에는 여러 종류의 책이 있어요. 여기에서 책을 찾아 읽을 수도 있고 빌려 갈 수도 있어요. 그리고 정보를 검색할 수도 있어요. 우리 도서관에서는 다양한 독서 문화 행사를 여니 행사에도 참여할 수 있어요.

1 이 그림을 보고 다음 석현이의 메모를 완성해 보시오.

도서관에서 하는 일
• 자료 모으기, 　자료 (1) ＿＿＿＿＿＿＿ 　＿＿＿＿＿＿＿＿＿＿＿, 　자료 이용할 수 있게 하기
우리가 도서관에서 할 수 있는 일
• 책을 읽거나 빌릴 수 있음. • (2) ＿＿＿＿＿＿＿＿ 　＿＿＿＿＿＿＿＿＿＿＿ • 다양한 독서 문화 행사에 　참여할 수 있음.

기본 · 91쪽 글을 읽고 내용 간추리기

새로운 운동

❶ ㉠생활 속에서 쉽게 할 수 있는 운동에 관심이 높아지면서 예전에 볼 수 없던 새로운 운동이 많이 늘어나고 있습니다. ㉡이 운동 가운데에는 새로 만든 운동도 있고, 외국에서 예전부터 즐겼지만 우리나라에는 늦게 들어온 운동도 있습니다. ㉢그리고 우리나라 전
5 통 놀이를 새롭게 바꾸어 만든 운동도 있습니다.

❷ 새로 만든 운동으로 스포츠 스태킹이 있습니다. 스포츠 스태킹은 1980년대에 미국 어린이들이 종이컵으로 하던 놀이에서 생겨난 운동입니다. 이 운동을 할 때에는 컵 열두 개를 다양한 방법으로 쌓
10 고 허무는 기술과 속도가 중요합니다. 이 운동을 하면 근육을 사용하는 능력과 집중력을 높일 수 있습니다.

▲ 스포츠 스태킹

2 문단 ❶의 중요한 내용은 ㉠～㉢ 중 무엇입니까?

(　　　　　)

3 스포츠 스태킹에 대한 설명으로 알맞지 않은 것은 무엇입니까?
(　　　)
① 집중력을 높일 수 있다.
② 컵을 다양한 방법으로 쌓고 허문다.
③ 종이컵으로 하던 놀이에서 생겨났다.
④ 근육을 사용하는 능력을 높일 수 있다.
⑤ 우리나라 전통 놀이를 바꾸어 만든 운동이다.

❸ 외국에서는 예전부터 즐기던 것인데 최근에 우리나라에 들어온 운동으로 슐런이 있습니다. 슐런은 네덜란드에서 즐기던 것인데, 슐박이라는 놀이판 끝에 있는 관문 네 곳에 나무 원반 30개를 밀어서 넣는 운동입니다. 관문마다 점수가 다르지만, 원반을 네 곳에 골
5 고루 넣으면 추가 점수가 있으므로 한 곳에 몰아넣는 것보다 높은 점수를 얻을 수 있습니다. 점수가 높은 사람이 이깁니다. 슐런은 규칙이 간단해서 누구나 쉽게 배울 수 있고, 손힘을 조절하는 능력과 집중력을 높일 수 있는 운동입니다.

❹ 우리나라 전통 놀이를 새롭게 바꾸어 만든 운동에는 한궁이 있습
10 니다. 한궁은 우리나라 전통 놀이인 투호와 외국의 다트를 합쳐서 만든 운동입니다. 자석 한궁 핀을 표적판에 던져 높은 점수를 얻는 사람이 이기며, 왼손과 오른손으로 각각 다섯 번씩 던져야 하기 때문에 양손 근육을 골고루 발달시킬 수 있습니다.

❺ 이런 새로운 운동들은 좋은 점이 많습니다. 규칙이 간단해 쉽게
15 배울 수 있고, 특별한 운동 기술이 없어도 누구나 즐길 수 있습니다.

4 외국에서는 예전부터 즐기던 것인데 최근에 우리나라에 들어온 운동의 예로 무엇을 들었습니까?

(   )

5 문단 ❹의 중요한 내용을 정리해 쓰시오.

_____

_____

_____

기초 다지기   **낱말의 발음에 주의하기**

6 다음 파란색으로 쓰인 '엷게', '밟지'를 어떻게 발음하는 것이 바른지 알맞은 것을 찾아 ○표를 하시오.

(1) 엷게: ① [열께] (   )   ② [엽께] (   )
(2) 밟지: ① [발찌] (   )   ② [밥찌] (   )

7 겹받침 'ㄼ'이 들어간 낱말의 발음을 쓰시오.
(1) 짧다 [   ]   (2) 얇다 [   ]
(3) 떫다 [   ]   (4) 넓다 [   ]

준비

》 메모했던 경험 나누기

예 민건이네 모둠에 있었던 일 살펴보기

들을 때에는 다 기억할 것 같았는데, 지금 떠올리니 잘 기억이 안 나네. 어디로 가야 할지 모르겠어.

❶ ☐☐을/를 해 두면 시간이 많이 흐른 뒤에도 듣고 보고 생각한 것을 다시 떠올리는 데 도움이 됩니다.

기본

》 내용을 간추리며 듣기

예 어린이 박물관에서 들은 「복을 물어다 주는 제비」의 내용 간추리기

필요한(중요한) 내용만 ❷☐☐하게 정리하기	한비	복을 물어다 주는 제비 • 제비는 복과 재물을 가져다주는 새 • 좋은 날(홀수가 겹치는 날)에 떠나 좋은 날에 돌아옴. 그만큼 영리하고 행운을 가져다줄 것이라고 생각함.

기본

》 글을 읽고 내용을 간추리기

예 「민화」를 읽고 내용 간추리기

각 문단의 ❸☐☐☐ 내용을 이어서 전체 내용을 하나로 묶기	민화는 옛날 사람들이 널리 사용하던 그림으로, 쓰임새가 여러 가지였어요. 그리고 동물, 식물, 상상의 동물과 같은 다양한 소재를 사용했어요.

예 「플랑크톤이란?」의 내용 간추리기

이어 주는 말을 사용해 전체 내용을 간추리기	생물이 생명을 유지하는 데 물은 반드시 필요합니다. 그래서 물이 있는 곳에는 생물이 산다고 할 수 있습니다. 이 가운데 물에 둥둥 떠다니는 생물을 플랑크톤이라고 합니다. 스스로 헤엄칠 수 있는 큰 생물이라도 물의 흐름을 거슬러 헤엄칠 수 없다면 플랑크톤입니다.

실천

》 책 소개하기

예 윤지가 쓴 소개하는 글

책 제목	『세상을 돌고 도는 놀라운 물의 여행』
소개하고 싶은 정보	물에 대한 정보
책 ❹☐☐을/를 간추린 부분	우리가 사는 지구에는 몇십억 년 전부터 물이 있었습니다. ∼ 물은 아주 오래전에 공룡이 발을 담근 물일지도 모른다고 합니다.

1~2 글을 읽고, 물음에 답하시오.

박물관 선생님 말씀

옛이야기 전시관 안으로 들어가면, '이야기 알기', '이야기 속으로', '이야기 세상' 구역으로 나누어지지요. 먼저 '이야기 알기'에서는 옛이야기의 줄거리를 그림으로 알아볼 수 있어요. 그리고 '이야기 속으로'에서는 옛이야기에 나오는 여러 가지 체험활동을 할 수 있어요.

1 선생님께서 어느 전시관을 안내했는지 쓰시오.

( )

2 선생님 말씀을 들으며 중요한 내용을 적을 때 ㉠, ㉡에 들어갈 내용을 찾아 선으로 이으시오.

> 옛이야기 전시관
> 1. (㉠): 줄거리를 그림으로 알아보기
> 2. (㉡): 옛이야기에 나오는 체험활동

(1) ㉠ •   • ① 이야기 속으로

(2) ㉡ •   • ② 이야기 알기

3~4 그림을 보고, 물음에 답하시오.

3 이 그림은 어떤 상황입니까? ( )

① 공부를 하는 상황이다.
② 좋은 생각이 떠오른 상황이다.
③ 약속을 기억해야 하는 상황이다.
④ 친구에게 전할 말이 있는 상황이다.
⑤ 심부름을 갈 때 기억할 게 많은 상황이다.

중요
4 이 그림과 같은 상황에는 무엇이 필요한지 빈칸에 알맞은 말을 쓰시오.

• 중요한 내용을 표시해 두기 위해서
( )이/가 필요하다.

5~6 글을 읽고, 물음에 답하시오.

복을 물어다 주는 제비

우리 조상은 제비를 복과 재물을 가져다주는 좋은 새라고 여겼습니다. 제비는 주로 음력 9월 9일 즈음 강남에 갔다가 3월 3일 즈음에 돌아오는데, 우리 조상은 이처럼 홀수가 겹치는 날을 운이 좋은 날이라 하여 길일이라고 불렀습니다. 따라서 좋은 날에 떠나 좋은 날에 돌아오는 제비는 그만큼 영리하고 행운을 가져다주는 동물일 것이라고 생각했던 것입니다. 그래서 집에 제비가 들어와 둥지를 틀면 좋은 일이 생길 것이라고 믿고 반겼습니다.

5 제비에 대한 설명으로 알맞지 <u>않은</u> 것은 무엇입니까? ( )

① 영리한 동물이라고 생각했다.
② 음력 9월 9일 즈음 강남에 간다.
③ 복과 재물을 가져다주는 새로 여겼다.
④ 음력 3월 3일 즈음 강남에서 돌아온다.
⑤ 집에 제비가 둥지를 틀면 좋지 않은 일이 생길 것이라고 생각했다.

6 이 설명을 듣고 다음 한비가 한 메모의 특징을 쓰시오.

> 복을 물어다 주는 제비
> • 제비는 복과 재물을 가져다주는 새
> • 좋은 날(홀수가 겹치는 날)에 떠나 좋은 날에 돌아옴. 그만큼 영리하고 행운을 가져다줄 것이라고 생각함.

( )

7 다음 설명에서 중요한 내용을 메모할 때 빈칸에 알맞은 말을 쓰시오.

> 흥부는 제비의 다리를 치료해 주고 복이 담긴 박씨를 얻었습니다. 요즘이라면 제비의 다리를 고치기 위해 동물 병원에 갔겠죠. 이렇게 동물 병원에서 동물의 병을 치료해 주는 직업을 '수의사'라고 합니다. 수의사는 애완동물부터 가축, 야생 동물, 희귀 동물까지 모든 동물을 진료하는 의사입니다.

• 동물의 병을 치료해 주는 직업을
(   )(라)고 함.

국어 활동
8 메모하는 방법으로 알맞은 것을 두 가지 찾아 번호를 쓰시오.

> ① 중요한 내용을 정리해 쓴다.
> ② 중심이 되는 낱말 하나만 쓴다.
> ③ 들은 내용을 빠짐없이 모두 쓴다.
> ④ 중요한 낱말을 중심으로 짧게 쓴다.

(   )

9~11 글을 읽고, 물음에 답하시오.

> ㉮ 악기는 타악기, 현악기, 관악기로 나눌 수 있어요. 타악기는 두드리거나 때려서 소리를 내는 악기로 타악기에는 장구나 큰북 등이 있으며, 현악기는 줄을 사용하는 악기로 현악기에는 가야금이나 바이올린 등이 있어요. 그리고 관악기는 입으로 불어서 소리를 내는 악기로 관악기에는 단소나 트럼펫 등이 있어요.
> ㉯ 악기는 타악기, 현악기, 관악기로 나눌 수 있다.

9 줄을 사용하는 악기를 두 가지 찾으시오.
(,   )

① 단소   ② 장구
③ 가야금   ④ 트럼펫
⑤ 바이올린

서술형
10 글 ㉮와 ㉯의 공통점을 쓰시오.

_____

_____

11 글 ㉮와 ㉯의 쓰기 방식 중에서 전체의 내용을 간단하게 정리할 때 필요한 것은 무엇인지 쓰시오.
(   )

12~14 글을 읽고, 물음에 답하시오.

> 민화의 쓰임새는 여러 가지였어요. 혼례식이나 잔치를 치를 때 장식용으로 쓰던 병풍 그림도 민화였고, 대문이나 벽에 부적처럼 걸어 둔 것도 민화였고, 자신의 소망을 빌거나 누군가를 축하하는 그림도 민화였어요.
> 민화는 ㉠호랑이, 까치, 물고기, 사슴, 학, 거북, 토끼, 매와 같은 동물이나 소나무와 대나무, 모란, 불로초, 연꽃, 석류 같은 식물 등의 다양한 소재를 사용했어요. 해태나 용 같은 상상의 동물도 있지요.

12 무엇에 대해 쓴 글입니까?   (   )
① 민화   ② 부적
③ 산수화   ④ 옛날 혼례식
⑤ 그림을 그리는 도구

13 ㉠을 묶을 수 있는 낱말은 무엇입니까?
(   )
① 동물   ② 식물   ③ 그림
④ 불로초   ⑤ 상상의 동물

중요
14 이 글 전체 내용을 간추린 것입니다. 빈칸에 알맞은 이어 주는 말을 쓰시오.

> 민화의 쓰임새는 여러 가지였어요. (   ) 동물, 식물, 상상의 동물과 같이 다양한 소재를 사용했어요.

15~17 글을 읽고, 물음에 답하시오.

❶ 우리가 아는 모든 생물에게 물은 생명을 유지하는 데 반드시 필요한 물질입니다. 그래서 바다와 강, 호수, 연못뿐만 아니라 빗물이 고인 작은 웅덩이까지 물이 있는 곳이라면 다양한 생물이 살아갑니다.

❷ 빗물이 고인 작은 병 속에는 아무 생물도 없다고요? 혹시 너무 작아서 안 보이는 건 아닐까요? 맨눈으로는 볼 수 없는 작은 생물까지 포함하면 자연적인 상태의 물이 있는 곳에는 어떤 형태로든 생물이 산다고 보아도 좋을 것입니다.

15 이 글은 무엇을 전달하는 글입니까? (   )

① 정보   ② 감동   ③ 재미
④ 의견   ⑤ 마음

16 이 글에서 빗물이 고인 작은 병 속에 아무 생물도 보이지 않는 까닭은 무엇이라고 하였습니까? (   )

① 생물이 살지 않기 때문에
② 병이 투명하지 않기 때문에
③ 물의 양이 많지 않기 때문에
④ 빗물과 다른 물질이 섞여 있기 때문에
⑤ 생물이 너무 작아서 보이지 않기 때문에

서술형
17 이 글의 전체 내용을 간추린 것입니다. 알맞은 문장을 이어 쓰시오.

• 생물이 생명을 유지하는 데 물은 반드시

필요합니다. 그래서 _____

_____

국어 활동
18 글 전체 내용을 간추리는 방법을 바르게 말한 것에 ○표를 하시오.

(1) 책을 읽고 내가 새로 안 부분만 간추렸어. 그리고 새로 안 내용을 이어서 간추렸어. (   )
(2) 글을 읽고 문단에서 중요한 내용을 찾았어. 그리고 그 내용을 이어서 전체를 간추렸어. (   )

19~20 글을 읽고, 물음에 답하시오.

최근에 『세상을 돌고 도는 놀라운 물의 여행』을 읽고 물에 대한 정보를 알게 되었습니다. 그 책에 나온 물에 대한 정보를 소개하겠습니다.

우리가 사는 지구에는 몇십억 년 전부터 물이 있었습니다. 그리고 그 물은 모양을 바꾸며 세상 곳곳을 끊임없이 돌아다니며 여행합니다. 물은 하늘에서 땅과 바다로, 그리고 우리 몸속이나 동물들 몸속으로 끊임없이 돌고 돕니다. 물은 오랜 시간에 걸쳐 모습만 바꾸어 돌아다니기 때문에 지금 수도꼭지에서 흘러내리는 물은 아주 오래전에 공룡이 발을 담근 물일지도 모른다고 합니다.

중요
19 글쓴이가 소개한 내용을 두 가지 고르시오.
(,   )

① 책 제목
② 책을 고른 까닭
③ 책을 읽고 느낀 점
④ 책을 함께 읽은 사람
⑤ 책을 읽고 알게 된 내용

20 글쓴이가 소개하고 싶은 정보는 무엇입니까?
(   )

서술형 평가

1 다음을 보고 메모가 왜 필요한지 쓰시오.

가게에 가서 사야 할 게 콩나물이랑 파, 통조림……

기억해야 할 게 너무 많아요.

_____

_____

2 「복을 물어다 주는 제비」의 내용을 듣고 중요한 내용이 빠지지 않게 메모하시오.

복을 물어다 주는 제비

　우리 조상은 제비를 복과 재물을 가져다주는 좋은 새라고 여겼습니다. 제비는 주로 음력 9월 9일 즈음 강남에 갔다가 3월 3일 즈음에 돌아오는데, 우리 조상은 이처럼 홀수가 겹치는 날을 운이 좋은 날이라 하여 길일이라고 불렀습니다. 따라서 좋은 날에 떠나 좋은 날에 돌아오는 제비는 그만큼 영리하고 행운을 가져다주는 동물일 것이라고 생각했던 것입니다. 그래서 집에 제비가 들어와 둥지를 틀면 좋은 일이 생길 것이라고 믿고 반겼습니다.

3~4 글을 읽고, 물음에 답하시오.

　물에 사는 생물들은 살아가는 모습에 따라서 크게 세 가지로 나뉩니다. 바다 생활을 하는 생물, 헤엄을 치는 생물, 그리고 떠다니는 생물이 있습니다. 이 가운데 물에 둥둥 떠다니는 생물을 통틀어서 '플랑크톤'이라고 합니다.

　플랑크톤이라고 해서 모두 물에 가만히 떠 있기만 하는 것은 아니며, 어떤 종류는 스스로 헤엄치기도 합니다. 그러나 운동 능력이 워낙 약해서 물의 흐름을 거슬러 이동할 수는 없습니다. 그러므로 물속에 사는 아주 작은 생물들은 모두 플랑크톤이라고 생각할 수 있습니다. 해파리처럼 제법 큰 생물이라도 물의 흐름을 거슬러 헤엄칠 수 없다면 모두 플랑크톤으로 분류합니다.

3 물에 사는 생물들은 어떻게 나눌 수 있는지 쓰시오.

_____

_____

4 이 글의 전체 내용을 간추려 쓰시오.

_____

_____

_____

_____

5 정보를 전달하는 글을 읽으면 좋은 점을 한 가지 쓰시오.

_____

_____

● 다음 교과서 문장의 파란색 낱말 중에서 알맞은 것을 골라 인물들이 한 말을 완성하시오.

- 흥부는 제비의 다리를 **치료**해 주고 복이 담긴 박씨를 얻었습니다.
- 동물 병원에서 동물의 병을 치료해 주는 직업을 '**수의사**'라고 합니다.
- 수의사는 애완동물부터 가축, 야생 동물, **희귀 동물**까지 모든 동물을 진료하는 의사입니다.
- 우리가 아는 모든 생물에게 물은 생명을 **유지**하는 데 반드시 필요한 물질입니다.

정답 | ❶ 수의사 ❷ 치료 ❸ 유지 ❹ 희귀 동물

6

일이 일어난 까닭

무엇을 배울까요?

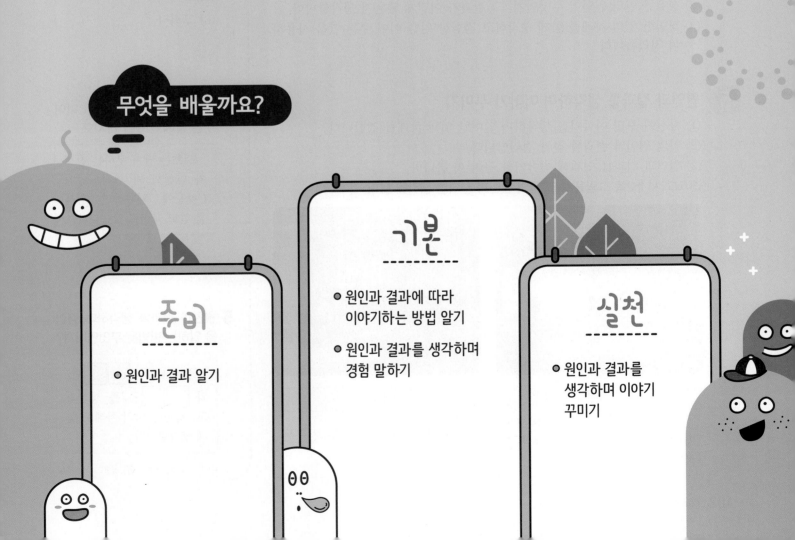

준비

● 원인과 결과 알기

기본

● 원인과 결과에 따라 이야기하는 방법 알기

● 원인과 결과를 생각하며 경험 말하기

실천

● 원인과 결과를 생각하며 이야기 꾸미기

1 원인과 결과

① 어떤 일이 일어난 까닭을 원인이라고 합니다.
② 원인 때문에 일어난 일을 결과라고 합니다.

2 원인과 결과를 생각하며 경험을 말하면 좋은 점

① 겪은 일을 알기 쉽게 말할 수 있습니다.
② 말하는 내용을 듣는 사람이 쉽게 이해할 수 있습니다.

3 원인과 결과를 생각하며 말하는 방법

① 그 일이 일어난 까닭과 그 까닭 때문에 생긴 일, 달라진 일을 찾아봅니다.
② 그 결과 어떤 일이 일어났는지 생각해 봅니다.
③ '그래서', '때문에', '왜냐하면'과 같은 이어 주는 말을 사용합니다.

4 원인과 결과를 생각하며 경험 말하기

① 기억에 남는 경험을 떠올립니다.
② 경험한 일의 원인이 무엇인지, 그 결과가 어떻게 됐는지 생각합니다.
③ 경험한 일의 차례를 함께 생각하고 경험한 일을 이어 주는 말을 사용하여 정리합니다.

5 원인과 결과를 생각하며 이야기 꾸미기

① 자신이 꾸밀 이야기를 생각하며 일어난 일의 차례를 정합니다.
② 일의 원인과 결과를 찾아 정리합니다.
③ 원인과 결과를 연결해 이야기를 꾸며 써 봅니다.
예 교과서 182쪽 그림을 보고 일의 원인과 결과를 생각해 보기

원인	결과
이상한 곳에 떨어진 두 친구가 지도를 보는데 보라색 새가 이들을 발견함.	보라색 새의 안내로 두 친구는 큰 문에 옴.

핵심 확·인·문·제

정답과 해설 ● 22쪽

1 어떤 일이 일어난 까닭을 무엇이라고 하는지 쓰시오.

(   )

2 '쓰레기를 버리러 가기 편리하게 하기 위해서이다.'는 원인이고, '쓰레기 정거장이 생겼다.'는 ☐☐입니다.

3 원인과 결과를 이어 주는 말로 알맞은 것에 ○표를 하시오.

(1) 그리고   (   )
(2) 그래서   (   )
(3) 그러나   (   )

4 빈칸에 들어갈 알맞은 이어 주는 말에 ○표를 하시오.

> 승호는 날지 못하는 참새가 다칠까 봐 걱정되었기 (때문에 , 왜냐하면) 참새를 안고 교실로 갔습니다.

5 원인과 결과를 생각하며 경험을 말하는 방법은 무엇입니까?

> 경험한 일의 ☐☐과/와 ☐☐을/를 생각하고, 경험한 일의 차례도 함께 생각합니다.

🔊 이 만화를 읽고 사람들의
생활이 어떻게 달라질지
짐작하기

쓰레기 ♥정거장

• **만화 설명:** 쓰레기를 버릴 때 불편한
점을 해결하기 위해 쓰레기 정거장을
만들게 되었다는 내용으로 원인과 결
과가 나타난 만화입니다.

아, 맞다. 쓰레기를 버려야
하는데 벌써 어두워졌네. 무서워서
나가기 싫은데 어떡하지?

♥골목 입구에
쓰레기가 쌓여
있어서 다닐 때
너무 불편해.

이 문제를
해결할 수 있는
방법은 없을까?

①

쓰레기를 ⓛ
좋을 텐데.

②

좁은 장소에 한꺼번에 쓰레기를 버리니까
몹시 지저분하고 다니기도 불편해. 게다가
밤이 되면 ♥으스스하기까지 해.

지저분해.

♥뒤죽박죽이야.

③

♥**정거장(停** 머무를 **정, 車** 수레 **거, 場**
마당 **장)** 버스나 열차가 일정하게 머
무르도록 정하여진 장소.

♥**골목** 큰길에서 들어가 동네 안을 이리
저리 통하는 좁은 길.

♥**으스스** 차거나 싫은 것이 몸에 닿았을
때 크게 소름이 돋는 모양.

♥**뒤죽박죽** 여럿이 마구 뒤섞여 엉망이
된 모양. 또는 그 상태.
⑳ 이삿짐을 아직 다 정리하지 못해 집
안이 뒤죽박죽입니다.

---

1 ㉠에서 알 수 있는 상황은 무엇인지 빈칸에
알맞은 말을 쓰시오.

(   )이/가 지저분하게 쌓여 있다.

📖 교과서 문제

2 이 만화에서 말한 쓰레기를 버릴 때 불편한
점을 두 가지 고르시오. (,   )

① 쓰레기 버리는 곳이 너무 멀다.
② 쓰레기를 버리는 데 돈이 많이 든다.
③ 쓰레기를 치우지 않아 냄새가 심하다.
④ 어두워지면 쓰레기를 버리러 나가기가
무섭다.
⑤ 골목 입구에 쓰레기가 쌓여 있어서 다
닐 때 불편하다.

3 ⓛ에 들어갈 가장 알맞은 말을 찾아 번호를
쓰시오.

① 태울 수 있으면
② 종류별로 나눠서 버릴 수 있으면
③ 종류별로 나누지 않고 버릴 수 있으면

(   )

4 좁은 장소에 한꺼번에 쓰레기를 버리면 어떻
다고 했습니까? (   )

① 간편하다.
② 골목이 깨끗하다.
③ 쓰레기가 뒤죽박죽이다.
④ 쓰레기장 주변이 깔끔하다.
⑤ 쓰레기를 재활용하기 쉽다.

짜잔! 그래서 마련했어. 쓰레기를 깔끔하게 버릴 수 있는 쓰레기 정거장! ♥재활용품, 음식물 쓰레기, 일반 쓰레기로 나눠서 버릴 수 있지. 밤에는 환하게 불도 밝혀 놓았어.

우아! 이런 곳이 있다니!

쓰레기를 ♥깔끔하게 종류별로 나눠서 버릴 수 있잖아!

♥재활용품(再 두 재, 活 살 활, 用 쓸 용, 品 물건 품) 용도를 바꾸거나 가공하여 다시 사용할 수 있는 폐품. 또는 그 폐품을 사용하여 만든 물품.

♥깔끔하게 생김새 따위가 매끈하고 깨끗하게.

밤에 쓰레기를 버리러 갈 때 좀 무서웠는데 그럴 걱정 없겠네?

마치 버스 정거장 같아. 깨끗하고 환해서.

맞아, 정거장이야. 쓰레기 정거장!

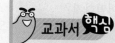 교과서 핵심

● 쓰레기 정거장이 생긴 원인 알기

원인	• 쓰레기를 버리러 가기 편리하게 하기 위해서 • 쓰레기 분리배출을 잘 할 수 있게 하기 위해서
↓	
결과	쓰레기 정거장이 생김.

📖 교과서 문제

5 문제를 해결하기 위해 새로 생긴 것은 무엇입니까?

(   )

6 5번 문제 답의 특징으로 알맞지 <u>않은</u> 것은 무엇입니까? (   )

① 깨끗하다.
② 카메라가 달려 있다.
③ 밤에는 불을 밝혀 환하다.
④ 쓰레기를 깔끔하게 버릴 수 있다.
⑤ 쓰레기를 종류별로 나눠서 버릴 수 있다.

핵심

7 쓰레기 정거장이 생긴 원인으로 알맞은 것을 두 가지 고르시오. (,   )

① 쓰레기를 줄이기 위해서
② 버스 정거장 옆에 설치하기 위해서
③ 쓰레기를 버리지 못하게 하기 위해서
④ 쓰레기를 버리러 가기 편리하게 하기 위해서
⑤ 쓰레기 분리배출을 잘할 수 있게 하기 위해서

서술형

8 쓰레기 정거장이 생긴 뒤에 사람들의 생활이 어떻게 달라질지 생각하여 쓰시오.

_____

_____

◀️ 일이 일어난 차례를 생각하며 읽기

행복한 짹짹콩콩이

박성배

❶ "참새다!"

야구공을 찾으려고 꽃밭으로 들어갔던 승호가 소리쳤습니다. 승호는 야구공을 장미꽃 속에서 찾아 던졌습니다. 그리고 조심스럽게 참새를 잡았습니다. 야구를 하던 아이들이 ♥우르르 몰려왔습니다.

"아기 참새구나."

"엄마를 잃어버렸나 봐."

"날려 줄 거야."

승호는 아기 참새를 쥔 두 손을 높이 들고 깡충 뛰며 놓아주었습니다. 그러나 아기 참새는 길에서 깡충깡충 뛰어다니기만 했습니다.

15 승호는 ♥파닥거리는 아

기 참새를 두 손으로 감싸 쥐었습니다.
_{전체를 둘러서 싸}

"참새를 어떻게 하지?"

승호가 걱정스럽게 물었습니다.

"선생님께 가져다드리자."

"그래, 그게 좋겠다."

승호는 참새를 안고 교실로 갔습니다.

5

6
단원

[중심 내용] 승호는 꽃밭에서 아기 참새를 발견하였고, 승호와 친구들은 아기 참새를 선생님께 가져다드리기로 하였다.

• 글의 종류: 이야기
• 글의 내용: 아기 참새를 걱정하는 아이들의 마음이 나타나 있습니다.

♥우르르 사람이나 동물 따위가 한꺼번에 움직이거나 한곳에 몰리는 모양. ⑳ 지하철 문이 열리자 사람들이 우르르 나왔습니다.

♥파닥거리는 작은 새가 잇따라 가볍고 빠르게 날개를 치는.

🐛 교과서 [핵심] °승호가 경험한 일을 원인과 결과에 따라 말하기 ①

원인	아기 참새가 잘 날지 못했다.
결과	승호는 아기 참새를 교실로 데려갔다.

➡️ ⑳ 승호는 날지 못하는 참새가 다칠까 봐 걱정됐기 때문에 참새를 안고 교실로 갔어.

📖 교과서 문제

1 승호가 꽃밭에 들어간 까닭은 무엇인지 쓰시오.

( )

2 승호가 꽃밭에서 잡은 것은 무엇입니까?

( )

① 나비
② 달팽이
③ 아기 참새
④ 엄마 참새
⑤ 새끼 고양이

3 2번 문제의 답은 승호가 놓아주자 어떻게 되었습니까? ( )

① 땅바닥으로 쓰러졌다.
② 하늘 높이 날아올랐다.
③ 승호의 어깨 위에 앉았다.
④ 꽃밭으로 다시 들어가 숨었다.
⑤ 길에서 깡충깡충 뛰어다니기만 했다.

[핵심]
4 승호가 경험한 일의 원인과 결과를 정리하여 빈칸에 알맞은 내용을 쓰시오.

원인	결과
	➡️ 승호는 아기 참새를 교실로 데려갔다.

❷ "선생님, 참새 잡았어요."

승호를 뒤따라온 아이들이 승호보다 먼저 ♥소란스럽게 말했습니다.

"참새를 어떻게 잡았니?"

5 "잘 날지 못하는 아기 참새예요."

선생님께서는 승호가 ♥내미는 참새를 받아 손바닥에 올려놓

10 으셨습니다.

"선생님, 교실에서 키워요."

"그래야겠구나. 날 수가 없으니 잘 날 수 있을 때까지만 키우자."

15 "그럼 아기 참새도 우리 반이네요?"

"참새 이름을 정해요."

아이들은 <u>앞다투어</u> 그럴 듯한 이름들을 말했습니다. 선생님께서는 아이들이 말한 이름들을 모두 칠판에 쓰셨습니다. 많은 이름 가운데에서 '짹짹콩콩'으로 부르자는 아이가 가장 많았습니다.

남보다 먼저 하거나 잘하려고 경쟁적으로 애쓰는

아기 참새는 자기 이름에 맞게 짹짹거리며 콩콩 5 뛰어다녔습니다.

"짹짹!"

"콩콩!"

아이들은 아기 참새를 따라다니며 ♥번갈아 이름을 불렀습니다.

10

중심 내용 선생님과 아이들은 아기 참새가 잘 날 수 있을 때까지 교실에서 기르기로 하였고, 아기 참새의 이름을 '짹짹콩콩'으로 정하였다.

♥**소란스럽게** 시끄럽고 어수선한 데가 있게.
  예 친구들이 쉬는 시간에 소란스럽게 떠들었습니다.

♥**내미는** 돈이나 물건을 받으라고 내어 주는.

♥**번갈아** 일정한 시간 동안 한 사람씩 차례를 바꾸어.
  예 시골에 갈 때 어머니와 아버지께서 번갈아 가며 운전을 하셨습니다.

📖 교과서 문제

5 승호네 반 친구들은 참새를 어디에서 기르기로 하였습니까? (   )

① 창고   ② 교실
③ 미술실   ④ 승호의 집
⑤ 선생님의 집

6 승호네 반 친구들은 언제까지 참새를 기르기로 했습니까? (   )

① 엄마 참새를 찾을 때까지
② 바깥 날씨가 따뜻해질 때까지
③ 아기 참새가 잘 날 수 있을 때까지
④ 아기 참새를 돌봐줄 친구가 나타날 때까지
⑤ 아기 참새가 먹이를 혼자 찾을 수 있을 때까지

7 승호네 반 친구들은 아기 참새 이름을 무엇으로 정하였는지 쓰시오.

(   )

서술형

8 승호는 어머니께 아기 참새 이야기를 해 드렸습니다. 어머니께서는 왜 승호가 하는 말을 이해하지 못하셨을지 쓰시오.

❸ 그날 저녁이었습니다. 승호는 교실에 혼자 남겨 두고 온 짹짹콩콩이가 걱정되어 잠을 이룰 수가 없었습니다. 걱정을 하던 승호는 ♥살그머니 밖으로 나왔습니다. 그리고 학교를 향해 달렸습니다. 5 승호는 조금 무서웠지만 조심조심 ♥복도를 걸어 교실로 갔습니다.

"어?"

승호는 두 눈을 동그랗게 떴습니다. 교실에는 선생님과 여러 명의 아이가 와 있었습니다.

10

"너도 짹짹콩콩이가 걱정돼서 왔구나."

15

선생님께서 아기 참새를 두 손으로 감싸 쥐고 계셨습니다.

"짹짹콩콩이를 사랑하는 친구가 이렇게 많으니까 아무 탈 없이 자랄 거야."
뜻밖에 일어난 걱정할 만한 사고
선생님의 말씀에 그렇다는 듯이 짹짹콩콩이가 5
"짹짹." 소리를 냈습니다.

중심 내용 그날 저녁에 교실에 혼자 남겨 두고 온 짹짹콩콩이가 걱정되어 승호가 교실에 갔더니 선생님과 여러 명의 아이가 와 있었다.

♥살그머니 남이 알아차리지 못하게 살며시.
♥복도(複 겹칠 복, 道 길 도) 건물 안에 다니게 된 통로.

교과서 핵심 ˚승호가 경험한 일을 원인과 결과에 따라 말하기 ②

| 원인 | 승호는 교실에 혼자 남은 아기 참새가 걱정되었다. |
| 결과 | 승호는 저녁에 교실로 갔다. |

➡ 예 승호는 저녁에 교실로 갔어. <u>왜냐하면</u> 교실에 혼자 남은 아기 참새가 걱정됐기 때문이야.

📖 교과서 문제

9 교실에 도착한 승호가 두 눈을 동그랗게 뜬 까닭을 바르게 말한 친구를 쓰시오.

> 미소: 아기 참새가 없어졌기 때문이야.
> 윤후: 아기 참새가 엄마 참새와 함께 날고 있었기 때문이야.
> 종석: 교실에 선생님과 여러 명의 아이가 와 있었기 때문이야.

(   )

11 이 글 전체에서 일어난 일을 차례에 맞게 기호를 쓰시오.

> ㉠ 승호는 저녁에 교실로 감.
> ㉡ 아기 참새가 잘 날지 못함.
> ㉢ 승호는 아기 참새를 교실로 데려감.
> ㉣ 승호는 교실에 혼자 남은 아기 참새가 걱정됨.

(   ) → (   ) → (   ) → (   )

핵심 역량
10 다음 빈칸에 들어갈 이어 주는 말로 알맞은 것은 무엇입니까? (   )

> 승호는 저녁에 교실로 갔어. [   ] 교실에 혼자 남은 아기 참새가 걱정됐기 때문이야.

① 그래서   ② 그리고
③ 그러나   ④ 따라서
⑤ 왜냐하면

핵심
12 원인과 결과를 생각하며 말하는 방법에 맞게 빈칸에 공통으로 들어갈 말을 쓰시오.

> 그 일이 일어난 [   ]과/와 그 [   ] 때문에 생긴 일, 달라진 일을 찾아본다.

(   )

● 기억에 남는 경험을 떠올리기

기뻤던 일

슬펐던 일

• 그림 설명: 남자아이가 기억에 남는 경험을 떠올리고 있습니다.

교과서 핵심

○ 원인과 결과를 생각하며 경험한 일을 글로 써 보기

예 처음에는 자전거를 잘 타지 못하고 포기하고 싶었지만 열심히 연습했다. 그래서 혼자서도 자전거를 탈 수 있게 되었다.

원인 ┘
└ 결과

📖 교과서 문제

1 그림 **가**와 **나**는 어떤 경험을 떠올린 것인지 알맞은 내용에 각각 기호를 쓰시오.

| 친구와 말다툼한 일 | (1) |
| 어머니께 자전거 타는 방법을 배운 일 | (2) |

핵심

2 **보기**의 경험을 원인과 결과로 나누어 정리하여 쓰시오.

보기

자전거 타는 연습을 열심히 한 결과 혼자서도 탈 수 있게 되었다.

(1) 원인	(2) 결과

논술형

3 기억에 남는 경험을 떠올려 보고 원인과 결과를 생각하며 쓰시오.

_____

_____

4 원인과 결과를 생각하며 경험한 일을 글로 쓸 때, 확인할 내용으로 알맞지 <u>않은</u> 것은 무엇입니까? ( )

① 어려운 말을 많이 사용하였나요?
② 일의 흐름이 잘 드러나게 썼나요?
③ 이어 주는 말을 알맞게 사용했나요?
④ 생각이나 느낌이 잘 드러나게 썼나요?
⑤ 경험한 일을 원인과 결과가 잘 드러나게 썼나요?

6 단원

● 어떤 일이 일어났을지 상상하며 그림을 살펴보기

• 그림 설명: 남자아이와 여자아이, 보라색 새, 할아버지에게 일어났을 일을 상상할 수 있습니다.

교과서 핵심

○ 원인과 결과를 생각하며 이야기를 꾸미기 예

❶	원인	이상한 곳에 떨어진 두 친구가 지도를 보는데 보라색 새가 이들을 발견함.
❹	결과	보라색 새의 안내로 두 친구는 큰 문에 옴.
❸	원인	문에서 나온 신기한 할아버지가 주황색 막대를 꺼냄.
❷	결과	비가 그치고 무지개가 뜨고 아름다운 곳으로 변함.

1 이 그림에 나오는 인물이 아닌 것은 무엇입니까? ( )

① 기린　　　　② 여자아이
③ 남자아이　　④ 할아버지
⑤ 보라색 새

2 아이들이 손에 들고 있는 것을 두 가지 고르시오. (,)

① 책　　　② 방울　　　③ 사과
④ 막대　　⑤ 지도 같은 종이

📖 교과서 문제

3 그림 ❶~❹를 보고 이야기의 차례를 다음과 같이 정하였습니다. 일이 일어났을 차례에 맞게 번호를 쓰시오.

❶ → ❹ → ( ) → ( )

역량

4 그림 ❶과 ❹를 보고 일의 원인과 결과를 생각하여 쓰시오.

(1) 원인	
↓	
(2) 결과	

핵심

5 다음 원인으로 인하여 일어났을 결과로 알맞은 것은 무엇입니까? ( )

문에서 나온 신기한 할아버지가 주황색 막대를 꺼냈다.

① 아이들이 돌로 변하였다.
② 눈보라가 거세게 몰아쳤다.
③ 보라색 새가 주황색으로 변하였다.
④ 무지개 나라의 색이 모두 없어졌다.
⑤ 비가 그치고 무지개가 뜨고 아름다운 곳으로 변하였다.

기본 · 105~107쪽 **원인과 결과에 따라 이야기하는 방법 알기**

● 그림을 보고 어떤 일이 일어났는지 원인과 결과를 생각하기

| ㉠ | 나무가 공기를 깨끗하게 해 주었어요. |

| 준서는 집에서 리코더 연습을 열심히 했어요. | ㉡ |

| ㉢ | 그래서 가족과 자전거를 타고 공원에 놀러 갔어요. |

| 미혜는 도서관에서 책을 많이 읽었어요. | ㉣ |

● 빈칸에 알맞은 말을 넣어 속담을 완성하기

· ㉤ 『아니 땐 굴뚝에 [연][기] 날까』

　원인이 없으면 결과가 있을 수 없음을 빗댄 속담입니다. 비슷한 속담으로 '아니 때린 장구 북소리 날까', '뿌리 없는 나무에 잎이 필까' 따위가 있습니다.

· [콩] 심은 데 [㉥] 나고 [팥] 심은 데 [㉦] 난다

　원인에 따라 거기에 걸맞은 결과가 나온다는 것을 빗댄 속담입니다. 비슷한 속담으로 '가시나무에 가시가 난다', '배나무에 배 열리지 감 안 열린다', '오이 덩굴에 오이 열리고 가지 나무에 가지 열린다', '오이씨에서 오이 나오고 콩에서 콩 나온다' 따위가 있습니다.

1 ㉠~㉣에 들어갈 알맞은 내용을 보기 에서 찾아 번호를 쓰시오.

보기
① 그래서 어려운 낱말을 많이 알아요.
② 사람들이 나무를 심고 정성껏 키웠어요.
③ 소영이는 자전거 타는 연습을 꾸준히 했어요.
④ 학예회에서 자신 있게 리코더를 연주했어요.

(1) ㉠: (　　　　　)
(2) ㉡: (　　　　　)
(3) ㉢: (　　　　　)
(4) ㉣: (　　　　　)

2 ㉤『 』은 어떤 뜻을 가지고 있는지 빈칸에 알맞은 말을 각각 쓰시오.

(1) (　　　　　)이/가 없으면
(2) (　　　　　)이/가 있을 수 없음을 빗댄 속담이다.

3 ㉥과 ㉦에 들어갈 글자끼리 바르게 짝 지어진 것은 무엇입니까?　(　　　)

	㉥	㉦
①	팥	콩
②	팥	팥
③	콩	콩
④	콩	팥
⑤	싹	잎

기본 · 108쪽 | **원인과 결과를 생각하며 경험 말하기**

나는야 우리말 탐정!

허정숙

4 선생님께서 아이들이 진주네 집에서 요리를 한다고 생각하신 까닭에 ○표를 하시오.

(1) 생일 파티 때 생일 선물로 직접 요리를 만들어 준다고 생각하셔서 (   )

(2) 생일 파티와 생일 선물의 줄임 말인 '생파'와 '생선'을 진짜 파와 물고기로 생각하셔서 (   )

5 '생파'는 어떤 말을 줄인 것입니까? (   )

① 매운 파
② 생일 파티
③ 진한 파란색
④ 익지 않은 파
⑤ 생선 조림에 넣는 파

6 '생선'은 어떤 말의 줄임 말인지 쓰시오.

(   )

7 줄임 말을 썼을 때의 문제점은 무엇인지 빈칸에 알맞은 말을 쓰시오.

• 쉽고 고운 (　　　　　　　) 을/를 망가뜨린다.

8 다음을 사건 흐름에 맞게 차례대로 기호를 쓰시오.

> ㉠ 친구들이 진주의 생파와 생선 이야기를 나눔.
> ㉡ 친구들이 '생파'는 생일 파티, '생선'은 생일 선물의 줄임 말이라고 대답함.
> ㉢ 선생님, 부모님께서 줄임 말을 쓸 때 불편한 점과 좋지 않은 점을 설명해 주심.
> ㉣ 선생님께서 친구들에게 진주네 집에 가서 요리하기로 했냐면서 생파와 생선이 무엇인지 물어보심.

㉠→(　　　)→(　　　)→(　　　)

기초 다지기　**낱말의 표기에 주의하기**

9 다음에서 파란색으로 쓰인 낱말을 줄여서 쓸 때에 바른 표기를 찾아 ○표를 하시오.

(1) (애 , 얘)

(2) (제 , 쟤)

10 다음에서 밑줄 그은 낱말을 줄여서 쓰시오.

• 그 애가 술래랍니다. → (　　　　　　　)

단원 마무리

준비

》원인과 결과 알기

예 「쓰레기 정거장」을 읽고 쓰레기 정거장이 생긴 원인 알기

쓰레기를 버리러 가기 편리하게 하고 쓰레기 분리배출을 잘할 수 있게 하기 위해서야.

어떤 일이 일어난 까닭을 ❶ ☐☐☐(이)라고 합니다.

쓰레기 정거장이 생겼어.

원인 때문에 일어난 일을 ❷ ☐☐(이)라고 합니다.

기본

》원인과 결과에 따라 이야기하는 방법 알기

예 「행복한 짹짹콩콩이」에서 승호가 경험한 일을 원인과 결과에 따라 정리하기

원인	결과	원인	결과
아기 참새가 잘 날지 못했다.	승호는 아기 참새를 교실로 데려 갔다.	승호는 교실에 혼자 남은 아기 참새가 걱정되었다.	승호는 저녁에 교실로 갔다.

승호는 날지 못하는 참새가 다칠까 봐 걱정됐기 때문에 참새를 안고 교실로 갔어.

승호는 저녁에 교실로 갔어. ❸ ☐☐☐☐ 교실에 혼자 남은 아기 참새가 걱정됐기 때문이야.

실천

》원인과 결과를 생각하며 이야기 꾸미기

예 교과서 182쪽 그림을 보고 원인과 결과를 생각하며 이야기 꾸미기

| 원인 이상한 곳에 떨어진 두 친구가 지도를 보는데 보라색 새가 이들을 발견함. | 결과 보라색 새의 안내로 두 친구는 큰 문에 옴. | 원인 문에서 나온 신기한 할아버지가 주황색 막대를 꺼냄. | 결과 비가 그치고 무지개가 뜨고 아름다운 곳으로 변함. |

이상한 곳에 떨어진 두 친구가 지도를 보는데 ❹ ☐☐☐ 새가 이들을 발견했습니다. 새의 안내로 친구들은 큰 문에 왔습니다. 큰 문 뒤에서 나온 주황색 옷의 할아버지를 만나 함께 모험을 하게 되었습니다. 색깔을 모두 되찾은 무지개 나라에서 모두 즐겁게 지내게 되었습니다.

단원 평가

● 단원 평가 더 풀기 >> 평가 교재 32~37쪽

1~5 만화를 읽고, 물음에 답하시오.

아, 맞다. 쓰레기를 버려야 하는데 벌써 어두워졌네. 무서워서 나가기 싫은데 어떡하지?

골목 입구에 쓰레기가 쌓여 있어서 다닐 때 너무 불편해.

쓰레기를 종류별로 나눠서 버릴 수 있으면 좋을 텐데. ②

짜잔! 그래서 마련했어. 쓰레기를 깔끔하게 버릴 수 있는 쓰레기 정거장! 재활용품, 음식물 쓰레기, 일반 쓰레기로 나눠서 버릴 수 있지. 밤에는 환하게 불도 밝혀 놓았어.

우아! 이런 곳이 있다니! ③

쓰레기를 깔끔하게 종류별로 나눠서 버릴 수 있잖아!

1 이 만화에서 쓰레기를 버릴 때 어떤 점이 불편하다고 하였는지 <u>모두</u> 골라 기호를 쓰시오.

> ㉠ 고약한 냄새가 난다.
> ㉡ 사람들이 많아서 복잡하다.
> ㉢ 어두워지면 쓰레기를 버리러 나가기가 무섭다.
> ㉣ 골목 입구에 쓰레기가 쌓여 있어서 다닐 때 불편하다.

( )

2 남자아이가 1번 문제의 답을 해결하기 위해 생각한 방법은 무엇입니까? ( )

① 물건을 사지 않으면 좋겠다.
② 쓰레기를 재활용하면 좋겠다.
③ 쓰레기를 모두 태우면 좋겠다.
④ 쓰레기를 못 버리게 하면 좋겠다.
⑤ 쓰레기를 종류별로 나눠서 버릴 수 있으면 좋겠다.

3 쓰레기를 깔끔하게 버리기 위해 마련한 것은 무엇입니까? ( )

① 주차장 ② 가로등
③ 횡단보도 ④ 버스 정거장
⑤ 쓰레기 정거장

중요

4 3번 문제의 답이 생긴 원인으로 알맞지 <u>않은</u> 것에 ×표를 하시오.

(1) 쓰레기를 못 버리게 하려고 ( )
(2) 쓰레기를 버리러 가기 편리하게 하려고 ( )
(3) 쓰레기 분리배출을 잘할 수 있게 하려고 ( )

5 3번 문제의 답이 생긴 뒤 사람들의 생활이 어떻게 달라질지 <u>잘못</u> 말한 친구는 누구입니까?

> 여원: 마을 골목이 더 깨끗해질 거야.
> 주하: 길고양이들이 모여 들어 더 지저분해질 거야.
> 현성: 사람들이 더 철저하게 쓰레기 분리배출을 할 거야.

( )

6 다음 빈칸에 알맞은 말을 각각 쓰시오.

> 어떤 일이 일어난 까닭을 (1)( ) (이)라고 하고, 그 때문에 일어난 일을 (2)( )(이)라고 한다.

7~9 글을 읽고, 물음에 답하시오.

야구를 하던 아이들이 우르르 몰려왔습니다.
"아기 참새구나."
"엄마를 잃어버렸나 봐."
"날려 줄 거야."
승호는 아기 참새를 쥔 두 손을 높이 들고 깡충 뛰며 놓아주었습니다. 그러나 아기 참새는 길에서 깡충깡충 뛰어다니기만 했습니다. 승호는 파닥거리는 아기 참새를 두 손으로 감싸 쥐었습니다. / "참새를 어떻게 하지?"
승호가 걱정스럽게 물었습니다.
"선생님께 가져다드리자."
"그래, 그게 좋겠다."
승호는 참새를 안고 교실로 갔습니다.

7 이 글에서 일어난 일로 알맞지 <u>않은</u> 것은 무엇입니까?   (   )

① 아기 참새가 날지 못했다.
② 승호는 아기 참새를 걱정하였다.
③ 친구들이 아기 참새를 괴롭혔다.
④ 아기 참새는 길에서 깡충깡충 뛰었다.
⑤ 승호는 아기 참새를 놓아주려고 했었다.

8 승호가 참새를 안고 교실로 간 까닭을 <u>두 가지</u> 고르시오.   (,   )

① 아기 참새가 잘 날지 못해서
② 아기 참새를 자랑하고 싶어서
③ 엄마 참새에게 데려다 주기 위해서
④ 선생님께서 아기 참새를 가져오라고 해서
⑤ 아기 참새가 길에서 다칠까 봐 걱정되어서

중요

9 다음 빈칸에 들어갈 알맞은 말은 무엇입니까?   (   )

> 승호는 날지 못하는 참새가 다칠까 봐 걱정됐기 □□□□ 참새를 안고 교실로 갔다.

① 그리고   ② 그래서   ③ 때문에
④ 그러므로   ⑤ 왜냐하면

10~11 글을 읽고, 물음에 답하시오.

그날 저녁이었습니다. 승호는 교실에 혼자 남겨 두고 온 짹짹콩콩이가 걱정되어 잠을 이룰 수가 없었습니다. 걱정을 하던 승호는 살그머니 밖으로 나왔습니다. 그리고 학교를 향해 달렸습니다. 승호는 조금 무서웠지만 조심조심 복도를 걸어 교실로 갔습니다.
"어?"
승호는 두 눈을 동그랗게 떴습니다. 교실에는 선생님과 여러 명의 아이가 와 있었습니다.
"너도 짹짹콩콩이가 걱정돼서 왔구나."
선생님께서 아기 참새를 두 손으로 감싸 쥐고 계셨습니다.

10 승호네 반 친구들이 저녁에 교실에 온 까닭은 무엇입니까?   (   )

① 교실을 꾸미기 위해서
② 아기 참새가 걱정되어서
③ 장기자랑을 연습하기 위해서
④ 아기 참새를 놓아주기 위해서
⑤ 친구들과 함께 숙제하기 위해서

서술형

11 이 글의 내용을 원인과 결과에 따라 쓰시오.

_____

_____

12 원인과 결과를 생각하며 말하는 방법이 <u>아닌</u> 것은 무엇입니까?   (   )

① 그 일 때문에 달라진 일을 찾아본다.
② 반드시 원인을 먼저 말하고 결과를 말한다.
③ 그 결과 어떤 일이 일어났는지 생각해 본다.
④ 그 일이 일어난 까닭과 그 까닭 때문에 생긴 일을 찾아본다.
⑤ '그래서', '때문에', '왜냐하면'과 같은 이어 주는 말을 사용한다.

국어 활동

13 다음 원인에 알맞은 결과는 무엇입니까?
( )

> 영희는 날마다 달리기 연습을 열심히 했다.

① 시험에서 백점을 맞았다.
② 부모님께 꾸중을 들었다.
③ 줄넘기 대회에서 우승했다.
④ 달리기를 연습하기로 결심했다.
⑤ 달리기 대회에서 좋은 성적을 거두었다.

14 기억에 남는 경험을 떠올린 것으로 알맞지 않은 것은 무엇입니까? ( )

① 친구와 말다툼한 일
② 현장 체험학습을 간 일
③ 날마다 똑같이 반복하는 일
④ 가족들과 놀이공원에 간 일
⑤ 어머니께 자전거 타는 방법을 배운 일

중요

15 원인과 결과를 생각하며 경험한 일을 글로 쓸 때 주의할 점이 아닌 것의 기호를 쓰시오.

> ㉠ 생각이나 느낌이 잘 드러나게 쓴다.
> ㉡ 경험한 일을 원인과 결과가 잘 드러나게 쓴다.
> ㉢ 이어 주는 말 '그러나', '그런데'만 사용하여 쓴다.

( )

국어 활동

16 다음을 원인과 결과가 잘 어울리게 선으로 이으시오.

| (1) | 어제는 밤 늦게까지 독서를 했다. | · | · ① | 이가 아팠다. |
| (2) | 음식을 먹고 양치질을 잘 하지 않았다. | · | · ② | 수업 시간에 계속 졸았다. |

17~20 그림을 보고, 물음에 답하시오.

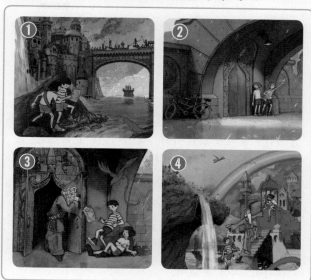

17 남자아이와 여자아이는 누구를 만나게 되었는지 두 가지 고르시오. (,)

① 곰 　　② 사자 　　③ 아주머니
④ 할아버지　⑤ 보라색 새

18 그림의 내용으로 보아, 남자아이와 여자아이가 지도를 들고 찾고 있는 것은 무엇이겠습니까? ( )

① 별 　　　　　　② 왕관
③ 비행기 　　　　④ 마법 구두
⑤ 여러 색깔의 막대

서술형

19 그림 ❶, ❷에서 원인과 결과를 생각해 볼 때, 다음 원인으로 인하여 일어났을 결과를 쓰시오.

> 이상한 곳에 떨어진 두 친구가 지도를 보는데 보라색 새가 이들을 발견함.

_____

_____

20 그림을 보고 이야기의 제목을 상상해 쓰시오.

( )

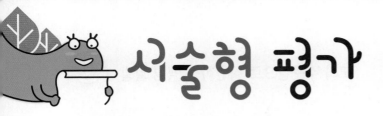

서술형 평가

1~2 만화를 읽고, 물음에 답하시오.

좁은 장소에 한꺼번에 쓰레기를 버리니까 몹시 지저분하고 다니기도 불편해. 게다가 밤이 되면 으스스하기까지 해.

지저분해.

뒤죽박죽이야.

❶

짜잔! 그래서 마련했어. 쓰레기를 깔끔하게 버릴 수 있는 쓰레기 정거장! 재활용품, 음식물 쓰레기, 일반 쓰레기로 나눠서 버릴 수 있지. 밤에는 환하게 불도 밝혀 놓았어.

우아! 이런 곳이 있다니!

❷

쓰레기를 깔끔하게 종류별로 나눠서 버릴 수 있잖아!

1 좁은 장소에 한꺼번에 쓰레기를 버려서 불편한 점은 무엇인지 쓰시오.

_____

_____

2 다음과 같은 일이 원인이 되어 일어난 결과는 무엇인지 쓰시오.

• 쓰레기를 버리러 가기 편리하게 하기 위해서이다.
• 쓰레기 분리배출을 잘할 수 있게 하기 위해서이다.

_____

_____

3 다음에서 승호가 경험한 일을 원인과 결과에 따라 쓰시오.

아기 참새는 길에서 깡충깡충 뛰어다니기만 했습니다. 승호는 파닥거리는 아기 참새를 두 손으로 감싸 쥐었습니다.
"참새를 어떻게 하지?"
승호가 걱정스럽게 물었습니다.
"선생님께 가져다드리자."
"그래, 그게 좋겠다."
승호는 참새를 안고 교실로 갔습니다.
"선생님, 참새 잡았어요."
승호를 뒤따라온 아이들이 승호보다 먼저 소란스럽게 말했습니다.
"참새를 어떻게 잡았니?"
"잘 날지 못하는 아기 참새예요."
선생님께서는 승호가 내미는 참새를 받아 손바닥에 올려놓으셨습니다.
"선생님, 교실에서 키워요."
"그래야겠구나. 날 수가 없으니 잘 날 수 있을 때까지만 키우자."

_____

_____

4 다음 그림을 보고 원인과 결과를 생각하며 이야기를 꾸며 쓰시오.

_____

_____

● 다음 교과서 문장의 파란색 낱말 중에서 알맞은 것을 골라 인물들이 한 말을 완성하시오.

> • 골목 입구에 **쓰레기**가 쌓여 있어서 다닐 때 너무 불편해.
> • 야구를 하던 아이들이 **우르르** 몰려왔습니다.
> • 승호는 조금 무서웠지만 **조심조심** 복도를 걸어 교실로 갔습니다.
> • **경험**한 일의 원인이 무엇인지, 그 결과가 어떻게 됐는지 살펴봐요.

7

반갑다, 국어사전

무엇을 배울까요?

준비

- 국어사전에 대해 알기

기본

- 국어사전에서 낱말을 찾는 방법 알기
- 형태가 바뀌는 낱말을 국어사전에서 찾기
- 국어사전을 활용하며 글 읽기

실천

- 나만의 국어사전 만들기

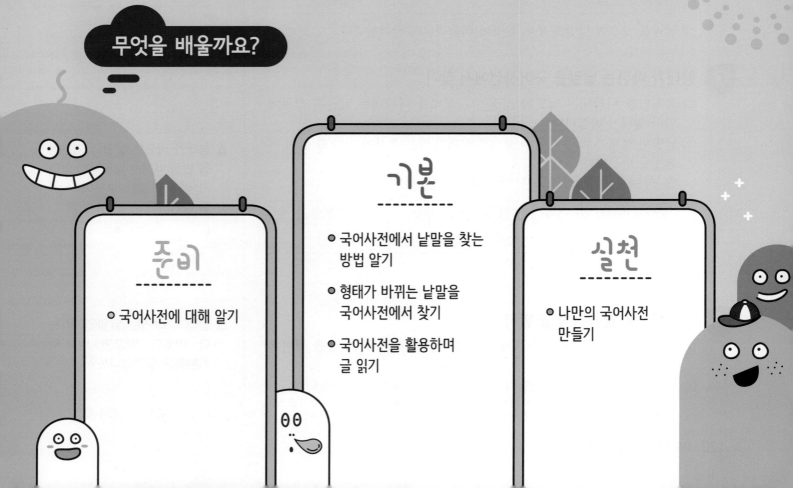

1 국어사전에 대해 알기

① 앞표지에는 사전 이름이 있습니다.

② 옆모습을 살펴보면 낱말을 쉽게 찾을 수 있도록 한글 자음 차례대로 두었다는 것을 알 수 있습니다.

③ 국어사전 안의 낱말 풀이에는 낱말의 발음, 낱말의 뜻, 낱말의 종류, 비슷한말이나 반대말, 낱말이 사용되는 예와 같은 정보가 들어 있습니다.

2 국어사전에서 낱말을 찾는 방법

① 글자 차례를 알아봅니다. → 국어사전에는 첫 번째 글자의 첫 자음자가 같은 낱말끼리 모아 놓았으므로 첫 번째 글자의 첫 자음자를 먼저 살펴봅니다.

예 '친구'의 글자 차례

첫 번째 글자	두 번째 글자
친	구

② 한글 글자는 첫 자음자, 모음자, 받침으로 이루어지므로, 낱말을 이루는 글자의 낱자가 짜인 차례대로 찾습니다.

예 '친구'의 글자의 짜임

낱자 \ 글자	친	구
첫 자음자	ㅊ	ㄱ
모음자	ㅣ	ㅜ
받침	ㄴ	없음.

③ 낱말을 찾으면 낱말의 뜻이 문장에 어울리는지 살펴봅니다.

3 형태가 바뀌는 낱말을 국어사전에서 찾기

① 움직임을 나타내는 낱말과 성질이나 상태를 나타내는 낱말은 상황에 따라 형태가 바뀝니다.

② 낱말이 형태가 바뀔 때에는 형태가 바뀌지 않는 부분에 '-다'를 붙여 기본형을 만듭니다.

예 '먹는다, 먹었다, 먹으면, 먹고'의 기본형 만들기

형태가 바뀌지 않는 부분	형태가 바뀌는 부분	기본형
먹	는다, 었다, 으면, 고	먹다

↳ 형태가 바뀌는 낱말을 모두 국어사전에 실을 수 없기 때문에 형태가 바뀌는 낱말의 기본형을 정해야 합니다.

4 국어사전을 활용하며 글 읽기

① 뜻을 모르는 낱말의 뜻을 짐작해 보고 국어사전에서 그 뜻을 찾아봅니다.

② 낱말의 뜻을 생각하며 글을 다시 읽고 내용을 정확하게 파악합니다.

→ 낱말의 뜻을 국어사전에서 찾고 비슷한말이나 그 낱말이 쓰인 예를 함께 찾아보면 낱말의 뜻을 깊이 이해할 수 있고 글의 내용을 더 쉽게 이해할 수 있어 중심 생각을 파악하는 데 도움이 됩니다.

핵심 확인 문제

정답과 해설 ● 25쪽

1 낱말의 뜻을 알고 싶을 때에는 ☐☐☐☐을/를 찾아봅니다.

2 국어사전에서 낱말을 찾는 방법은 무엇입니까?

> 낱말의 뜻을 국어사전에서 찾으려면 먼저 글자의 ☐☐을/를 알아보고 다음으로 글자의 낱자가 짜인 차례대로 찾습니다.

3 다음 두 낱말 가운데에서 어느 것을 국어사전에 먼저 싣는지 쓰시오.

가게	하늘

( )

4 형태가 바뀌는 낱말의 기본형을 만들 때에는 낱말에서 형태가 바뀌지 않는 부분에 '-는'을 붙입니다.

(○ , ×)

5 형태가 바뀌는 낱말인 '먹는다, 먹었다, 먹으면, 먹고'의 기본형은 무엇입니까?

( )

준비

● 국어사전 겉모습을 살펴보고 그 특징 말하기

> 국어사전 앞표지에는 사전 이름이 있어요. 국어사전이라는 이름은 공통으로 쓰지만, 특별히 국어사전에 싣는 내용이나 국어사전을 사용하는 ♥대상에 따라 다른 이름을 덧붙이기도 해요.

> 국어사전 옆모습을 살펴보면 낱말을 쉽게 찾을 수 있도록 한글 자음 차례대로 두되, 색을 다르게 하거나 모양을 달리해 표시한 것을 알 수 있어요.

㉠

♥대상(對 대할 대, 象 코끼리 상) 어떤 일의 상대 또는 목표나 목적이 되는 것. 예 어제 전학 온 친구는 우리 반 모두 의 관심 대상이 되었습니다.

교과서 핵심

● 국어사전 겉모습의 특징

앞표지	• 사전 이름이 있음. • 국어사전에 싣는 내용이나 국어사전을 사용하는 대상에 따라 다른 이름을 덧붙임.
옆모습	낱말을 쉽게 찾을 수 있도록 한글 자음 차례대로 두었음.

📖 교과서 문제

1 다음에서 ㉮에 들어갈 말로 알맞은 것은 무엇입니까? ( )

> 낱말의 뜻을 알고 싶을 때에는 어떻게 해야 할까?

> 다른 사람에게 물어보면 될 것 같아.

> 만약 물어볼 사람이 없으면 어떡하지?

㉮

① 과학 사전을 찾아봐.
② 역사 사전을 찾아봐.
③ 낱말을 큰 소리로 읽어봐.
④ 국어사전에서 낱말의 뜻을 찾아봐.
⑤ 궁금한 것이 풀릴 때까지 가만히 있어.

핵심

2 국어사전 앞표지의 특징에 맞게 빈칸에 알맞은 말을 쓰시오.

사전 ( )이/가 있다.

3 국어사전에서 ㉠과 같이 낱말을 한글 자음 차례대로 둔 까닭은 무엇입니까? ( )

① 낱말을 쉽게 외우게 하려고
② 국어사전을 예쁘게 만들려고
③ 어려운 낱말부터 알게 하려고
④ 낱말을 쉽게 찾을 수 있게 하려고
⑤ 자주 사용하는 낱말을 알게 하려고

● 국어사전에 어떤 내용이 있는지 알아보기

ㄱ

ㄱ[기역] 「명사」 한글 자모의 첫째 글자.
가01[가:] 「명사」 ① 경계에 가까운 바깥쪽 부분. ② 어떤 중심이 되는 곳에서 가까운 부분. ③ 그릇 따위의 아가리 주변.

> 한글 자음과 모음 차례대로 낱말을 싣고, 시작하는 쪽에는 해당하는 ⟨㉠⟩ 이 크게 표시되어 있기도 해요.

다듬잇돌[다드미똘/다드믿똘] 「명사」 다듬이질을 할 때 밑에 받치는 돌. 「비」 다듬돌. 〈예〉 이 돌이면 매끄러운 다듬잇돌이 되겠구나.
다듬잇방망이[다드미빵망이/다드믿빵망이] 「명사」 다듬이질을 할 때 쓰는 방망이.

> 낱말의 발음, 낱말의 뜻, 낱말이 사용되는 예와 같은 정보가 들어 있어요.

주춧돌 [주추똘/주춛똘] 「명사」 기둥 밑에 기초로 받쳐 놓은 돌. 「비」 모퉁잇돌.

> 낱말의 뜻풀이만으로 부족한 경우에는 그림이나 사진을 함께 싣기도 해요.

부록

한글 맞춤법 ·········· 1280
표준어 규정 ·········· 1302
표준어 모음 ·········· 1332

> 낱말과 낱말의 뜻 외에 부록으로 한글 맞춤법이나 표준어 규정과 같이 우리말에 대한 유용한 내용이 실려 있어요.
> └ 규칙으로 정함. 또는 그 정하여 놓은 것.

교과서 핵심

● **국어사전 안에 싣는 내용**
• 시작하는 쪽에는 해당하는 자음이 크게 표시되어 있다.
• 낱말의 발음, 낱말의 뜻, 낱말이 사용되는 예와 같은 정보가 들어 있다.
• 낱말의 뜻풀이만으로 부족한 경우에는 그림이나 사진을 함께 싣기도 한다.
• 부록으로 한글 맞춤법이나 표준어 규정과 같은 우리말에 대한 유용한 내용이 실려 있다.

● **국어사전에 있는 약호나 기호의 쓰임새**

「본」 본말	『방언』 방언
「준」 준말	『옛말』 옛말
「비」 비슷한말	『북한어』 북한어
「반」 반대말	: 긴소리(장음) 표시
「높」 높임말	[ ] 발음 표시
「낮」 낮춤말	〈예〉 예문
⋮	⋮

➡ 약호는 간단하고 알기 쉽게 나타낸 부호이고, 기호는 어떤 뜻을 나타내기 위한 문자나 부호를 말한다. 국어사전에 나오는 약호나 기호의 쓰임새를 알면 낱말을 더 자세히 알 수 있다.

4 ㉠에 들어갈 말로 알맞은 것은 무엇입니까?
( )

① 쪽 ② 자음 ③ 모음
④ 발음 ⑤ 사진

핵심
5 국어사전을 통하여 알 수 있는 내용으로 알맞지 <u>않은</u> 것은 무엇입니까? ( )

① 낱말의 뜻
② 낱말의 발음
③ 낱말의 종류
④ 낱말이 쓰인 예
⑤ 낱말이 생겨난 시기

서술형
6 국어사전 부록에는 어떤 내용이 실려 있는지 쓰시오.

_____

_____

📖 교과서 문제
7 국어사전에 있는 약호나 기호의 쓰임새가 <u>잘못</u> 짝 지어진 것은 무엇입니까? ( )

①「본」 – 본말
②「반」 – 반말
③『방언』 – 방언
④ [ ] – 발음 표시
⑤ : – 긴소리(장음) 표시

● 국어사전에서 낱말을 어떻게 찾는지 알아보기

국어사전에 낱말을 싣는 차례 → 낱말을 이루는 글자 차례대로 낱말이 나옵니다.

국어사전에는 첫 번째 글자의 첫 자음자가 같은 낱말끼리 모아 놓았습니다. 예를 들어 '친구'의 뜻은 첫 자음자가 'ㅊ'인 낱말 가운데에서 찾을 수 있습니다. ㄱ～ㅎ까지 각 자음자로 시작하는 낱말을 (   ) 안에 써 봅시다.

첫 자음자	낱말
ㄱ	가방, 개교, (고구마)
ㄲ	까꿍, 꽃, (㉠)
ㄴ	나무, 농사, (누룽지)
ㄷ	달, 두꺼비, (뒤)
ㄸ	♥따개, 뚜껑, (띠)
ㄹ	라면, 러시아, (㉡)
ㅁ	모자, 문학, (미술관)
ㅂ	바다, 병풍, (부채)
ㅃ	빵, 뺄셈, (뿔)
ㅅ	사람, 숯가마, (㉢)

첫 자음자	낱말
ㅆ	싸리문, 쓰임새, (씨앗)
ㅇ	안개꽃, 야구, (㉣)
ㅈ	장사, 저울질, (조각)
ㅉ	짝, 쪽파, (찌르레기)
ㅊ	♥차림새, 친구, (침대)
ㅋ	칸막이, 콩, (키)
ㅌ	타조, 통나무, (㉤)
ㅍ	파도, 포구, (품삯)
ㅎ	하늘, 허수아비, (흙)

♥따개 병이나 깡통 따위의 뚜껑을 따는 물건.
♥차림새 차린 그 모양.
예 우리는 선생님께 인사를 드리러 가려고 차림새를 단정히 했습니다.

교과서 핵심

◉국어사전에서 낱말을 찾는 방법
• 글자 차례를 알아본다.
예 '친구'의 글자 차례

첫 번째 글자	두 번째 글자
친	구

• '친구'는 첫 번째 글자의 첫 자음자가 'ㅊ'이므로 첫 자음자가 'ㅊ'인 낱말 가운데에서 찾는다.

1 다음 빈칸에 알맞은 말을 찾아 쓰시오.

• 국어사전에는 첫 번째 글자의 첫 (   )이/가 같은 낱말끼리 모아 놓았다.

핵심

2 '친구'를 국어사전에서 찾을 때 가장 먼저 찾아보아야 할 것은 무엇입니까? (   )

① '친'의 받침을 찾는다.
② '친'의 모음자를 찾는다.
③ '구'의 모음자를 찾는다.
④ '친'의 첫 자음자를 찾는다.
⑤ '구'의 첫 자음자를 찾는다.

3 다음 중 국어사전에 가장 먼저 싣는 자음자는 무엇입니까? (   )

① ㄷ   ② ㄱ   ③ ㅃ
④ ㅈ   ⑤ ㄹ

📖 교과서 문제

4 ㉠～㉤에 들어갈 낱말의 예가 잘못 연결된 것은 무엇입니까? (   )

① ㉠ – 끝   ② ㉡ – 렌즈
③ ㉢ – 창고   ④ ㉣ – 의자
⑤ ㉤ – 투호

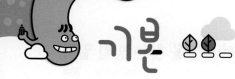

글자의 짜임

한글 글자는 첫 자음자, 모음자, 받침으로 이루어지는데, 이 차례대로 낱말을 찾습니다. '친구'를 국어사전에서 찾으려면, 먼저 첫 번째 글자인 '친'을 찾고, 그다음에 두 번째 글자인 '구'를 찾아야 하는데, 각 글자는 낱자('ㅊ, ㅣ, ㄴ', 'ㄱ, ㅜ') 차례대로 찾아야 합니다.

첫 자음자	ㄱ	ㄲ	ㄴ	ㄷ	ㄸ	ㄹ	ㅁ	ㅂ	ㅃ	ㅅ	ㅆ
	ㅇ	ㅈ	ㅉ	ㅊ	ㅋ	ㅌ	ㅍ	ㅎ			
모음자	ㅏ	ㅐ	ㅑ	ㅒ	ㅓ	ㅔ	ㅕ	ㅖ	ㅗ	ㅘ	ㅙ
	ㅚ	ㅛ	ㅜ	ㅝ	ㅞ	ㅟ	ㅠ	ㅡ	ㅢ	ㅣ	
받침	ㄱ	ㄲ	ㄳ	ㄴ	ㄵ	ㄶ	ㄷ	ㄹ	ㄺ	ㄻ	ㄼ
	ㄽ	ㄾ	ㄿ	ㅀ	ㅁ	ㅂ	ㅄ	ㅅ	ㅆ	ㅇ	ㅈ
	ㅊ	ㅋ	ㅌ	ㅍ	ㅎ						

친

첫 자음자	㉠
모음자	ㅣ
받침	ㄴ

구

첫 자음자	ㄱ
㉡	ㅜ
받침	없음.

🐌 **교과서 핵심**

○ **국어사전에서 낱말을 찾는 방법**
한글 글자는 첫 자음자, 모음자, 받침으로 이루어지므로, 낱말을 이루는 글자의 낱자가 짜인 차례대로 찾는다.

📖 '친구'의 글자의 짜임

글자\낱자	친	구
첫 자음자	ㅊ	ㄱ
모음자	ㅣ	ㅜ
받침	ㄴ	없음.

5 ㉠과 ㉡에 들어갈 알맞은 말을 쓰시오.

(1) ㉠: (   )

(2) ㉡: (   )

📖 교과서 문제

6 다음 낱말을 국어사전에 싣는 차례대로 쓰시오.

| 가게 하늘 거미 한복 한국 학교 |

(   ) → (   ) → (   ) →

(   ) → (   ) → (   )

7 국어사전에 싣는 낱말 차례대로 쓴 것은 무엇입니까? (   )

① 삶, 상, 삵

② 가을, 마을, 두부

③ 사탕, 소리, 새

④ 바다, 발등, 발자국

⑤ 고양이, 고구마, 고슴도치

핵심

8 국어사전에서 낱말의 뜻을 찾는 방법으로 알맞지 <u>않은</u> 것을 찾아 번호를 쓰시오.

① 낱말에서 글자 차례를 알아본다.

② 낱말의 뜻이 문장에 어울리는지 살펴본다.

③ 첫 자음자, 받침, 모음자 차례대로 찾는다.

(   )

● 형태가 바뀌는 낱말 알아보기

형태가 바뀌는 낱말	형태가 바뀌지 않는 낱말
㉠잡다, 먹다, 작다, 웃다, 달리다, 넓다, 일어서다, 많다, 높다	동생, 도서관, 소금

● 형태가 바뀌지 않는 부분과 형태가 바뀌는 부분 알아보기

㉮ 동생이 밥을 먹는다. 동생이 밥을 먹었다. 동생이 밥을 먹으면 나는 간식을 먹겠다. 동생이 밥을 먹고 이를 닦았다.	㉯ 산은 높은데 언덕은 낮다. 산은 높고 바다는 넓다. 우리 마을에 높은 산이 있다. 산이 높아서 올라가기가 힘들다.

● 형태가 바뀌는 낱말의 기본형 알아보기

형태가 바뀌지 않는 부분	형태가 바뀌는 부분	기본형
먹	는다, 었다, 으면, 고	먹다
높		

교과서 핵심

o 형태가 바뀌는 낱말의 기본형을 만드는 방법

	움직임을 나타내는 낱말	성질이나 상태를 나타내는 낱말
바뀌지 않는 부분	먹	높
바뀌는 부분	는다, 었다, 으면, 고	은데, 고, 은, 아서
기본형	먹다	높다

• 낱말이 형태가 바뀔 때에는 형태가 바뀌지 않는 부분에 '-다'를 붙여 기본형을 만든다.

📖 교과서 문제

1 형태가 바뀌는 낱말 ㉠을 다음 기준에 따라 나누어 각각 쓰시오.

(1) 움직임을 나타내는 낱말:
(　　　　　　　　)

(2) 성질이나 상태를 나타내는 낱말:
(　　　　　　　　)

2 ㉮의 파란색으로 쓰인 낱말에서 ㉠~㉤에 들어갈 말로 알맞지 않은 것은 무엇입니까?(　)

낱말	형태가 바뀌지 않는 부분	형태가 바뀌는 부분
먹는다	먹	는다
먹었다	㉠	㉡
먹으면	먹	㉢
먹고	㉣	㉤

① ㉠ - 먹 　② ㉡ - 었다 　③ ㉢ - 어서
④ ㉣ - 먹 　⑤ ㉤ - 고

핵심

3 ㉯의 파란색으로 쓰인 낱말에서 형태가 바뀌지 않는 부분과 형태가 바뀌는 부분을 쓴 뒤, 낱말의 기본형을 쓰시오.

형태가 바뀌지 않는 부분	형태가 바뀌는 부분	기본형
높	(1)	(2)

📖 교과서 문제

4 다음 ㉠과 ㉡의 기본형을 쓰시오.

> 친구들과 함께 소풍을 갔습니다. 넓은 잔디밭에서 둘씩 짝을 지어 서로의 한 발을 끈으로 ㉠묶고 달리기를 했습니다. 놀이가 끝난 뒤에 ㉡묶은 끈을 풀고 친구들과 함께 이야기했습니다.

(　　　　　　　　)

◀◎ 형태가 바뀌는 낱말의 기본형을
생각하며 읽기

기후와 생활

기후에 따라 사람들이 생활하는 모습이 다릅니다. 입는 옷, 먹는 음식, 사는 집도 기후와 깊은 관련이 있습니다. 기후에 따라 생활 모습이 어떻게 다른지 알아봅시다.

기후에 따라 ㉠입는 옷이 다릅니다. 추운 겨울에는 몸의 열을 빼앗기
5 지 않으려고 가죽옷이나 두꺼운 털옷을 입습니다. 그러나 무더운 여름에는 몸에서 생기는 열을 내보내려고 ㉡얇고 성긴 옷을 입습니다.

한복도 여름에는 몸에 잘 붙지 않도록 ♥까슬까슬한 옷감으로 만들었습
　　　　　　　　　　　　　　　물건의 사이가 뜬
니다. 그리고 바람이 잘 통하도록 등나무로 만든 기구를 먼저 걸치
10 고 저고리를 입기도 했습니다. 겨울에는 추위를 견딜 수 있도록 옷감 사이에 솜을 넣은 한복을 입었습니다. 차가운 공기가 스며들지 않도록 목둘레나 ♥소매 끝을 ㉢좁게
15 만들기도 했습니다.

▲ 까슬까슬한 옷감으로 만든 저고리

* 글의 내용: 기후에 따라 입는 옷이 어떻게 다른지에 대하여 예를 들어 설명하였습니다.

♥까슬까슬한 살결이나 물건의 거죽이 매끄럽지 않고 까칠하거나 빳빳한.
예 아버지 턱에 까슬까슬한 수염이 자랐습니다.

♥소매 윗옷의 좌우에 있는 두 팔을 꿰는 부분.

🐌 교과서 핵심

○ 형태가 바뀌는 낱말의 기본형 예

낱말	형태가 바뀌지 않는 부분	기본형
입는	입	입다
얇고	얇	얇다
좁게	좁	좁다

---

5 이 글에서 알 수 있는 내용으로 알맞지 <u>않은</u> 것은 무엇입니까? (　　　)

① 여름에는 얇고 성긴 옷을 입는다.
② 겨울에는 가죽옷이나 두꺼운 털옷을 입는다.
③ 겨울에는 목둘레나 소매 끝을 좁게 만든다.
④ 겨울에는 까슬까슬한 옷감으로 한복을 만든다.
⑤ 여름에는 등나무로 만든 기구를 먼저 걸치고 저고리를 입는다.

6 한복의 경우 겨울에는 추위를 견딜 수 있도록 옷감 사이에 무엇을 넣었다고 하였는지 찾아 쓰시오.

(　　　　　　)

핵심

7 낱말 ㉠과 ㉡을 살펴보고 형태가 바뀌지 않는 부분과 기본형을 빈칸에 쓰시오.

낱말	형태가 바뀌지 않는 부분	기본형
㉠입는	(1)	(2)
㉡얇고	(3)	(4)

서술형

8 ㉢'좁게'의 기본형을 쓰고, 그 낱말의 뜻에 알맞게 문장을 만들어 쓰시오.

_____

_____

◀ 뜻을 모르는
낱말에 밑줄을
그으며 읽기

먹을 수 있는 꽃 요리

오주영

❶ 우리 조상은 ㉠꽃을 눈으로도 즐기고 입으로도 즐겼습니다. 삼짇날이 되면 진달래 꽃잎을 넣고 찹쌀가루를 ♥둥글납작하게 부쳐서 만든 진달래화전을 먹었습니다. 오늘날의 프라이팬이라고도 할 수 있는 ♥번철을 돌 위에 올리고 그 아래에 불을 피워 화전을 부쳤습니다. 번철 대신 솥뚜껑을 쓰기도 했습니다.

삼짇날에는 진달래화채도 만들어 먹었습니다. 진달래 꽃잎을 ♥녹말가루에 묻혀 살짝 튀긴 뒤, 설탕이나 꿀을 넣어 달게 담근 오미자즙에 띄워 먹었습니다.

진달래와 비슷한 철쭉꽃은 먹을 수 없는 꽃이라서 '개꽃'이라고 했지만, 진달래는 먹을 수 있는 꽃이라서 '참꽃'이라고 했습니다. 진달래뿐만 아니라 벚꽃, 배꽃, 매화로도 화전을 만들어 먹었습니다.

(중심 내용) 우리 조상은 삼짇날, 진달래화전과 진달래화채를 만들어 먹는 등 꽃으로 음식을 만들어 먹었다.

▲ 진달래   ▲ 매화

❷ 꽃으로 만든 음식은 보는 것만으로도 기분이 좋습니다. 그뿐만 아니라 꽃잎에 묻어 있는 꽃가루에는 여러 가지 몸에 좋은 물질이 들어 있습니다.

• 글의 종류: 설명하는 글
• 글의 특징: 먹을 수 있는 꽃의 종류와 천연 색소의 좋은 점 등에 대하여 알려 주고 있습니다.

♥둥글납작하게 생김생김이 둥글고 납작하게.

♥번철 전을 부치거나 고기 따위를 볶을 때에 쓰는, 솥뚜껑처럼 생긴 무쇠 그릇.

♥녹말가루 감자, 고구마, 물에 불린 녹두 따위를 갈아서 가라앉힌 앙금을 말린 가루.

🐛 교과서 **핵심** ○뜻을 모르는 낱말의 뜻을 짐작한 뒤에 국어사전에서 그 뜻 찾기 **예**

낱말	짐작한 뜻	국어사전에서 찾은 뜻
삼짇날	삼월	음력 삼월 초사흗날

📖 교과서 문제

1 ㉠은 무슨 뜻이겠는지 쓰시오.

_____

_____

2 우리 조상이 꽃으로 만들어 먹은 음식을 두 가지 고르시오. (,)

① 식혜   ② 화전
③ 화채   ④ 잡채
⑤ 수정과

📖 교과서 문제

3 화전으로 만들어 먹을 수 있는 꽃이 아닌 것은 무엇입니까? ( )

① 벚꽃   ② 배꽃
③ 매화   ④ 철쭉꽃
⑤ 진달래

핵심
4 다음과 같은 뜻을 가지고 있는 낱말을 찾아 쓰시오.

음력 삼월 초사흗날

( )

그렇지만 모든 꽃을 다 먹을 수 있는 것은 아닙니다. 진달래, 국화, 장미, 금잔화, 삼색제비꽃, 제비꽃처럼 먹을 수 있는 꽃을 골라 먹어야 합니다. 그리고 먹을 수 있는 꽃이라고 하더라도 꽃가루 등에 5 의한 알레르기를 일으킬 수 있으므로 암술, 수술, 꽃받침을 제거하고 먹어야 합니다. 특히 진달래는 수술에 약한 <u>독성</u>이 있으므로 반드시 꽃술을 제거하고 꽃잎만 깨끗한 물에 씻은 뒤에 먹어야 합니다.
<small>건강이나 생명에 해가 되는 성분</small>

꽃집에서 파는 꽃이나 정원의 꽃은 함부로 먹으면 10 안 됩니다. 농약을 친 꽃에는 독성이 있기 때문입니다. 이런 꽃을 먹었다가는 배탈이 나고 속이 나빠져서 크게 고생할 수 있습니다. 반드시 ♥식용을 목적으로 따로 안전하게 ♥재배되는 꽃만 먹어야 합니다.

(중심 내용) 꽃으로 만든 음식은 몸에 좋지만 먹을 수 있는 꽃을 골라 먹어야 하며, 먹을 수 있는 꽃도 식용을 목적으로 재배되는 꽃만 먹어야 한다.

❸ 우리 조상은 자연에서 나오는 순수한 색소로 15 찹쌀가루에 물을 들여 화전을 만들기도 했습니다. 쑥·시금치·신감채·녹찻잎 등으로는 초록색 물을 들였고, 단호박·치자 등으로는 노란색 물을 들였

습니다. 오미자·복분자로는 빨간색 물을, 보라색 고구마로는 보라색 물을, 당근으로는 주황색 물을 들였습니다. 검은깨나 검은콩으로는 검은색 물을 들였습니다.

자연에서 얻은 천연 색소는 음식을 돋보이게 할 5 뿐만 아니라 재료의 영양이 그대로 살아 있어 건강에도 무척 좋습니다. 이렇듯 화전에는 자연이 준 선물을 음식에 이용한 조상의 지혜가 담겨 있습니다.

(중심 내용) 우리 조상은 자연에서 나오는 순수한 색소로 물을 들여 화전을 만들었다.

♥식용(食 먹을 식, 用 쓸 용) 먹을 것으로 씀. 또는 그런 물건.
♥재배 식물을 심어 가꿈.
◉ 큰아버지가 직접 재배한 배추를 보내주셨습니다.

교과서 핵심 ◦이 글을 다시 읽고 내용 정리하기 ◉

알고 있는 내용	먹을 수 있는 꽃 요리에는 화전이 있다.
새로 안 내용	먹을 수 있는 꽃에는 진달래, 벚꽃, 배꽃, 매화, 국화, 장미, 금잔화, 삼색제비꽃, 제비꽃 등 여러 가지가 있다.
더 알고 싶은 내용	꽃으로 만든 음식에는 어떤 것이 더 있는지 알고 싶다.

교과서 문제

5 꽃집에서 파는 꽃이나 정원의 꽃을 함부로 먹으면 안 되는 까닭은 무엇입니까? (   )

① 맛이 없어서
② 가격이 너무 비싸서
③ 가시가 있기 때문에
④ 음식으로 만들기 어려워서
⑤ 농약을 친 꽃에는 독성이 있기 때문에

6 화전에 물을 들일 때 사용하는 천연 재료가 잘못 짝 지어진 것은 무엇입니까? (   )

① 주황색 물 – 당근
② 노란색 물 – 단호박·치자
③ 보라색 물 – 오미자·복분자
④ 검은색 물 – 검은깨·검은콩
⑤ 초록색 물 – 쑥·시금치·신감채·녹찻잎

핵심 **역량**

7 이 글에 나오는 낱말 가운데에서 뜻을 모르는 낱말을 찾아 쓰고, 낱말의 뜻을 짐작한 뒤에 국어사전에서 그 뜻을 찾아 쓰시오.

(1) 낱말	
(2) 짐작한 뜻	
(3) 국어사전에서 찾은 뜻	

서술형

8 이 글을 읽고 더 알고 싶은 내용은 무엇인지 쓰시오.

● 나만의 국어사전을 만드는 과정 알아보기

❶ 나만의 국어사전에 실을 낱말을 정한다.

❷ 국어사전에 싣는 차례대로 낱말을 정리한다.

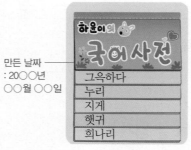

❸ 국어사전에서 낱말의 뜻을 찾아 쓴다.

만든 날짜
: 20○○년
○○월 ○○일

하윤이의
국어사전

그윽하다
누리
지게
햇귀
희나리

❹ 예쁘게 꾸며 나만의 국어사전을 만든다.

• **그림 설명**: 나만의 국어사전을 만드는 과정이 나타나 있습니다.

●나만의 국어사전을 만들면 좋은 점
• 내가 모르는 낱말의 뜻을 쉽게 찾을 수 있다.
• 낱말의 뜻을 정확히 알아 어휘력이 향상될 수 있다.

교과서 핵심

●국어사전 앞표지와 뒤표지에 들어갈 내용

예 국어사전 이름, 표지 그림, 만든 사람, 만든 날짜

1 나만의 국어사전을 만드는 차례에 맞게 기호를 쓰시오.

> ㉠ 국어사전에서 낱말의 뜻을 찾아 쓴다.
> ㉡ 예쁘게 꾸며 나만의 국어사전을 만든다.
> ㉢ 나만의 국어사전에 실을 낱말을 정한다.
> ㉣ 국어사전에 싣는 차례대로 낱말을 정리한다.

( ) → ( ) → ( ) → ( )

2 다음 중 국어사전에 가장 먼저 싣는 낱말은 무엇입니까? ( )

① 누리 ② 지게
③ 햇귀 ④ 희나리
⑤ 그윽하다

역량

3 나만의 국어사전을 만든다면 어떤 이름을 붙이고 싶은지 쓰고, 앞표지와 뒤표지에 어떤 내용을 표시할지 쓰시오.

(1) 국어사전 이름	
(2) 앞표지와 뒤표지에 들어갈 내용	

핵심

4 나만의 국어사전을 살펴볼 때 확인할 내용이 아닌 것은 무엇입니까? ( )

① 낱말의 뜻을 정확하게 설명했나요?
② 어려운 낱말은 뜻을 상상해서 썼나요?
③ 국어사전에 알맞은 형식을 갖추어 만들었나요?
④ 국어사전에 싣는 차례대로 낱말을 정리했나요?
⑤ 국어사전 특징이 잘 드러나게 이름을 붙였나요?

기본 · 125~126 쪽 형태가 바뀌는 낱말을 국어사전에서 찾기

㉠	받고, 받으니, 받아서
㉡	솟고, 솟으니, 솟아서
㉢	낚아채고, 낚아채서, 낚아채니
㉣	뒤쫓고, 뒤쫓으니, 뒤쫓아서

1 ㉠~㉣에 들어갈 낱말의 기본형을 각각 쓰시오.

(1) ㉠: (　　　　　　　　)
(2) ㉡: (　　　　　　　　)
(3) ㉢: (　　　　　　　　)
(4) ㉣: (　　　　　　　　)

2 1번 문제의 답을 국어사전에 싣는 차례대로 쓰시오.

(　　　　　) → (　　　　　)
→ (　　　　　) → (　　　　　)

기본 · 127~128 쪽 국어사전을 활용하며 글 읽기

선물 상자 포장하기

　다른 사람에게 선물할 때 예쁘게 포장해 주면 받는 사람의 기쁨은 훨씬 커집니다. 그럼 선물 상자를 예쁘게 포장하는 방법을 알아볼까요?

　　• 준비물: 선물 상자, 포장지, 양면테이프, 가위

5　　먼저, 선물을 포장할 포장지를 자릅니다. 상자를 포장지 가운데에 놓고 두께를 ㉮재어 손으로 눌러 표시해 둡니다. 표시해 둔 부분을 접고, 남는 부분을 가위로 자릅니다.

10　　다음은, 선물 상자에 포장지를 씌웁니다. 포장지에 상자를 올려놓은 다음, 포장지 양 끝이 가운데에서 겹치도록 씌웁니다. 겹치는 부분을 2~3센티미터 두고 남는 부분을 자릅니다. 그러고 나서 겹

15 치는 부분의 한쪽을 1센티미터 정도 접습니다. 접은 부분에 양면테이프를 붙입니다. 이때 포장지를 상자 가운데에 맞추어 당기면서 붙입니다.

3 선물 상자를 포장할 때 필요한 준비물이 <u>아닌</u> 것은 무엇입니까? (　　　)

① 가위　　　② 포장지
③ 지우개　　④ 선물 상자
⑤ 양면테이프

4 다음 글자의 짜임에 맞게 빈칸에 알맞은 말을 쓰시오.

	첫 자음자	(1)
선	모음자	(2)
	받침	(3)

5 ㉮'재어'의 기본형을 쓰고, 그 뜻을 국어사전에서 찾아 쓰시오.

(1) 기본형: (　　　　　　　　)

(2) 뜻: _____

_____

그런 다음 옆면을 포장합니다. 옆면 포장지를 상자 위쪽 가장자리에 맞추어 아래로 접고, 양옆 포장지를 가장자리에 맞추어 안쪽으로 접습니다. 아래

5 쪽은 접은 선이 상자 가운데에 오도록 접으면 됩니다. 접은 부분에 양면테이프를 붙여 마무리합니다. 반대쪽도 같은 방법으로 합니다.

선물 상자를 깔끔하고 예쁘게 포장하려면 포장지가 구겨지지 않도록 해야 합니다. 또 접는 부분은 손으로 힘을 주어 눌러서 접습

10 니다.

6 이 글 전체의 내용을 간단히 정리하여 빈칸에 쓰시오.

> 선물을 포장할 포장지를 자른다.

↓

> 선물 상자에 포장지를 씌운다.

↓

>

기초 다지기 | **낱말의 표기에 주의하기**

7 다음 ( ) 안의 표기 가운데 바른 표기를 찾아 ○표를 하시오.

정수는 내가 유치원에 다닐 때부터 (1)(사겼던 , 사귀었던) 친구인데, 내 친구 가운데에서 가장 오랫동안 (2)(사귀어 , 사겨) 아주 가까운 친구이다. 3학년이 되자마자 정수는 다른 학교로 전학을 갔다. 부모님께서 가게를 다른 곳으로 옮기면서 사는 집도 이사했기 때문이다.

오늘 문득 정수가 생각나서 전화하니 '없는 번호'라고 했다. 그런데 마침 몇 시간이 지나서 정수가 나한테 전화를 했다. 전화번호가 (3)(바뀌었는데 , 바꼈는데) 미리 말하지 못해서 미안하다고 했다.

8 다음 ㉠~㉢에서 바른 표기를 골라 쓰시오.

- 체육 시간에 공을 쫓아 열심히 ㉠(뛰었다 , 떴다).
- 고양이가 사람에게 달려들어 팔을 ㉡(할퀴었다 , 할켰다).
- 힘드니까 ㉢(쉬었다가 , 셨다가) 다시 시작하자.

(1) ㉠: ( )

(2) ㉡: ( )

(3) ㉢: ( )

단원 마무리

준비 ......

》국어사전에 대해
알기

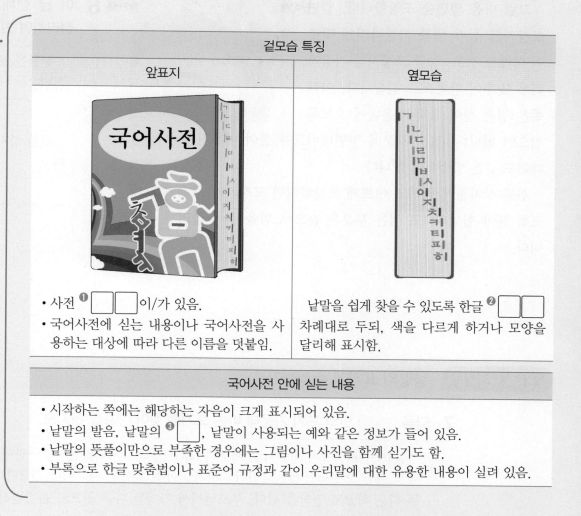

겉모습 특징	
앞표지	옆모습
• 사전 ❶ □□ 이/가 있음. • 국어사전에 싣는 내용이나 국어사전을 사용하는 대상에 따라 다른 이름을 덧붙임.	낱말을 쉽게 찾을 수 있도록 한글 ❷ □□ 차례대로 두되, 색을 다르게 하거나 모양을 달리해 표시함.

국어사전 안에 싣는 내용
• 시작하는 쪽에는 해당하는 자음이 크게 표시되어 있음. • 낱말의 발음, 낱말의 ❸ □, 낱말이 사용되는 예와 같은 정보가 들어 있음. • 낱말의 뜻풀이만으로 부족한 경우에는 그림이나 사진을 함께 싣기도 함. • 부록으로 한글 맞춤법이나 표준어 규정과 같이 우리말에 대한 유용한 내용이 실려 있음.

기본 ......

》국어사전에서
낱말을 찾는 방법
알기

1. 글자 차례대로 찾습니다. '친구'는 첫 번째 글자의 첫 자음자가 'ㅊ'이므로 첫 자음자가 'ㅊ'인 낱말 가운데에서 찾습니다.

첫 번째 글자	친

두 번째 글자	구

2. 한글 글자는 ❹ □□□□, 모음자, 받침으로 이루어지므로, 낱말을 이루는 글자의 낱자가 짜인 차례대로 찾습니다.

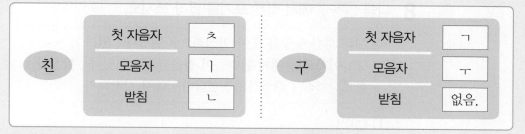

친	첫 자음자	ㅊ		구	첫 자음자	ㄱ
	모음자	ㅣ			모음자	ㅜ
	받침	ㄴ			받침	없음.

3. 낱말을 찾으면 낱말의 뜻이 문장에 어울리는지 살펴봅니다.

기본

》 형태가 바뀌는
낱말을
국어사전에서
찾기

1. ⁵□□□을/를 나타내는 낱말과 성질이나 상태를 나타내는 낱말은 상황에 따라 형태가 바뀝니다.

먹다, 웃다,
달리다, 일어서다

▲ 움직임을 나타내는 낱말

작다, 넓다,
많다, 높다

▲ 성질이나 상태를 나타내는 낱말

2. 낱말이 형태가 바뀔 때에는 형태가 바뀌지 않는 부분에 '-다'를 붙여 ⁶□□□을/를 만듭니다. 형태가 바뀌는 낱말은 국어사전에 기본형만 싣습니다.

	형태가 바뀌지 않는 부분	형태가 바뀌는 부분	기본형
움직임을 나타내는 낱말	먹	는다, 었다, 으면, 고	⁷□□
성질이나 상태를 나타내는 낱말	높	은데, 고, 은, 아서	높다

기본

》 국어사전을
활용하며
글 읽기

예 「먹을 수 있는 꽃 요리」에서 뜻을 모르는 낱말에 표시하며 읽기

우리 조상은 꽃을 눈으로도 즐기고 입으로도 즐겼습니다. 삼짇날이 되면 진달래 꽃잎을 넣고 찹쌀가루를 둥글납작하게 부쳐서 만든 진달래 화전을 먹었습니다. 오늘날의 프라이팬이라고도 할 수 있는 번철을 돌 위에 올리고 그 아래에 불을 피워 화전을 부쳤습니다. 번철 대신 솥뚜껑을 쓰기도 했습니다.

낱말	짐작한 뜻	국어사전에서 찾은 뜻
삼짇날	삼월	음력 삼월 초사흗날

➡ 낱말의 뜻을 국어사전에서 찾아보면 낱말의 뜻을 깊이 ⁸□□할 수 있고, 글의 내용을 더 쉽게 이해할 수 있어 중심 생각을 파악하는 데 도움이 됩니다.

1 낱말의 뜻을 알고 싶을 때 어떻게 하는 것이 가장 좋습니까? ( )

① 백과사전을 찾아본다.
② 그냥 뜻을 짐작해 본다.
③ 국어사전에서 뜻을 찾아본다.
④ 글자의 뜻을 알 때까지 써 본다.
⑤ 신문에서 같은 말이 나온 경우를 찾아본다.

2 다음은 국어사전 겉모습 가운데 어디에서 볼 수 있는 내용인지 알맞게 선으로 이으시오.

(1) 앞표지 •   • ① 사전 이름이 있다.

(2) 옆모습 •   • ② 한글 자음 차례대로 두었다.

3 다음 국어사전에 실려 있는 내용이 <u>아닌</u> 것은 무엇입니까? ( )

> **다듬잇돌**[다드미똘/다드민똘]「명사」 다듬이질을 할 때 밑에 받치는 돌. 「비」 다듬돌. 〈예〉 이 돌이면 매끄러운 다듬잇돌이 되겠구나.
> **다듬잇방망이**[다드미빵망이/다드민빵망이]「명사」 다듬이질을 할 때 쓰는 방망이.

① 비슷한말
② 낱말의 뜻
③ 낱말의 발음
④ 그림이나 사진
⑤ 낱말이 쓰인 예

4 국어사전에 있는 약호나 기호의 쓰임새가 바르게 연결되지 <u>않은</u> 것은 무엇입니까? ( )

① 「준」 – 준말
② 「낮」 – 낮춤말
③ 「높」 – 높임말
④ 「반」 – 반대말
⑤ [ ] – 긴소리(장음) 표시

5 다음 낱말을 찾으려면 국어사전의 어느 낱자에서 찾아야 합니까? ( )

> 나무, 농사, 누룽지

① ㄱ   ② ㄴ
③ ㅅ   ④ ㅈ
⑤ ㅊ

중요
6 '친구'에서 낱말을 이루는 글자의 짜임에 맞게 빈칸에 알맞은 말을 쓰시오.

낱자＼글자	친	구
첫 자음자	(1)	(4)
모음자	(2)	(5)
받침	(3)	(6)

7 다음 두 낱말 가운데에서 국어사전에 먼저 싣는 것은 무엇입니까?

> 가게   거미

( )

8 다음 낱말 가운데 국어사전에 가장 먼저 싣는 낱말은 무엇입니까? ( )

① 하늘 　　　　② 하마
③ 학교 　　　　④ 한국
⑤ 한복

9 다음 낱말을 국어사전에 싣는 차례대로 쓰시오.

> 새, 사탕, 소리

(　　　) → (　　　) → (　　　)

10 다음 중에서 형태가 바뀌는 낱말을 두 가지 고르시오. (,)

① 동생 　　　　② 먹다
③ 소금 　　　　④ 도서관
⑤ 일어서다

11 다음 밑줄 그은 낱말에서 형태가 바뀌지 않는 부분과 형태가 바뀌는 부분을 쓰시오.

> • 동생이 밥을 <u>먹는다</u>.
> • 동생이 밥을 <u>먹었다</u>.

낱말	형태가 바뀌지 않는 부분	형태가 바뀌는 부분
먹는다	(1)	는다
먹었다		(2)

중요

12 다음 낱말의 기본형을 쓰시오.

> 높은데, 높고, 높은, 높아서

(　　　　　　)

서술형

13 형태가 바뀌는 낱말의 기본형을 정하는 까닭은 무엇인지 쓰시오.

_____

_____

14 다음 낱말의 기본형을 알아보려고 합니다. ㉠~㉤ 중 바르지 <u>않은</u> 것은 무엇입니까?

낱말	형태가 바뀌지 않는 부분	기본형
맑고, 맑아서	㉠ 맑	맑다
읽고, 읽으니	읽	㉡ 읽는다
자고, 자서	㉢ 자	㉣ 자다
웃고, 웃어서	웃	㉤ 웃다

(　　　　　　)

15 다음 ㉠과 ㉡은 형태가 바뀌는 낱말입니다. 낱말의 기본형은 무엇입니까? ( )

> 　친구들과 함께 소풍을 갔습니다. 넓은 잔디밭에서 둘씩 짝을 지어 서로의 한 발을 끈으로 ㉠묶고 달리기를 했습니다. 놀이가 끝난 뒤에 ㉡묶은 끈을 풀고 친구들과 함께 이야기했습니다.

① 묶는 　　　　② 묶다
③ 묶어서 　　　④ 묶으니
⑤ 묶었다

16~17 글을 읽고, 물음에 답하시오.

> 기후에 따라 ㉠입는 옷이 다릅니다. 추운 겨울에는 몸의 열을 **빼앗기지** 않으려고 가죽옷이나 두꺼운 털옷을 입습니다. 그러나 무더운 여름에는 몸에서 생기는 열을 내보내려고 ㉡얇고 성긴 옷을 입습니다.
>
> 한복도 여름에는 몸에 잘 붙지 않도록 까슬까슬한 옷감으로 만들었습니다. 그리고 바람이 잘 통하도록 등나무로 만든 기구를 먼저 걸치고 저고리를 입기도 했습니다. 겨울에는 추위를 견딜 수 있도록 옷감 사이에 솜을 넣은 한복을 입었습니다. 차가운 공기가 스며들지 않도록 목둘레나 소매 끝을 ㉢좁게 만들기도 했습니다.

16 기후에 따라 입는 옷이 어떻게 다른지 알맞게 선으로 이으시오.

(1) | 겨울 | • | | • | ① | 얇고 성긴 옷을 입는다. |

(2) | 여름 | • | | • | ② | 가죽옷이나 두꺼운 털옷을 입는다. |

중요

17 ㉠~㉢의 기본형을 국어사전에 싣는 차례대로 기호를 쓰시오.

(   ) → (   ) → (   )

국어 활동

18 '낚아채고'의 기본형을 쓰고, 보기 에서 그 뜻을 찾아 번호를 쓰시오.

> 보기
> ① 뒤를 따라 쫓다.
> ② 무엇을 갑자기 세차게 잡아당기다.
> ③ 다른 사람이 주거나 보내오는 물건 따위를 가지다.

(1) 기본형: (   )
(2) 뜻: (   )

19 다음 글을 읽고 새로 안 내용을 <u>잘못</u> 정리한 것은 무엇입니까? (   )

> 꽃으로 만든 음식은 보는 것만으로도 기분이 좋습니다. 그뿐만 아니라 꽃잎에 묻어 있는 꽃가루에는 여러 가지 몸에 좋은 물질이 들어 있습니다.
>
> 그렇지만 모든 꽃을 다 먹을 수 있는 것은 아닙니다. 진달래, 국화, 장미, 금잔화, 삼색제비꽃, 제비꽃처럼 먹을 수 있는 꽃을 골라 먹어야 합니다. 그리고 먹을 수 있는 꽃이라고 하더라도 꽃가루 등에 의한 알레르기를 일으킬 수 있으므로 암술, 수술, 꽃받침을 제거하고 먹어야 합니다. 특히 진달래는 수술에 약한 독성이 있으므로 반드시 꽃술을 제거하고 꽃잎만 깨끗한 물에 씻은 뒤에 먹어야 합니다.

① 모든 꽃을 다 먹을 수 있는 것은 아니다.
② 진달래는 꽃잎과 꽃술을 모두 먹을 수 있다.
③ 꽃잎에 묻어 있는 꽃가루에는 몸에 좋은 물질이 들어 있다.
④ 진달래, 국화, 장미, 금잔화, 삼색제비꽃, 제비꽃은 먹을 수 있는 꽃이다.
⑤ 먹을 수 있는 꽃이라고 하더라도 암술, 수술, 꽃받침을 제거하고 먹어야 한다.

서술형

20 슬기는 나만의 국어사전에 실을 낱말을 다음과 같이 정하였습니다. 국어사전에서 낱말의 뜻을 각각 찾아 쓰시오.

(1) 발견	
(2) 발명	
(3) 잃다	
(4) 잊다	

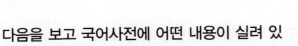

1 다음을 보고 국어사전에 어떤 내용이 실려 있는지 쓰시오.

> **다듬잇돌**[다드미똘/다드믿똘]「명사」 다듬이질을 할 때 밑에 받치는 돌. 「비」 다듬돌. 〈예〉 이 돌이면 매끄러운 다듬잇돌이 되겠구나.
> **다듬잇방망이**[다드미빵망이/다드믿빵망이]「명사」 다듬이질을 할 때 쓰는 방망이.

_____

_____

2 다음 두 낱말 가운데에서 어느 것을 국어사전에 먼저 싣는지 그 까닭과 함께 쓰시오.

> 한국　　　　한복

_____

_____

3 다음 낱말을 움직임을 나타내는 낱말과 성질이나 상태를 나타내는 낱말로 나누어 쓰시오.

> 먹다, 많다, 높다, 달리다

_____

4~5 글을 읽고, 물음에 답하시오.

> 기후에 따라 입는 옷이 다릅니다. 추운 겨울에는 몸의 열을 빼앗기지 않으려고 가죽옷이나 두꺼운 털옷을 입습니다. 그러나 무더운 여름에는 몸에서 생기는 열을 내보내려고 ㉠얇고 성긴 옷을 입습니다.

4 ㉠'얇고'의 기본형을 쓰고, 국어사전에서 그 뜻을 찾아 쓰시오.

(1) 기본형: (　　　　　　)

(2) 뜻: _____

_____

5 ㉠'얇고'의 뜻에 어울리게 문장을 만들어 쓰시오.

_____

_____

6 다음 ㉠'화전'의 뜻을 짐작한 뒤에 국어사전에서 그 뜻을 찾아 쓰시오.

> 진달래와 비슷한 철쭉꽃은 먹을 수 없는 꽃이라서 '개꽃'이라고 했지만, 진달래는 먹을 수 있는 꽃이라서 '참꽃'이라고 했습니다. 진달래뿐만 아니라 벚꽃, 배꽃, 매화로도 ㉠화전을 만들어 먹었습니다.

(1) 짐작한 뜻	
(2) 국어사전에서 찾은 뜻	

낱말 퀴즈

● 다음 교과서 문장의 파란색 낱말 중에서 알맞은 것을 골라 인물들이 한 말을 완성하시오.

- 기후에 따라 사람들이 생활하는 모습이 다릅니다.
- 차가운 공기가 스며들지 않도록 목둘레나 **소매** 끝을 좁게 만들기도 했습니다.
- 삼짇날에는 진달래화채도 만들어 먹었습니다.
- 이렇듯 화전에는 자연이 준 선물을 음식에 이용한 조상의 **지혜**가 담겨 있습니다.

정답 | ❶ 기후 ❷ 소매 ❸ 화채 ❹ 지혜

8

의견이 있어요

무엇을 배울까요?

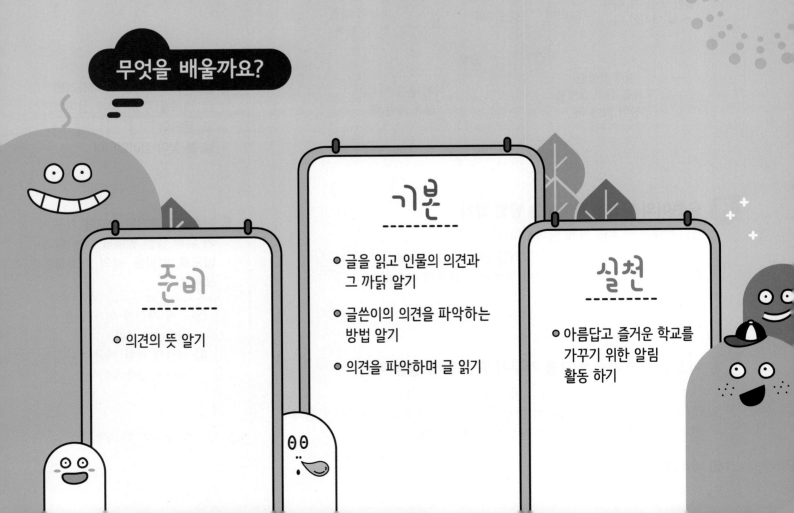

준비

● 의견의 뜻 알기

기본

● 글을 읽고 인물의 의견과 그 까닭 알기

● 글쓴이의 의견을 파악하는 방법 알기

● 의견을 파악하며 글 읽기

실천

● 아름답고 즐거운 학교를 가꾸기 위한 알림 활동 하기

1 의견의 뜻 알기

① 글쓴이나 인물이 어떤 대상에게 지니는 생각을 의견이라고 합니다.
② 어떤 대상에게 사람들이 지니는 의견은 같을 수도 있고 다를 수도 있습니다.

2 글을 읽고 인물의 의견과 그 까닭 알기

① 인물의 말과 행동을 주의 깊게 살펴보고 인물의 의견을 파악합니다.
② 누가 무슨 까닭으로 그런 의견을 냈는지를 알면 그 의견의 내용을 더 잘 알 수 있습니다.
③ 인물의 의견과 그 까닭에 대한 자신의 의견을 이야기해 봅니다.
예 「아씨방 일곱 동무」에 나오는 인물의 의견과 그 까닭

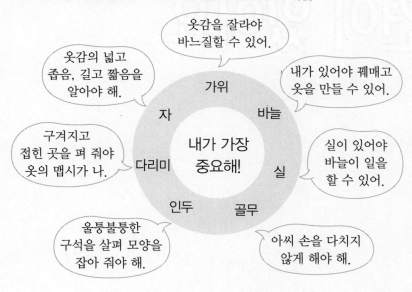

내가 가장 중요해!

가위 — 옷감을 잘라야 바느질할 수 있어.
자 — 옷감의 넓고 좁음, 길고 짧음을 알아야 해.
바늘 — 내가 있어야 꿰매고 옷을 만들 수 있어.
실 — 실이 있어야 바늘이 일을 할 수 있어.
다리미 — 구겨지고 접힌 곳을 펴 줘야 옷의 맵시가 나.
인두 — 울퉁불퉁한 구석을 살펴 모양을 잡아 줘야 해.
골무 — 아씨 손을 다치지 않게 해야 해.

3 글쓴이의 의견을 파악하는 방법 알기

① 글 제목을 주의 깊게 살펴봅니다.
② 문단의 중심 문장을 찾아 정리합니다.
③ 글쓴이가 그 글을 쓴 목적이 무엇인지 짐작해 봅니다.

4 아름답고 즐거운 학교를 가꾸기 위한 알림 활동 하기

① 우리 학교에 어떤 문제점이 있는지 생각해 봅니다.
② 우리 학교의 문제점에 대한 자신의 의견과 그렇게 생각한 까닭을 씁니다.
③ 알림 활동에 쓸 손 팻말의 말을 만들어 봅니다.

핵심 확 인 문 제

정답과 해설 ● 29쪽

1 글쓴이나 인물이 어떤 대상에게 지니는 생각을 무엇이라고 하는지 쓰시오.

(　　　　　)

2 다음은 인물의 의견을 찾는 방법입니다. 빈칸에 알맞은 말을 쓰시오.

> 인물의 ☐과/와 ☐을/를 주의 깊게 살펴본다.

3 누가 무슨 까닭으로 그런 의견을 냈는지를 알면 그 의견의 내용을 더 잘 알 수 있습니다.

(　 ○ , × 　)

4 글쓴이의 의견을 파악하려면 글 제목을 주의 깊게 살펴보고, 문단의 ☐☐☐☐을/를 찾아 정리합니다.

5 아름답고 즐거운 학교를 가꾸기 위한 알림 활동을 하는 방법으로 알맞은 것의 기호를 쓰시오.

> ㉠ 글에 자신의 의견이 잘 나타나게 쓴다.
> ㉡ 의견에 대한 까닭은 나타나지 않아야 한다.

(　　　　　)

🔊 등장인물들의 말과
행동을 살펴보며 읽기

오성과 한음

❶ 어느 날 아침, 한음이 오성의 집에 놀러 왔습니다. 오성의 집 마당에 있는 큰 감나무에는 빨간 감이 ♥탐스럽게 열려 있었습니다. 이 감나무 가지는 담 너머 옆집인 권 판서 댁까지 뻗어 있었습니다.

5 "야, 저 감 참 맛있겠다!" / 한음이 담 너머에 있는 감을 가리키며 말했습니다. 오성은 한음의 마음을 알아채고 감을 따려고 했습니다.

"우리 집 감을 왜 허락도 없이 따려고 하시오?"
청하는 일을 하도록 들어 줌.
옆집 하인이 말했습니다.

10 "무슨 말인가? 우리 감나무에 달린 감이야."

"도련님 댁 감이라고요? 그건 우리 감이에요. 보시다시피 우리 집으로 가지가 넘어왔잖아요."

옆집 하인이 그쪽으로 넘어간 감나무 가지를 자기네 것이라고 우기며 감을 따지 못하게 했습니다.
억지를 부려 자기 의견을 고집스럽게 내세우며

15 "그런 경우가 어디 있나? 그 감은 우리 것이네. 아무리 담 너머로 가지가 넘어갔어도 감나무는 우리 집에서 심고 가꾸었기 때문이야."

오성은 ♥어이없다는 듯이 옆집 하인에게 말했습

니다.

중심 내용 오성과 옆집 하인은 옆집으로 넘어간 가지에 달린 감이 서로 자기네 것이라고 말하였다.

❷ "무슨 좋은 방법이 없을까?"

오성과 한음은 서로 머리를 맞대고 궁리했습니다. 갑자기 한음이 큰 소리로 말했습니다.

"좋은 생각이 났어." / "그래? 뭔데?" 5

오성은 한음의 말을 듣고 고개를 끄덕이며 미소를 지었습니다. 두 소년은 오성의 옆집에 사는 권 판서 댁 하인을 앞세우고 가서 대감이 있는 사랑방 앞에 멈추어 섰습니다.

• **글의 내용**: 옆집 하인이 옆집으로 넘어간 감나무의 감이 자기네 것이라고 하자, 오성이 꾀를 내어 감의 주인을 밝혔습니다.

♥탐스럽게 마음이 몹시 끌리도록 보기에 아주 좋게.

♥어이없다는 일이 너무 뜻밖이어서 기가 막히는 듯하다는.

🐌 교과서 **핵심** ○ 옆집 하인과 오성의 의견과 그 까닭

옆집 하인	우리 집으로 가지가 넘어왔기 때문에 감은 우리 것이다.
오성	감나무는 우리 집에서 심고 가꾸었기 때문에 감은 우리 것이다.

---

1 오성과 옆집 하인은 무엇에 대하여 다투고 있는지 쓰시오.

( )

핵심

2 옆집 하인이 다음과 같이 말한 까닭은 무엇입니까? ( )

> 감은 우리 것이다.

① 오성의 버릇없는 행동에 화가 나서
② 오성이 몰래 감을 먹는 것을 보아서
③ 자기가 그동안 감나무를 가꾸어 와서
④ 자기네 집에 감나무의 뿌리가 있어서
⑤ 자기네 집으로 넘어온 가지에 감이 달려 있어서

🐚 교과서 문제

3 다음 오성의 말 뒷부분에 나와 있는 까닭을 살펴보고 빈칸에 알맞은 의견을 쓰시오.

> 오성: ( )
> 아무리 담 너머로 가지가 넘어갔어도 감나무는 우리 집에서 심고 가꾸었기 때문이야.

🐚 교과서 문제

4 오성과 한음은 누구를 찾아갔습니까? ( )

① 임금님　　　② 권 판서 대감
③ 한음의 어머니　④ 지혜로운 노인
⑤ 감나무를 심은 사람

"밖에 누가 왔느냐?"

♥인기척을 느낀 권 판서가 물었습니다.

"대감님, 저의 무례함을 용
5 서하십시오."

오성은 창호지를 바른 방문 안으로 팔을 쑥 들이
밀었습니다. 책을 읽고 있던 권 판서는 방문을 뚫
고 들어온 팔을 보고 깜짝 놀랐습니다.

"이웃에 사는 오성입니다."

10 오성은 손을 들이민 채 권 판서에게 정중하게 말
했습니다.

㉠"대감님, 지금 이 팔이 누구 팔입니까?"

"그야 네 팔이지, 누구 팔이겠느냐?"

"지금 이 팔은 방 안에 들어가 있지 않습니까?"

15 "방 안에 있다 해도 네 몸에 붙었으니까 네 팔이
지." / 권 판서는 오성의 당돌한 질문에 호기심
을 느꼈습니다.
　　　　꺼리거나 어려움이 없는

"그렇다면 한 말씀 더 ♥여쭙겠습니다. 저 담 너
머 감나무에서 뻗어 나와 이 댁에 넘어온 가지

는 누구네 것입니까?"

권 판서는 오성이 무엇 때문에 방문을 뚫고 팔을
들이밀었는지 그 뜻을 금방 깨달았습니다.

"음, 그야 너희 것이지. 우리 집에 가지가 일부
분 넘어왔어도 나무의 뿌리는 너희 집에 있지 5
않느냐."

"그렇다면 왜 이 댁 하인들이 저희에게 감을 못
따게 합니까?"

"우리 집 하인들이 생각이 모자랐던 것 같구나.
다시는 그런 일이 없도록 하마."　　　　　　　10

그리하여 오성과 한음은 잘 익은 감을 맛있게 먹
을 수 있었습니다.

중심 내용 오성은 권 판서 댁을 찾아가 권 판서의 방문 안으로 팔을 들이밀었
고, 감나무의 가지가 누구네 것인지 물어서 감이 오성의 것임을 확인하였다.

♥인기척 사람이 있음을 알 수 있게 하는 소리나 기색.

♥여쭙겠습니다 웃어른께 말씀을 올리겠습니다.

교과서 핵심 ○권 판서 대감의 의견과 그 까닭

권 판서 대감	우리 집에 가지가 일부분 넘어왔어도 감나무의 뿌리는 오성의 집에 있기 때문에 감은 오성의 것이다.

---

5 ㉠의 질문에 권 판서 대감은 무엇이라고 대답
하였는지 빈칸에 알맞은 내용을 쓰시오.

　• 팔이 방 안에 있다 해도 오성의 몸에 붙
　　어 있으니까 (　　　　　　　　　).

6 오성이 권 판서 대감의 방문에 팔을 들이민
까닭은 무엇이겠습니까?　　　　　(　　　)

　① 자신의 무례함을 사과하려고
　② 자신의 지혜로움을 자랑하려고
　③ 권 판서 대감에게 장난을 치려고
　④ 감이 권 판서 대감의 것임을 말하려고
　⑤ 감나무의 가지도 감나무의 일부라는 것
　　을 말해서 감이 자기네 것임을 밝히려고

핵심

7 권 판서 대감의 의견을 다음과 같이 정리할
때, 빈칸에 알맞은 까닭에 ○표를 하시오.

의견	감은 오성의 것이다.
까닭	

　(1) 우리 집 하인이 감이 많이 열리게 정성
　　을 들였기 때문에　　　　　　　(　　　)
　(2) 가지가 일부분 넘어왔어도 감나무의 뿌
　　리는 오성의 집에 있기 때문에　(　　　)

서술형

8 이 글 전체에서 등장인물이 한 말에 대한 자
신의 의견을 쓰시오.

_____

_____

◀: 인물의 의견과
그렇게 생각한
까닭을 비교하며 읽기

아씨방 일곱 동무

이영경

❶ 옛날에 ♥바느질을 즐겨 하는 아씨가 있었습니
다. 아씨는 늘 일곱 동무와 함께 바느질을 했습니
다. 그 일곱 동무는 자, 가위, 바늘, 실, 골무, ♥인
두, 다리미입니다.
　　바느질할 때 바늘귀를 밀기 위해 손가락에 끼는 도구

중심 내용 옛날에 일곱 동무와 함께 바느질을 즐겨 하는 아씨가 있었다.

5　❷ 하루는 아씨가 낮잠이 들었습니다. 그때 자 부
인이 큰 키를 뽐내며 말했습니다.
　　　자신의 능력을 보라는 듯이 자랑하며
자 부인: 아씨가 바느질을 잘 해내는 것은 다 내 덕
　　　　　베풀어 준 은혜나 도움
이라고. 옷감의 넓고 좁음, 길고 짧음은 내가 아
니면 알 수 없어. 그러니까 우리 중에서 가장 중
10　요한 것은 바로 나라고!

중심 내용 자 부인은 옷감의 넓고 좁음, 길고 짧음을 재는 자기가 가장 중요
하다고 하였다.

❸ 그 말을 듣고 가위 색시가 입을 삐쭉이며 따지
듯이 말했습니다.

가위 색시: 아니, 내 덕은 몰라라 하고 형님 자랑만
하는군요. 옷감을 잘 재어 본들 자르지 않으면
무슨 소용이 있나요? 내가 나서서 옷감을 잘라
야 일이 된다고요.

중심 내용 가위 색시는 자기가 나서서 옷감을 잘라야 일이 되므로 자기가
가장 중요하다고 하였다.

- 글의 종류: 이야기
- 글의 내용: 바느질할 때에 쓰이는 도구들이 서로 자기가 가장 중요
하다고 다투고 있습니다.

- ♥바느질 바늘로 옷을 짓거나 꿰매는 일.
예 할머니께 바느질을 배웠습니다.

- ♥인두 불에 달구어 천의 구김살을 눌러 펴거나 솔기를 꺾어 누르
는 데 쓰는 기구.

교과서 핵심 ○ 인물의 의견과 그 까닭 ①

| 자 부인 | 옷감의 넓고 좁음, 길고 짧음을 알려 주기 때문에 내가 가장 중요하다. |
| 가위 색시 | 옷감을 잘라야 바느질할 수 있기 때문에 내가 가장 중요하다. |

8
단원

📖 교과서 문제

1 아씨와 늘 함께 바느질하는 일곱 동무가 <u>아닌</u>
것은 무엇입니까?　　　　　　　　　（　　）

① 자　　　　　　② 칼
③ 바늘　　　　　④ 골무
⑤ 다리미

2 이 이야기는 아씨가 무엇을 할 때 일어난 일
입니까?　　　　　　　　　　　　（　　）

① 낮잠을 잘 때
② 바느질을 할 때
③ 옷감을 고를 때
④ 밖에 나갔을 때
⑤ 바느질 도구를 정리할 때

핵심

3 다음 빈칸에 들어갈 자 부인의 의견에 대한
까닭은 무엇입니까?　　　　　　　（　　）

> 내가 가장 중요하다. 왜냐하면 [　　　　]
> [　　　　　　　　　] 때문이다.

① 키가 가장 크기
② 바느질을 가장 잘하기
③ 옷감의 재료와 색깔을 알려 주기
④ 옷감의 넓고 좁음, 길고 짧음을 알려
주기
⑤ 아씨가 옷감을 좋아하는 까닭을 알려
주기

📖 교과서 문제

4 다음과 같은 의견을 가진 인물은 누구인지 쓰
시오.

> 바느질할 때 옷감을 자르는 일이 가장 중요
> 하다.

（　　　　　　）

❹ 그러자 앉아서 듣고만 있던 새침데기 바늘 각
시가 따끔하게 쏘듯 한마디 합니다.
쌀쌀맞게 시치미를 떼는 사람

바늘 각시: ㉠구슬이 서 말이라도 꿰어야 보배이
지요. 내가 이 ♥솔기 저 솔기 꿰매고 나서야 입
을 옷이 되지 않나요? 내가 없으면 옷을 만드는
바느질은 절대로 할 수 없어요.

(중심 내용) 바늘 각시는 자기가 솔기를 꿰매야 입을 옷이 되므로 자기가 가
장 중요하다고 하였다.

❺ 멋쟁이 홍실 각시는 코웃음부터 한 번 치고 제
법 여유 있게 자기 자랑을 늘어놓았습니다.

홍실 각시: 호호호, 실이 없는 바늘이 무슨 일을 하
겠니? 한 ♥땀 반 땀이라도 실이 들어가야 하지
않니? 그러니까 나야말로 진짜 주인공이 아니겠
어? 호호호.

(중심 내용) 홍실 각시는 실이 없는 바늘은 아무 일도 할 수 없으므로 자기가
가장 중요하다고 하였다.

❻ 이들의 다툼을 지켜보던 골무 할미가 말합니다.

골무 할미: 에헴, 나도 말참견 좀 해야겠다. 중요함
다른 사람이 말하는 데 끼어들어 말하는 짓
으로 치면 나만 한 이가 또 없지. 아씨 손 다칠세
라 밤낮 시중드는 것도 바로 내 몸이야. 내가 빠
져서는 안 되지. 암, 그렇고말고.

(중심 내용) 골무 할미는 아씨 손 다칠세라 밤낮 시중드는 자기가 가장 중요
하다고 말하였다.

♥솔기 옷이나 이부자리 따위를 지을 때 두 폭을 맞대고 꿰맨 줄.
♥땀 바느질할 때 실을 꿴 바늘로 한 번 뜬 자국을 세는 단위.

교과서 핵심 ○ 인물의 의견과 그 까닭 ②

바늘 각시	바늘이 있어야 솔기를 꿰매고 옷을 만들 수 있기 때문에 내가 가장 중요하다.
홍실 각시	실이 있어야 바늘이 일을 할 수 있기 때문에 내가 가장 중요하다.
골무 할미	아씨 손이 다치지 않게 밤낮으로 시중을 들기 때문에 내가 가장 중요하다.

5 바늘 각시의 말로 보아 ㉠의 뜻은 무엇이겠습
니까? ( )

① 옷에 구슬을 달아야 예쁘다.
② 옷감만 있으면 옷을 만들 수 있다.
③ 구슬이 너무 많으면 옷을 만들기 어렵다.
④ 옷을 만들 때 구슬 서 말도 같이 꿰어
야 한다.
⑤ 옷감이 있어도 꿰매서 옷을 만들지 않
으면 소용이 없다.

서술형
7 홍실 각시의 의견과 그 까닭은 무엇인지 쓰
시오.

_____

_____

6 다음은 바늘 각시의 의견과 그 까닭입니다. 빈
칸에 들어갈 알맞은 말은 무엇입니까? ( )

> 바늘이 있어야 솔기를 ( ) 옷을 만
> 들 수 있기 때문에 내가 가장 중요하다.

① 재고   ② 접고   ③ 꿰매고
④ 자르고   ⑤ 다리고

핵심
8 골무 할미가 자신이 가장 중요하다고 생각하
는 까닭은 무엇입니까? ( )

① 아씨가 가장 아끼므로
② 옷감을 반듯하게 잘라 주므로
③ 옷감을 꿰매서 옷이 되게 하므로
④ 아씨의 손을 다치지 않게 해 주므로
⑤ 아씨에게 바느질 방법을 가르쳐 주므로

❼ 이때 나이가 좀 어린 탓에 참고 듣고만 있던 인두 낭자가 불쑥 나서며 말합니다.

'처녀'를 이르는 옛말

인두 낭자: 모두들 자랑이 너무 지나치군요. 둘쑥날쑥 울퉁불퉁 바느질한 것을 구석구석 살피고 뾰족뾰족 다듬어서 제 모양 잡아 주는 것이 누군데요? 나만 한 일꾼이 없으니 그만들 해 두어요.

중심 내용 인두 낭자는 바느질한 것을 살피고 다듬어 제 모양을 잡아 주는 자기가 가장 중요하다고 말하였다.

❽ 다리미 ♥소저는 그제야 용기를 얻었는지 조근조근 말을 늘어놓아 봅니다.

다리미 소저: 나도요. 인두 언니와 마찬가지인걸요. 구겨지고 접힌 곳을 내가 말끔히 펴 주어야 하지요. 그래야 옷도 ♥맵시가 나지요.

중심 내용 다리미 소저는 구겨지고 접힌 곳을 말끔히 펴 주는 자기가 가장 중요하다고 하였다.

♥**소저** '아가씨'를 이르는 옛말.

♥**맵시** 아름답고 보기 좋은 모양새.

교과서 핵심 ○ 인물의 의견과 그 까닭 ③

인두 낭자	들쑥날쑥 울퉁불퉁 바느질한 것을 구석구석 살피고 뾰족뾰족 다듬어서 제 모양을 잡아 주기 때문에 내가 가장 중요하다.
다리미 소저	구겨지고 접힌 곳을 말끔히 펴 줘야 옷의 맵시가 나기 때문에 내가 가장 중요하다.

핵심

9 다음은 누가 한 말인지 찾아 선으로 이으시오.

(1) 구겨지고 접힌 곳을 펴 줘야 옷의 맵시가 나. · · ① 인두

(2) 울퉁불퉁 바느질한 것을 구석구석 살펴 모양을 잡아 줘야 해. · · ② 다리미

📖 교과서 문제

10 아씨방 일곱 동무가 서로 다툰 까닭은 무엇입니까? ( )

① 서로 자기가 가장 겸손하다고 해서
② 서로 바느질을 그만하겠다고 해서
③ 서로 자기의 성격이 제일 좋다고 해서
④ 서로 자기가 가장 중요하다고 자랑을 해서
⑤ 서로 자기가 가장 아씨의 사랑을 많이 받는다고 해서

📖 교과서 문제

11 일곱 동무의 의견과 그 까닭에 대한 자신의 의견을 바르게 말한 친구를 쓰시오.

소윤: 나는 '홍실'과 생각이 같아. 왜냐하면 실이 있어야 천을 튼튼히 묶을 수 있기 때문이야.

종혁: 나는 '가위'의 말이 맞는 것 같아. 왜냐하면 커다란 천만 있으면 옷을 만들 수 있기 때문이야.

( )

논술형

12 자신이 사용하는 학용품을 한 가지 떠올려 쓰고, 그 학용품이 되어 자신이 중요하다고 생각하는 까닭을 쓰시오.

_____

_____

글쓴이의 의견이
무엇인지 생각하며 읽기

지구를 깨끗이 가꾸자

❶ ㉠우리는 지구를 깨끗이 하려고 노력해야 합니다. 왜냐하면 지구는 앞으로도 우리가 살아갈 ♥터전이기 때문입니다. 그런데 우리가 한 번 쓰고 난 뒤에 무심코 버리는 일회용품은 지구를 병들게
아무런 뜻이나 생각이 없이
5 합니다. ㉡일회용품은 평소에 사람들이 자주 쓰는 비닐봉지, 일회용 컵, 일회용 나무젓가락 따위를 말합니다. 그러므로 일회용품을 덜 쓰려면 다음과 같은 일을 실천해야 합니다.

중심 내용 우리는 지구를 깨끗이 하려고 노력해야 하고 그 방법으로 일회용품을 덜 써야 한다.

❷ 첫째, ㉢비닐봉지를 적게 써야 합니다. 왜냐하
10 면 전 세계에서 매년 사용하고 버리는 비닐봉지 양이 매우 많기 때문입니다. ㉣이것을 처리하려면 돈이 많이 듭니다. 그냥 두면 없어지는 데 500년이 넘게 걸립니다. 그러므로 물건을 사거나 담을 때에는 여러 번 쓸 수 있는 가방이나 장바구니를

활용해야 합니다.

중심 내용 비닐봉지를 적게 써야 한다.

❸ 둘째, ㉤일회용 컵을 적게 써야 합니다. 왜냐하면 일회용 컵은 쓰기는 간편하지만 ♥낭비하기 쉽기 때문입니다. 이렇게 낭비하면 일회용 컵 재료가 되는 나무나 플라스틱이 많이 필요하기 때문에 환 5 경을 더 파괴할 수 있습니다. 그러므로 일회용 컵 대신에 여러 번 쓸 수 있는 컵을 사용해야 합니다.

중심 내용 일회용 컵을 적게 써야 한다.

• 글의 내용: 일회용품을 덜 쓰고 깨끗한 지구를 만들기 위해 우리가 생활 속에서 실천할 수 있는 방법이 나타나 있습니다.

♥터전 살림의 근거지가 되는 곳.
♥낭비 시간이나 재물 따위를 헛되이 헤프게 씀.

교과서 핵심 ∘ 글쓴이의 의견을 파악하기 ①

문단	중심 문장
❶	우리는 지구를 깨끗이 하려고 노력해야 합니다.
❷	비닐봉지를 적게 써야 합니다.
❸	일회용 컵을 적게 써야 합니다.

📖 교과서 문제

1 지구를 깨끗이 가꾸어야 하는 까닭은 무엇입니까? ( )

① 식량이 부족하기 때문에
② 인구가 늘고 있기 때문에
③ 오염된 환경은 금방 깨끗하게 만들 수 있기 때문에
④ 지구의 온도가 점점 내려가고 있기 때문에
⑤ 지구는 앞으로도 우리가 살아갈 터전이기 때문에

📖 교과서 문제

2 일회용품을 많이 쓰면 지구가 어떻게 된다고 하였습니까?
• 지구가 ( ).

📖 교과서 문제

3 이 글 제목을 '지구를 깨끗이 가꾸자'라고 지은 까닭을 알맞게 짐작한 것은 무엇입니까? ( )

① 지구의 역사를 설명하려고
② 환경 전문가를 소개하려고
③ 일회용품의 좋은 점을 알려 주려고
④ 일회용품을 더 많이 쓰자고 말하려고
⑤ 지구의 환경을 오염시키지 말자고 말하려고

핵심

4 ㉠~㉤ 중 중심 문장을 모두 찾아 기호를 쓰시오.
( )

❹ 셋째, 일회용 나무젓가락을 적게 써야 합니다. 왜냐하면 나무젓가락을 만들려면 나무를 많이 베어야 하기 때문입니다. 일회용 나무젓가락은 나무로 만들기 때문에 환경에 피해를 주지 않을 것이라고 생각하기 쉽습니다. 그러나 일회용 나무젓가락을 만들 때 잘 썩지 않도록 약품 ♥처리를 하기 때문에 그냥 두면 20년쯤 지나야만 자연으로 돌아간다고 합니다. 그러므로 여러 번 쓸 수 있는 젓가락을 사용해야 합니다.

_{생명이나 신체, 재산, 명예 등에 손해를 입음. 또는 그 손해}

(중심 내용) 일회용 나무젓가락을 적게 써야 한다.

❺ 우리는 일회용품을 덜 써서 깨끗한 지구를 만들어야 합니다. 지금까지 살펴본 것은 우리가 생활 속에서 실천할 수 있는 일입니다. 이 밖에

도 우리가 할 수 있는 일을 찾아보면 여러 가지가 있습니다. 지구를 ♥가꾸는 것은 우리 모두가 해야 할 일입니다. 우리가 함께 노력한다면 깨끗한 지구를 만들 수 있습니다.

(중심 내용) 지구를 가꾸는 것은 우리 모두가 해야 할 일이므로 일회용품을 덜 써서 깨끗한 지구를 만들기 위하여 우리가 함께 노력해야 한다.

- ♥처리 일정한 결과를 얻기 위하여 화학적 또는 물리적 작용을 일으킴.
- ♥가꾸는 좋은 상태로 만들려고 보살피고 꾸려 가는.
  ⓔ 텃밭에 심어 놓은 채소를 정성껏 가꾸는 것은 우리 가족의 즐거움입니다.

교과서 핵심 ○ 글쓴이의 의견을 파악하기 ②

문단	중심 문장
❹	일회용 나무젓가락을 적게 써야 합니다.
❺	우리는 일회용품을 덜 써서 깨끗한 지구를 만들어야 합니다.

⬇

글쓴이의 의견	우리 스스로 지구를 깨끗하게 가꿀 수 있도록 노력하자.

5 일회용 나무젓가락을 적게 써야 하는 까닭은 무엇입니까? ( )

① 편리하지 않기 때문에
② 약품 처리를 해도 잘 썩기 때문에
③ 나무젓가락과 환경은 아무 관련이 없기 때문에
④ 그냥 두면 500년이 넘게 없어지지 않기 때문에
⑤ 나무젓가락을 만들려면 나무를 많이 베어야 하기 때문에

📖 교과서 문제

6 지구를 가꾸는 것은 누가 해야 할 일이라고 하였습니까?

( )

(핵심)

7 글쓴이의 의견을 파악하기 위해 이야기를 나누고 있습니다. 잘못 말한 친구를 쓰시오.

> 우민: 사람들에게 일회용품을 덜 쓰자고 말하려는 것 같아.
> 윤서: 우리 모두가 지구를 깨끗하게 가꿀 필요는 없다고 했어.
> 은재: 글 제목을 보니 지구 환경을 깨끗하게 유지하자고 말하려는 것 같아.

( )

(서술형)

8 지구를 깨끗이 하기 위해 우리가 할 수 있는 일을 한 가지 쓰시오.

_____

_____

🔊 글쓴이의 의견과 그
까닭 생각하며 읽기

좋은 습관을 기르자

❶ 우리는 좋은 습관을 길러야 합니다. 작은 습관이 모여 결국은 큰 변화를 만들기 때문입니다. 습관이란 어떤 행동을 오랫동안 되풀이하면서 저절로 몸에 ♥익은 행동을 말합니다. 예를 들어 꾸준히 일
5 기를 쓴다든가 말을 바르고 곱게 하는 것, 몸을 깨끗이 잘 씻는 것 따위는 작지만 좋은 습관입니다. 좋은 습관이 무엇인지를 알아보고, 좋은 습관을 기르려고 노력해 봅시다.

중심 내용 작은 습관이 모여 결국은 큰 변화를 만들기 때문에 우리는 좋은 습관을 길러야 한다.

❷ 첫째, 약속을 잘 지키는 습관을 기릅시다. 약속은 자신이나 다른 사람과 어떤 일을 지키기로 다짐한 것으로 신뢰를 줄 수 있기 때문입니다. 우리는 살면서 약속을 자주 합니다. 약속을 잘 지키면 주변 사람들에게 믿음을 줄 수 있습니다. 그리고 사 5 람들과 사이도 좋아집니다. 약속을 잘 지키는 것은 지켜야 할 기본예절입니다. 그러므로 약속을 잘 지킬 수 있도록 노력해야 합니다.

중심 내용 약속을 잘 지키는 것은 지켜야 할 기본예절이므로 약속을 잘 지키는 습관을 길러야 한다.

• 글의 특징: 좋은 습관을 길러야 한다는 의견을 그 까닭과 함께 내세우고 있는 글입니다.

♥익은 자주 경험하여 조금도 서투르지 않은.
㉅ 구둣방 아저씨는 손에 익은 솜씨로 구두를 고쳐 주셨습니다.

🐛 교과서 핵심 ㅇ글쓴이의 의견을 파악하기 ①

문단	중심 문장
❶	우리는 좋은 습관을 길러야 합니다.
❷	약속을 잘 지키는 습관을 기릅시다.

📖 교과서 문제

1 다음은 이 글 제목을 '좋은 습관을 기르자'라고 지은 까닭을 짐작한 것입니다. 빈칸에 알맞은 말을 쓰시오.

• 사람들에게 ( )의 중요성을 알려 주려고 한 것 같다.

2 좋은 습관의 예가 아닌 것은 어느 것입니까?
( )

① 약속을 잘 지키는 것
② 꾸준히 일기를 쓰는 것
③ 몸을 깨끗이 잘 씻는 것
④ 말을 바르고 곱게 하는 것
⑤ 밤에 늦게 잠자리에 드는 것

3 약속을 잘 지키면 좋은 점을 두 가지 고르시오.
(,)

① 건강한 생활을 할 수 있다.
② 사람들과 사이가 좋아진다.
③ 모르는 것을 저절로 알게 된다.
④ 혼자서 모든 것을 잘하게 된다.
⑤ 주변 사람들에게 믿음을 줄 수 있다.

핵심
4 문단 ❶과 ❷의 중심 문장을 각각 찾아 쓰시오.

(1) 문단 ❶	
(2) 문단 ❷	

8
단원

❸ 둘째, ㉠날마다 운동하는 습관을 기릅시다. 날마다 운동하면 몸과 마음이 건강해지기 때문입니다. 예를 들어 아침 일찍 일어나 달리기나 줄넘기 같은 운동을 하면 하루를 활기차게 시작할 수 있습니다. 그리고 그날 무엇을 할지 생각해 보는 ♥여유가 생길 수 있습니다. 이처럼 날마다 운동하면 우리 생활에 많은 도움이 됩니다. 따라서 날마다 운동하는 습관을 기르도록 노력해야 합니다.

중심 내용 날마다 운동하면 우리 생활에 많은 도움이 되므로 날마다 운동하는 습관을 길러야 한다.

❹ 셋째, ㉡고마워하는 마음을 표현하는 습관을 기릅시다. 작은 일에도 고마워하는 마음을 표현하면 주변 사람과 자기 자신 모두를 행복하게 만들 수 있기 때문입니다. ㉢맛있는 음식을 먹을 수 있고, 안전한 곳에서 잠잘 수 있는 것처럼 우리에게는 고마워할 일이 참 많습니다. 작은 일에도 고마워하는 마음을 표현하는 습관을 길러 봅시다.

중심 내용 작은 일에도 고마워하는 마음을 표현하는 습관을 길러야 한다.

❺ 습관은 우리 삶에서 아주 중요한 역할을 합니다. 처음에는 어려운 일도 자주 하다 보면 습관이 되어 우리 삶을 바꿀 수 있습니다. 자신의 삶을 발전하게 하는 좋은 습관이 있는가 하면 좋지 않은 습관도 있습니다. 여러분은 어떤 습관을 기르고 싶나요? ㉣우리 모두 좋은 습관을 기를 수 있도록 꾸준히 노력합시다.

중심 내용 우리 모두 좋은 습관을 기를 수 있도록 꾸준히 노력해야 한다.

♥여유(餘 남을 여, 裕 넉넉할 유) 물질적, 시간적, 공간적으로 넉넉하여 남음이 있는 상태.

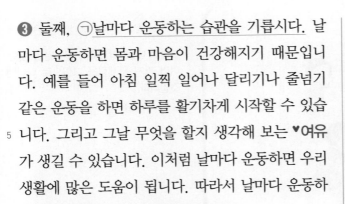

교과서 **핵심** ㅇ글쓴이의 의견을 파악하기 ②

문단	중심 문장
❸	날마다 운동하는 습관을 기릅시다.
❹	고마워하는 마음을 표현하는 습관을 기릅시다.
❺	우리 모두 좋은 습관을 기를 수 있도록 꾸준히 노력합시다.

↓

글쓴이의 의견	우리 모두 좋은 습관을 기를 수 있도록 꾸준히 노력합시다.

5 날마다 운동하는 습관을 길러야 하는 까닭은 무엇입니까? ( )
① 좋은 일이 많이 생기기 때문이다.
② 몸과 마음이 건강해지기 때문이다.
③ 공부를 잘할 수 있게 되기 때문이다.
④ 다른 사람의 칭찬을 들을 수 있기 때문이다.
⑤ 주변 사람들과 친하게 지낼 수 있기 때문이다.

📖 교과서 문제

6 ㉠~㉣ 중 중심 문장이 아닌 것을 찾아 기호를 쓰시오.
( )

핵심
7 글쓴이의 의견을 알맞게 파악한 것에 ○표를 하시오.
(1) 많은 습관을 길러야 한다. ( )
(2) 다른 사람의 습관을 따라 배워야 한다. ( )
(3) 우리 모두 좋은 습관을 기를 수 있도록 꾸준히 노력해야 한다. ( )

역량
8 어떤 습관을 기르고 싶은지 그 까닭과 함께 쓰시오.

_____

_____

실천

아름답고 즐거운 학교를 가꾸기 위한 알림 활동 하기

● 우리 학교에 어떤 문제점이 있는지 생각하기

• 그림의 내용: 학교에서 일어날 수 있는 여러 가지 문제점을 그림으로 나타낸 것입니다.

교과서 핵심

● 아름답고 즐거운 학교를 가꾸기 위한 알림 활동에 쓸 손 팻말의 말 만들기 예

가	쓰레기는 쓰레기통으로 보냅시다
나	복도에서 뛰지 않아요
다	고운 말로 말해요

📖 교과서 문제

1 그림 ㉮에 나타난 문제점은 무엇입니까?

( )

① 친구끼리 말을 함부로 한다.
② 복도에서 너무 많이 뛰어다닌다.
③ 도서관에서 책을 함부로 다룬다.
④ 운동장에 쓰레기가 많이 떨어져 있다.
⑤ 물건을 소중히 여기지 않고 낭비한다.

논술형

2 그림 ㉯에 나타난 문제점에 대한 자신의 의견과 그렇게 생각한 까닭을 쓰시오.

| (1) 의견 | |
| (2) 그렇게 생각한 까닭 | |

핵심 역량

3 그림 ㉰의 문제점을 해결하기 위한 알림 활동에 쓸 손 팻말을 만들었습니다. 손 팻말에 넣을 알맞은 말을 쓰시오.

( )

4 다음의 문제점을 해결하기 위한 알림 활동에 쓸 손 팻말의 말로 어울리는 것에 ○표를 하시오.

점심시간에 급식실이 너무 시끄럽다.

(1) 급식 시간에는 조용히 ( )
(2) 반찬은 골고루 먹어요 ( )
(3) 남기지 말고 모두 먹기 ( )

기본 · 143~145쪽 글을 읽고 인물의 의견과 그 까닭 알기

먹보 다람쥐의 도토리 재판

서정오

옛날에 다람쥐 세 마리가 먹음직스러운 도토리를 하나 주웠어요.
세 다람쥐는 도토리를 보고 서로 자기 것이라고 우겼어요.

"내가 제일 먼저 봤으니까 도토리는 내 것이야."

"내가 먼저 말을 했으니까 도토리는 내 것이야."

5 "내가 먼저 주웠으니까 도토리는 내 것이야."

아무리 말다툼을 해도 결론이 나지 않아 다른 동물에게 가서 물어
보기로 했어요.

먼저, 눈이 밝은 부엉이에게 가서 물어봤어요.

부엉이는

10 "뭐니 뭐니 해도 눈 밝은 게 제일이지. ㉠먼저 본 다람쥐가 주인
이야."

그다음 앵무새는

"뭐니 뭐니 해도 말 잘하는 게 제일이지. 먼저 말한 다람쥐가 주
인이야."

15 이번에는 토끼에게 물어보았어요.

토끼는

"뭐니 뭐니 해도 재빠른 게 제일이지. 먼저 주운 다람쥐가 주인
이야."

다른 동물들에게 물어보아도 결론이 안 나서 다람쥐들은 먹보 다
20 람쥐에게 물어보았어요.

그러자 먹보 다람쥐는

"먼저 보는 것도, 먼저 말을 하는 것도, 먼저 줍는 것도 소용없어.
먼저 먹는 다람쥐가 주인이야."

라고 말했어요.

25 세 다람쥐는 서로 쳐다
보기만 했어요.

1 다람쥐 세 마리가 무엇을 보고
서로 자기 것이라고 우겼습니
까?   (   )

① 잣   ② 사과
③ 호두   ④ 과자
⑤ 도토리

2 부엉이가 ㉠과 같이 말한 까닭
은 무엇입니까?   (   )

① 재빠른 게 제일이라서
② 잘 듣는 게 제일이라서
③ 눈 밝은 게 제일이라서
④ 말 잘하는 게 제일이라서
⑤ 먼저 먹는 게 제일이라서

3 다음 인물의 의견을 보기 에서
찾아 번호를 쓰시오.

보기
① 먼저 먹는 다람쥐가 도
토리 주인이야.
② 먼저 말한 다람쥐가 도
토리 주인이야.
③ 먼저 주운 다람쥐가 도
토리 주인이야.

(1) 앵무새: (   )

(2) 토끼: (   )

(3) 먹보 다람쥐: (   )

기본 • 146~147쪽 **글쓴이의 의견을 파악하는 방법 알기**

❶ ㉠자전거를 탈 때에는 안전 수칙을 잘 지켜야 합니다. 한국교통연구원이 2017년에 발표한 자료에 따르면, 자전거를 타는 사람이 1340만 명을 넘었다고 합니다. 자전거를 타면 건강에도 도움이 되고, 환경도 지킬 수 있기 때문일 것입니다. 그런데 이와 함께 자전
5 거를 타다가 일어나는 사고도 빠르게 늘고 있다고 합니다. 그렇다면 자전거를 안전하게 타는 방법은 무엇일까요?

❷ 첫째, 안전 장비를 갖추고 타야 합니다. 만약 ㉡사고가 나더라도 안전 장비는 소중한 우리 몸을 지켜 줄 수 있기 때문입니다. 자전거
10 를 탈 때 필요한 안전 장비에는 안전모, 장갑, 팔꿈치와 무릎 보호대 따위가 있습니다. 안전 장비를 갖추는 것은 선택이 아니라 필수입니다. 그러므로 자전거를 탈 때에는 반드시 안전 장비를 착용합시다.

15 ❸ 둘째, ㉢위험한 행동을 하지 않아야 합니다. 위험한 행동을 하면 자칫 큰 사고가 날 수 있기 때문입니다. 자전거를 탈 때 무리하게 속도 내기, 짐받이에 올라타기, 손 놓고 타기는 매우 위험한 행동입니다. 사고는 한순간에 일어날 수 있습니다. 그러므로 자전거를 안전하게 탑시다.

20 ❹ 셋째, ㉣자전거 상태를 자주 점검해야 합니다. 고장 난 부분을 미리 발견해 사고를 예방할 수 있기 때문입니다. 특히 제동 장치, 바퀴, 손잡이를 주의 깊게 살펴보아야 합니다. 자전거가 잘 멈추는지, 바퀴에 공기는 충분한지, 손잡이는 잘 고정되어 있는지를 꼼꼼히 확인해야 합니다. 그 외에도 자전거에 고장 난 곳은 없는지 자주
25 점검합시다.
낱낱이 검사함. 또는 그런 검사
❺ ㉤자전거를 안전하게 타는 방법을 아는 것만큼 실천도 중요합니다. 자전거를 탈 때 자신이 알고 있는 안전 수칙을 잘 지키지 않는다면 이로운 점보다 해로운 점이 더 많을 수 있기 때문입니다. 자전거 타기는 여러모로 좋은 운동입니다. 그러므로 규칙을 잘 지키며
30 안전하게 타도록 노력합시다.

4 ㉠~㉤ 중 문단의 중심 문장이 아닌 것의 기호를 쓰시오.
(   )

5 글쓴이의 의견으로 알맞은 것은 무엇입니까? (   )
① 자전거를 타지 말자.
② 자전거 도로를 만들자.
③ 자전거에 이름을 쓰자.
④ 자전거를 안전하게 타자.
⑤ 자전거에 바구니를 달자.

6 이 글의 빈칸에 들어갈 제목을 쓰시오.
(   )

7 다음 의견에 어울리는 까닭을 세 가지 고르시오.
(,   ,   )

전기를 아껴 써야 한다.

① 전기를 만들려면 돈이 많이 들기 때문이다.
② 전기는 얼마든지 만들 수 있기 때문이다.
③ 무심코 낭비하는 전기가 많기 때문이다.
④ 앞으로 전기를 점점 쓰지 않을 것이기 때문이다.
⑤ 전기를 낭비하면 꼭 필요한 곳에 쓰지 못하기 때문이다.

준비

》의견의 뜻 알기

예 「오성과 한음」에서 등장인물의 의견과 그 까닭

옆집 하인	의견	감은 우리 것이다.
	까닭	우리 집으로 가지가 넘어왔기 때문이다.
오성	의견	감은 우리 것이다.
	까닭	감나무는 우리 집에서 심고 가꾸었기 때문이다.
권 판서 대감	의견	감은 ❶ ☐☐ 의 것이다.
	까닭	우리 집에 가지가 일부분 넘어왔어도 감나무의 뿌리는 오성의 집에 있기 때문이다.

기본

》글을 읽고 인물의 의견과 그 까닭 알기

예 「아씨방 일곱 동무」에 나오는 일곱 동무의 의견과 그 까닭

자 부인	옷감의 넓고 좁음, 길고 짧음을 알려 주기 때문에 내가 가장 ❷ ☐☐ 하다.
가위 색시	옷감을 잘라야 바느질할 수 있기 때문에 내가 가장 중요하다.
바늘 각시	바늘이 있어야 솔기를 꿰매고 옷을 만들 수 있기 때문에 내가 가장 중요하다.
홍실 각시	실이 있어야 바늘이 일을 할 수 있기 때문에 내가 가장 중요하다.
골무 할미	아씨 손이 다치지 않게 밤낮으로 시중을 들기 때문에 내가 가장 중요하다.
❸ ☐☐ 낭자	들쑥날쑥 울퉁불퉁 바느질한 것을 구석구석 살피고 뾰족뾰족 다듬어서 제 모양을 잡아 주기 때문에 내가 가장 중요하다.
다리미 소저	구겨지고 접힌 곳을 말끔히 펴 줘야 옷의 맵시가 나기 때문에 내가 가장 중요하다.

기본

》글쓴이의 의견을 파악하는 방법 알기

예 「지구를 깨끗이 가꾸자」에 나타난 글쓴이의 의견을 파악하기

문단의 중심 문장 정리하기	문단 ❶	우리는 지구를 깨끗이 하려고 노력해야 합니다.
	문단 ❷	비닐봉지를 적게 써야 합니다.
	문단 ❸	일회용 컵을 적게 써야 합니다.
	문단 ❹	일회용 나무젓가락을 적게 써야 합니다.
	문단 ❺	우리는 ❹ ☐☐☐☐ 을/를 덜 써서 깨끗한 지구를 만들어야 합니다.

↓

글쓴이의 의견 우리 스스로 ❺ ☐☐ 을/를 깨끗하게 가꿀 수 있도록 노력하자. / 지구를 깨끗이 가꾸고 유지하자. / 지구를 가꾸고 사랑하자.

• 단원 평가 **더 풀기** >> 평가 교재 44~49쪽

1~4 글을 읽고, 물음에 답하시오.

> 오성은 한음의 마음을 알아채고 감을 따려고 했습니다.
> "우리 집 감을 왜 허락도 없이 따려고 하시오?"
> 옆집 하인이 말했습니다.
> "무슨 말인가? 우리 감나무에 달린 감이야."
> "도련님 댁 감이라고요? 그건 우리 감이에요. 보시다시피 우리 집으로 가지가 넘어왔잖아요."
> 옆집 하인이 그쪽으로 넘어간 감나무 가지를 자기네 것이라고 우기며 감을 따지 못하게 했습니다.
> "그런 경우가 어디 있나? 그 감은 우리 것이네. 아무리 담 너머로 가지가 넘어갔어도 감나무는 우리 집에서 심고 가꾸었기 때문이야."
> 오성은 어이없다는 듯이 옆집 하인에게 말했습니다.

1 오성과 옆집 하인은 왜 다투었습니까? ( )

① 서로 감을 더 잘 딴다고 해서
② 감나무를 서로 심었다고 해서
③ 감이 서로 자기의 것이라고 우겨서
④ 서로 자기네 감이 더 맛있다고 해서
⑤ 오성이 감나무를 베어 버리려고 해서

2 다음은 누구의 의견에 대한 까닭입니까?

> 우리 집으로 가지가 넘어왔기 때문이다.

( )

3 오성의 의견에 대한 까닭은 무엇입니까?

( )

① 한음이 감을 좋아하기 때문에
② 감이 아직 익지 않았기 때문에
③ 옆집 하인이 버릇이 없기 때문에
④ 우리 집에서 심고 가꾸었기 때문에
⑤ 남의 물건을 탐내면 안 되기 때문에

서술형

4 오성이 한 말에 대한 자신의 의견을 쓰시오.

_____

_____

5~7 글을 읽고, 물음에 답하시오.

> 가위 색시: 아니, 내 덕은 몰라라 하고 형님 자랑만 하는군요. 옷감을 잘 재어 본들 자르지 않으면 무슨 소용이 있나요? 내가 나서서 옷감을 잘라야 일이 된다고요.
> 그러자 앉아서 듣고만 있던 새침데기 바늘 각시가 따끔하게 쏘듯 한마디 합니다.
> 바늘 각시: 구슬이 서 말이라도 꿰어야 보배이지요. 내가 이 솔기 저 솔기 꿰매고 나서야 입을 옷이 되지 않나요? 내가 없으면 옷을 만드는 바느질은 절대로 할 수 없어요.

중요

5 가위 색시의 의견은 무엇입니까? ( )

① 바느질은 힘든 일이다.
② 자기 자랑은 하면 안 된다.
③ 바늘 각시가 가장 중요하다.
④ 구슬이 있으면 꿰어야 한다.
⑤ 바느질에서 내가 가장 중요하다.

6 이 글로 볼 때 가위 색시가 바느질을 할 때 하는 일은 무엇인지 쓰시오.

( )

7 바늘 각시의 의견에 대한 까닭으로 알맞은 것은 무엇입니까? ( )

① 내가 키가 가장 크다.
② 내가 가장 말솜씨가 좋다.
③ 내가 옷의 제 모양을 잡아 준다.
④ 내가 솔기의 길고 짧음을 알려 준다.
⑤ 내가 있어야 꿰매고 옷을 만들 수 있다.

8~10 글을 읽고, 물음에 답하시오.

> 멋쟁이 홍실 각시는 코웃음부터 한 번 치고 제법 여유 있게 자기 자랑을 늘어놓았습니다.
> 홍실 각시: 호호호, 실이 없는 바늘이 무슨 일을 하겠니? 한 땀 반 땀이라도 실이 들어가야 하지 않니? 그러니까 나야말로 진짜 주인공이 아니겠어? 호호호.
> 이들의 다툼을 지켜보던 골무 할미가 말합니다.
> 골무 할미: 에헴, 나도 말참견 좀 해야겠다. 중요함으로 치면 나만 한 이가 또 없지. 아씨 손 다칠세라 밤낮 시중드는 것도 바로 내 몸이야. 내가 빠져서는 안 되지. 암, 그렇고말고.

8 홍실 각시가 의견에 대한 까닭으로 든 것은 무엇입니까? ( )

① 아씨가 나를 가장 좋아한다.
② 내가 좋은 옷감을 구해 온다.
③ 바느질에는 바늘이 가장 중요하다.
④ 내가 밤낮으로 아씨의 시중을 든다.
⑤ 실이 있어야 바늘이 일을 할 수 있다.

9 바느질을 할 때 골무 할미가 하는 일은 무엇입니까? ( )

① 옷감의 길이를 잰다.
② 옷의 맵시를 잡아 준다.
③ 아씨를 즐겁게 해 준다.
④ 아씨 손을 다치지 않게 한다.
⑤ 옷감의 구겨진 곳을 펴 준다.

10 홍실 각시와 골무 할미가 서로 다툰 까닭은 무엇인지 빈칸에 알맞은 말을 쓰시오.

• 서로 자기가 가장 ( )(이라)고 자랑을 했기 때문이다.

국어 활동

11 다음에서 앵무새의 의견을 쓰시오.

> ㉠ 세 다람쥐는 도토리를 보고 서로 자기 것이라고 우겼어요.
> ㉡ 부엉이는 / "뭐니 뭐니 해도 눈 밝은 게 제일이지. 먼저 본 다람쥐가 주인이야."
> 그다음 앵무새는
> "뭐니 뭐니 해도 말 잘하는 게 제일이지. 먼저 말한 다람쥐가 주인이야."

( )

12~14 글을 읽고, 물음에 답하시오.

지구를 깨끗이 가꾸자

> ㉠우리는 지구를 깨끗이 하려고 노력해야 합니다. 왜냐하면 지구는 앞으로도 우리가 살아갈 터전이기 때문입니다. ㉡그런데 우리가 한 번 쓰고 난 뒤에 무심코 버리는 일회용품은 지구를 병들게 합니다. ㉢일회용품은 평소에 사람들이 자주 쓰는 비닐봉지, 일회용 컵, 일회용 나무젓가락 따위를 말합니다. 그러므로 일회용품을 덜 쓰려면 다음과 같은 일을 실천해야 합니다.

12 제목을 '지구를 깨끗이 가꾸자'라고 지은 까닭을 알맞게 짐작한 것에 ○표를 하시오.

(1) 우주 개발에 힘쓰자고 말하려고 ( )
(2) 빈부 격차가 심각하다는 것을 알리려고 ( )
(3) 지구의 환경을 오염시키지 말자고 말하려고 ( )

13 지구를 깨끗이 하기 위해 덜 써야 할 일회용품을 세 가지 고르시오. (, ,)

① 유리컵   ② 컴퓨터   ③ 비닐봉지
④ 일회용 컵   ⑤ 일회용 나무젓가락

중요

14 ㉠~㉢ 중 중심 문장은 무엇입니까?

( )

15~16 글을 읽고, 물음에 답하시오.

㉮ 일회용 컵을 적게 써야 합니다. 왜냐하면 일회용 컵은 쓰기는 간편하지만 낭비하기 쉽기 때문입니다. 이렇게 낭비하면 일회용 컵 재료가 되는 나무나 플라스틱이 많이 필요하기 때문에 환경을 더 파괴할 수 있습니다.

㉯ 우리는 일회용품을 덜 써서 깨끗한 지구를 만들어야 합니다. 지금까지 살펴본 것은 우리가 생활 속에서 실천할 수 있는 일입니다.

15 일회용 컵을 낭비하면 어떤 일이 일어난다고 하였습니까? (　　　)

① 환경을 더 파괴할 수 있다.
② 비닐봉지를 많이 쓰게 된다.
③ 일회용 컵을 만드는 재료가 바뀐다.
④ 나무나 플라스틱이 필요하지 않게 된다.
⑤ 사람들이 컵 대신에 다른 물건을 사용하게 된다.

중요
16 글쓴이의 의견을 파악하여 쓰시오.
(　　　　　　　　　　　　　　　)

국어 활동
17 다음 의견에 어울리는 까닭을 모두 골라 기호를 쓰시오.

> 책을 많이 읽어야 한다.

> ㉠ 책을 읽으면 지식을 얻을 수 있기 때문이다.
> ㉡ 책을 읽으면 생각하는 힘이 커지기 때문이다.
> ㉢ 책은 우리가 궁금한 것을 알려 주지 않기 때문이다.

(　　　　　　)

18~19 글을 읽고, 물음에 답하시오.

우리는 좋은 습관을 길러야 합니다. 작은 습관이 모여 결국은 큰 변화를 만들기 때문입니다. 습관이란 어떤 행동을 오랫동안 되풀이하면서 저절로 몸에 익은 행동을 말합니다. 예를 들어 꾸준히 일기를 쓴다든가 말을 바르고 곱게 하는 것, 몸을 깨끗이 잘 씻는 것 따위는 작지만 좋은 습관입니다. 좋은 습관이 무엇인지를 알아보고, 좋은 습관을 기르려고 노력해 봅시다.

첫째, 약속을 잘 지키는 습관을 기릅시다. 약속은 자신이나 다른 사람과 어떤 일을 지키기로 다짐한 것으로 신뢰를 줄 수 있기 때문입니다. 우리는 살면서 약속을 자주 합니다. 약속을 잘 지키면 주변 사람들에게 믿음을 줄 수 있습니다.

18 약속을 잘 지켜야 하는 까닭은 무엇이라고 하였습니까? (　　　)

① 살면서 약속을 자주 하기 때문이다.
② 약속을 지키면 손해를 보기 때문이다.
③ 약속을 지키면 몸과 마음이 건강해지기 때문이다.
④ 약속을 지키면 습관이 저절로 몸에 익기 때문이다.
⑤ 약속은 자신이나 다른 사람과 어떤 일을 지키기로 다짐한 것으로 신뢰를 줄 수 있기 때문이다.

19 이 글에 붙이기에 알맞은 제목을 생각하여 쓰시오.
(　　　　　　　　　　　　　　　)

서술형
20 다음과 같은 학교의 문제점에 대한 자신의 의견과 그렇게 생각한 까닭을 쓰시오.

> 운동장에 쓰레기가 많이 떨어져 있다.

_____

_____

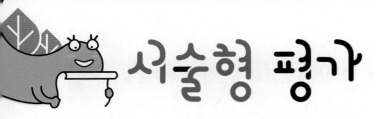

1~2 글을 읽고, 물음에 답하시오.

> "대감님, 지금 이 팔이 누구 팔입니까?"
> "그야 네 팔이지, 누구 팔이겠느냐?"
> "지금 이 팔은 방 안에 들어가 있지 않습니까?"
> "방 안에 있다 해도 네 몸에 붙었으니까 네 팔이지."
> 권 판서는 오성의 당돌한 질문에 호기심을 느꼈습니다.
> "그렇다면 한 말씀 더 여쭙겠습니다. 저 담 너머 감나무에서 뻗어 나와 이 댁에 넘어온 가지는 누구네 것입니까?"
> 권 판서는 오성이 무엇 때문에 방문을 뚫고 팔을 들이밀었는지 그 뜻을 금방 깨달았습니다.
> "음, 그야 너희 것이지. 우리 집에 가지가 일부분 넘어왔어도 나무의 뿌리는 너희 집에 있지 않느냐."
> "그렇다면 왜 이 댁 하인들이 저희에게 감을 못 따게 합니까?"
> "우리 집 하인들이 생각이 모자랐던 것 같구나. 다시는 그런 일이 없도록 하마."

1 오성이 감이 누구의 것인지 물었을 때 권 판서 대감은 누구의 것이라고 답했는지 쓰시오.

_____

_____

2 권 판서 대감이 1번 문제의 답처럼 말한 까닭은 무엇인지 쓰시오.

_____

_____

3 다음 글에서 인두 낭자의 의견과 그 까닭은 무엇인지 쓰시오.

> 인두 낭자: 모두들 자랑이 너무 지나치군요. 들쑥날쑥 울퉁불퉁 바느질한 것을 구석구석 살피고 뾰족뾰족 다듬어서 제 모양 잡아 주는 것이 누군데요? 나만 한 일꾼이 없으니 그만들 해 두어요.

_____

_____

4 다음 글에서 글쓴이의 의견을 쓰시오.

> ### 좋은 습관을 기르자
>
> 습관은 우리 삶에서 아주 중요한 역할을 합니다. 처음에는 어려운 일도 자주 하다 보면 습관이 되어 우리 삶을 바꿀 수 있습니다. 자신의 삶을 발전하게 하는 좋은 습관이 있는가 하면 좋지 않은 습관도 있습니다. 여러분은 어떤 습관을 기르고 싶나요? 우리 모두 좋은 습관을 기를 수 있도록 꾸준히 노력합시다.

_____

_____

5 다음 쪽지 내용에 알맞은 의견을 쓰시오.

> 계단에서 뛰어다니면 마주 오는 친구와 부딪치거나 넘어져 다칠 수 있습니다. 또 들고 있던 물건을 떨어뜨려 물건이 망가질 수 있습니다.

_____

_____

● 다음 교과서 문장의 파란색 낱말 중에서 알맞은 것을 골라 인물들이 한 말을 완성하시오.

• 구슬이 서 말이라도 꿰어야 **보배**이지요.
• 멋쟁이 홍실 각시는 코웃음부터 한 번 치고 제법 여유 있게 자기 **자랑**을 늘어놓았습니다.
• 구겨지고 접힌 곳을 내가 **말끔히** 펴 주어야 하지요.
• 우리는 좋은 **습관**을 길러야 합니다.

정답 | ❶ 보배 ❷ 자랑 ❸ 말끔히 ❹ 습관

9

어떤 내용일까

무엇을 배울까요?

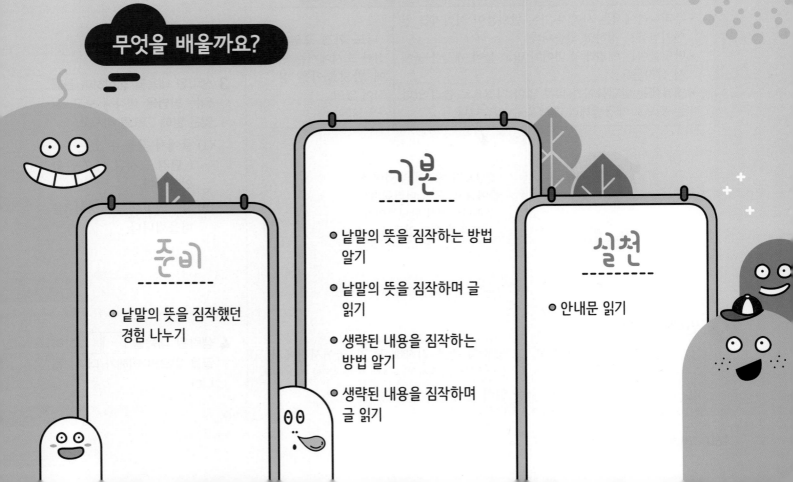

준비

- 낱말의 뜻을 짐작했던 경험 나누기

기본

- 낱말의 뜻을 짐작하는 방법 알기

- 낱말의 뜻을 짐작하며 글 읽기

- 생략된 내용을 짐작하는 방법 알기

- 생략된 내용을 짐작하며 글 읽기

실천

- 안내문 읽기

교과서 핵심

1 **글을 읽을 때 낱말의 뜻을 짐작하는 방법**

① 앞뒤 문장이나 낱말을 살펴봅니다.
② 짐작한 뜻과 뜻이 비슷한 낱말을 넣어 봅니다.
③ 그 낱말을 사용한 예를 떠올려 봅니다.
예 '닳게'의 뜻 짐작하기

> 그렇기 때문에 이빨을 닳게 하려고 쉬지 않고 나무를 쏠거나 딱딱한 열매를 갉아 먹는 것이죠.

↓

짐작한 뜻과 뜻이 비슷한 낱말 넣기	'짧게', '줄게' 따위와 바꾸어도 내용이 바뀌지 않습니다. '닳다'의 뜻을 국어사전에서 찾아보면 '갈리거나 오래 쓰여서 어떤 물건이 낡아지거나, 그 물건의 길이, 두께, 크기 따위가 줄어든다.'로, 짐작한 뜻과 비슷합니다.

2 **글을 읽으며 생략된 내용을 짐작하는 방법**

① 글에서 찾을 수 있는 <u>단서</u>를 확인합니다. → 어떤 일이나 사건이 일어난 까닭을 풀어 나갈 수 있는 실마리
② 자신의 경험을 떠올립니다.
예 「반딧불이」를 읽고 우리나라에서 반딧불이가 사라져 가는 까닭 짐작하기

글에서 찾은 단서	자신의 경험
• 우리나라에서는 사라져 가는 반딧불이 서식지를 천연기념물로 정하고 있습니다. • 반딧불이는 애벌레의 먹이가 많고 물이 깨끗한 곳에서 살거든요. • 옛날에는 반딧불이가 너무 많아 지천으로 깔려 있다는 뜻으로 개똥벌레라고 했을 수 있습니다.	나도 환경 오염이 심한 도시에서는 밤에 반딧불이를 본 적이 없어.

↓

옛날보다 애벌레의 먹이가 줄어들고, 물이 더러워져서 우리나라에서 반딧불이가 사라져 가고 있구나.

3 **안내문 읽기**

① 뜻을 모르는 낱말을 찾고, 그 낱말의 뜻을 짐작해 본 후 국어사전에서 찾아봅니다. └→ 국어사전을 찾지 않아도 되어 시간을 절약할 수 있습니다.
② 생략된 내용을 짐작하며 글을 읽어 봅니다. → 글을 더 잘 이해하며 재미있게 읽을 수 있습니다.

핵심 확 인 문 제

정답과 해설 ● 33쪽

1 낱말의 뜻을 짐작하는 방법으로 알맞지 <u>않은</u> 것의 기호를 쓰시오.

> ㉠ 글자 수를 세어 본다.
> ㉡ 앞뒤 문장이나 낱말을 살펴본다.
> ㉢ 그 낱말을 사용한 예를 떠올려 본다.

( )

2 '닳게'와 뜻이 비슷한 낱말이 <u>아닌</u> 것에 ✕표를 하시오.
(1) 짧게 ( )
(2) 길게 ( )
(3) 줄게 ( )

3 생략된 내용을 짐작하며 글을 읽는 방법을 생각해 보고, 알맞은 말에 ○표를 하시오.
(1) 글에서 찾을 수 있는 (단서 , 시간)을/를 확인합니다.
(2) 자신의 (이름 , 경험)을 떠올립니다.

4 생략된 내용을 ☐☐하며 글을 읽으면 이해가 더 잘 됩니다.

준비

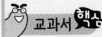 **낱말의 뜻을 짐작했던 경험 나누기**

● 폭포 앞에 있는 안내문에서 친구들이 뜻을 모르는 낱말의 뜻이 무엇일지 짐작하기

이 폭포는 수심이 매우 깊다는데, 여기서 '수심'은 무슨 뜻일까?

수영 금지 ♥안내문
○○ 폭포는 수심이 매우 깊어서 물에 빠질 경우 사고가 발생할 수 있는 장소이므로 수영이나 물놀이를 삼가 주시기 바랍니다.

△△시공원관리사업소장 · △△소방서장

물에 빠질 경우 사고가 발생할 수 있는 장소라고 하네. '발생'이 뭐지?

• 글의 종류: 안내문
• 글의 내용: 수심이 매우 깊은 폭포이므로 수영이나 물놀이를 하면 안 된다는 안내를 하고 있습니다.

♥안내문(案 인도할 안, 內 안 내, 文 글월 문) 어떤 내용을 소개하여 알려 주는 글.
예 고궁 입구에는 안내문이 자세하게 쓰여 있었습니다.

🦉 교과서 **핵심**

○안내문에서 뜻을 모르는 낱말의 뜻을 짐작하는 방법 예
• 어른께 여쭈어보기
• 국어사전을 찾아보기
• 인터넷에서 검색하기
• 앞뒤 내용을 보고 미루어 짐작하기

📖 교과서 문제

1 안내문의 내용으로 알맞지 <u>않은</u> 것은 무엇입니까? ( )

① ○○ 폭포는 수심이 매우 깊다.
② ○○ 폭포는 수영하기 좋은 곳이다.
③ ○○ 폭포에서 물놀이를 하면 안 된다.
④ ○○ 폭포는 물에 빠질 경우 사고가 발생할 수 있는 장소이다.
⑤ △△시공원관리사업소장과 △△소방서장이 내용을 전했다.

📖 교과서 문제

2 '수심'과 '발생'의 뜻에 알맞게 선으로 이으시오.

(1) 수심 •　　• ① 어떤 일이나 사물이 생겨남.

(2) 발생 •　　• ② 강이나 바다, 호수 따위의 물의 깊이.

3 일상생활에서 뜻을 모르는 낱말이 있어 고민했던 경험을 한 가지 쓰시오.

_____

_____

핵심

4 글을 읽다가 뜻을 모르는 낱말의 뜻을 알 수 있는 방법으로 알맞지 <u>않은</u> 것은 무엇입니까? ( )

① 어른께 여쭈어본다.
② 국어사전을 찾아본다.
③ 인터넷에서 검색해 본다.
④ 모르는 낱말은 읽지 않는다.
⑤ 앞뒤 내용을 보고 미루어 짐작해 본다.

🔊 파란색으로 쓰인 낱말의
뜻을 짐작하며 읽기

다람쥐는 왜 쉬지 않고
딱딱한 걸 갉아 댈까요?

• 글: 왕입분 • 그림: 송영욱

다람쥐처럼 쥐 무리에 속하는 동물들은 이빨이 계속해서 자란다고 해요. 그렇기 때문에 이빨을 ㉠닳게 하려고 쉬지 않고 나무를 쏠거나 딱딱

<small>잘게 물어뜯거나</small>

한 열매를 갉아 먹는 것이죠.

<small>박박 문질러</small>

그래서 다람쥐가 좋아하는 먹이는 도토리, 밤, 땅콩, 호두, 잣과 같이

5 대부분 껍질이 딱딱한 열매예요. 하지만 가끔은 채소의 싹을 잘라 먹기도 하고 곤충을 잡아먹기도 한대요.

가을이 되면 다람쥐는 겨울잠을 자려고 먹이를 많이 먹어 두어요. 남은 먹이는 땅속에 먹이 ♥창고를 만들어 감춰 두지요. 그리고 배고플 때마다 겨울잠에서 깨어나 먹이를 먹으며 겨울을 나지요.

• 글의 특징: 다람쥐가 쉬지 않고 딱딱한 것을 갉아 대는 까닭이 잘 나타나 있습니다.

♥창고(倉 곳집 창, 庫 곳집 고) 물건이나 자재를 저장하거나 보관하는 건물. 예 지하 창고에는 안 쓰는 물건이 가득 쌓여 있습니다.

🐌 교과서 핵심

○ '닳게'라는 낱말의 뜻을 짐작하는 방법

앞뒤 문장이나 낱말 살펴보기
• 앞부분: 다람쥐는 이빨이 계속해서 자람. • 뒷부분: 다람쥐는 쉬지 않고 나무를 쏠거나 딱딱한 열매를 갉아 먹음.
짐작한 뜻과 뜻이 비슷한 낱말 넣기
예 짧게 / 줄게
그 낱말을 사용한 예 떠올리기
예 연필이 닳아서 짧아졌다.

📖 교과서 문제

1 글쓴이는 무엇을 설명하고 있습니까?

(　　　　　　　　)

📖 교과서 문제

2 다람쥐가 가을이 되면 먹이를 많이 먹어 두는 까닭은 무엇입니까? (　)

① 겨울잠을 자려고
② 가을에 열매의 맛이 가장 좋아서
③ 여름에 먹이를 많이 먹지 못해서
④ 가을에만 먹을 수 있는 먹이가 있어서
⑤ 가을에 더 빨리 자라는 이빨을 닳게 하려고

📖 교과서 문제

3 ㉠'닳게'의 앞뒤 문장이나 낱말을 살펴보며 그 뜻을 짐작해 쓰시오.

(　　　　　　　　)

핵심

4 ㉠'닳게'의 뜻을 짐작하는 방법으로 알맞지 않은 것은 무엇입니까? (　)

① 앞뒤 낱말을 살펴본다.
② 앞뒤 문장을 살펴본다.
③ 낱말을 소리 내어 읽어 본다.
④ 그 낱말을 사용한 예를 떠올려 본다.
⑤ 짐작한 뜻과 뜻이 비슷한 낱말을 넣어 본다.

◀: 파란색으로 쓰인 낱말의
뜻을 짐작하며 읽기

프린들 주세요

• 글: 앤드루 클레먼츠 • 옮김: 햇살과나무꾼 • 그림: 양혜원

❶ 이튿날, 수업이 끝난 뒤 ♥계획이 시작되었다. 닉은 페니 팬트리 가게에 가서 계산대에 있는 아주머니에게 '프린들'을 달라고 했다.

아주머니는 눈을 가늘게 뜨고 물었다.

5 "뭐라고?"

"프린들요. 까만색으로요."

닉은 이렇게 말하며 싱긋 웃었다.

아주머니는 ㉠한쪽 귀를 닉 쪽으로 돌리며 닉에게 몸을 더 가까이 기울였다.

10 "뭘 달라고?"

"프린들요."

닉은 아주머니 뒤쪽 ♥선반에 있는 볼펜을 가리켰다.

"까만색으로요."

15 아주머니는 닉에게 볼펜을 주었다. 닉은 아주머니에게 45센트를 건네주고는 "안녕히 계세요." 하

고 인사한 뒤 가게를 나섰다.

중심 내용 닉은 페니 팬트리 가게에 가서 '프린들'을 달라고 했고, 아주머니는 닉에게 볼펜을 주었다.

❷ 엿새 뒤, 재닛이 그 계산대 앞에 서 있었다. 똑같은 가게, 똑같은 아주머니였다. 그 전날은 존이 다녀갔고, 그 전날은 피트가, 그 전날은 크리스가, 그 전날은 데이브가 다녀갔다. 재닛은 닉의 부탁 5 을 받고 프린들을 사러 온 다섯 번째 아이였다.

• 글의 종류: 이야기
• 글의 내용: 닉과 친구들이 '펜'이라는 말 대신 '프린들'이라는 말을 쓰기로 계획을 세웠습니다.

♥계획(計 셀 계, 劃 그을 획) 앞으로 할 일의 절차, 방법, 규모 따위를 미리 헤아려 작정함. 또는 그 내용.

♥선반 물건을 얹어 두기 위하여 까치발을 받쳐서 벽에 달아 놓은 긴 널빤지.

📖 교과서 문제

1 닉은 페니 팬트리 가게에 가서 아주머니에게 무엇을 달라고 말했습니까?

( )

2 아주머니가 ㉠과 같이 행동한 까닭은 무엇입니까? ( )

① 닉이 잘 보이지 않아서
② 싱긋 웃는 닉이 귀여워서
③ 닉의 목소리가 너무 작아서
④ '프린들'이 무엇인지 몰라서
⑤ 닉 옆에 다른 사람이 있는지 보려고

📖 교과서 문제

3 '프린들'은 무엇입니까?

( )

핵심

4 '프린들'의 뜻을 짐작하게 하는 표현을 두 가지 고르시오. (,)

① 닉은 이렇게 말하며 싱긋 웃었다.
② 아주머니는 닉에게 볼펜을 주었다.
③ 아주머니는 눈을 가늘게 뜨고 물었다.
④ 엿새 뒤, 재닛이 그 계산대 앞에 서 있었다.
⑤ 닉은 아주머니 뒤쪽 선반에 있는 볼펜을 가리켰다.

재닛이 프린들을 달라고 하자, 아주머니는 볼펜 쪽으로 손을 뻗으며 물었다.

"파란색, 까만색?" / 닉은 옆에 있는 사탕 진열대 앞에 서 있다가 씨익 웃었다.

5 '프린들'은 이제 펜을 가리키는 ㉠어엿한 낱말이다. 누가 펜을 프린들이라고 했을까?

"네가 그런 거야, 닉."

30분 뒤, 5학년 아이들이 심각한 표정을 지으며 닉의 방에서 회의를 했다. 존, 피트, 데이브, 크리 10 스, 재닛이었다. 닉까지 합하면 여섯 명. 여섯 명의 비밀 ♥요원이었다! / 아이들은 오른손을 들고 닉이 쓴 ㉡서약서를 읽었다.

> 나는 오늘부터 영원히 펜이라는 말을 쓰지 않겠다. 그 대신 프린들이란 말을 쓸 것이며, 15 다른 사람들도 그렇게 하도록 최선을 다할 것을 ♥맹세한다.

여섯 명 모두 서약서에 서명을 했다. 닉의 프린
<small>어떤 내용을 인정하거나 찬성하는 뜻으로 자신의 이름을 써넣는 것</small>
들로.

㉢이 계획은 꼭 성공할 것이다.

중심 내용 존, 피트, 데이브, 크리스, 재닛, 닉까지 여섯 명의 아이들은 펜이라는 말 대신 프린들이라는 말을 쓸 것이며, 다른 사람들도 그렇게 하도록 최선을 다하겠다는 서약서에 서명을 했다.

♥요원(要 요긴할 요, 員 인원 원) 어떤 기관에서 또는 어떤 일을 하는 데 꼭 필요한 인원.
예 사고가 발생하면 진행 요원의 지시를 따라야 합니다.

♥맹세(盟 맹세할 맹, 誓 맹세할 세) 일정한 약속이나 목표를 꼭 실천하겠다고 다짐함.
예 우리는 서로의 비밀을 지키기로 맹세했습니다.

교과서 핵심 ○낱말의 뜻 짐작하기

낱말	짐작한 뜻	국어사전에서 찾은 뜻
'프린들'은 이제 펜을 가리키는 어엿한 낱말이다.	예 분명하고 확실한.	행동이 거리낌 없이 아주 당당하고 떳떳한.
아이들은 오른손을 들고 닉이 쓴 서약서를 읽었다.	예 약속을 하고 서명을 하는 것.	맹세하고 약속하는 글. 또는 그런 문서.

📖 교과서 문제

5 아주머니는 '프린들'이 무엇인지 어떻게 알게 되었는지 빈칸에 알맞은 말을 쓰시오.

• 여섯 명의 아이들이 계속해서 (1)(　　　　　)을/를 '(2)(　　　　　)'(이)라고 불렀기 때문이다.

핵심

6 ㉠'어엿한'과 뜻이 비슷한 낱말로 알맞은 것은 무엇입니까? (　　)

① 아마　② 필요한　③ 분명한
④ 애매한　⑤ 솔직한

서술형

7 국어사전에서 ㉡'서약서'의 뜻을 찾아보고, '서약서'를 넣어 한 문장을 만들어 쓰시오.

_____

_____

8 ㉢'이 계획'은 어떤 계획입니까? (　　)

① 낱말 공부를 열심히 하는 것
② 여섯 명이 늘 함께 다니는 것
③ 페니 팬트리 가게에 가지 않는 것
④ 더 이상 볼펜을 사용하지 않는 것
⑤ 여섯 명의 친구들뿐만 아니라 다른 사람들도 펜이라는 말 대신 프린들이라는 말을 사용하는 것

📖 교과서 문제

9 아이들의 계획이 성공할 수 있을지 상상해 쓰시오.

_____

_____

🔊 생략된 내용을
짐작하며 읽기

반딧불이

김태우 · 함윤미

❶ 우리나라에서는 사라져 가는 반딧불이 ♥서식지를 천연기념물로 정하고 있습니다. 전라북도 무주군 설천면 남대천 일대가 바로 그곳이에요. 여기에서는 매년 반딧불이 축제가 열립니다. 수십, 수
5 백 마리의 반딧불이가 반짝거리는 모습을 보면 말로는 설명이 안 될 정도로 황홀하답니다.

눈이 부시어 어릿어릿할 정도로 찬란하거나 화려하답니다
  반딧불이가 반짝반짝 빛을 내는 것은 서로 의견을 나누기 위해서랍니다. 다른 동물처럼 소리를 내거나 냄새를 잘 맡지 못하기 때문에 빛으로 서로
10 의 생각을 전달하지요. 특히 암수가 서로 짝을 찾을 때 그 불빛이 큰 역할을 해요. 수컷이 암컷에게 사랑을 고백하는 뜻으로 빛을 깜빡이면 암컷도 반짝거리며 대답합니다. 빛으로 어떻게 얘기할까 싶지만 빛을 빠르게 또는 천천히 깜빡이거나, 점점
15 밝게, 점점 약하게 조절하는 방법으로 여러 가지

생각을 표현하지요.

중심 내용 반딧불이는 서로 의견을 나누기 위해서 반짝반짝 빛을 낸다.

❷ 도대체 반딧불이는 뭘 먹고 그토록 아름다운 빛을 내는 걸까요? 어른이 된 반딧불이는 이슬을 먹고, 반딧불이의 애벌레는 다슬기나 달팽이를 먹고 삽니다.
5
  반딧불이 애벌레는 달팽이 전문 사냥꾼이라고 불릴 정도로 ♥먹성이 대단해요. 입에서 나오는 독으로 달팽이를 ♥마비시킨 다음, 달팽이가 움직이지 못하면 그때부터 살살 녹여서 먹는답니다.

• 글의 특징: 반딧불이가 빛을 내는 까닭과 먹이, 사는 곳에 대해 설명하고 있습니다.

♥서식지 생물이 일정한 곳에 자리를 잡아 사는 곳.

♥먹성 음식을 먹는 분량.
  📖 내 동생은 덩치는 작아도 먹성이 대단합니다.

♥마비(痲 저릴 마, 痺 저릴 비) 신경이나 근육이 형태의 변화 없이 기능을 잃어버리는 일.
  📖 찬물에 준비 운동 없이 들어가면 심장에 마비가 올 수 있습니다.

📖 교과서 문제

1 반딧불이가 반짝반짝 빛을 내는 까닭은 무엇입니까?   (   )

① 먹이를 찾기 위해서
② 서로 의견을 나누기 위해서
③ 사람들의 눈에 쉽게 띄려고
④ 적이 잡아먹지 못하게 하려고
⑤ 반딧불이 애벌레를 보호하려고

📖 교과서 문제

2 반딧불이는 무엇을 먹고 산다고 하였는지 알맞게 선으로 이으시오.

(1) 반딧불이의 애벌레 ·   · ① 이슬

(2) 어른이 된 반딧불이 ·   · ② 다슬기, 달팽이

3 반딧불이 애벌레는 먹성이 대단해서 무엇이라고도 불린다고 하였습니까?

(   )

핵심 역량

4 반딧불이를 관찰할 때 주의할 점을 다음 방법으로 짐작하여 빈칸에 알맞은 말을 쓰시오.

글에서 찾은 단서	• 수십, 수백 마리의 반딧불이가 반짝거리는 모습을 보면 말로는 설명이 안 될 정도로 황홀하다. • 반딧불이가 반짝반짝 빛을 내는 것은 서로 의견을 나누기 위해서이다.
자신의 경험	빛은 어두운 밤에 잘 보여.
주의할 점 짐작하기	반딧불이는 ( )에 관찰해야 한다.

이야기를 듣다 보니 직접 반딧불이를 보고 싶지요? 그러나 반딧불이를 만나기는 그리 쉽지 않아요. 반딧불이는 애벌레의 먹이가 많고 물이 깨끗한 곳에서 살거든요.

중심 내용 어른이 된 반딧불이는 이슬을 먹고, 애벌레의 먹이인 다슬기나 달팽이가 많고 물이 깨끗한 곳에서 산다.

5 ❸ 반딧불이가 밝을까, 개똥벌레가 밝을까?

　　　　정답은 '둘 다 똑같다'입니다. 반딧불이와 개똥벌레는 같은 곤충이거든요. 반딧불이가 흔히 부르는 이름

10 이고, 개똥벌레는 경기도 지역에서 반딧불이를 일컫는 또 다른 이름이에요. 그런데 반딧불이에게 왜 '개똥'이라는 단어가 붙었을까요?

　　　　우리나라 말에서 '개똥'이 들어가는 말은 보잘것없고 천한 것을 뜻합니다. '개똥참외'라고 하면 저

너무 흔하여 귀하지 아니한

15 절로 자라는 흔한 참외를 말하지요. 이것으로 미

루어 볼 때, 옛날에는 반딧불이가 너무 많아 ♥지천으로 깔려 있다는 뜻으로 개똥벌레라고 했을 수 있습니다.

중심 내용 반딧불이와 개똥벌레는 같은 곤충으로, 옛날에는 반딧불이가 지천으로 깔려 있다는 뜻으로 개똥벌레라고 했을 수 있다.

♥지천으로 매우 흔하게.
예 집으로 가는 길가에 코스모스가 지천으로 피어 있었습니다.

교과서 핵심 ○우리나라에서 반딧불이가 사라져 가는 까닭 짐작하기

글에서 찾을 수 있는 단서 확인하기	• 우리나라에서는 사라져 가는 반딧불이 서식지를 천연기념물로 정하고 있습니다. • 반딧불이는 애벌레의 먹이가 많고 물이 깨끗한 곳에서 살거든요. • 옛날에는 반딧불이가 너무 많아 지천으로 깔려 있다는 뜻으로 개똥벌레라고 했을 수 있습니다.
자신의 경험 떠올리기	예 나도 환경 오염이 심한 도시에서는 밤에 반딧불이를 본 적이 없어.

↓

예 옛날보다 애벌레의 먹이가 줄어들고, 물이 더러워졌기 때문이다.

교과서 문제

5 반딧불이를 볼 수 있는 두 곳을 고르시오.
(　 , 　)

① 물이 깨끗한 곳
② 나무가 많은 곳
③ 달팽이가 살지 않는 곳
④ 사람이 다닐 수 없는 곳
⑤ 애벌레의 먹이가 많은 곳

6 경기도 지역에서 반딧불이를 일컫는 또 다른 이름을 찾아 쓰시오.
(　　　　　　　)

서술형

7 우리나라에서 반딧불이가 사라져 가는 까닭을 다음 방법으로 짐작하여 빈칸에 쓰시오.

글에서 찾은 단서	• 우리나라에서는 사라져 가는 반딧불이 서식지를 천연기념물로 정하고 있습니다. • 반딧불이는 애벌레의 먹이가 많고 물이 깨끗한 곳에서 살거든요. • 옛날에는 반딧불이가 너무 많아 지천으로 깔려 있다는 뜻으로 개똥벌레라고 했을 수 있습니다.
자신의 경험	나도 환경 오염이 심한 도시에서는 밤에 반딧불이를 본 적이 없어.

↓

나비 박사 석주명

🔊 생략된 내용을 짐작하며 읽기

❶ 석주명이 나비를 ♥채집하려고 지리산에 갔을 때의 일입니다. 저만치 ㉠흑갈색 바탕 위에 흰무늬가 있는 날개를 단 나비가 눈에 띄었습니다.

'처음 보는 나비인데…….'

5 석주명은 숨을 죽인 채 살금살금 다가갔습니다. 그 순간 나비는 팔랑거리며 날아가 버렸습니다.

'저것은 지금까지 발견하지 못한 나비야.'

나비가 나는 모습만 보아도 암컷인지 수컷인지 알 수 있는 석주명이었습니다. 그는 가슴이 두근거

10 렸습니다. / 나비는 잡힐 듯 잡힐 듯 하면서도 계속 날아갔습니다. 석주명은 있는 힘을 다해 나비를 뒤쫓았으나 나비는 어디론가 사라져 버렸습니다.

'어떻게 해서든지 저 나비를 꼭 잡아야 해.'

석주명은 나비를 찾으려고 풀숲도 헤쳐 보고 나

15 뭇가지도 흔들어 보며 온 산을 헤매고 다녔습니다. 여기저기 부딪쳐 멍이 들고 나뭇가지에 살갗이 긁혀 피가 흘렀습니다.

*풀이 무성한 수풀

그러기를 여러 시간, 그는 마침내 나비를 잡을 수 있었습니다. 우리나라에서는 처음 발견한 나비였습니다. 석주명은 이 나비한테 '지리산팔랑나비'라는 이름을 붙였습니다.

중심 내용 석주명은 지리산에서 몸을 다쳐 가며 나비를 잡았고, 우리나라에서는 처음 발견한 이 나비한테 '지리산팔랑나비'라는 이름을 붙였다.

- **글의 내용:** 석주명은 우리나라 나비를 연구하여 우리 민족의 훌륭함을 온 세계에 알렸습니다.

- ♥**채집(採** 캘 채, **集** 모을 집) 널리 찾아서 얻거나 캐거나 잡아 모으는 일.
  ㉠ 여름 방학 때 형과 나는 곤충 채집을 하였습니다.

교과서 핵심 ◦석주명이 오랫동안 몸을 다쳐 가며 나비를 잡았던 까닭 짐작하기

글에서 찾은 단서	• '저것은 지금까지 발견하지 못한 나비야.' • 그는 가슴이 두근거렸습니다. • '어떻게 해서든지 저 나비를 꼭 잡아야 해.'
자신의 경험	㉠ 재미있고 신나는 일이 있으면 시간 가는 줄도 모르고, 배가 고픈 줄도 모르며 집중해서 그 일을 한다.

↓

㉠ 석주명은 나비를 좋아하고, 특히 새로운 나비를 찾는 일을 아주 중요하게 생각한다.

---

1 석주명이 지리산에 간 까닭은 무엇입니까? ( )

① 나비를 채집하려고
② 그동안 잡았던 나비를 놓아주려고
③ 다른 나비 연구가를 만나기로 해서
④ 지리산의 모습을 그림으로 그리려고
⑤ 그동안 발견한 적 없는 나무를 찾으려고

2 ㉠의 나비에 석주명이 붙인 이름은 무엇입니까?

( )

역량 **서술형**

3 다음 방법으로 석주명이 오랫동안 몸을 다쳐 가며 나비를 잡았던 까닭을 짐작하였습니다. 빈칸에 자신의 경험을 떠올려 쓰시오.

글에서 찾은 단서	• '저것은 지금까지 발견하지 못한 나비야.' • 그는 가슴이 두근거렸습니다. • '어떻게 해서든지 저 나비를 꼭 잡아야 해.'
자신의 경험	

↓

짐작한 내용	석주명은 나비를 좋아하고, 특히 새로운 나비를 찾는 일을 아주 중요하게 생각한다. 그래서 오랫동안 몸을 다쳐 가며 나비를 잡았던 것 같다.

❷ 석주명은 어렸을 때 개와 고양이뿐만 아니라 비둘기, 도마뱀까지 기를 만큼 동물을 좋아했습니다. 그리고 친구들과 어울려 다니며 뛰어놀기를 좋아하는 개구쟁이이기도 했습니다.

5 그런데 그때는 우리나라가 일본에 나라를 빼앗긴 시대였습니다. 석주명은 독립운동가들을 도와주시는 아버지의 모습을 보며 자랐습니다. 어린 나이에 석주명은 3. 1 운동에도 ♥참가했습니다.

중심 내용 석주명은 어렸을 때 개와 고양이, 비둘기, 도마뱀을 기를 만큼 동물을 좋아했고 개구쟁이이기도 했으며 3. 1 운동에도 참가했다.

❸ 석주명이 나비를 연구하기로 마음먹은 것은 일
10 본에서 공부하던 스물한 살 때였습니다. 석주명에게 일본인 선생님이 말했습니다.

"조선에서는 아직 나비에 대한 연구가 제대로 되어 있지 않아. 나비를 연구해 보게. 자네가 십 년 동안 끊임없이 연구한다면 세계에서 알아주
15 는 나비 박사가 될 수 있을 걸세."

석주명은 선생님 말씀을 듣고 결심했습니다.
할 일에 대하여 어떻게 하기로 마음을 굳게 정함. 또는 그런 마음

'그렇다. 나도 무엇인가를 해야 한다. 먼저 나는 우리나라 나비를 연구할 것이다. 아무도 하지 않은 이 일을 내가 반드시 해내고야 말리라.'

중심 내용 일본에서 공부하던 석주명은 스물한 살 때 우리나라 나비를 연구하기로 결심했다.

❹ 우리나라로 돌아온 석주명은 마음을 굳게 먹고 나비 연구를 시작했습니다. 밥 먹는 시간도 아까
5 워서 길을 걸으며 땅콩을 먹었고, 새벽 두 시 전에는 결코 잠자리에 들지 않았습니다. 언제 어디에서나 오직 나
10 비만을 생각하며 연구에 ♥몰두했습니다.

♥참가(參 참여할 참, 加 더할 가) 모임이나 단체 또는 일에 관계하여 들어감. 예 아버지께서 마라톤 대회에 참가하셨습니다.
♥몰두(沒 빠질 몰, 頭 머리 두) 어떤 일에 온 정신을 다 기울여 열중함.   예 놀이에 몰두하느라 시간 가는 줄 몰랐습니다.

📖 교과서 문제

4 석주명이 살았던 시대는 어떤 시대였습니까?
(   )

📖 교과서 문제

5 석주명의 어렸을 때 모습으로 알맞지 <u>않은</u> 것은 무엇입니까? (   )

① 동물을 좋아했다.
② 3. 1 운동에도 참가했다.
③ 혼자 다니는 것을 좋아했다.
④ 뛰어놀기를 좋아하는 개구쟁이였다.
⑤ 독립운동가들을 도와주시는 아버지의 모습을 보며 자랐다.

6 석주명은 스물한 살 때 무엇을 연구하기로 결심했습니까? (   )

① 일본어   ② 여러 애완동물
③ 다양한 곤충들   ④ 우리나라 나비
⑤ 독립운동가들을 도울 수 있는 방법

7 석주명이 일본에서 우리나라로 돌아와 한 행동이 <u>아닌</u> 것을 골라 기호를 쓰시오.

> ㉠ 새벽 두 시 전에는 결코 잠자리에 들지 않았다.
> ㉡ 밥 먹는 시간도 아까워서 길을 걸으며 땅콩을 먹었다.
> ㉢ 외국 나비를 들여와 우리나라의 산과 들에 놓아주었다.

(   )

십 년이라는 세월이 흘렀습니다. 그러던 어느 날, 석주명은 편지 한 통을 받았습니다.

> 석주명 선생님께
>   조선에 있는 모든 나비를 연구해 책으로 써
> 5 주십시오.
>   영국왕립아시아학회

석주명은 책을 쓰기로 했습니다. 그는 이 책을 쓰려고 나비를 수만 마리나 모으며 ♥온갖 정성을 쏟았습니다. 그리고 일본 학자들이 우리나라 나비에 10 대해 잘못 쓴 부분들을 찾아내 ♥바로잡았습니다. 이렇게 하여 석주명은 우리나라에 사는 나비에 대한 책을 완성해 영국왕립도서관으로 보냈습니다.

이렇듯 석주명은 나비를 연구하는 데 온 힘을 다했습니다. 그는 무려 나비 75만여 마리를 모았습 (그 수가 예상보다 상당히 많음을 나타내는 말) 15 니다. 그리고 일본어로 된 나비 이름을 '수노랑나비', '유리창나비'와 같은 우리말 이름으로 바꾸어

붙였습니다. 나라를 **빼앗겨** 어두웠던 시대에 석주명은 나비를 연구해 우리 민족의 훌륭함을 온 세계에 알렸습니다.

(중심 내용) 석주명은 나비를 연구하는 데 온 힘을 다하여 무려 나비 75만여 마리를 모았고, 일본어로 된 나비 이름을 우리말 이름으로 바꾸어 붙였다.

♥**온갖** 이런저런 여러 가지의.
♥**바로잡았습니다** 그릇된 일을 바르게 만들거나 잘못된 것을 올바르게 고쳤습니다.
   예 의자에 바르게 앉아 자세를 바로잡았습니다.

교과서 핵심 ○ 영국왕립아시아학회에서 책을 써 달라는 편지를 받았을 때 석주명의 마음 짐작하기

글에서 찾은 단서	• 이 책을 쓰려고 나비를 수만 마리나 모으며 온갖 정성을 쏟았습니다. • 일본 학자들이 우리나라 나비에 대해 잘못 쓴 부분들을 찾아내 바로잡았습니다.
자신의 경험	예 친구가 모르는 것을 물어보면 잘 가르쳐 주고 싶고 친구가 나를 인정해 주는 것 같아 뿌듯해진다.

↓

예 석주명은 뿌듯하고 자랑스러웠을 것 같다.

(핵심)
8 영국왕립아시아학회에서 책을 써 달라는 편지를 받았을 때 석주명이 어떤 마음이었을지 짐작하였습니다. 빈칸에 들어갈 석주명의 마음을 <u>잘못</u> 짐작한 것에 ×표를 하시오.

글에서 찾은 단서	• 이 책을 쓰려고 나비를 수만 마리나 모으며 온갖 정성을 쏟았습니다. • 일본 학자들이 우리나라 나비에 대해 잘못 쓴 부분들을 찾아내 바로잡았습니다.
자신의 경험	친구가 모르는 것을 물어보면 잘 가르쳐 주고 싶고 친구가 나를 인정해 주는 것 같아 뿌듯해진다.

↓

짐작한 내용	

(1) 책임감이 느껴졌을 거야.　　(　　)
(2) 뿌듯하고 자랑스러웠을 거야.　(　　)
(3) 무서워서 도망치고 싶었을 거야.(　　)

9 석주명은 우리나라에 사는 나비에 대한 책을 완성하여 어디로 보냈는지 쓰시오.

　　　　　(　　　　　　　　　)

(교과서 문제)
10 석주명이 해낸 훌륭한 일을 <u>두 가지</u> 고르시오.
　　　　　　　　　　(　　,　　)
① 나비 박물관을 세웠다.
② 나비 75만여 마리를 모았다.
③ 영국왕립아시아학회에서 일을 했다.
④ 우리나라 나비의 이름으로 노래를 만들었다.
⑤ 일본어로 된 나비 이름을 우리말 이름으로 바꾸어 붙였다.

지진 발생 시 장소별 행동 요령

집 안에 있을 경우

탁자 아래로 들어가 몸을 보호합니다. 할 수 있으면 전기와 가스를 ㉠차단하고, 문을 열어 출구를 확보한 뒤에 밖으로 나갑니다.

집 밖에 있을 경우

물건이 떨어질 것에 ♥대비해 가방이나 손으로 머리를 보호하며, 건물과 거리를 두고 운동장이나 공원같이 넓은 공간으로 대피합니다.

♥승강기 안에 있을 경우

모든 숫자 단추를 눌러 가장 먼저 열리는 층에서 내린 뒤에 계단을 이용합니다.
※ 승강기를 타면 매우 위험합니다.

산이나 바다에 있을 경우

산사태가 나거나 절벽이 붕괴될 수 있으니 안전한 곳으로 대피합니다. 해안에서 지진 해일 특보가 발령되면 높은 곳으로 이동합니다.

- 글의 종류: 안내문
- 글의 내용: 지진이 났을 때 장소별 행동 요령을 안내하고 있습니다.

♥대비해 앞으로 일어날지도 모르는 어떠한 일에 대응하기 위하여 미리 준비해.

♥승강기(昇 오를 승, 降 내릴 강, 機 틀 기) 동력을 사용하여 사람이나 화물을 아래위로 나르는 장치.

교과서 핵심

● 뜻을 모르는 낱말의 뜻 짐작하기 예

낱말	짐작한 뜻
요령	일을 하는 데 꼭 필요한 묘한 이치.
확보	확실히 보증하거나 가지고 있음.
대피	위험이나 피해를 입지 않도록 일시적으로 피함.
붕괴	무너지고 깨어짐.
특보	특별히 보도함. 또는 그런 보도.

📖 교과서 문제

1 지진이 났을 때의 바른 행동이 <u>아닌</u> 것은 무엇입니까? (   )

① 계단을 이용한다.
② 할 수 있으면 가스를 차단한다.
③ 가방이나 손으로 머리를 보호한다.
④ 집 밖에서는 넓은 공간으로 대피한다.
⑤ 해안에서 지진 해일 특보가 발령되면 낮은 곳으로 이동한다.

핵심

2 ㉠'차단'의 뜻을 짐작하여 쓰고, 국어사전에서 찾아 그 뜻을 쓰시오.

(1) 짐작한 뜻	
(2) 국어사전에서 찾은 뜻	

📖 교과서 문제

3 학교에서 '재난 대응 훈련'을 했던 경험을 떠올려 대피했을 때 신경 썼던 점을 쓰시오.

(   )

📖 교과서 문제

4 지진이 났을 때 승강기를 타면 위험한 까닭을 잘못 짐작한 친구를 쓰시오.

> 현서: 많은 사람이 승강기에 몰리는 경우에 정상적으로 운행하기가 어려워.
> 종혁: 지진 때문에 발생한 정전으로 승강기가 멈춰서 사람이 갇히게 될 수 있어.
> 지안: 지진 때문에 화재가 발생한 경우 승강기 안으로는 연기가 들어오지 못해 밖에서 불을 껐는지 전혀 알 수가 없어.

(   )

기본 • 163~164쪽 낱말의 뜻을 짐작하며 글 읽기

담쟁이덩굴은 뿌리 덕분에 벽에 잘 달라붙는다?

김진옥

담쟁이덩굴을 벽에서 떼어 내려고 해 봐도 쉽게 떨어지지도 않아요. 마치 줄기에 끈끈이라도 붙어 있는 것처럼 꼼짝하지 않는답니다.

어떻게 그렇게 튼튼하게 붙어 있는지 담쟁이덩굴의 줄기를 들여다볼까요? 아니! 그런데 줄기에 돋아난 짧은 것이 줄기에서 나와 벽
5 에 착 달라붙어 있네요. 마치 문어 다리에 있는 ㉠흡반처럼 생긴 것이 담쟁이덩굴을 착 붙어 있게 해 주네요. 흡반처럼 생긴 이것은 놀
물체가 바싹 다가붙거나 끈기 있게 달라붙는 모양
랍게도 담쟁이덩굴 뿌리랍니다.

담쟁이덩굴 뿌리는 줄기에서 나와 벽에 달라붙어 있어요. 벽에 착
달라붙는 뿌리 덕분에 담쟁이덩굴은 아무리 높은 벽도 쉽게 올라갈
10 수 있지요. 높은 벽을 타고 척척 뻗어 나가는 모습은 감탄 그 자체
지요. 스파이더맨 따위는 부럽지 않을 정도랍니다.

이처럼 다른 것에 달라붙기 위해 줄기의 군데군데에서 나오는 뿌
리를 ㉡부착 뿌리라고 해요. 다른 나무를 타고 올라가 사는 송악도
부착 뿌리를 가지고 있답니다. 부착 뿌리는 줄기에 힘이 없어서 혼
15 자서는 똑바로 서지 못하는 식물들에 꼭 필요한 강력 접착제예요.
힘이나 영향이 강함.

1 ㉠'흡반'의 뜻을 알맞게 짐작한 것은 무엇입니까? (   )
① 흡입하는 것
② 늘어나게 하는 것
③ 달라붙게 하는 것
④ 향기 나게 하는 것
⑤ 미끄러지게 하는 것

2 앞뒤 문장이나 낱말을 살펴보며 ㉡'부착'의 뜻을 짐작하여 보고 국어사전에서 그 뜻을 찾아 쓰시오.

_____

_____

기본 • 165~166쪽 생략된 내용을 짐작하는 방법 알기

세상에서 가장 겁 많은 고양이 미요

임정자

미요랑 미야는 팔랑팔랑 나비를 발견하곤 팔짝팔짝, 폴짝폴짝,
나비를 쫓으며 놀았어요. 그러다 실수로 비탈에서 미야 발이 미끄
러진 거예요.

"어, 어, 어." / 미야는 그만 저수지에 풍덩 빠지고 말았어요.
5 "미요, 살려 줘! 미야옹 미야옹!"

미야는 놀라 허우적거렸어요.

미요는 당연히 미야를 구하고 싶었지요. 하지만 태어나서 한 번도
물에 들어가 본 적이 없었어요. 게다가 물이 너무 무서웠지요.

"어쩌면 좋아, 어쩌면 좋아. 미요옹 미요옹."
10 미요는 발만 동동 굴렀어요.

3 미야에게 일어난 일은 무엇입니까? (   )
① 발을 다쳤다.
② 미요와 다퉜다.
③ 나비를 잡았다.
④ 저수지에 빠졌다.
⑤ 신발을 잃어버렸다.

4 미요가 발만 동동 구른 까닭에 ○표를 하시오.
(1) 물이 너무 좋아서 (   )
(2) 태어나서 한 번도 물에 들어가 본 적이 없어서
(   )

때마침, 개 털보가 저수지 근처를 <u>어슬렁대다</u> 이 광경을 보았어요.

<small>몸집이 큰 사람이나 짐승이 몸을 조금 흔들며 계속 천천히 걸어 다니다</small>

"이봐, 고양이! 정신 차려! 정신을 차리고 헤엄을 쳐, 헤엄을!"

하지만 미야는 정신을 차릴 수가 없었어요.

털보가 보다 못해 물속으로 뛰어들었어요. 털보는 워낙 헤엄을 잘

5 쳐서 가뿐하게 미야를 구해 냈어요.

"괜찮아, 고양이?"

"미야옹, 고마워. 넌 개지만 내 생명의 은인이야."

"뭘, 물에 빠진 친구를 구해 주는 건 당연한 거지. 예전에 난 하루

를 구해 준 적도 있어."

10 "하루?"

"응, 내 친구야. 세상에서 가장 용감한 강아지지."

말을 마친 털보는 몸을 푸르르 흔들어 물기를 털어 냈어요.

"참, 난 털보라고 해. 대추나무 골에 살지. 이것도 인연인데 우리,

친구 하지 않을래?"

15 미야는 털보를 빤히 바라보더니 고개를 끄덕였어요.

㉠"고양이가 개와 친구 하는 경우는 없지만, 넌 생명의 은인이니

까 특별히 친구 할게."

털보는 빙긋 웃더니 미야에게 과수원으로 놀러 가자고 했어요. 자

기 친구들을 소개해 주겠다면서요. 미야는 방긋 웃으며 좋다고 대

20 답했지요.

5 물에 빠진 미야를 누가 구해 냈습니까?

(   )

6 ㉠에서 짐작할 수 있는 미야의 마음으로 알맞은 것은 무엇입니까? (   )

① 미요가 밉다.

② 하루가 부럽다.

③ 털보가 얄밉다.

④ 털보에게 고맙다.

⑤ 털보에게 서운하다.

7 자신의 경험과 글에 나타난 단서를 생각하며 뒷부분에 이어질 내용을 짐작하여 쓰시오.

_____

_____

기초 다지기   **낱말의 표기에 주의하기**

8 다음 (   ) 안의 표기 가운데 바른 표기에 ○표를 하시오.

> 오늘은 아침에 늦잠을 자서 지각할 뻔했다. 어제 텔레비전을 보느라 잠을 늦게 잤다. 아침에 아버지께서 나를 깨워도 내가 일어나지 않으니 큰 소리로 말씀하셨다.
> "제발 좀 일어나거라!"
> 나는 "조금만 더 잘게요."라고 말했다가 아버지께 걱정을 들었다.
> "(좀 , 쫌) 더 자다가는 지각하겠다."

9 다음 파란색으로 쓰인 낱말을 준말로 바르게 쓰시오.

(1) 밥을 먹으니 이제 조금 배가 부르다. → (   )

(2) 물건값이 조금 비싸다. → (   )

기본 ⋯⋯

》 낱말의 뜻을
짐작하며
글 읽기

⑩ 「프린들 주세요」에 나온 '어엿한'과 '서약서'의 뜻 짐작하기

	어엿한	서약서
❶ ☐☐ 문장이나 낱말 살펴보기	• 아주머니는 눈을 가늘게 뜨고 물었다. / "뭐라고?" • 재닛은 닉의 부탁을 받고 프린들을 사러 온 다섯 번째 아이였다. • 재닛이 프린들을 달라고 하자, 아주머니는 볼펜 쪽으로 손을 뻗으며 물었다. • '프린들'은 이제 펜을 가리키는 어엿한 낱말이다.	• 아이들은 오른손을 들고 닉이 쓴 서약서를 읽었다. 　나는 오늘부터 영원히 펜이라는 말을 쓰지 않겠다. 그 대신 프린들이란 말을 쓸 것이며, 다른 사람들도 그렇게 하도록 최선을 다할 것을 맹세한다. • 여섯 명 모두 서약서에 서명을 했다.
짐작한 뜻과 뜻이 비슷한 낱말 넣기	분명한 / 확실한	약속장 / 계약서
그 낱말을 사용한 ❷ ☐ 떠올리기	나는 이제 어엿한 형이 되었다.	나는 앞으로 절대 지각하지 않겠다고 서약서에 서명했다.
짐작한 뜻과 국어사전에서 찾은 뜻 비교하기	행동이 거리낌 없이 아주 당당하고 떳떳한.	맹세하고 약속하는 글. 또는 그런 문서.

기본 ⋯⋯

》 생략된 내용을
짐작하는
방법 알기

⑩ 「반딧불이」를 읽고 반딧불이를 관찰할 때 주의할 점 짐작하기

글에서 찾은 ❸ ☐☐	자신의 경험
• 반딧불이의 애벌레는 다슬기나 달팽이를 먹고 산다. • 반딧불이는 애벌레의 먹이가 많고 물이 깨끗한 곳에서 산다.	물이 깨끗하고 달팽이가 많이 사는 곳은 자연환경이 맑고 깨끗한 곳이야.

↓

주의할 점 짐작하기	반딧불이는 자연환경이 맑고 깨끗한 곳에 가야 관찰할 수 있다.

기본 ⋯⋯

》 생략된 내용을
짐작하며
글 읽기

⑩ 「나비 박사 석주명」을 읽고 석주명이 오랫동안 몸을 다쳐 가며 나비를 잡았던 까닭 짐작하기

글에서 찾은 단서	자신의 ❹ ☐☐
• '저것은 지금까지 발견하지 못한 나비야.' • 그는 가슴이 두근거렸습니다. • '어떻게 해서든지 저 나비를 꼭 잡아야 해.'	재미있고 신나는 일이 있으면 시간 가는 줄도 모르고, 배가 고픈 줄도 모르며 집중해서 그 일을 한다.

↓

짐작한 내용	석주명은 나비를 좋아하고, 특히 새로운 ❺ ☐☐을/를 찾는 일을 아주 중요하게 생각한다.

1 다음 ㉠과 ㉡의 뜻에 맞게 기호를 쓰시오.

> ○○ 폭포는 ㉠수심이 매우 깊어서 물에 빠질 경우 사고가 ㉡발생할 수 있는 장소이므로 수영이나 물놀이를 삼가 주시기 바랍니다.
> △△시공원관리사업소장·△△소방서장

(1) 어떤 일이나 사물이 생겨남. ( )
(2) 강이나 바다, 호수 등의 물의 깊이. ( )

2 글을 읽다가 뜻을 모르는 낱말이 나오면 어떻게 하는 것이 좋을지 잘못 말한 친구를 쓰시오.

> 재찬: 국어사전을 찾아봐.
> 미소: 낱말을 공책에 써 봐.
> 선아: 인터넷에서 검색해 봐.
> 수현: 앞뒤 내용을 보고 미루어 짐작해 봐.

( )

[3~7] 글을 읽고, 물음에 답하시오.

> 다람쥐처럼 쥐 무리에 속하는 동물들은 이빨이 계속해서 자란다고 해요. 그렇기 때문에 이빨을 ㉠닳게 하려고 쉬지 않고 나무를 쏠거나 딱딱한 열매를 갉아 먹는 것이죠.
> 그래서 다람쥐가 좋아하는 먹이는 도토리, 밤, 땅콩, 호두, 잣과 같이 대부분 껍질이 딱딱한 열매예요. 하지만 가끔은 채소의 싹을 잘라 먹기도 하고 곤충을 잡아먹기도 한대요.
> 가을이 되면 다람쥐는 겨울잠을 자려고 먹이를 많이 먹어 두어요. 남은 먹이는 땅속에 먹이 창고를 만들어 감춰 두지요. 그리고 배고플 때마다 겨울잠에서 깨어나 먹이를 먹으며 겨울을 나지요.

3 글쓴이가 설명하고 있는 것은 무엇입니까?
( )

① 이빨 ② 땅콩 ③ 채소
④ 다람쥐 ⑤ 겨울잠

4 다람쥐가 좋아하는 먹이가 아닌 것은 무엇입니까? ( )

① 잣 ② 밤
③ 호두 ④ 개구리
⑤ 도토리

5 다람쥐가 가을이 되면 먹이를 많이 먹어 두는 까닭을 쓰시오.

( )

중요

6 ㉠'닳게'의 뜻을 짐작한 것으로 알맞지 않은 것은 무엇입니까? ( )

① 짧아지게
② 줄어들게
③ 새로 생기게
④ 계속 길어지지 않도록
⑤ 계속해서 자라나지 않도록

7 다음 중 ㉠의 뜻과 같게 '닳다'를 넣어 문장을 바르게 만든 것에 ○표를 하시오.

(1) 연필이 닳아서 짧아졌다. ( )
(2) 지우개가 닳아서 커졌다. ( )
(3) 운동화가 점점 닳아 새것처럼 보였다.
( )

8~10 글을 읽고, 물음에 답하시오.

"뭘 달라고?"

"프린들요."

닉은 아주머니 뒤쪽 선반에 있는 볼펜을 가리켰다.

"까만색으로요."

아주머니는 닉에게 볼펜을 주었다. 닉은 아주머니에게 45센트를 건네주고는 "안녕히 계세요." 하고 인사한 뒤 가게를 나섰다.

엿새 뒤, 재닛이 그 계산대 앞에 서 있었다. 똑같은 가게, 똑같은 아주머니였다. 그 전날은 존이 다녀갔고, 그 전날은 피트가, 그 전날은 크리스가, 그 전날은 데이브가 다녀갔다. 재닛은 닉의 부탁을 받고 프린들을 사로 온 다섯 번째 아이였다.

재닛이 프린들을 달라고 하자, 아주머니는 볼펜 쪽으로 손을 뻗으며 물었다.

"파란색, 까만색?"

닉은 옆에 있는 사탕 진열대 앞에 서 있다가 씨익 웃었다.

'프린들'은 이제 펜을 가리키는 ㉠어엿한 낱말이다.

8 이 글에 나오는 '프린들'은 무엇입니까?
(   )

① 칼   ② 붓   ③ 볼펜
④ 필통   ⑤ 지우개

9 ㉠'어엿한'의 뜻을 짐작하여 쓰시오.
(   )

논술형

10 ㉠'어엿한'의 뜻에 알맞게 '어엿한'을 넣어 문장을 만들어 쓰시오.

_____

_____

11~13 글을 읽고, 물음에 답하시오.

㉠전라북도 무주군 설천면 남대천 일대가 바로 그곳이에요. 여기에서는 매년 반딧불이 축제가 열립니다. ㉡수십, 수백 마리의 반딧불이가 반짝거리는 모습을 보면 말로는 설명이 안 될 정도로 황홀하답니다.

㉢반딧불이가 반짝반짝 빛을 내는 것은 서로 의견을 나누기 위해서랍니다. 다른 동물처럼 소리를 내거나 냄새를 잘 맡지 못하기 때문에 빛으로 서로의 생각을 전달하지요. 특히 암수가 서로 짝을 찾을 때 그 불빛이 큰 역할을 해요. 수컷이 암컷에게 사랑을 고백하는 뜻으로 빛을 깜빡이면 암컷도 반짝거리며 대답합니다.

11 반딧불이가 반짝반짝 빛을 내는 까닭을 골라 번호를 쓰시오.

① 냄새를 맡기 위해서이다.
② 서로 의견을 나누기 위해서이다.
③ 적이 나타난 것을 알리기 위해서이다.

(   )

12 ㉠~㉢ 중 반딧불이를 언제 관찰해야 하는지 짐작할 수 있는 단서가 되는 부분의 기호를 모두 쓰시오.

(   )

13 12번 문제의 답과 자신의 경험을 떠올려 볼 때, 반딧불이가 빛을 내는 모습을 보려면 언제 관찰해야 합니까?   (   )

① 아침   ② 한낮
③ 늦은 오후   ④ 어두운 밤
⑤ 무지개가 뜬 날

중요

14 글을 읽으며 생략된 내용을 짐작하는 방법은 무엇인지 빈칸에 알맞은 말을 쓰시오.

• 글에서 찾을 수 있는 (1)(   )을/를 확인한다.
• 자신의 (2)(   )을/를 떠올린다.

국어 활동

15 다음 ㉠에서 알 수 있는 털보에 대한 미야의 마음으로 알맞은 것은 무엇입니까? (　　)

> **가** "미야옹, 고마워. 넌 개지만 내 생명의 은인이야."
> "뭘, 물에 빠진 친구를 구해 주는 건 당연한 거지."
> **나** "참, 난 털보라고 해. 대추나무 골에 살지. 이것도 인연인데 우리, 친구 하지 않을래?"
> 미야는 털보를 빤히 바라보더니 고개를 끄덕였어요.
> ㉠"고양이가 개와 친구 하는 경우는 없지만, 넌 생명의 은인이니까 특별히 친구 할게."

① 밉다.　　　　② 고맙다.
③ 귀찮다.　　　④ 무섭다.
⑤ 불쾌하다.

16~18 글을 읽고, 물음에 답하시오.

> ㉠'저것은 지금까지 발견하지 못한 나비야.'
> 나비가 나는 모습만 보아도 암컷인지 수컷인지 알 수 있는 석주명이었습니다. 그는 가슴이 두근거렸습니다.
> 나비는 잡힐 듯 잡힐 듯 하면서도 계속 날아갔습니다. 석주명은 있는 힘을 다해 나비를 뒤쫓았으나 나비는 어디론가 사라져 버렸습니다.
> '어떻게 해서든지 저 나비를 꼭 잡아야 해.'
> 석주명은 나비를 찾으려고 풀숲도 헤쳐 보고 나뭇가지도 흔들어 보며 온 산을 헤매고 다녔습니다. 여기저기 부딪쳐 멍이 들고 나뭇가지에 살갗이 긁혀 피가 흘렀습니다.
> 그러기를 여러 시간, 그는 마침내 나비를 잡을 수 있었습니다. ㉡우리나라에서는 처음 발견한 나비였습니다.

16 ㉠에 나타난 석주명의 마음으로 알맞은 것은 무엇입니까? (　　)

① 아쉽다.　　　② 서럽다.
③ 설렌다.　　　④ 속상하다.
⑤ 화가 난다.

17 석주명이 ㉡을 찾으려고 노력한 일이 아닌 것은 무엇입니까? (　　)

① 풀숲을 헤쳐 보았다.
② 온 산을 헤매고 다녔다.
③ 나뭇가지를 흔들어 보았다.
④ 다른 나비 전문가를 찾아갔다.
⑤ 여기저기 부딪쳐 멍이 들고 나뭇가지에 살갗이 긁히며 돌아다녔다.

중요

18 석주명이 오랫동안 몸을 다쳐 가며 나비를 잡았던 행동에서 알 수 있는 것을 두 가지 고르시오. (　　,　　)

① 나비를 좋아한다.
② 여행을 좋아한다.
③ 외국 나비를 잡고 싶어 한다.
④ 나비에 외국 이름을 붙이고 싶어 한다.
⑤ 새로운 나비를 찾는 일을 아주 중요하게 생각한다.

19~20 안내문을 읽고, 물음에 답하시오.

> **〈지진 발생 시 장소별 행동 요령〉**
>
> | 집 안에 있을 경우: 탁자 아래로 들어가 몸을 보호합니다. 할 수 있으면 전기와 가스를 차단하고, 문을 열어 출구를 확보한 뒤에 밖으로 나갑니다. | 승강기 안에 있을 경우: 모든 숫자 단추를 눌러 가장 먼저 열리는 층에서 내린 뒤에 계단을 이용합니다. ※ 승강기를 타면 매우 위험합니다. |

19 다음의 뜻을 가지고 있는 낱말을 찾아 쓰시오.

> 확실히 보증하거나 가지고 있음.

(　　　　　　　)

서술형

20 지진이 났을 때 승강기를 타면 위험한 까닭을 짐작하여 쓰시오.

_____

_____

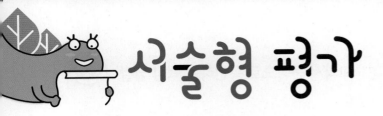

1~2 글을 읽고, 물음에 답하시오.

'프린들'은 이제 펜을 가리키는 어엿한 낱말이다. 누가 펜을 프린들이라고 했을까?

"네가 그런 거야, 닉."

30분 뒤, 5학년 아이들이 심각한 표정을 지으며 닉의 방에서 회의를 했다. 존, 피트, 데이브, 크리스, 재닛이었다. 닉까지 합하면 여섯 명. 여섯 명의 비밀 요원이었다!

아이들은 오른손을 들고 닉이 쓴 ㉠서약서를 읽었다.

> 나는 오늘부터 영원히 펜이라는 말을 쓰지 않겠다. 그 대신 프린들이란 말을 쓸 것이며, 다른 사람들도 그렇게 하도록 최선을 다할 것을 맹세한다.

여섯 명 모두 서약서에 서명을 했다. 닉의 프린들로.

이 계획은 꼭 성공할 것이다.

1 앞뒤 문장이나 낱말을 살펴보고 ㉠'서약서'와 뜻이 비슷한 낱말을 쓰고, 뜻을 짐작하여 쓰시오.

(1) 뜻이 비슷한 낱말	
(2) 짐작한 뜻	

2 ㉠'서약서'의 뜻을 국어사전에서 찾아 쓰시오.

_____

3~4 글을 읽고, 물음에 답하시오.

> 석주명 선생님께
> 조선에 있는 모든 나비를 연구해 책으로 써 주십시오.
> 　　　　　　　　　영국왕립아시아학회

석주명은 책을 쓰기로 했습니다. 그는 ㉠이 책을 쓰려고 나비를 수만 마리나 모으며 온갖 정성을 쏟았습니다. 그리고 ㉡일본 학자들이 우리나라 나비에 대해 잘못 쓴 부분들을 찾아내 바로잡았습니다. 이렇게 하여 석주명은 우리나라에 사는 나비에 대한 책을 완성해 영국왕립도서관으로 보냈습니다.

3 ㉠, ㉡의 상황과 비슷한 자신의 경험을 떠올려 쓰시오.

_____

_____

4 ㉠, ㉡과 3번 문제의 답을 바탕으로 하여 영국왕립아시아학회에서 책을 써 달라는 편지를 받았을 때 석주명이 어떤 마음이었을지 짐작하여 쓰시오.

_____

_____

낱말 퀴즈

● 다음 교과서 문장의 파란색 낱말 중에서 알맞은 것을 골라 인물들이 한 말을 완성하시오.

- 이 폭포는 수심이 매우 깊다는데, 여기서 '수심'은 무슨 뜻일까?
- 물에 빠질 경우 사고가 발생할 수 있는 장소라고 하네.
- 우리나라에서는 사라져 가는 반딧불이 서식지를 천연기념물로 정하고 있습니다.
- 먼저 나는 우리나라 나비를 연구할 것이다.

10

문학의 향기

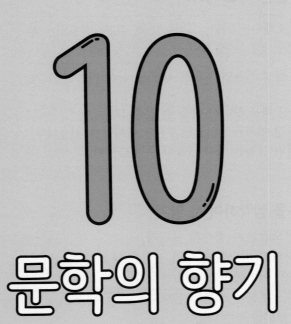

무엇을 배울까요?

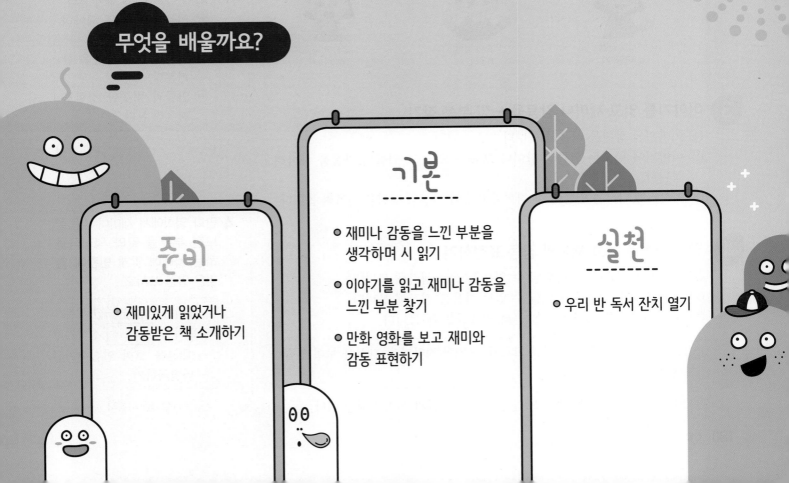

준비

- 재미있게 읽었거나 감동받은 책 소개하기

기본

- 재미나 감동을 느낀 부분을 생각하며 시 읽기
- 이야기를 읽고 재미나 감동을 느낀 부분 찾기
- 만화 영화를 보고 재미와 감동 표현하기

실천

- 우리 반 독서 잔치 열기

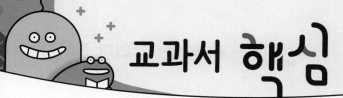 

1 재미있게 읽었거나 감동받은 책 소개하기

소개할 내용	제목, 줄거리, 소개하는 까닭, 재미를 느낀 부분, 감동받은 부분, 출판사, 지은이, 책 분량, 그림 등
읽은 책을 소개하면 좋은 점	• 친구들에게 책을 소개하면서 읽은 내용을 다시 떠올릴 수 있습니다. • 친구들이 소개한 책을 찾아서 읽을 수 있습니다. • 혼자 읽었을 때 잘 이해되지 않았던 부분도 이해할 수 있습니다. • 책을 읽었을 때의 감동을 다시 떠올릴 수 있습니다.

2 재미나 감동을 느낀 부분을 생각하며 시 읽기

① 시를 읽고 어떤 장면이 떠오르는지 생각해 봅니다.
② 시에 나오는 인물이 한 경험과 비슷한 자신의 경험을 떠올려 봅니다.
③ 시에 나오는 인물의 마음이 어떠한지 생각해 봅니다.
④ 시에서 특별히 기억에 남는 부분을 떠올려 봅니다. → 인물이 한 행동으로 인물의 마음을 짐작할 수 있습니다.

예 「빗길」을 읽고 감동을 느낀 부분을 찾는 방법

비 오는 날, 우산 하나를 친구와 함께 쓰고 오고 있어.
시의 장면 떠올리기

비 오는 날, 좁은 길을 걸었던 일이 떠올라.
비슷한 경험 떠올리기

서로를 배려하는 친구의 마음이 느껴져.
인물의 마음 헤아리기

3 이야기를 읽고 재미나 감동을 느낀 부분 찾기

① 이야기의 장면을 떠올려 봅니다.
② 이야기에 나오는 인물의 말이나 행동을 보고 그 인물의 마음을 헤아려 봅니다.
③ 이야기에 나오는 인물이 한 경험과 비슷한 자신의 경험을 떠올려 봅니다.

4 만화 영화를 보고 재미와 감동 표현하기

① 자신이 느낀 감동을 나타낼 수 있는 낱말을 생각해 봅니다.
② 인물의 말과 행동에서 느낄 수 있는 마음을 짐작해 봅니다.
③ 재미나 감동을 느낀 부분을 골라 역할극을 해 봅니다.

> 재미나 감동을 느낀 부분 고르기 → 역할 정하기 → 대본을 보며 연습하기 → 역할극하기

④ 역할극을 하고 나서 새로 느낀 감동을 친구들과 이야기해 봅니다.

핵심 확 인 문 제
정답과 해설 ● 37쪽

1 친구들과 서로 읽은 책을 □□하면 읽은 내용을 다시 떠올릴 수 있고, 친구들이 소개한 책을 찾아서 읽을 수 있습니다.

2 시를 읽고 감동을 느낀 부분을 찾기 위해서는 시에 나오는 인물이 한 경험과 비슷한 자신의 경험을 떠올려 봅니다.
(　　　○ , ×　　　)

3 이야기를 읽고 재미나 감동을 느낀 부분을 찾는 방법으로 알맞지 않은 것의 기호를 쓰시오.

> ㉠ 장면을 떠올려 본다.
> ㉡ 인물의 수를 세어 본다.
> ㉢ 인물의 마음을 헤아려 본다.
> ㉣ 인물의 말과 행동을 살펴본다.
> ㉤ 인물과 비슷한 경험을 떠올려 본다.

(　　　　　　　)

4 만화 영화에서 재미나 감동을 느낀 부분을 골라 역할극을 하는 차례에 맞게 빈칸에 알맞은 말을 쓰시오.

> 재미나 감동을 느낀 부분 고르기 → □□ 정하기 → 대본을 보며 연습하기 → 역할극하기

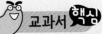
● 덕무와 초희가 책을 읽고 어떤 말을 주고받는지 살펴보기

덕무야, 이 책 읽어 봤니? 진짜 재미있던데.

그럼! 두 권 다 감동을 받은 책이지.

맞아. "기웃기웃 살핀다.", "콕 집어 먹는다."라는 말을 소리 내어 읽어 보면 더 재미있어.

『휠휠 간다』에서 농부가 황새를 보고 이야기를 만드는 장면을 생각하니 웃음이 났어.

초희

덕무 ①

②

『개구리와 두꺼비는 친구』에서는 개구리가 편지를 쓰는 장면에서 감동을 받았어.

그래? 나는 두꺼비가 편지를 받는 부분에서 눈물이 나던데……

사람마다 생각과 경험이 다르니까!

같은 책을 읽어도 느낌이 서로 다를 수 있구나.

③

④

• 그림 설명: 덕무와 초희가 『휠휠 간다』와 『개구리와 두꺼비는 친구』를 읽고 느낀 재미와 감동에 대해 대화하고 있습니다.

교과서 핵심

○ 『휠휠 간다』와 『개구리와 두꺼비는 친구』를 읽고 책 소개하기

재미를 느낀 부분	• 『휠휠 간다』에서 농부가 황새를 보고 이야기를 만드는 장면이 웃음이 남. • 『휠휠 간다』에서 "기웃기웃 살핀다.", "콕 집어 먹는다."라는 말을 소리 내어 읽어 보면 더 재미있음.
감동 받은 부분	• 『개구리와 두꺼비는 친구』에서 개구리가 편지를 쓰는 장면에서 감동을 받음. • 『개구리와 두꺼비는 친구』에서 두꺼비가 편지를 받는 부분에서 눈물이 남.

10 단원

1 덕무와 초희의 대화를 통해 알 수 있는 내용을 잘못 말한 것의 기호를 쓰시오.

┌─────────────────────────────┐
ㄱ 덕무와 초희는 『휠휠 간다』와 『개구리와 두꺼비는 친구』를 읽었어.
ㄴ 초희는 『휠휠 간다』에서 농부가 황새를 타고 날아다니는 장면이 재미있다고 했어.
ㄷ 덕무는 『개구리와 두꺼비는 친구』의 두꺼비가 편지를 받는 부분에서 눈물이 났다고 했어.
└─────────────────────────────┘

(   )

2 덕무와 초희가 같은 책을 읽고 느낌이 서로 다른 까닭을 두 가지 고르시오. (,   )

① 책 내용이 달라서
② 사람마다 경험이 달라서
③ 사람마다 생각이 달라서
④ 책을 읽은 장소가 달라서
⑤ 사람마다 생김새가 달라서

핵심

3 책을 소개할 때 들어갈 내용으로 알맞지 않은 것은 무엇입니까? (   )

① 제목   ② 줄거리
③ 책을 산 곳   ④ 소개하는 까닭
⑤ 재미를 느낀 부분

논술형

4 자신이 읽은 책 가운데에서 친구들에게 소개하고 싶은 책 제목과 재미를 느낀 내용을 간단히 쓰시오.

(1) 책 제목	
(2) 재미를 느낀 내용	

◀ 시의 장면을 떠올리며
읽기

빗길

· 글: 성명진 · 그림: 홍정선

친구의 우산을 함께 쓰고 왔다.

미안해서
내가 비를 더 맞으려고
어깨를 우산 밖으로 내놓으면
친구가 우산을 내 쪽으로
더 기울여 주었다.

빗속을
우리는 나란히 걸었다.
여럿이 줄지어 늘어선 모양이 가지런한 상태로

좁은 길에선 일부러
내가 빗물 고인 자리를 디뎠다.
발을 올려놓고 서거나 발로 내리눌렀다.
그걸 알았는지 친구는 나를
제 쪽으로 가만히 당겨 주는 것이었다.

· 글의 종류: 시
· 글의 내용: 비 오는 날, 친구와 우산을 함께 쓰고 오면서 느꼈던 친구에게 미안하고 고마운 마음이 나타나 있습니다.

교과서 핵심

○ 재미나 감동을 느낀 부분 찾기

시의 장면 떠올리기
예 비 오는 날, 친구와 함께 우산을 쓰고 오는 모습이 떠오른다.

인물과 비슷한 경험 떠올리기
예 비 오는 날, 좁은 길을 걸었던 일이 떠오른다.

인물의 마음 헤아리기
예 서로를 배려하는 친구의 마음이 느껴진다.

기억에 남는 부분 떠올리기
예 친구가 우산을 기울여 주는 장면이 기억에 남는다.

📖 교과서 문제

1 이 시를 읽고 떠오르는 장면으로 알맞은 것은 무엇입니까? (   )

① 친구가 혼자 우산을 쓰고 걸어가는 장면
② 두 친구가 함께 우산을 쓰고 걸어가는 장면
③ 친구가 처마 밑에서 비를 피하고 있는 장면
④ 친구가 우산 없이 비를 맞으며 뛰어가는 장면
⑤ 친구들이 비를 맞으며 물 고인 곳에서 장난을 하는 장면

서술형
2 이 시의 '나'에게 우산을 씌워 준 친구가 되어 다음 물음에 대한 답을 생각하여 쓰시오.

> 친구가 어깨를 우산 밖으로 더 내밀 때 어떤 마음이 들었나요?

_____

_____

3 이 시의 인물이 한 경험과 비슷한 경험을 떠올린 것으로 알맞지 <u>않은</u> 것의 기호를 쓰시오.

> ㉠ 동생과 함께 우산을 쓴 일
> ㉡ 친구들과 보물찾기를 한 일
> ㉢ 비 오는 날, 선생님께서 우산을 빌려주셨던 일

(   )

핵심
4 이 시에 나오는 인물의 마음에서 감동을 느낀 것으로 알맞은 것은 무엇입니까? (   )

① 한 친구의 어깨만 젖은 모습이 떠올라.
② 다투고 있는 두 친구의 모습이 떠올라.
③ 나도 동생과 함께 우산을 쓰고 걸었던 적이 있어.
④ 비가 갑자기 내려 우산이 없어 당황했던 일이 생각나.
⑤ 친구가 우산을 기울여 줄 때 친구를 배려하려는 마음이 느껴져.

🔊 재미나 감동을 주는 부분을
생각하며 읽기

그냥 놔두세요

이준관

ㅋ그냥 놔두세요.

하루 종일

말똥구리는 / 말똥을 굴리게.

하루 종일 / 베짱이는

푸른 나무 그늘에서

노래 부르게.

하루 종일

사과나무에는

사과 열매가 열리게.

달팽이는

느릅나무 잎에서

하루 종일

꿈을 꾸게.

• 글의 종류: 시
• 글의 내용: 말똥구리, 베짱이, 사과나무, 달팽이가 좋아하고 잘하는 일을 하는 모습이 나타나 있습니다.

🦉 교과서 핵심

○ 재미나 감동을 느낀 부분을 찾고 그 까닭 쓰기 예

재미나 감동을 느낀 부분	그 까닭
하루 종일 말똥구리는 말똥을 굴리게.	말똥구리가 즐겁게 말똥을 굴리는 장면이 떠올라서
달팽이는 느릅나무 잎에서 하루 종일 꿈을 꾸게.	나도 마음껏 꿈을 펼치고 싶어서

5 말하는 이는 다음 인물들이 하루 종일 무엇을 하도록 놔두라고 하였는지 골라 번호를 쓰시오.

① 말똥을 굴리게
② 사과 열매가 열리게
③ 느릅나무 잎에서 꿈을 꾸게
④ 푸른 나무 그늘에서 노래 부르게

(1) 말똥구리: (   )
(2) 베짱이: (   )
(3) 사과나무: (   )
(4) 달팽이: (   )

6 말하는 이가 ㄱ과 같이 말하는 까닭은 무엇일지 빈칸에 알맞은 말을 쓰시오.

• 자신이 좋아하는 일을 할 때 가장
(   )하기 때문에

핵심
7 다음 친구는 이 시에서 재미나 감동을 느낀 부분을 어떤 방법으로 찾았는지 ○표를 하시오.

푸른 나무 그늘에서 노래 부르는 베짱이의 모습이 떠올라.

(1) 시의 장면을 떠올렸다. (   )
(2) 인물의 마음을 헤아렸다. (   )
(3) 시에 나오는 인물과 비슷한 경험을 떠올렸다. (   )

핵심
8 이 시에서 재미나 감동을 느낀 부분과 그 까닭을 알맞게 말한 친구를 쓰시오.

서진: 하루 종일 말똥구리는 말똥을 굴리게 하라는 부분이 재미있어. 말똥구리가 슬프게 말똥을 굴리는 장면이 떠올랐기 때문이야.
지민: 달팽이가 느릅나무 잎에서 하루 종일 꿈을 꾸게 그냥 놔두라는 부분이 감동적이야. 나도 마음껏 꿈을 펼치고 싶기 때문이야.

(   )

◀ 만복이에게 일어난
일을 생각하며 읽기

만복이네 떡집

• 글: 김리리 • 그림: 이승현

앞 이야기

걸핏하면 친구들과 싸워서 욕쟁이, 깡패, 심술쟁
조금이라도 일이 있기만 하면 곧
이로 이름난 만복이. 어느 날, 만복이는 하굣길에
'만복이네 떡집'이라는 신기한 떡집을 발견한다. 주
인이 없는 떡집에서 '입에 척 들러붙어 말을 못 하게
5 되는 찹쌀떡'을 먹은 만복이는 온종일 나쁜 말을 안
해서 주변 사람들한테 칭찬을 받는다. 그 후로 만복
이는 날마다 '만복이네 떡집'에 ♥들러 신기한 떡을
먹는다.

❶ 만복이는 학교가 끝나자마자 또다시 '만복이네
10 떡집'으로 달려갔어. 그러고는 무지개떡을 한입에
꿀꺽 삼켰지. 무지개떡은 아주 구수하고 신비롭고
독특한 맛이었어. 지금까지 먹어 본 떡하고는 많
이 달랐어. 무지개떡을 먹자 저절로 재미있는 이
야기들이 머릿속에 몽실몽실 떠올랐어. 만복이는
15 자꾸 이야기를 하고 싶어서 입이 간질간질했어.
다음 날, 만복이는 학교에 갔어.

"만복이 온다."
누군가 소리치자 아이들은 만복이 자리로 몰려
들었어. 만복이는 머릿속에 떠오르는 재미있는 이
야기를 친구들한테 들려주었어. 구수한 옛이야기
부터 알쏭달쏭한 수수
께끼, 무시무시한 귀
신 이야기까지 만복이
가 입만 열면 재미있
는 이야기들이 술술술
쏟아져 나왔어. 아이
들은 시간 가는 줄 모
르고 만복이의 이야기를 들었어. 만복이가 있으면
어디에든 아이들의 웃음꽃이 활짝 피었지.
꽃이 피어나듯 환하고 즐겁게 웃는 웃음이나 웃음판을 비유적으로 이르는 말

5

10

중심 내용 '만복이네 떡집'에서 무지개떡을 먹은 만복이는 저절로 재미있는
이야기들이 머릿속에 떠올랐고, 친구들에게 그 이야기를 들려주었다.

• **글의 종류:** 이야기
• **글의 특징:** 만복이가 '만복이네 떡집'에서 신기한 떡을 먹고 착한
행동을 하게 된 점이 재미와 감동을 줍니다.

♥**들러** 지나는 길에 잠깐 들어가 머물러.
예 형은 자주 서점에 들러 책을 삽니다.

---

1 **앞 이야기** 에서 알 수 있는 만복이에 대한 설명
으로 알맞지 <u>않은</u> 것은 무엇입니까? (   )

① 욕을 잘한다.
② 떡을 잘 만든다.
③ 심술을 많이 피운다.
④ 친구들과 자주 싸운다.
⑤ 친구들 사이에 깡패라고 이름이 났다.

2 만복이는 '만복이네 떡집'에서 어떤 떡을 먹고
온종일 나쁜 말을 안 하게 되었습니까?
(   )

3 무지개떡을 먹은 만복이에게 어떤 일이 일어
났습니까?   (   )

① 비실비실 웃게 되었다.
② 말을 하지 못하게 되었다.
③ 나쁜 말을 하지 않게 되었다.
④ 친구들과 싸우지 않게 되었다.
⑤ 저절로 재미있는 이야기들이 떠올랐다.

📖 교과서 문제
4 웃음꽃이 활짝 핀 아이들의 모습을 본 만복이
의 기분은 어떠했겠습니까?   (   )

① 즐겁다.   ② 답답하다.
③ 지루하다.   ④ 우울하다.
⑤ 화가 난다.

❷ 학교가 끝나고 만복이는 또 '만복이네 떡집'으로 달려갔어. 이번에는 맛있는 쑥떡을 먹을 수 있었지. 쑥떡을 먹자 귓구멍이 간질간질한 게 ♥쑥덕쑥덕 이상한 소리가 들리기 시작했어. 마치 누군가 귀에 대고 작게 소곤거리는 것처럼 말이야. 지나가는 사람들의 생각도 쑥덕쑥덕 들리고, 쓰레기를 뒤지고 있던 강아지의 생각도 쑥덕쑥덕 들렸어.

'아, 배고파. 요즘에는 왜 이렇게 먹을 게 없지?'

만복이는 엄마가 간식으로 싸 준 소시지빵을 강아지한테 던져 주었어. 학원에 가서 먹으려고 했는데, 강아지가 배고픈 걸 알고 그냥 지나칠 수가 없었거든. / 강아지가 달려와서 만복이가 던져 준 소시지빵을 ♥덥석 받아먹었어.

'아, 맛있다. 정말 고마운 아이야.'

강아지의 생각이 다시 쑥덕쑥덕 들렸어. 만복이는 신이 나서 ♥헤벌쭉 웃었지.

중심 내용 '만복이네 떡집'에서 쑥떡을 먹은 만복이는 지나가는 사람들과 강아지의 생각이 들렸다.

❸ 다음 날은 친구들의 생각을 엿들을 수 있었어. 동환이 옆을 지나자 동환이의 생각이 쑥덕쑥덕 들렸어.

'아이참, 왜 자꾸 방귀가 나오지? 아침에 고구마를 너무 많이 먹었나? 앗! 또 나오려고 한다. 이키.'

만복이는 코를 막고 키득키득 웃었어. 그러자 동
'키드득키드득'의 준말. 참다못하여 입 속에서 자꾸 새어 나오는 웃음소리
환이가 만복이의 눈치를 살폈어.

'어, 만복이가 눈치챘나? 분명히 친구들한테 다 소문낼 거야. 어떻게 하지?'

♥**쑥덕쑥덕** 남이 알아듣지 못하도록 낮은 목소리로 은밀하게 자꾸 이야기하는 소리. 또는 그 모양.
⑩ 어머니의 생신을 몰래 축하해 드리는 일에 대해 동생과 쑥덕쑥덕 말을 하기 시작했습니다.

♥**덥석** 왈칵 달려들어 냉큼 물거나 움켜잡는 모양.
⑩ 달콤한 꿀떡을 덥석 베어 물었습니다.

♥**헤벌쭉** 입이나 구멍 따위가 속이 들여다보일 정도로 넓게 벌어진 모양.
⑩ 동생은 텔레비전을 보면서 입을 헤벌쭉 벌리고 웃었습니다.

📖 교과서 문제

5 이 글을 읽고 묻고 답하기 놀이를 했습니다. 다음은 무엇에 대한 질문인지 골라 ○표를 하시오.

> 쑥떡을 먹은 만복이에게 어떤 일이 일어났나요?

(1) 일어난 일 ( )
(2) 인물의 행동 ( )

6 글 **❷**를 읽고 떠오르는 만복이의 모습으로 알맞은 것은 무엇입니까? ( )

① 강아지를 씻겨 주는 모습
② 길가의 쓰레기를 줍는 모습
③ 소시지빵을 맛있게 먹는 모습
④ 학원에서 열심히 공부하는 모습
⑤ 강아지에게 소시지빵을 던져 주는 모습

7 만복이에게 소시지빵을 받아먹은 강아지의 마음은 어떠합니까?

( )

📖 교과서 문제

8 이 글을 읽고 재미나 감동을 느낀 부분을 알맞게 말한 친구를 <u>모두</u> 찾아 쓰시오.

> 미소: 동환이가 몰래 뀐 방귀 소리를 '키득키득'이라고 표현한 부분이 재미있어.
> 수현: 쑥떡을 먹은 만복이에게 지나가는 사람들과 강아지의 생각이 '쑥덕쑥덕' 들렸다고 표현한 부분이 재미있어.
> 소미: 만복이가 배고파하는 강아지의 마음을 알고 자신의 소시지빵을 준 부분에서 감동을 받았어.

( )

만복이는 입이 <u>간 질간질한</u> 걸 꾹 참았어. 다른 때 같으면
<small>어떤 일을 매우 하고 싶어 참기가 어려운</small>
방귀쟁이라고 여기저기 떠벌리고 다녔을 거야. 하지만 부끄러워하는 동환이의 마음을 알자 그러고 싶은 마음이 싹 사라졌어. 만복이는 종호와 지현이가 서로 좋아하는 것도 알게 되었고, 교실 뒤에 걸려 있는 거울을 깨뜨린 ♥범인도 알게 되었어. 범인 옆을 지날 때

'내가 거울을 깨뜨린 걸 아무도 모를 거야. 큭! 다행이다.'

하고 쑥덕거리는 소리가 들렸거든. 순간, 만복이의 눈빛이 반짝 빛났지.

<u>중심 내용</u> 다음 날 만복이는 친구들의 생각을 듣고 방귀를 뀌고 부끄러워하는 동환이의 마음, 종호와 지현이가 서로 좋아하는 것, 거울을 깨뜨린 범인을 알게 되었다.

❹ 은지 옆을 지나자 은지의 생각이 쑥덕쑥덕 들렸어.

'애들이 날 싫어하나 봐. 나한테 말도 잘 안 걸고……. 친구들이 함께 놀자고 하면 얼마나 좋을까?'

은지의 ♥고민을 알자 만복이는 그냥 지나칠 수가 없었어. 만복이는 은지한테 먼저 다가가서 말을 걸어 주었어.

<u>중심 내용</u> 은지의 고민을 들은 만복이는 은지에게 먼저 말을 걸어 주었다.

♥범인(犯 범할 범, 人 사람 인) 범죄를 저지른 사람.
㉠ 경찰이 범인을 체포하였습니다.

♥고민(苦 쓸 고, 悶 답답할 민) 마음속으로 괴로워하고 애를 태움.
㉠ 나는 밤새 뒤척이다 어머니께 고민을 털어놓았습니다.

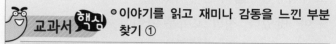 **교과서 핵심** ◦이야기를 읽고 재미나 감동을 느낀 부분 찾기 ①

인물의 마음 헤아리기
인물의 말이나 행동 만복이는 은지한테 먼저 다가가서 말을 걸어 주었어. ➡ 외로워하는 은지를 도와주고 싶다.

9 만복이가 동환이가 방귀 뀐 것을 여기저기 떠벌리고 다니지 않은 까닭은 무엇입니까?
( )

① 동환이가 힘이 세서
② 만복이도 방귀를 뀌어서
③ 동환이와 친해지고 싶어서
④ 동환이가 모른 척 해 달라고 부탁해서
⑤ 부끄러워하는 동환이의 마음을 알아서

10 만복이가 친구들의 생각을 엿듣고 알게 된 사실을 <u>두 가지</u> 고르시오. (,)

① 동환이가 고구마를 좋아하는 것
② 동환이와 은지가 다투었다는 것
③ 종호와 지현이가 서로 좋아하는 것
④ 은지가 만복이와 동환이를 싫어하는 것
⑤ 교실 뒤에 걸려 있는 거울을 깨뜨린 범인

11 은지의 고민은 무엇입니까?
( )

핵심

12 은지에게 먼저 다가가서 말을 걸어 준 만복이의 행동에서 만복이의 어떤 마음을 알 수 있습니까? ( )

① 은지를 용서하고 싶은 마음
② 은지와 말을 하고 싶지 않은 마음
③ 외로워하는 은지를 도와주고 싶은 마음
④ 은지를 싫어하는 친구를 찾고 싶은 마음
⑤ 친구들에게 은지의 고민을 떠벌리고 싶은 마음

❺ 선생님 곁을 지날 때도 선생님의 고민이 쑥덕쑥덕 들렸어.

'평소처럼 바지를 입고 올걸, 괜히 치마를 입었나? 오늘따라 화장도 이상한 것 같고……. 저녁에 데이트가 있는데 어쩌지?'

만복이는 선생님한테 조용히 다가가서 말했어.

"선생님은 바지를 입는 것도 예쁘지만, 치마를 입는 것도 잘 어울려요. 얼굴도 오늘 더 예뻐 보여요."

선생님은 기분이 좋은지 ♥싱글벙글 웃었어.

'만복이가 요즘 아주 착해졌단 말이야. 지난번에 부모님 오시라고 했는데, 아무래도 오시지 않아도 된다고 해야겠어.'

만복이의 귓가로 선생님의 생각이 다시 들려왔어.

중심 내용 만복이는 선생님의 고민을 듣고 선생님의 모습을 칭찬해 드렸다.

❻ 초연이 옆을 지날 때는

'예전에는 만복이가 정말 싫었는데, 요즘에는 만복이가 좋아진단 말이야. 만복이도 나를 좋아할까?' 하는 소리가 들렸어. 만복이는 기분이 좋아서 하

늘로 ♥붕붕 날아오를 것 같았어.

㉠"초연아, 나도 네가 좋아."

만복이는 다른 친구들한테 들리지 않게 작은 소리로 말했어. 만복이의 이야기를 들은 초연이의 얼굴이 사과처럼 아주 빨개졌지 뭐야.

중심 내용 만복이는 자신이 좋아진다는 초연이의 말을 듣고 초연이에게 좋아한다고 말했다.

❼ 그런데 장군이 옆을 지날 때였어.

'난 왜 이렇게 공부를 못하지? 공부를 좀 잘하면 얼마나 좋을까?'

만복이는 장군이를 진심으로 도와주고 싶었어.

"장군아, 내가 좀 도와줄까?"

만복이가 물었어.

"네가 뭘 도와줘?"

장군이는 눈을 치켜뜨고 만복이를 노려보았어.
눈을 아래에서 위로 올려 뜨고

♥싱글벙글 눈과 입을 슬며시 움직이며 소리 없이 정답고 환하게 웃는 모양. 예 다정이는 늘 싱글벙글 웃습니다.

♥붕붕 잇따라 공중에 들리는 모양. 또는 그 느낌.
예 내 마음은 하늘을 붕붕 떠다니는 것 같았습니다.

13 만복이가 엿들은 선생님의 고민을 두 가지 고르시오.　　(　　,　　)

① 데이트 약속이 취소된 것
② 만복이 부모님을 오시라고 한 것
③ 장군이가 시험을 잘 보지 못한 것
④ 바지를 입지 않고 치마를 입은 것
⑤ 화장한 모습이 이상하게 보이는 것

14 선생님의 고민을 들은 만복이가 한 행동으로 알맞은 것을 골라 번호를 쓰시오.

① 선생님께 바라는 점을 말씀드렸다.
② 조용히 다가가서 선생님의 모습을 칭찬하였다.
③ 선생님의 고민을 해결하기 위한 방법을 찾기 위해 게시판에 글을 썼다.

(　　　　　　　)

서술형
15 선생님과 초연이는 만복이를 어떻게 생각하는지 쓰시오.

_____

_____

16 만복이가 ㉠과 같이 말한 까닭은 무엇입니까?　　(　　)

① 초연이를 놀리려고
② 선생님이 내 준 숙제라서
③ 초연이가 좋아한다고 말해 달라고 해서
④ 자신을 좋아하는 초연이의 마음을 알게 되어서
⑤ 초연이가 자신을 좋아한다는 사실을 다른 친구들이 알게 하려고

"다음에는 시험 잘 볼 수 있게 내가 공부 좀 가르쳐 줄게."

만복이가 말을 마치자마자 곧바로 장군이의 주먹이 날아오지 뭐야.

5 "너 나한테 죽고 싶어? 이게 어디서 잘난 척이야."

만복이는 또 코피가 터졌어. 만복이는 너무 화가 나서 주먹을 꼬옥 쥐었어. 그런데 장군이의 생각이 다시 들려오지 뭐야.

'아이, 때리려고 그런 게 아닌데…… 만복이가

10 또 코피 나잖아. 정말 아프겠다. 난 왜 이렇게 만날 사고만 치지? 난 정말 나쁜 애야.'

㉠만복이는 쥐고 있던 주먹을 풀었어. 장군이의 마음을 알자 미운 마음이 눈 녹듯 사라져 버렸거든.

중심 내용 시험을 잘 볼 수 있게 도와주겠다는 만복이에게 장군이가 주먹을 날렸고, 미안해하는 장군이의 마음을 들은 만복이는 화를 풀었다.

❽ 그날 집으로 돌아가는 길에 골목 <u>모퉁이</u>를 지

_{구부러지거나 꺾어져 돌아간 자리}

15 날 때였어. 떡집은 그대로였지만 뭔가 좀 달라진

것 같았어. 만복이는 걸음을 멈추고 고개를 들어 ♥간판을 보았어. 떡집 간판에는 커다란 글씨로 '장군이네 떡집'이라고 쓰여 있었어. 만복이는 헤벌쭉 웃으면서 떡집 앞을 그냥 지나쳐 갔어.

중심 내용 만복이는 '장군이네 떡집'으로 바뀐 간판을 보았고, 그 앞을 웃으면서 그냥 지나쳐 갔다.

♥간판(看 볼 간, 板 널빤지 판) 기관, 상점, 영업소 따위에서 이름이나 판매 상품, 업종 따위를 써서 사람들 눈에 잘 뜨이게 걸거나 붙이는 표지.
예 요즘에는 한글보다 외국어 간판이 더 많이 눈에 띕니다.

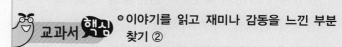

교과서 핵심 ○이야기를 읽고 재미나 감동을 느낀 부분 찾기 ②

인물의 마음 헤아리기
인물의 말이나 행동 만복이는 쥐고 있던 주먹을 풀었어. ➡ 장군이를 용서하고 싶다.

인물이 한 경험과 비슷한 경험 떠올리기
예 이 글을 읽고 나니 형이 떠오릅니다. 형과 나는 툭하면 싸웁니다. 속마음은 안 그런데 자꾸 버릇없이 굴게 되고 형과 싸우게 됩니다.

핵심

17 ㉠에서 알 수 있는 장군이에 대한 만복이의 마음으로 알맞은 것은 무엇입니까? (　　　)

① 밉다.　　　② 부럽다.
③ 서운하다.　　④ 미안하다.
⑤ 용서하고 싶다.

18 '만복이네 떡집'이 '장군이네 떡집'으로 바뀐 까닭은 무엇인지 <u>두 가지</u> 고르시오.

(　　,　　)

① 만복이네가 이사를 가기 때문에
② 떡집 주인이 이름을 바꾸었기 때문에
③ 장군이네가 떡집을 새로 열었기 때문에
④ 장군이가 착한 아이가 될 차례가 되었기 때문에
⑤ 이제 만복이에게는 신기한 떡이 필요 없어졌기 때문에

서술형

19 이 글에 나오는 인물이 한 경험과 비슷한 경험을 떠올려 쓰시오.

_____

_____

_____

20 신기한 능력을 가질 수 있는 떡의 이름을 지어 쓰고, 떡을 먹은 뒤에 어떤 일이 일어날지 상상해 쓰시오.

(1) 떡의 이름	
(2) 떡을 먹은 뒤에 일어날 일	

◀ 재미와 감동을 느끼며
만화 영화 보기

강아지 똥

「강아지 똥」에 나오는 인물

강아지 똥	어느 시골 돌담 밑에 강아지가 눈 똥. 자신이 쓸모없고 세상에서 가장 더럽다고 생각하며 슬퍼한다.
참새	나뭇가지에 앉아 있던 참새. 상대의 마음을 헤아리지 않고 함부로 말을 하여 강아지 똥에게 상처를 준다.
흙덩이	소달구지에서 떨어진 흙덩이. 강아지 똥에게 자신이 겪은 일을 이야기하며 희망을 주고, 소달구지에 실려 다시 밭으로 되돌아간다.
암탉	여러 마리 병아리의 엄마. 강아지 똥이 먹이인 줄 알고 먹으려고 했으나, 쓸데없는 찌꺼기밖에 안 된다며 무시하고 가 버린다.
민들레	봄이 되자 강아지 똥 옆에서 싹을 틔운 식물. 강아지 똥이 거름이 되어 준 덕분에 노란 꽃을 피운다.

줄거리

　시골의 어느 돌담 아래에 홀로 떨어진 강아지 똥은 지나가는 참새나 흙조차 무시하는 하찮고 냄새나는 존재이다. 봄비가 내리던 날, 강아지 똥은 옆에 핀 민들레를 보게 된다. 민들레는 자신을 부러워하는 강아지 똥에게 거름이 있어야 꽃을 피울 수 있다고 알려 준다. 강아지 똥은 민들레의 바람대로 빗물을 기꺼이 받아 자신의 몸을 잘게 부수어 노란 꽃을 피운다. 민들레는 강아지 똥의 눈물겨운 희생을 꽃 속에 담아 더욱 노랗게 피어난다.

• 만화 영화의 특징: 권정생의 동화 「강아지 똥」을 원작으로 하여 만들어졌습니다.

1 강아지 똥이 만난 인물을 세 가지 고르시오.
(　, 　, 　)

① 별　　　　② 참새
③ 흙덩이　　④ 다람쥐
⑤ 민들레

2 📖 교과서 문제
이 만화 영화를 보고 느낀 감동을 나타낼 수 있는 낱말로 알맞지 않은 것은 무엇입니까?
(　)

① 사랑　　　② 미움
③ 행복　　　④ 희생
⑤ 즐거움

핵심
3 장면 ❸에서 느낀 감동을 역할극으로 표현하려고 합니다. ㉠과 ㉡은 어떤 마음이 나타나게 말해야 하는지 각각 쓰시오.

민들레: (잎을 흔들며) ㉠너의 몸뚱이를 고스란히 녹여 내 몸속으로 들어와야 해. 그래야만 예쁜 꽃을 피울 수 있단다.
강아지 똥: (놀라며) ㉡정말 내가 꽃이 된다고?

(1) ㉠: (　　　　　　)
(2) ㉡: (　　　　　　)

역량
4 이 만화 영화에서 느낀 감동을 다양한 방법으로 표현하면 어떤 생각이 들지 쓰시오.
(　　　　　　　　　)

실천

● 독서 잔치의 여러 가지 선택 활동을 각각 어떻게 하는지 알아보기

덕무 ▶ 독서 잔치는 우리가 읽은 책으로 여러 가지 활동을 하는 거야.

선택 활동 ㉮: 시와 그림으로 표현하기

★ 준비물: 종이, 색연필, 사인펜
① 종이에 사인펜으로 시를 쓴다.
② 시를 쓰고 남은 공간에 색연필로 어울리는 그림을 그려 작품을 완성한다.
③ 작품을 교실에 전시하고 감상한다.

선택 활동 ㉯: 친구에게 책 읽어 주기

① 반 친구가 모두 책을 한 권씩 가져온다.
② 각자 재미있게 읽었거나 감동받은 부분을 찾는다.
③ 친구들 앞에서 5분씩 낭독한다.
④ 한 친구가 낭독을 다 하고 나면 다음 친구가 낭독을 한다.

선택 활동 ㉰: 책을 읽고 문제 알아맞히기

★ 준비물: 개인용 칠판, 칠판 펜, 칠판 지우개
① 책 내용을 묻는 문제를 두세 가지 준비한다.
② 친구들과 한 명씩 돌아가며 문제를 낸다.
③ 각자 칠판에 답을 쓴다.
④ 문제를 가장 많이 알아맞힌 사람이 이긴다.

선택 활동 ㉱: 책 속 인물 초청하기

★ 준비물: 인물 가면, 마이크
① 책 속 인물 역할을 할 사람을 정한다.
② 인물 역할을 맡은 사람은 인물 가면을 쓴다.
③ 한 사람이 먼저 마이크를 들고 궁금한 것을 묻고, 인물 역할을 맡은 사람은 그 물음에 대답한다.
④ 물음이 끝나면 다른 사람에게 마이크를 넘긴다.
⑤ 인물 역할을 바꾸어 계속한다.

---

1 우리가 읽은 책으로 여러 가지 활동을 하는 것을 무엇이라고 하는지 찾아 쓰시오.

(   )

📖 교과서 문제

2 '시와 그림으로 표현하기' 활동을 하는 방법으로 알맞지 <u>않은</u> 것은 무엇입니까? (   )

① 종이에 사인펜으로 시를 쓴다.
② 종이, 색연필, 사인펜을 준비한다.
③ 책에서 감동받은 부분을 그대로 옮겨 쓴다.
④ 완성한 작품을 교실에 전시하고 감상한다.
⑤ 시를 쓰고 남은 공간에 어울리는 그림을 그린다.

역량

3 다음은 어떤 독서 잔치 활동을 하는 방법인지 알맞은 것에 ○표를 하시오.

재미있게 읽었거나 감동받은 부분을 찾아 친구들 앞에서 낭독한다.

(1) 책 속 인물 초청하기   (   )
(2) 친구에게 책 읽어 주기   (   )

핵심

4 독서 잔치 계획을 세우는 방법으로 알맞지 <u>않은</u> 것은 무엇입니까? (   )

① 참가자를 정한다.
② 준비물을 챙긴다.
③ 시간과 장소를 정한다.
④ 활동을 정하고 그 차례를 정한다.
⑤ 다양한 잔치에 참가한 경험을 말한다.

기본 • 182~183쪽 재미나 감동을 느낀 부분을 생각하며 시 읽기

동주의 개

남호섭

동주네 <u>센둥이</u>는 / 동주가 다니는 학교에
동주네 개의 이름
언제부턴가 제 자리를 만들었습니다.

학교 오는 길에 따라왔다

공부 다 마칠 때까지 / 그곳에서 기다립니다.

이따금 동주가 공부하는 교실에까지 들어와

책상 밑에서 낮잠을 자기도 합니다.

㉠<u>부끄러움 많은 동주가</u>

교문 밖으로 아무리 <u>쫓아 보내려 해도 그때뿐</u>

어느새 자기 자리에 와 있습니다.

선생님들의 고함 소리도 소용이 없습니다.

친구들에게 밥을 한 숟가락씩

얻어먹은 센둥이가 어디론가 놀러 갔다

학교 파한 동주보다 앞장서서 집으로 돌아갈 때는

얼마나 늠름한지 모릅니다.

다리를 다쳐 골목길에 쓰러져 있던

강아지를 주워다 이렇게 키워 놓은

동주가 엄마처럼 웃으며 뒤따라갑니다.

---

1 ㉠에서 느낄 수 있는 동주의 마음을 쓰시오.

(   )

2 보기 ①~③은 다음 재미나 감동을 느낀 부분을 생각하며 시를 읽는 방법 중 무엇에 해당하는지 찾아 각각 번호를 쓰시오.

> **보기**
> ① 책상 밑에서 잠을 자고 있는 개가 떠올라.
> ② 나를 졸졸 따라다니던 할머니 댁 강아지가 생각나.
> ③ 센둥이 뒤를 따라 걸어갈 때 동주 마음은 무척 흐뭇할 것 같아.

(1) 비슷한 경험을 떠올린다.
(   )
(2) 시를 읽고 떠오르는 장면을 상상한다. (   )
(3) 작품에 나오는 인물의 마음을 헤아려 본다. (   )

기본 • 184~188쪽 이야기를 읽고 재미나 감동을 느낀 부분 찾기

바위나리와 아기별

마해송

가 그 풀이 점점 자라 두 잎이 되고 세 잎이 되더니 가지가 뻗고, 가지에는 곱고 고운 빨간 꽃이 한 송이 피어났습니다. 또 흰 꽃도 한 송이 피어났습니다. 그다음에는 노란 꽃, 또 그다음에는 파란 꽃, 자주 꽃이 피어나서 마침내 아름다운 오색 꽃이 <u>함빡</u> 피어났습니
분량이 차고도 남을 만큼 넉넉하게
5 다. 파란 바다와 흰 모래벌판 사이에 피어난 이 오색 꽃은 그 무엇과도 아름다움을 비길 수 없는 '바위나리'라는 꽃이었습니다.
물가나 산 바위틈에 나는 여러해살이풀

---

3 바위나리에 대한 설명으로 알맞은 것은 무엇입니까? (   )

① 바닷가의 검은 돌이다.
② 아름다운 오색 꽃이다.
③ 산 속 바위틈에 피어난 꽃이다.
④ 파란 바다 속에 사는 물고기이다.
⑤ 흰 모래벌판에 있는 불가사리이다.

나 바다와 모래벌판과 바람결밖에는 아무것도 없는 이 바닷가에 친구가 될 만한 것은 하나도 없었습니다. 며칠을 기다리고 기다려도 아무도 보이지 않았습니다.

㉠'아, 이렇게 예쁘고 아름다운 나를 귀여워해 줄 친구가 없구나!'
5 친구를 기다리며 바위나리는 훌쩍훌쩍 울기도 했습니다.

다 울음소리를 따라 바닷가로 내려간 아기별은 바위나리가 혼자 슬프게 울고 있는 것을 보았습니다. 아기별은 바위나리를 한참이나 정신없이 보고만 있었습니다. 그러다가 바위나리의 뒤로 가까이 가서 어깨를 툭 치면서 물었습니다.

10 "왜 울어요?" / 바위나리는 깜짝 놀랐습니다. 돌아다보니 아름다운 별님이 아니겠습니까? 바위나리는 어찌나 좋은지 어쩔 줄을 모르고 이리저리 몸을 흔들며 외쳤습니다.

㉡"별님, 별님!" / 잠깐 동안만 달래 주고 돌아가려던 아기별은 바위나리를 보자 더 오래 같이 놀고 싶었습니다. 다른 생각은 다 잊
15 어버렸습니다. 아기별과 바위나리는 이야기도 하고, 노래도 부르고, 놀이도 하면서 밤새는 줄 모르고 놀았습니다.

그러다가 어느새 새벽이 되었습니다. 그제야 아기별은 깜짝 놀라 소리쳤습니다.

"큰일 났다. 바위나리야, 나는 얼른 가야 돼. 오늘 밤에 또 올게.
20 울지 말고 기다려, 응?"

아기별이 돌아가려고 하니까 바위나리가 ㉢아기별의 옷깃을 꼭 붙들고 울면서 놓지 않았습니다.
저고리나 두루마기의 목에 둘러대어 앞에서 여밀 수 있도록 된 부분

"나는 얼른 가야만 해! 더 늦으면 하늘 문이 닫혀서 들어갈 수가 없어. 오늘 밤에 꼭 다시 내려올게."

25 라 그런데 하루는 어디선지 찬 바람이 불어와서 흰모래가 날리고 바닷물이 몰아치는 바람에 바위나리가 그만 병이 들고 말았습니다. 아름다운 꽃은 시들었고, 바위나리는 괴로워하며 눈물을 흘렸습니다. 그날 밤, 아기별은 추워하는 바위나리를 품 안에 꼭 안아 따뜻하게 해 주고, 머리를 짚어 주기도 하면서 훌쩍훌쩍 울었습니다.

30 바위나리는 눈물을 뚝뚝 흘리면서 말했습니다.

"별님, 어서 돌아가세요. 늦으면 어떡해요? 그리고 오늘 밤에도 꼭 와 주세요, 네?"

아기별이 퍼뜩 정신을 차리고 보니 정말 많이 늦었습니다. 하늘 문은 꼭 닫혀 있었습니다.

4 ㉠의 말과 행동에서 느낄 수 있는 바위나리의 마음으로 알맞은 것은 무엇입니까? (   )
① 기쁨   ② 슬픔
③ 뿌듯함   ④ 반가움
⑤ 자랑스러움

5 울고 있는 바위나리를 찾아온 것은 누구입니까?
(   )

6 ㉡을 말할 때 바위나리는 어떤 마음이었을지 바르게 말한 친구를 쓰시오.

재찬: 늦게 온 아기별이 원망스러웠을 거야.
민서: 친구를 기다리던 바위나리는 아기별을 만나서 기뻤을 거야.

(   )

7 바위나리가 ㉢처럼 아기별의 옷깃을 붙들고 놓지 않은 까닭은 무엇입니까? (   )
① 바람이 세게 불어서
② 아기별에게 화가 나서
③ 하늘나라로 가고 싶어서
④ 아기별에게 줄 선물이 있어서
⑤ 아기별과 헤어지는 것이 싫어서

● 아기별은 임금님 앞에 불려 갔습니다.

"나가거라!" / 임금님은 눈을 부릅뜨고 소리쳤습니다. 아기별은 무서워 몸을 벌벌 떨며 말했습니다.

㉠"용서해 주십시오. 다시는 밖에 나가지 않겠습니다."

5 　아기별은 이렇게 말하고 겨우 임금님 앞을 물러 나왔으나, 병들어 혼자 괴로워하고 있을 바위나리를 생각하면 가슴이 미어지는 것 같 았습니다.
<small>가슴이 찢어지는 것처럼 몹시 심한 고통이나 슬픔을 느끼는</small>

● 아기별은 날마다 바위나리 생각만 하며 울었습니다. 어떻게든지 한번 바닷가에 가 보고 싶은 마음이 간절했습니다. 소리를 질러 울

10 고 싶었으나, 임금님과 다른 별들이 들을까 봐 울 수도 없었습니다. 다만, 솟아 나오는 눈물만은 어찌할 수 없어 눈에는 눈물이 그칠 새 가 없었습니다. 그렇지만 혼자서 눈물을 흘리는 것조차 임금님의 눈에 거슬리고 말았습니다.
<small>순순히 받아들여지지 않고 언짢은 느낌이 들며 기분이 상하고</small>

"너는 요새 밤마다 울기 때문에 빛이 없다. ㉡빛이 없는 별은 쓸

15 데가 없으니 당장 나가거라!"

임금님은 소리를 버럭 질렀습니다. 그러고는 아기별을 하늘 문 밖 으로 내쫓았습니다.

하늘에서 쫓겨난 아기별은 정신을 잃고 바다로 떨어졌습니다. 그 런데 참 이상한 일이 일어났습니다. 아기별이 떨어진 곳은 오색 꽃

20 바위나리가 바람에 날려 들어간 바로 그 바다였습니다.

그 뒤에도 해마다 아름다운 바위나리는 바닷가에 피어납니다.

---

8 ㉠과 ㉡에서 느낄 수 있는 마음을 알맞게 선으로 이으시오.

(1) ㉠ ・　　　・① 　화남

(2) ㉡ ・　　　・② 　두려움

9 이 글을 읽고 감동적인 장면과 그 까닭을 쓰시오.

_____
_____
_____
_____

기초 다지기 　**낱말의 표기에 주의하기**

10 다음 (　　) 안의 표기 가운데 바른 표기를 찾아 ○표를 하시오.

> 　할머니께 전화를 드렸는데 할머니께서 전화를 받지 않으셨다. 날이 어두워졌는데도 전화 를 받지 않으셨다. 어머니께서도 걱정이 (1)(되서 , 돼서) 계속 전화를 거셨다. 할머니께서 는 시장에 가셨다가 친구를 만나서 집에 늦게 오게 (2)(됐다고 , 됐다고) 하셨다. 무사히 오셔서 다행이다.

11 다음 밑줄 그은 낱말을 준말로 바르게 고쳐 쓰시오.

(1) 일이 계획한 대로 되어 간다. → (　　　　　　)

(2) 우승하려면 이번 경기가 잘되어야 한다. → (　　　　　　)

(3) 나도 이번 경기에 출전하게 되었다. → (　　　　　　)

기본 ……

» 재미나 감동을
느낀 부분을
생각하며 시 읽기

예 「빗길」에서 재미나 감동을 느낀 부분을 찾기

❶ ☐☐ 떠올리기	비 오는 날, 우산 하나를 친구와 함께 쓰고 걸어가는 장면이 떠올랐습니다.
시에 나오는 인물이 한 경험과 비슷한 자신의 경험 떠올리기	비 오는 날, 좁은 길을 걸었던 일 ❷ ☐☐이/가 없는 친구에게 우산을 씌워 준 일 ── 인물이 한 경험 비 오는 날, 친구와 우산을 함께 쓰고 온 일 ── 동생과 함께 우산을 쓴 일 비 오는 날, 선생님께서 우산을 빌려주셨던 일
시에 나오는 인물의 마음이 어떠한지 생각해 보기	친구가 어깨를 우산 밖으로 더 내밀 때 어떤 마음이 들었나요?  미안한 마음에 그러는 것이 느껴져서 우산을 더 기울여 주고 싶었어요.

기본 ……

» 이야기를 읽고
재미나 감동을
느낀 부분 찾기

예 「만복이네 떡집」에서 재미나 감동을 느낀 부분을 찾기

이야기의 장면 떠올리기	친구들에게 재미있는 이야기를 들려주는 만복이의 모습이 떠올랐습니다.
이야기에 나오는 인물의 ❸ ☐(이)나 행동을 보고 그 인물의 마음 헤아리기	**인물의 말이나 행동** / **인물의 마음** 만복이는 은지한테 먼저 다가가서 말을 걸어 주었어. → 외로워하는 은지를 도와주고 싶다. 만복이는 쥐고 있던 주먹을 풀었어. → 장군이를 용서하고 싶다.
이야기에 나오는 인물이 한 경험과 비슷한 자신의 ❹ ☐☐ 떠올리기	친구를 도와주고 기분이 좋았던 일이 떠올라요. 다른 사람을 오해했던 일이 떠올라요.

기본 ······

》 만화 영화를 보고 재미와 감동 표현하기

⑩ 「강아지 똥」에서 재미나 감동을 느낀 부분을 골라 표현하기

자신이 느낀 감동을 나타낼 수 있는 낱말 생각해 보기	사랑	즐거움	기쁨	행복	희생

인물의 말과 행동		느낄 수 있는 마음
강아지 똥: (울먹이며) 그, 그럼 넌 뭐야?	➡	화남
민들레: (잎을 흔들며) 너의 몸뚱이를 고스란히 녹여 내 몸속으로 들어와야 해.	➡	미안함
강아지 똥: (놀라며) 정말 내가 꽃이 된다고?	➡	기쁨

❺ 인물의 말과 ☐☐에서 느낄 수 있는 마음 짐작해 보기

재미나 감동을 느낀 부분을 골라 역할극 해 보기

재미나 감동을 느낀 부분 고르기

강아지 똥이 **❻** ☐☐☐을/를 껴안는 장면

⬇

역할 정하기

⬇

대본을 보며 연습하기

민들레: 응, 꼭 필요해. 네가 나의 거름이 돼 줘야 해.
강아지 똥: 거름이 된다고?
민들레: (잎을 흔들며) 너의 몸뚱이를 고스란히 녹여 내 몸속으로 들어와야 해. 그래야만 예쁜 꽃을 피울 수 있단다.
강아지 똥: (놀라며) 정말 내가 꽃이 된다고? 그럼 내가 별처럼 예쁜 꽃이 되는 거야? (민들레를 와락 껴안는다.)

⬇

역할극하기

실천 ······

》 우리 반 독서 잔치 열기

시와 그림으로 표현하기

친구에게 책 읽어 주기

책을 읽고 문제 알아맞히기

책 속 **❼** ☐☐ 초청하기

1 책을 소개할 때 들어가면 좋은 내용이 <u>아닌</u> 것을 골라 기호를 쓰시오.

> ㉠ 줄거리
> ㉡ 감동받은 부분
> ㉢ 지은이의 생김새
> ㉣ 재미나 감동을 느낀 까닭

( )

2 친구들과 서로 읽은 책을 소개하면 좋은 점을 <u>두 가지</u> 고르시오. (,)

① 같은 경험을 할 수 있다.
② 같은 생각을 할 수 있다.
③ 책을 읽은 것을 자랑할 수 있다.
④ 읽은 내용을 다시 떠올릴 수 있다.
⑤ 책을 읽었을 때의 감동을 다시 떠올릴 수 있다.

3~5 시를 읽고, 물음에 답하시오.

> 친구의 우산을 함께 쓰고 왔다.
>
> 미안해서
> 내가 비를 더 맞으려고
> 어깨를 우산 밖으로 내놓으면
> 친구가 우산을 내 쪽으로
> 더 기울여 주었다.
>
> 빗속을
> 우리는 나란히 걸었다.
>
> 좁은 길에선 일부러
> 내가 빗물 고인 자리를 디뎠다.
> 그걸 알았는지 친구는 나를
> 제 쪽으로 가만히 당겨 주는 것이었다.

3 어떤 날에 어디에서 일어난 일입니까?

( )

중요

4 이 시에서 감동을 느낀 부분을 찾을 때 떠올리지 않아도 되는 것은 무엇입니까? ( )

① 시의 장면
② 지은이의 다른 작품
③ 특별히 기억에 남는 부분
④ 시에 나오는 인물의 마음
⑤ 시에 나오는 인물과 비슷한 자신의 경험

서술형

5 이 시를 읽고 어떤 부분에서 재미나 감동을 느꼈는지 쓰시오.

_____

_____

국어 활동

6 **보기** 는 어떤 방법으로 재미나 감동을 느낀 부분을 찾은 것인지 알맞은 것에 ○표를 하시오.

> 친구들에게 밥을 한 숟가락씩
> 얻어먹은 센둥이가 어디론가 놀러 갔다
> 학교 파한 동주보다 앞장서서 집으로 돌아갈 때는
> 얼마나 늠름한지 모릅니다.
> 다리를 다쳐 골목길에 쓰러져 있던
> 강아지를 주워다 이렇게 키워 놓은
> 동주가 엄마처럼 웃으며 뒤따라갑니다.

보기

> 센둥이 뒤를 따라 걸어갈 때 동주 마음은 무척 흐뭇할 것 같아.

(1) 비슷한 경험을 떠올린다. ( )
(2) 떠오르는 장면을 상상한다. ( )
(3) 인물의 마음을 헤아려 본다. ( )

7~9 글을 읽고, 물음에 답하시오.

동환이 옆을 지나자 동환이의 생각이 쑥덕쑥 덕 들렸어.

'아이참, 왜 자꾸 방귀가 나오지? 아침에 고구 마를 너무 많이 먹었나? 앗! 또 나오려고 한 다. 이키.'

만복이는 코를 막고 키득키득 웃었어. 그러자 동환이가 만복이의 눈치를 살폈어.

'어, 만복이가 눈치챘나? 분명히 친구들한테 다 소문낼 거야. 어떻게 하지?'

㉠만복이는 입이 간질간질한 걸 꾹 참았어. 다 른 때 같으면 방귀쟁이라고 여기저기 떠벌리고 다녔을 거야. 하지만 부끄러워하는 동환이의 마 음을 알자 그러고 싶은 마음이 싹 사라졌어.

7 이 글을 읽고 떠오르는 모습으로 알맞지 <u>않은</u> 것은 무엇입니까? ( )

① 코를 막고 웃는 만복이의 모습
② 방귀가 자꾸 나오는 동환이의 모습
③ 만복이의 눈치를 보는 동환이의 모습
④ 동환이의 생각을 듣는 만복이의 모습
⑤ 만복이가 동환이는 방귀쟁이라고 떠벌 리고 다니는 모습

8 만복이가 엿들은 동환이의 생각은 무엇입니 까? ( )

① 방귀가 자꾸 나와 부끄럽다.
② 만복이와 친하게 지내고 싶다.
③ 자꾸 웃음이 나와 당황스럽다.
④ 만복이가 방귀를 뀌어 다행이다.
⑤ 고구마를 먹고 오지 않아 후회된다.

서술형

9 만복이의 입장이 되어 왜 ㉠과 같은 행동을 했을지 쓰시오.

_____

_____

10~13 글을 읽고, 물음에 답하시오.

"너 나한테 죽고 싶어? 이게 어디서 잘난 척 이야." / 만복이는 또 코피가 터졌어. 만복이는 너무 화가 나서 주먹을 꼬옥 쥐었어. 그런데 장 군이의 생각이 다시 들려오지 뭐야.

'아이, 때리려고 그런 게 아닌데…… 만복이 가 또 코피 나잖아. 정말 아프겠다. 난 왜 이렇 게 만날 사고만 치지? 난 정말 나쁜 애야.'

만복이는 쥐고 있던 주먹을 풀었어. 장군이의 마음을 알자 미운 마음이 눈 녹듯 사라져 버렸 거든.

10 장군이에게 화가 났던 만복이의 마음은 어떻 게 바뀌었습니까? ( )

① 장군이가 밉다.
② 장군이가 고맙다.
③ 장군이가 불쌍하다.
④ 장군이에게 미안하다.
⑤ 장군이를 용서하고 싶다.

중요

11 10번 문제에서 답한 만복이의 마음을 알 수 있는 만복이의 행동을 쓰시오.

( )

12 만복이가 장군이와 싸우지 않은 까닭은 무엇 입니까? ( )

① 장군이가 사과했기 때문에
② 선생님께 혼이 났기 때문에
③ 장군이가 힘이 더 세기 때문에
④ 만복이가 먼저 잘못을 했기 때문에
⑤ 장군이의 미안해하는 마음을 알게 되었 기 때문에

13 이 글에서 재미나 감동을 느낀 부분을 찾아 쓰시오.

( )

14 국어 활동 보기 는 재미나 감동을 느낀 부분을 어떻게 찾았는지 빈칸에 알맞은 말을 쓰시오.

> 바위나리는 어찌나 좋은지 어쩔 줄을 모르고 이리저리 몸을 흔들며 외쳤습니다.
> "별님, 별님!"

> 보기
> 기다리던 친구가 찾아와서 기뻤던 일이 생각나.

• 이야기에 나오는 인물과 비슷한
( )을/를 떠올렸다.

15~17 만화 영화를 보고, 물음에 답하시오.

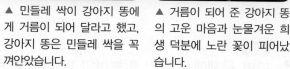

▲ 민들레 싹이 강아지 똥에게 거름이 되어 달라고 했고, 강아지 똥은 민들레 싹을 꼭 껴안았습니다.

▲ 거름이 되어 준 강아지 똥의 고운 마음과 눈물겨운 희생 덕분에 노란 꽃이 피어났습니다.

15 강아지 똥은 누구를 만났습니까? ( )
① 참새 ② 암탉 ③ 흙덩이
④ 병아리 ⑤ 민들레

16 중요 장면 ❶에 나오는 인물의 말과 행동에서 느낄 수 있는 마음을 찾아 선으로 이으시오.

(1)	강아지 똥: (놀라며) 정말 내가 꽃이 된다고?	•	• ㉠	기쁨
(2)	민들레: (잎을 흔들며) 너의 몸뚱이를 고스란히 녹여 내 몸속으로 들어와야 해.	•	• ㉡	미안함

17 이 만화 영화에서 재미나 감동을 느낀 부분을 말한 것으로 가장 알맞은 것의 기호를 쓰시오.

> ㉠ 민들레가 울고 있는 장면
> ㉡ 강아지 똥이 민들레를 껴안는 장면
> ㉢ 강아지 똥이 민들레를 숨겨 주는 장면

( )

18 만화 영화에서 느낀 재미나 감동을 표현하는 방법이 <u>아닌</u> 것은 무엇입니까? ( )
① 만화로 표현한다.
② 역할극을 해 본다.
③ 그림으로 그려 본다.
④ 몸으로 표현해 본다.
⑤ 같은 제목의 만화 영화를 찾아본다.

19 다음은 어떤 독서 잔치 활동을 하는 방법인지 ○표를 하시오.

> 인물 역할을 맡은 사람이 인물 가면을 쓰고 물음에 대답한다.

(1) 책 속 인물 초청하기 ( )
(2) 시와 그림으로 표현하기 ( )
(3) 책을 읽고 문제 알아맞히기 ( )

20 19번 문제에서 답한 독서 잔치 활동을 하며 느낀 점을 알맞게 말한 친구를 쓰시오.

> 지후: 친구가 낭독하는 목소리가 멋지게 들렸어.
> 민주: 책 내용을 묻는 문제를 내는 것도 재미있었어.
> 유라: 인물의 입장이 되어 보며 책을 더 깊이 이해하게 되었어.

( )

서술형 평가

1 다른 사람에게 책을 소개받거나 소개해 본 경험을 떠올려 쓰시오.

_____

_____

2~3 시를 읽고, 물음에 답하시오.

> 그냥 놔두세요.
> 하루 종일
> 말똥구리는
> 말똥을 굴리게.
> 하루 종일
> 베짱이는
> 푸른 나무 그늘에서
> 노래 부르게.
> 하루 종일
> 사과나무에는
> 사과 열매가 열리게.
> 달팽이는 / 느릅나무 잎에서
> 하루 종일
> 꿈을 꾸게.

2 이 시를 읽으면 어떤 모습이 떠오르는지 쓰시오.

_____

_____

3 이 시에서 재미나 감동을 느낀 부분을 찾아 그 까닭과 함께 쓰시오.

_____

_____

4~5 글을 읽고, 물음에 답하시오.

> 은지 옆을 지나자 은지의 생각이 쑥덕쑥덕 들렸어.
> '애들이 날 싫어하나 봐. 나한테 말도 잘 안 걸고……. 친구들이 함께 놀자고 하면 얼마나 좋을까?'
> 은지의 고민을 알자 만복이는 그냥 지나칠 수가 없었어. 만복이는 은지한테 먼저 다가가서 말을 걸어 주었어.
> 선생님 곁을 지날 때도 선생님의 고민이 쑥덕쑥덕 들렸어.
> '평소처럼 바지를 입고 올걸, 괜히 치마를 입었나? 오늘따라 화장도 이상한 것 같고……. 저녁에 데이트가 있는데 어쩌지?'
> 만복이는 선생님한테 조용히 다가가서 말했어.
> "선생님은 바지를 입는 것도 예쁘지만, 치마를 입는 것도 잘 어울려요. 얼굴도 오늘 더 예뻐 보여요."
> 선생님은 기분이 좋은지 싱글벙글 웃었어.

4 이 글에서 재미나 감동을 느낀 부분을 찾아 쓰시오.

_____

_____

_____

5 4번 문제의 답에서 재미나 감동을 느낀 까닭은 무엇인지 쓰시오.

_____

_____

● 다음 교과서 문장의 파란색 낱말 중에서 알맞은 것을 골라 인물들이 한 말을 완성하시오.

• 강아지가 달려와서 만복이가 던져 준 소시지빵을 덥석 받아먹었어.
• 분명히 친구들한테 다 소문낼 거야.
• 너의 몸뚱이를 고스란히 녹여 내 몸속으로 들어와야 해.
• 책 속 인물을 초청해 묻고 답하는 활동도 있네!

정답 | ❶ 초청 ❷ 덥석 ❸ 고스란히 ❹ 소문

※『한끝 초등 국어』는 다음 저작물의 교과서 수록 부분을 재인용하여 만들었습니다.

단원	제재 이름	지은이	나온 곳	한끝 쪽수
독서 단원	「밤송이 형님」	전병준 글, 박민호 그림	『소똥 밟은 호랑이』, (주)영림카디널, 2008.	7쪽
1	「소나기」	오순택	『꽃 발걸음 소리』, 아침마중, 2016.	12쪽
	「공 튀는 소리」	신형건	『아! 깜짝 놀라는 소리』, (주)푸른책들, 2016.	13쪽
	「바삭바삭 갈매기」	전민걸	『바삭바삭 갈매기』, 한림출판사, 2014.	14쪽
	「으악, 도깨비다!」	손정원 글, 유애로 그림	『으악, 도깨비다!』, (주)느림보, 2002.	18쪽
	「강아지풀」	강현호 글, 히치 그림	『바람의 보물찾기』, 청개구리, 2011.	23쪽
	「아기 고래」	김륭	『삐뽀삐뽀 눈물이 달려온다』, (주)문학동네, 2012.	24쪽
3	2번 영상 (원제목: 「백화점, 편의점 등에서 물건을 높이는 말, 들어 보셨나요?」)	국립국어원	국립국어원, 2017.	55쪽
4	1번 그림(원제목: 「리디아의 정원」)	데이비드 스몰 그림	『리디아의 정원』, 시공주니어, 1998.	74쪽
	2번 글(원제목: 「리디아의 정원」)	세라 스튜어트 글, 이복희 옮김	『리디아의 정원』, 시공주니어, 1998.	75쪽
5	「민화」(원제목: 「민화와 불화의 매력」)	장세현	『한눈에 반한 우리 미술관』, (주)사계절출판사, 2012.	90쪽
	「까치 호랑이」		국립중앙박물관	90쪽
	「플랑크톤이란?」	김종문	『플랑크톤의 비밀』, (주)예림당, 2015.	91쪽
6	「쓰레기 정거장」	영등포구청 글, 임종철 그림	『꿈나무 영등포』 제16호(봄 호), 영등포구청, 2016.	103쪽
	「행복한 쨍쨍콩콩이」	박성배	『행복한 비밀 하나』, (주)푸른책들, 2012.	105쪽
	1번 그림(원제목: 「비밀의 문」)	에런 베커 그림	『비밀의 문』, (주)웅진씽크빅, 2016.	109쪽
7	「먹을 수 있는 꽃 요리」	오주영	『명절 속에 숨은 우리 과학』, 시공주니어, 2009.	127쪽
8	「아씨방 일곱 동무」	이영경	『아씨방 일곱 동무』, (주)비룡소, 1998.	143쪽
9	「다람쥐는 왜 쉬지 않고 딱딱한 걸 갉아 댈까요?」	왕입분 글, 송영욱 그림	『개구쟁이 수달은 무얼 하며 놀까요?』, 재능교육, 2006.	162쪽
	「프린들 주세요」	앤드루 클레먼츠 글, 햇살과나무꾼 옮김, 양혜원 그림	『프린들 주세요』, (주)사계절출판사, 2001.	163쪽
	「반딧불이」	김태우 · 함윤미	『알고 보면 더 재미있는 곤충 이야기』, 뜨인돌어린이, 2006.	165쪽
	「나비 박사 석주명」	조신애 그림	『아프리카 까마귀, 석주명』, 한국차일드아카데미, 2012.	167쪽
	「지진 발생 시 장소별 행동 요령」		행정안전부 누리집(http://mois.go.kr)	170쪽
10	「빗길」	성명진 글, 홍정선 그림	『축구부에 들고 싶다』, (주)창비, 2011.	182쪽
	「그냥 놔두세요」	이준관	『쥐눈이콩은 기죽지 않아』, (주)문학동네, 2017.	183쪽
	「만복이네 떡집」	김리리 글, 이승현 그림	『만복이네 떡집』, (주)비룡소, 2010.	184쪽
	「강아지 똥」	권정생 원작, (주)아이 타스카스튜디오 제작	「강아지 똥」, (주)아이타스카스튜디오, 2003.	189쪽

교과서에 실린 작품

국어 활동

※『한끝 초등 국어』는 다음 저작물의 교과서 수록 부분을 재인용하여 만들었습니다.

단원	제재 이름	지은이	나온 곳	한끝 쪽수
1	「산 샘물」	권태응	『감자꽃』, 보물창고, 2014.	25쪽
	「귀신보다 더 무서워」	허은순 글, 김이조 그림	『귀신보다 더 무서워』, (주)도서출판보리, 2013.	25쪽
3	「반말 왕자님」	강민경	『아드님, 진지 드세요』, 좋은책어린이, 2011.	59쪽
4	「리디아의 정원」	세라 스튜어트 글, 이복희 옮김	『리디아의 정원』, 시공주니어, 1998.	76쪽
6	「나는야 우리말 탐정!」	허정숙	『다달이 나오는 어린이 잡지 개똥이네 놀이터』, 2014년 3월 호(통권 100호), (주)도서출판 보리, 2014.	111쪽
7	「선물 상자 포장하기」	종이나라 편집부	『종이접기 백선 5』, 종이나라, 1999.	130쪽
8	「먹보 다람쥐의 도토리 재판」	서정오	『도토리 신랑』, (주)도서출판 보리, 2007.	151쪽
9	「담쟁이덩굴은 뿌리 덕분에 벽에 잘 달라붙는다?」	김진옥	『씨앗부터 나무까지 식물이 좋아지는 식물책』, 다른세상, 2011.	171쪽
	「세상에서 가장 겁 많은 고양이 미요」	임정자	『하루와 미요』, (주)문학동네, 2014.	171쪽
10	「동주의 개」	남호섭	『타임캡슐 속의 필통』, (주)창비, 2013.	191쪽
	「바위나리와 아기별」	마해송	『바위나리와 아기별』, 길벗어린이(주), 1998.	191쪽

MEMO

한 권으로 끝내기!
교과서 학습부터 **평가 대비**까지 **한 권으로 끝!**
국어 공부의 진리입니다.

한끝과 함께 언제, 어디서든 즐겁게 공부해!

한끝으로 끝내고, 이제부터 활짝 웃는 거야!

15개정 교육과정

한끝 정답과 해설

정답이구멍~

초등국어

3·1

visang

ABOVE IMAGINATION

우리는 남다른 상상과 혁신으로
교육 문화의 새로운 전형을 만들어
모든 이의 행복한 경험과 성장에 기여한다

정답과 해설

3·1

초등 국어

독서 단원 책을 읽고 생각을 나누어요

수행 평가 8쪽

1 (1) 예 제목을 살펴보면서 어떤 내용이 나올지 예상해 본다.

(2) 예 책 표지 그림을 보고 책 내용을 예상해 본다.

2 (가)

책 제목	예 『어린이 삼국사기』
새롭게 안 점	• 예 신라의 역사를 중요하게 다루는 까닭을 알게 되었다. • 예 신라, 고구려, 백제 세 나라의 건국에 대해 알게 되었다. • 예 신비롭게 태어난 임금의 이야기, 목숨을 바쳐 나라를 지킨 충신들의 이야기를 알게 되었다.
더 알고 싶은 점	예 고려나 조선의 건국에 대해서도 알고 싶었다.

(나)

책 제목	예 『가시고기』
인상 깊은 장면	예 주인공인 다움이가 백혈병에 걸리자 끝까지 아들 곁을 지키며 간호해 주시는 아버지의 모습이 인상적이었다.
그 까닭	예 나도 예전에 아파서 입원을 한 적이 있는데, 그때 부모님은 밤낮없이 내 옆을 지키며 걱정해 주셨다. 그래서 그 장면에서 부모님의 사랑이 느껴져 매우 감동적이었다.

1. 재미가 톡톡톡

핵심 확인 문제 10쪽

1 사물의 느낌 **2** ○

3 귀로 들은 소리 **4** 인물

5 감각적

준비 느낌을 살려 사물 표현하기 11쪽

1 폭! 폭! 폭! 팡! 팡! 팡!

2 사물의 느낌을 생생하게 표현한 것이다. 등

3 (1) 새싹의 초록빛 발차기

(2) 쉬이익쉬이익 파도의 숨소리

(3) 총총 내리는 봄비

4 ④

1 개나리와 진달래가 피는 모습을 "폭! 폭! 폭! 팡! 팡! 팡!"이라고 표현하였습니다.

2 눈으로 보고, 귀로 듣고, 입으로 맛보고, 코로 냄새 맡고, 손으로 만지면서 사물을 느낄 수 있습니다. 사물의 느낌을 생생하게 표현한 것을 감각적 표현이라고 합니다.

3 그림을 살펴보고 그림에 어울리는 감각적 표현을 찾아 씁니다.

4 '사과'의 모양과 색깔, 냄새, 손으로 만졌을 때 느낌을 생생하게 표현했습니다.

> **보충 자료** '무엇일까요' 놀이 방법
> • 상자 안에 여러 가지 물건을 넣습니다.
> • 한 친구가 앞에 나와서 상자 안에 있는 여러 가지 물건 가운데에서 하나를 고릅니다. 그리고 눈으로 보고, 코로 냄새를 맡고, 귀로 소리를 듣고, 손으로 만져 봅니다. 다른 친구들은 두 손으로 귀를 막고 눈을 감고 기다립니다.
> • 앞에 나온 친구는 고른 물건의 모양과 냄새, 소리와 손으로 만졌을 때 느낌을 친구들에게 생생하게 설명합니다.
> • 다른 친구들은 설명을 듣고 그 물건이 무엇인지 알아맞힙니다.

기본 시에 나타난 감각적 표현 알기 12~13쪽

1 ⑤

2 예 '또로록'이라는 표현을 넣으면 비가 내리는 모습이 더 생생하고 실감 나게 느껴진다.

3 ① **4** 민성 **5** ⑤

6 (1) 탕탕― (2) 탕탕탕― (3) 탕탕탕탕―

7 밖에 나가서 공놀이를 하고 싶은 마음 등

8 ㉢, ㉣

1 말하는 이는 소나기가 오는 소리를 잘 익은 콩이 쏟아지는 소리라고 표현했습니다. 소나기가 내리는 소리와 콩을 쏟는 소리가 비슷하게 느껴졌기 때문입니다.

2 '또로록'이라는 표현은 비가 내리는 모습이 더 생생하고 실감 나게 느껴지도록 합니다.

> **채점 기준** '또로록'이 생생하고 실감 나게 해 주는 표현이라는 것을 알고 '또로록'이라는 표현을 넣고 읽을 때와 빼고 읽을 때 느낌이 어떻게 다른지 잘 썼으면 정답으로 합니다.

3 소나기가 그치고 나면 하늘빛이 더 맑다고 했습니다.

4 이 시는 소나기가 오는 날의 느낌을 표현한 시입니다. 민성이는 눈이 내린 날의 생각이나 느낌을 말했습니다.

> **정답 친해지기** 「소나기」를 읽고 생각이나 느낌 말하기
> • 비가 내리는 모습이 음표가 떨어지는 것처럼 느껴집니다.
> • 눈을 감고 비가 오는 소리를 들으면 마당 한가운데에서 누군가가 실로폰을 연주하는 장면이 떠오릅니다.
> • 소나기가 내리고 햇빛이 더 강하게 비추는 장면이 떠오릅니다.

5 1연과 4연에서 알 수 있습니다. 말하는 이는 이틀째 학교에 못 가고 앓아누워 있습니다.

6 2연에서 '탕탕─ / 땅바닥을 두들기고 / 탕탕탕─ / 담벼락을 두들기고 / 탕탕탕탕─ / 꽉 닫힌 창문을 두들기며'라며 공이 튀는 소리를 표현했습니다.

> **보충 자료** 감각적 표현의 느낌을 살려 「공 튀는 소리」 낭송하기: '탕탕', '탕탕탕', '탕탕탕탕' 부분을 한 음절씩 끊어서 낭송하면 실제 공 튀는 소리처럼 들립니다.

7 말하는 이는 몸이 아파서 집에 누워 있지만 밖에 나가서 공놀이를 하고 싶은 마음을 표현했습니다.

> **정답 친해지기** 공이 내 맥박을 두들긴다고 표현한 까닭
> • 잠들려다가 공 튀는 소리를 듣고 깼고, 공이 내 몸속으로 들어가서 튀는 것처럼 느껴졌기 때문입니다.
> • 밖에 나가서 공놀이를 하고 싶은 마음을 표현한 것입니다.

8 이 시를 읽으면 공 튀는 소리가 들리는 듯하고, 공이 튕겨 다니는 모습이 눈에 보이는 듯합니다.

> **보충 자료** 시에 나타난 감각적 표현은 대상을 직접 보거나 듣는 것처럼 생생하게 느껴지도록 합니다.

---

1 ③
2 큰 배가 바위섬으로 다가오는 소리 등
3 ⑤ **4** 바닷물과 함께 빨려 드는
5 사람들이 던져 주는 '바삭바삭'을 먹기 위해서 등
6 ④, ⑤ **7** ④
8 생선 대가리를 만졌을 때 느낌을 생생하게 표현한 것이다. 등
9 (크고 살찐) 개 **10** ②
11 털도 빠져 있고, 똥에다가 쓰레기가 묻은 친구들이 '바삭바삭'을 먹고 있는 것을 보았다. 등
12 ② **13** ②
14 깜짝 놀랐기 때문에 / 숨이 가쁘고 목이 말랐고, 쿵쾅쿵쾅 심장이 뛰더니 점점 작아져서 좁쌀만 하게 되었기 때문에 등
15 ③
16 **예** 주인공 갈매기가 과자를 먹고 감탄하는 장면이 재미있었다. / 내가 무심코 준 과자 때문에 동물들이 힘들 수 있다는 것을 알았다.

1 ❶에서 '나'에 대해 잘 알 수 있습니다. '나'는 잡은 물고기를 먹는 것도 아주 좋아한다고 했습니다.

2 큰 배가 바위섬으로 다가오는 소리를 "뿌우우우우웅!"이라고 생생하게 표현했습니다.

3 나머지는 귀로 들은 소리를 생생하게 표현한 것입니다.

4 '나'는 아이들이 던져 준 것을 조심스럽게 깨물어 먹고는 훌쩍 날아오른 뒤에 바다 한쪽이 "쿵!" 무너져 내린 거대한 구멍 속으로 바닷물과 함께 빨려 드는 느낌이라고 표현했습니다.

5 사람들이 던져 준 '바삭바삭'을 더 먹고 싶었던 갈매기들은 큰 배를 따라 날았다고 했습니다.

6 '바삭바삭'은 물고기처럼 비린내도 안 나고, 물컹하지도 않다고 했습니다.

7 갈매기들이 부둣가에서 소리치는 소리를 "꺄악! 깍! 끼룩! 끽!"이라고 생생하게 표현했습니다.

8 생선 대가리를 만지면 느껴지는 끈적거리는 느낌을 표현한 것입니다.

> **채점 기준** 생선 대가리를 만질 때의 느낌이라는 내용으로 썼으면 정답으로 합니다.

9 '나'는 마을 깊은 골목 안쪽에서 크고 살찐 개를 만났고, 그 개에게 '바삭바삭'에 대해 물었습니다.

10 '나'는 정말 행복했고, '바삭바삭'을 꽉 물고 달리고 달렸다고 했습니다.

11 털도 빠져 있고 똥에다가 쓰레기가 묻은 친구들은 '바삭바삭'을 먹고 있었습니다.

> **채점 기준** 털도 빠져 있고, 똥에다가 쓰레기가 묻은 갈매기 친구들의 모습을 썼으면 정답으로 합니다.

12 '나'는 털도 빠져 있고, 똥에다가 쓰레기가 묻은 친구들을 보고 속상했을 것입니다.

13 고양이가 우는 소리를 생생하게 표현한 것입니다.

14 고양이를 만난 '나'는 깜짝 놀라서 튀어 올랐고 잘 날 수가 없었다고 했습니다.

15 아침 해가 뜨고 먼 바다에서 따뜻한 바람이 불어오자 마음이 편안해져서 멀리 날 수 있었습니다.

16 이 이야기를 읽고 재미있는 부분이나 자신의 경험과 관련지어 떠오른 생각이나 느낌을 써 봅니다.

> **채점 기준** 이 이야기의 내용을 잘 파악하고 인물이나 일어난 일, 감각적 표현 등에 대한 생각이나 느낌을 잘 떠올려 썼으면 정답으로 합니다.

기본 이야기를 읽고 생각이나 느낌 나누기   18~22쪽

1 장승 마을   **2** ④   **3** ④
4 민영
5 날이 밝기 전에 꼭 제자리로 돌아오는 것 등
6 ①   **7** ⑤
8 예 몸을 움직이지 못하게 된 멋쟁이 장승이 안타까웠다.
9 ⑤   **10** ①
11 멋쟁이처럼 잡혀갈까 봐 등
12 예 멋쟁이 장승님, 도둑들에게 잡혀갔을 때 어떤 기분이 들었나요?
13 화난 마음 등   **14** ④
15 끝까지 장승 마을을 지키겠다. 등
16 ②   **17** ⑤   **18** ②
19 예 뿌듯하고 기분이 좋았습니다.
20 예 친구들끼리 힘을 합치면 어떤 어려움도 이겨낼 수 있다는 생각이 들었다.

---

1 기차 타고 쿨쿨, 버스 타고 털털, 다시 타박타박 반나절을 가면, 바람만 아는 깊은 산골에 장승 마을이 있다고 했습니다.

> **정답 친해지기** 이야기의 배경
> • 장소: 장승 마을
> • 시간: 지루한 한낮
> • 나오는 인물: 멋쟁이, 퉁눈이, 뻐드렁니, 짱구, 주먹코

2 "하하, 넌 이가 뻐드러져 수박 먹기 좋겠다."라고 멋쟁이가 놀린 말에서 뻐드렁니의 생김새를 알 수 있습니다.

3 장승 친구들은 밤이 되면 팔다리가 생겨 마음껏 뛰어 놀 수 있어서 신바람이 납니다.

4 장승 마을에서 장승 친구들은 다투기도 하고 밤이 되면 신나게 놀면서 지내기 때문에 쓸쓸해 보인다는 수미의 말은 알맞지 않습니다.

5 장승 친구들은 날이 밝기 전에 꼭 제자리로 돌아와야 하는 약속을 지켜야 합니다. 그 약속을 어기면 다시는 움직일 수 없게 됩니다.

6 장승 친구들은 밤이 되면 움직일 수 있게 되어 숨바꼭질을 하며 신나게 놀고 있으므로 밤에 깊이 잠든 모습은 이야기 속 장면을 상상한 것으로 알맞지 않습니다.

> **정답 친해지기** 장승 친구들의 모습을 알 수 있는 내용
> • 장승 친구들은 환한 보름달 아래에서 숨바꼭질도 해요.
> • 별빛처럼 맑은 웃음소리가 밤하늘을 수놓아요.
> • 모두들 정신없이 달렸어요.

7 멋쟁이는 숨바꼭질을 하면서 잘난 척하고 꼭꼭 숨어 있다가 날이 밝은 줄도 몰라 제자리로 돌아오지 못하였습니다.

8 이야기 속 장면을 상상하며 일어난 일이나 인물에 대한 생각이나 느낌을 써 봅니다.

> **채점 기준** 이야기의 내용에 맞게 떠오른 생각이나 느낌을 잘 썼으면 정답으로 합니다.

9 멋쟁이는 얼굴이 곰팡이도 슬고 조금씩 썩어 가서 엉엉 울고 말았습니다.

10 사람들이 옹기를 가져가더니 멋쟁이도 데려가 버렸습니다.

11 빨리 도망가지 않으면 멋쟁이처럼 잡혀갈 거라고 말했습니다.

12 멋쟁이에게 일어난 일을 살펴보고, 무엇을 물을지 생각하여 씁니다.

> **채점 기준** 멋쟁이가 된 친구에게 할 수 있는 물음을 글의 내용에 알맞게 잘 썼으면 정답으로 합니다.

> **보충 자료** 인물이 이야기 속 상황에서 어떤 생각이나 느낌이 들었는지 물어볼 수 있습니다.

13 퉁눈이는 멋쟁이를 두고 도망가자는 말에 화가 난 마음에 주먹을 불끈 쥐고 말했습니다.

14 장승 친구들은 사람들에게 잡혀간 멋쟁이를 어떻게 할지 생각이 달라서 싸웠습니다.

15 장승 친구들은 끝까지 이곳을 지키겠다고 옹기 할아버지와 약속했습니다.

16 장승 친구들은 멋쟁이를 구하기 위해 옹기랑 멋쟁이를 싣고 가는 도둑들을 놀래 주기로 했습니다.

17 도둑들은 도깨비처럼 살아 움직이는 장승을 보고 너무 놀라서 도망쳤습니다.

18 뻐드렁니는 멋쟁이를 놀렸던 것을 미안해했습니다.

19 힘을 합쳐서 멋쟁이를 구한 뻐드렁니의 기분을 짐작하여 답을 해 봅니다.

20 힘을 합쳐서 멋쟁이를 구한 장승 친구들을 보고 어떤 생각이나 느낌이 들었는지 씁니다.

> **채점 기준** 장승 친구들이 한 일을 잘 파악하여 생각이나 느낌을 잘 썼으면 정답으로 합니다.

실천 느낌을 살려 시 낭송하기　23~24쪽

1 ④　　　　**2** 요요요 / 요요요요
3 ②　　　　**4** 현우　　**5** ⑤
6 예 신기한 것을 발견한 듯이 뒷부분을 올려서 낭송한다.
7 ④　　　　**8** 예 우아앙! 우아앙!

1 이 시에서는 강아지풀 모습을 솜털같이 복슬복슬한 꼬리를 살랑살랑 흔들고, 귀여운 강아지라고 표현했습니다.

---

2 3연에서 강아지풀을 '요요요 / 요요요요' 정답게 부른다고 했습니다.

3 이 시를 읽으면 숲길에서 강아지풀을 보고 만지면서 좋아하는 아이의 모습을 상상할 수 있습니다.

4 감각적 표현의 재미를 살려 시를 낭송할 수 있습니다. 또, 노래하듯이 시를 낭송할 수 있습니다.

5 이 시를 읽으면 제멋대로 되지 않으면 울면서 떼쓰는 동생의 모습이 떠오릅니다.

6 우는 동생을 보며 아기 고래를 떠올린 부분을 어떻게 낭송하면 좋을지 생각하여 씁니다.

> **채점 기준** 시의 내용을 파악하여 말하는 이가 동생이 아기 고래와 비슷하다는 것을 깨닫는 부분에 어울리게 낭송하는 방법을 썼으면 정답으로 합니다.

7 울음을 내뿜는 동생을 보면서 물을 내뿜는 아기 고래를 떠올린 것입니다.

8 동생이 어떻게 울었을지 떠올리며 실감 나게 표현해 봅니다.

국어 활동　25~27쪽

1 (1) 송송송　(2) 졸졸졸
2 꼭 그림자 극장
3 소리가 실제로 들리는 것처럼 느껴진다. 등
4 ③　　　　**5** ④
6 꼬리로 바닥을 탁탁 친 것 등
7 ②　　　　**8** (3) ○
9 (1) 옹기장이　(2) 멋쟁이　(3) 도배장이

1 '바위 틈새 속에서 / 쉬지 않고 송송송.', '맑은 물이 고여선 / 넘쳐흘러 졸졸졸.'이라고 표현했습니다.

2 벽에 감나무 그림자가 비치는 모습을 생생하게 표현한 부분을 찾아봅니다.

3 감나무 나뭇잎이 바람에 흔들리는 소리와 만만이가 응석을 부릴 때 내는 소리를 감각적으로 표현해 소리가 실제로 들리는 것처럼 느껴집니다.

4 '나'와 동만이는 밤에 만만이가 내는 피리 소리가 들리자 무서운 마음이 들었습니다.

5 '나'와 동만이는 만만이가 계속 삐익삐익 소리를 내자 만만이를 만만이 집에 넣어 주려고 나갔습니다.

6 만만이도 기분이 좋은지 꼬리로 바닥을 탁탁 친다고 나타나 있습니다.

7 ⊙은 감나무 나뭇잎이 바람에 흔들릴 때 나는 소리를 나타냈고, 이 소리를 듣고 '내'가 파도 소리 같다고 했습니다.

8 감각적 표현을 생각하며 이야기를 읽으면 직접 보거나 듣는 것처럼 장면이 생생하게 그려집니다.

9 옹기를 만드는 직업을 가진 사람을 '옹기장이'라고 하고, 멋을 잘 부리는 사람을 '멋쟁이', 벽에 종이를 붙이는 직업을 가진 사람을 '도배장이'라고 해야 맞습니다.

단원 마무리 28~29쪽

❶ 감각적 ❷ 비 ❸ 냄새
❹ 멋쟁이 ❺ 강아지

단원 평가 30~32쪽

1 (1) ② (2) ① **2** 감각적 표현 **3** (2) ○
4 소나기 내리는 소리 **5** ②
6 예 빗방울을 콩이라고 표현한 게 재미있다.
7 송송송 **8** 과자 등
9 짭조름하고 고소한 냄새에 코끝이 찡했어.
10 ④, ⑤ **11** ④ **12** ⑤
13 예 장승 친구들이 밤에 신나게 노는
14 ④
15 예 움직이지 못하게 되었을 때 어떤 기분이 들었나요?
16 손으로 만지는 느낌 **17** ②
18 요요요 / 요요요요 **19** (내) 동생
20 은주

1 진수는 개나리는 "폭!" 하고 꽃이 피어나고, 진달래는 "팡!" 하고 꽃이 피어난다고 표현했습니다.

2 사물의 느낌을 생생하게 표현한 것을 감각적 표현이라고 합니다.

3 새싹이 움트는 모습이므로 '새싹의 초록빛 발차기'가 어울립니다.

4 소나기 내리는 소리가 들리는 것처럼 감각적으로 표현한 부분입니다.

5 소나기가 내리는 모습, 마당에서 실로폰을 연주하는 모습, 소나기가 그친 후 높고 파란 하늘의 모습이 떠오르는 시입니다.

6 시의 내용과 감각적 표현에 대한 자신의 생각이나 느낌을 자유롭게 씁니다.

> **채점 기준** 이 시를 읽고 시의 내용, 장면, 감각적 표현 등에 대한 떠오르는 생각이나 느낌을 알맞게 썼으면 정답으로 합니다.

7 '송송송'은 샘물이 바위 틈새에서 솟아나는 모양을 표현한 말이고, '졸졸졸'은 샘물이 넘쳐흐를 때 들리는 소리를 표현한 말입니다.

8 배에서 아이들이 던졌고, 바삭바삭한 소리가 나는 것으로 보아 과자로 생각할 수 있습니다.

9 '바삭바삭'에서 나는 냄새를 짭조름하고 고소한 냄새에 코끝이 찡했다고 생생하게 표현했습니다.

10 생선 대가리는 끈적거리고 비린내가 나며 맛이 없다고 했습니다.

11 '개구장이'는 '개구쟁이'로 써야 합니다.

> **정답 친해지기** '-장이'는 '어떤 기술을 가진 사람'이라는 뜻을 더하는 말이고, '-쟁이'는 '어떤 특성이 있는 사람'이라는 뜻을 더하는 말입니다.

12 팔다리가 생겨 마음껏 뛰어놀 수 있기 때문에 밤이 되면 장승 친구들은 신바람이 난다고 나타나 있습니다.

13 이야기 속 장면을 빈칸에 알맞게 씁니다.

14 멋쟁이는 날이 밝았는데도 돌아가지 못해서 밤이 되어도 움직일 수 없게 되었습니다.

15 인물이 이야기 속 상황에서 어떤 생각이나 느낌이 들었는지 물어볼 수 있습니다.

> **채점 기준** 멋쟁이에게 일어난 일에 맞는 물음을 알맞게 썼으면 정답으로 합니다.

16 강아지풀을 손으로 만지듯이 표현한 부분이므로 만지는 느낌이 잘 드러나도록 낭송합니다.

17 ①은 소리가 들리는 것처럼, ②는 손으로 만지는 것처럼 표현했습니다.

18 시의 3연에서 마치 강아지를 부를 때처럼 '요요요 / 요요요요' 하고 부른다고 표현하였습니다.

19 이 시에서 동생이 달래면 달랠수록 더 큰 울음을 내뿜고 있습니다.

20 울음을 내뿜는 동생을 보면서 아기 고래를 떠올린 부분이므로 신기한 것을 발견한 듯이 뒷부분을 올려서 낭송하는 것이 알맞습니다.

서술형 평가 · 33쪽

1 이틀째 앓아누워 학교에 못 가고 까무룩 또 잠들려 하고 있다. 등

2 탕탕– 땅바닥을 두들기고 탕탕탕– 담벼락을 두들기고 탕탕탕탕– 꽉 닫힌 창문을 두들긴다고 했다. 등

3 과자를 먹는 소리를 생생하게 표현했다. 등

4 예 '바삭바삭'도 먹지 못하고 굶주린 채 계속 '바삭바삭'을 찾다가 좋지 않은 곳을 구경하게 될 것 같다.

1 말하는 이는 몸이 아파서 학교에 못 가고 앓아누워 있습니다.

> **채점 기준** 시의 내용을 잘 파악하여 말하는 이의 상황을 알맞게 썼으면 정답으로 합니다.

2 공이 튀는 소리가 들리는 것처럼 감각적으로 표현한 시입니다.

> **채점 기준** 2연에서 공이 튀는 소리를 표현한 부분을 잘 찾아 썼으면 정답으로 합니다.

3 과자를 먹는 소리를 생생하게 표현한 것입니다.

> **채점 기준** '와그작. 바삭! 바삭!'이 과자를 먹는 소리인 것을 알고 바르게 썼으면 정답으로 합니다.

4 바위섬에 살았던 갈매기가 사람들 마을에 가서 겪게 될 일을 상상해 봅니다.

> **채점 기준** '바삭바삭'을 찾다가 마을에 간 갈매기가 어떤 일을 겪게 될지 상상하여 알맞게 썼으면 정답으로 합니다.

---

2. 문단의 짜임

핵심 확인 문제 · 36쪽

1 문단　　　**2** ○　　　**3** 중심 문장
4 뒷받침　　　**5** 전문가

준비 설명하는 글을 쓴 경험 나누기 · 37쪽

1 로봇 박물관
2 사람 대신 바다 깊은 곳에 가서 그곳 상태를 조사한다. 등
3 ⑤　　　**4** 로봇은 여러 가지 일을 합니다.

1 한결이와 이모는 로봇 박물관에 가서 대화를 나누고 있습니다.

2 이모가 해양 탐사 로봇은 사람 대신 바다 깊은 곳에 가서 그곳 상태를 조사한다고 말씀하셨습니다.

> **채점 기준** 해양 탐사 로봇이 하는 일을 잘 찾아 바다 깊은 곳에 가서 그곳 상태를 조사한다는 내용으로 썼으면 정답으로 합니다.

3 한결이는 로봇이 하는 여러 가지 일을 설명하는 글을 썼습니다.

> **정답 친해지기** 감시용 로봇, 해양 탐사 로봇, 의료용 로봇의 예를 들고 있습니다.

4 한결이가 쓴 글에서 가장 중심이 되는 문장은 첫 문장입니다.

기본 중심 문장과 뒷받침 문장 알기 · 38쪽

1 (1) 문장 (2) 한　　　**2** ①
3 (1) ㉠ (2) ㉡, ㉢
4 ㉮ 우리나라에는 명절마다 하는 놀이가 있습니다.
㉯ 불은 원시인의 삶을 크게 바꾸어 놓았습니다.

1 문단은 문장이 몇 개 모여 한 가지 생각을 나타내는 것이고, 문단을 시작할 때에는 한 칸을 들여 써야 합니다.

2 글쓴이가 주로 말하고자 하는 내용이 중심 문장에 있습니다.

정답 친해지기	문단 **1**의 중심 문장과 뒷받침 문장
중심 문장	장승은 여러 가지 구실을 했습니다.
뒷받침 문장	• 우리 조상은 장승이 나쁜 병이나 기운이 마을로 들어오는 것을 막아 준다고 믿었습니다. • 장승은 나그네에게 길을 알려 주기도 했습니다. • 또 장승은 마을과 마을 사이를 나누는 구실도 했습니다.

3 ㉠ 문장이 문단 **2**의 내용을 대표하고 있고, ㉡, ㉢ 문장이 ㉠ 문장을 덧붙여 설명하고 있습니다.

보충 자료	중심 문장과 뒷받침 문장 알기
중심 문장	• 문단 내용을 대표하는 문장입니다. • 중심 문장은 문단의 앞이나 뒤에 있는 경우가 많습니다.
뒷받침 문장	• 중심 문장을 뒷받침하는 문장입니다. • 중심 문장을 덧붙여 설명하거나 예를 드는 방법으로 도와주는 문장입니다.

4 **가**는 마지막 문장이, **나**는 첫 문장이 중심 문장이고 나머지 문장들이 뒷받침 문장입니다.

기본	중심 문장과 뒷받침 문장을 파악하며 글 읽기	39쪽

1 한과
2 (1) 우리 조상은 여러 가지 한과를 만들어 먹었습니다.
(2) 한과에는 약과, 강정, 엿처럼 여러 가지가 있습니다.
3 약과-③ 강정-① 엿-②
4 (1) ㉠ (2) ㉡, ㉢, ㉣

1 우리 조상이 만들어 먹던 과자를 한과라고 합니다.

2 문단 **1**의 내용을 대표하는 문장과 중심 문장을 덧붙여 설명하는 문장을 찾아봅니다.

> 채점 기준 문단에서 첫 문장이 중심 문장임을 알고 잘 찾아 쓰고, 뒷받침 문장 중 빠진 문장을 잘 찾아 썼으면 정답으로 합니다.

3 약과, 강정, 엿의 각각의 특성에 맞는 설명을 찾아봅니다.

4 ㉠ 문장이 문단 **4**의 내용을 대표하는 중심 문장이고, ㉡~㉣ 문장이 ㉠ 문장을 덧붙여 설명하는 뒷받침 문장입니다.

기본	중심 문장과 뒷받침 문장을 생각하며 문단 쓰기	40쪽

1 바다에서 얻는 것   **2** ⑤
3 예 농구는 손으로 공을 상대편 골대에 던져서 넣는 운동입니다.
4 예 다양한 직업 / 자석의 종류 / 주변에서 볼 수 있는 곤충
5 컴퓨터
6 (1) ㉢ (2) ㉠, ㉡, ㉣

1 바다에서 얻는 것이 중심 내용이고, 바다에서 얻는 것으로 석유, 물고기, 소금이 연결되어 있습니다.

2 '우리는 바다에서 많은 것을 얻습니다.'가 중심 문장이고, 중심 문장을 뒷받침하는 문장이 빈칸에 들어가야 합니다. 생각그물에 '물고기'가 나와 있으므로 ⑤번 문장이 알맞습니다.

3 중심 문장을 뒷받침하는 문장이 빈칸에 들어가야 합니다. 생각그물에 '농구'가 나와 있으므로 농구를 설명하는 문장을 써 봅니다.

> 채점 기준 중심 문장을 뒷받침하는 내용으로 농구에 대해 설명하는 문장을 잘 썼으면 정답으로 합니다.

4 자신이 쓰고 싶은 것을 생각하여 써 봅니다.

5 여러 가지 방법을 활용해 쓰고 싶은 것을 조사할 수 있습니다.

6 다양한 직업이 있다는 내용이 문단 내용을 대표할 수 있으므로 ㉢이 중심 문장으로 알맞습니다.

보충 자료	중심 문장과 뒷받침 문장을 생각하며 문단 쓰기
중심 문장	• 생각이 잘 드러나게 씁니다. • 가장 중요한 내용을 씁니다.
뒷받침 문장	• 중심 문장을 덧붙여 설명하도록 씁니다. • 중심 문장의 내용을 잘 알려 주는 예를 들 수 있습니다.

실천 문단 만드는 놀이 하기 · 41쪽

1 예 공기놀이 / 제기차기 **2** 준비물
3 ①
4 예 딱지치기를 할 때의 준비물은 딱지를 접을 수 있는 신문지나 두꺼운 종이입니다. 그리고 딱지치기를 하는 방법은 종이 두 개를 엇갈리게 접어 네모 모양으로 만든 뒤 바닥에 있는 상대의 딱지를 쳐서 넘기는 것입니다.

1 자신이 가장 좋아하는 놀이를 생각하여 써 봅니다.

2 딱지치기 놀이에서 딱지를 접을 종이는 준비물에 해당합니다.

3 중심 문장과 뒷받침 문장을 갖추어 자세히 설명해야 합니다.

4 딱지치기를 설명하는 뒷받침 문장을 생각하여 써 봅니다.

국어 활동 · 42쪽

1 중심 문장: ㉠ 뒷받침 문장: ㉡, ㉢, ㉣, ㉤
2 (1) ○
3 (1) 안 갔다 (2) 안 나아서
4 (1) 안 (2) 않고 (3) 않았다면

1 '동물들은 보호색으로 자신의 몸을 지킵니다.'가 중심 문장이고, 나머지 문장들은 중심 문장을 뒷받침하고 있습니다.

2 문장들의 내용을 살펴보고, 문단 내용을 대표할 수 있는 문장을 고릅니다.

3 뒤에 오는 말의 반대 뜻을 나타낼 때에는 '안'으로 쓰는 것이 바른 표기입니다.

4 뒤에 오는 말의 반대 뜻을 나타낼 때에는 '안'으로 쓰고 '아니하'의 준말인 경우는 '않'으로 씁니다.

단원 마무리 · 43쪽

❶ 로봇 ❷ 구실 ❸ 한과

단원 평가 · 44~46쪽

1 ④ **2** ㉠ **3** 두 가지
4 (2) ○ **5** ㉠
6 장승은 나무나 돌에 사람 얼굴 모습을 조각해 만들었다. 등
7 ④ **8** (4) ○
9 전통 과자 / 우리 조상이 만들어 먹던 과자 등
10 ①, ②, ④ **11** (1) ㉠ (2) ㉡, ㉢, ㉣
12 강정 **13** ④ **14** ②
15 애벌레, 나방, 개구리, 눈신토끼
16 물고기를 잡을 수 있습니다. 등
17 ⑤
18 예 우리 주변에는 다양한 직업이 있습니다.
19 ② **20** ④, ⑤

1 감시용 로봇, 해양 탐사 로봇, 의료용 로봇 등을 예로 들면서 로봇이 하는 여러 가지 일을 설명했습니다.

2 로봇이 하는 여러 가지 일을 설명하는 글로 ㉠이 가장 중심이 되는 문장입니다.

3 이 글은 장승의 여러 가지 구실을 설명하는 내용, 장승의 얼굴 모습을 설명하는 내용으로 크게 두 가지 내용으로 되어 있습니다.

4 한 문단이 끝나면 줄을 바꾸고 문단을 시작할 때에는 한 칸을 들여 씁니다.

5 ㉠은 문단 내용을 대표하는 중심 문장이고, ㉡~㉣은 뒷받침 문장입니다.

> **보충 자료** 문단의 중심 문장과 뒷받침 문장을 구별하면 좋은 점
> • 글의 내용을 잘 이해할 수 있습니다.
> • 글의 내용을 쉽게 정리할 수 있습니다.
> • 설명하는 내용을 쉽게 이해할 수 있습니다.

6 두 번째 문단에서 중심 문장은 첫 문장으로 글쓴이가 주로 말하고자 하는 내용이 나타나 있습니다.

> **채점 기준** 두 번째 문단의 중심 문장이 첫 문장임을 알고 첫 문장의 내용으로 썼으면 정답으로 합니다.

7 장승의 얼굴 모습은 장난꾸러기 얼굴도 있었습니다.

8 (1)~(3)의 문장은 우리나라의 명절마다 하는 놀이의 예를 말하고 있으므로 뒷받침 문장으로 알맞고, (4)가 중심 문장으로 알맞습니다.

9 한과는 우리 조상이 만들어 먹던 전통 과자를 말합니다.

10 한과는 약과, 강정, 엿처럼 여러 가지가 있다고 나타나 있습니다.

11 약과가 무엇인지 말하는 첫 문장이 두 번째 문단의 중심 문장이고 나머지 문장들이 뒷받침 문장입니다.

12 강정에 대한 설명입니다.

13 엿기름은 엿에 들어가는 재료입니다.

14 엿이 무엇인지 말하는 ②의 문장이 중심 문장이고, 엿에 대해 덧붙여 설명하는 다른 문장들이 뒷받침 문장입니다.

15 첫 문장이 중심 문장이고, 나머지 문장들이 뒷받침 문장인데 뒷받침 문장에서 보호색으로 자신의 몸을 지키는 동물의 예를 들고 있습니다.

정답 친해지기 「동물들의 보호색」의 중심 문장과 뒷받침 문장	
중심 문장	동물들은 보호색으로 자신의 몸을 지킵니다.
뒷받침 문장	• 나뭇잎을 기어 다니는 애벌레는 초록색이어서 눈에 잘 띄지 않습니다. • 나방은 나무껍질과 비슷한 보호색으로 천적을 속입니다. • 개구리도 사는 곳에 따라 녹색이나 갈색으로 색깔을 바꾸어 자신을 보호합니다. • 눈신토끼는 계절에 따라 털색을 바꾸는 동물입니다.

16 '물고기'라는 말을 이용하여 중심 문장을 뒷받침하는 내용으로 문장을 만들어 써 봅니다.

> **채점 기준** '우리는 바다에서 많은 것을 얻습니다.'가 중심 문장임을 알고 뒷받침하는 내용으로 '물고기'를 넣어 문장을 만들어 썼으면 정답으로 합니다.

17 '공으로 하는 운동'이라는 중심 내용에 어울리지 않는 것을 찾습니다.

18 '다양한 직업'이 중심 내용입니다. 중심 내용에 알맞은 중심 문장을 만들어 써 봅니다.

19 햄스터를 좋아하는 까닭이 뒷받침 문장으로 나타나 있으므로, 중심 문장으로 ②가 어울립니다.

20 문단의 뒷받침 문장을 쓸 때에는 중심 문장을 덧붙여 설명하는 내용으로 쓰고, 중심 문장의 내용을 이해하기 쉽게 예를 들어서 씁니다.

서술형 평가 47쪽

1 한 칸 뒤이다. / 한 칸 들여 쓴 위치이다. 등

2 장승은 여러 가지 구실을 했다는 것이다. 등

3 (1) 강정은 찹쌀가루를 반죽해 기름에 튀긴 뒤에 고물을 묻힌 과자입니다.

　(2) • 찹쌀가루를 반죽할 때에는 꿀과 술을 넣습니다.

　　 • 그런 다음에 끈기가 생길 때까지 반죽을 쳐서 갸름하게 썰어 말린 뒤 기름에 튀깁니다.

　　 • 깨, 잣가루, 콩가루와 같은 고물을 묻혀 먹습니다.

4 가락엿을 부러뜨려, 그 속의 구멍이 더 많고 더 큰 쪽이 이기는 놀이이다. 등

5 공으로 하는 운동에는 여러 가지가 있습니다. 등

---

1 문단을 시작할 때에는 한 칸을 들여 씁니다. 그러므로 첫 문장의 첫 글자의 위치는 한 칸 뒤입니다.

> **채점 기준** 한 칸 뒤나 한 칸 들여 쓴 위치라는 내용으로 썼으면 정답으로 합니다.

2 문단 내용을 대표하는 문장을 찾아보고 주로 말하고자 하는 내용을 써 봅니다.

> **채점 기준** 문단에서 중심 문장이 첫 문장임을 알고 첫 문장의 내용으로 썼으면 정답으로 합니다.

3 문단 내용을 대표하는 문장과 중심 문장을 뒷받침하는 문장을 찾아 씁니다.

> **채점 기준** 첫 번째 문단에서 중심 문장이 첫 문장임을 알고 찾아 쓰고, 나머지 문장들을 뒷받침 문장으로 잘 썼으면 정답으로 합니다.

4 엿치기는 가락엿을 부러뜨려, 그 속의 구멍이 더 많고 더 큰 쪽이 이기는 놀이입니다.

> **채점 기준** 엿치기가 무엇인지 알고 가락엿을 부러뜨려, 구멍의 개수와 크기를 비교한다는 내용으로 썼으면 정답으로 합니다.

5 뒷받침 문장의 내용을 대표하는 중심 문장을 만들어 씁니다. '공으로 하는 운동'이라는 말이 들어가도록 만들어 봅니다.

> **채점 기준** 생각그물에 있는 중심 내용이 빠져 있는 문단임을 알고 '공으로 하는 운동'을 넣어 중심 문장을 잘 만들어 썼으면 정답으로 합니다.

3. 알맞은 높임 표현

핵심 확인 문제   50쪽

1 높임   **2** (1) ○   **3** ─습니다
4 존중하는   **5** 높임

준비   높임 표현을 사용하는 경우 알기   51쪽

1 (1) 높이기 (2) 공경
2 (1) 아버지 (2) 선생님 (3) 어머니
3 ②   **4** ①, ②, ⑤

1 높임 표현의 뜻과 담긴 마음을 바르게 씁니다.

2 아버지께 말할 때, 선생님에 대해 말할 때, 어머니에 대해 말할 때 높임 표현을 쓰고 있습니다.

> **정답 친해지기** ㉯에서는 듣는 사람이 아버지, ㉣에서는 행동하는 사람이 선생님, ㉰에서는 '누구에게'에 해당하는 사람이 어머니입니다.

3 '에게'에 해당하는 사람은 동생으로 높임 표현이 아닙니다.

4 듣는 사람이 말하는 사람보다 웃어른일 때, 행동하는 사람이 말하는 사람보다 웃어른일 때, '누구에게'에 해당하는 사람이 말하는 사람보다 웃어른일 때 높임 표현을 사용합니다.

기본   높임 표현을 사용하는 방법 알기   52~53쪽

1 (1) 다녀왔습니다 (2) 좋겠습니다
2 ⑤
3 (1) 오시니 (2) 하시나요   **4** ─시─
5 ㉠ ─ ④ ㉡ ─ ②
6 높임의 대상에게 '께서'나 '께'를
7 ⑤   **8** 예 주무시다

1 대화 ㉮에서는 아버지가 높임의 대상이고, 대화 ㉯에서는 선생님과 친구들이 높임의 대상입니다. 높임 표현인 '다녀왔습니다', '좋겠습니다'가 알맞습니다.

2 '─습니다'를 써서 문장을 끝맺는 방법으로 높임을 표현하였습니다.

3 대화 ㉰에서는 선생님이 높임의 대상이고, 대화 ㉣에서는 어머니가 높임의 대상입니다. 높임 표현인 '오시니', '하시나요'가 알맞습니다.

4 높임을 나타내는 '─시─'를 넣는 방법으로 높임을 표현하였습니다.

5 대화 ㉮에서는 할아버지가 높임의 대상이고, 대화 ㉯에서는 할머니가 높임의 대상입니다. 높임 표현인 '할아버지께서', '할머니께'가 알맞습니다.

6 할머니나 할아버지처럼 웃어른(높임의 대상)에게는 '께서'나 '께'를 사용해 높임을 표현합니다.

> **채점 기준** 높임의 대상에게 사용하는 '께서'나 '께'를 넣어 썼으면 정답으로 합니다.

7 '밥'이 아니라 '진지'가 높임의 뜻이 있는 특별한 낱말입니다.

8 웃어른께 사용하는 높임의 뜻이 있는 특별한 낱말을 생각해 봅니다.

기본   높임 표현과 언어 예절을 생각하며 대화하기   54~56쪽

1 ①
2 예 기분이 좋지 않으실 것 같다. / 여자아이가 버릇이 없다고 생각해 화가 나실 것 같다.
3 ③
4 지난겨울에 찍은 제 사진이에요. 할머니께서도 한 번 보시겠어요? 등
5 구두 / 물건   **6** (2) ○
7 이 휴대 전화는 매진되었습니다. 등
8 ④   **9** 대화 ㉮
10 (1) 좋아합니다 (2) 네, 계세요 (3) 드릴 말씀, 있어요, 있습니다
11 이에요, 물건을 높이는 높임 표현을 쓰지 않는다. 등
12 수지

1 여자아이는 할머니와 대화하면서 엎드린 채로 스마트폰을 보면서 무뚝뚝한 표정으로 높임 표현을 사용하지 않고 대화하였습니다.

2 여자아이가 언어 예절을 지키고 있지 않아 할머니는 기분이 좋지 않으실 것입니다.

> **보충 자료** 언어 예절에 맞게 높임 표현을 사용하면 상대는 자신을 공경한다고 생각하여 기분이 좋을 것입니다.

3 여자아이는 바르지 않은 자세를 하고 높임 표현을 사용하지 않았습니다.

> **정답 친해지기 여자아이가 지켜야 할 언어 예절**
>
> | 자세 | • 바른 자세로 말합니다.
 • 듣는 사람을 바라보면서 말합니다. |
> |---|---|
> | 표현 | • 알맞은 높임 표현을 사용합니다.
 • 예의 바르게 말합니다. |

4 여자아이는 할머니와 대화하면서 높임 표현을 사용하지 않았습니다. 높임 표현을 사용해 고쳐 봅니다.

> **채점 기준** 여자아이의 말을 바른 높임 표현으로 잘 고쳐 썼으면 정답으로 합니다.

5 구두 판매원은 '-시-'를 사용하여 구두를 높이는 말을 하였습니다.

6 커피 가게 점원은 커피를 가리켜 '나오셨습니다'라고 하여 커피를 높이는 말을 하였습니다. '나오셨습니다' 대신 '나왔습니다'로 고쳐야 합니다.

7 '-시-'는 높임의 대상이 되는 사람이 하는 행동에만 사용해야 하므로 '매진되셨어요'를 '매진되었습니다' 등으로 고쳐야 합니다.

> **채점 기준** '매진되셨어요'를 '매진되었습니다'로 고쳐 썼으면 정답으로 합니다.

8 이 글에서는 물건을 높인다고 사람이 높아지지는 않으므로 물건을 높이는 것은 버려야 할 언어 습관이라고 하였습니다.

9 대화 **가**는 듣는 사람이 선생님과 친구들인 경우이고, 대화 **나**는 어머니이고, 대화 **다**는 선생님인 경우입니다.

10 듣는 사람이 웃어른이거나 친구가 여러 명인 경우에는 높임 표현을 사용해야 합니다.

11 대화 **라**에서는 웃어른이 아닌 물건이 대상이므로 물건을 높이는 높임 표현을 쓰지 않아야 합니다.

> **채점 기준** '이에요'를 쓰고, 물건을 높이는 높임 표현을 사용하지 않는다는 내용으로 썼으면 정답으로 합니다.

12 할아버지께는 "생신 축하드려요."라고 말씀드려야 합니다.

> **실천** 높임 표현을 사용해 역할놀이하기   57~58쪽

1 (3) ○

2 **예** 높여서 말할 대상이 선생님이므로 '께서'를 넣어야 하고, 선생님께서 말씀하신 것이므로 '하셔'라고 해야 하기 때문이다.

3 (1) 선생님께서 (2) 하셨어

4 (3) ○

5 아버지께서 장바구니 좀 챙기라고 하셨어. 등

6 ④

7 ㉠ 옆집 어른께서 댁에 계실까요?
㉡ 어머니께서 갖다드리래요.(갖다드리라고 하셨어요.)
㉢ 쟁반이 너무 예뻐요.
㉣ 옆집 어른께서 고맙다고 하셨어요.

8 (1) ② (2) ①

---

1 선생님은 웃어른이므로 '께서'를 넣어야 하고 선생님이 말씀을 하신 것이므로 '하셔'라고 해야 합니다.

2 선생님 뒤에 '께서'를 붙여야 하고, '하셔'라고 해야 되는 까닭을 씁니다.

> **채점 기준** 선생님이 웃어른이므로 '께서'와 '-시-'를 사용한다는 내용으로 썼으면 정답으로 합니다.

3 높여서 말할 대상이 선생님이므로 '께서'와 '하셨어'를 사용해야 합니다.

4 높여서 말할 대상이 아버지이므로 '께서'와 '-시-'를 사용해야 합니다.

5 높여서 말할 대상이 아버지이므로 '께서'와 '하셨어'를 사용해야 합니다.

6 어머니께서 훈민이와 동생에게 옆집 어른께 김치 좀 갖다드리고 오라고 말씀하셨습니다.

7 높임의 대상에 주의하며 알맞은 높임 표현을 사용해 고쳐 씁니다.

	정답 친해지기 **알맞은 높임 표현 사용하기**
㉠	• 높임의 뜻이 있는 특별한 낱말인 '댁'을 사용해야 합니다. • 높임의 뜻이 있는 특별한 낱말인 '계실까요'를 사용해야 합니다.
㉡	높임의 뜻이 있는 특별한 낱말인 '갖다드리래요'를 사용해야 합니다.
㉢	물건은 높이지 않으므로 '예뻐요'를 사용해야 합니다.
㉣	• 옆집 어른 뒤에 '께서'를 사용해야 합니다. • '요'나 '-습니다'를 써서 말을 끝맺어야 합니다.

8 알맞은 높임 표현을 들으면 공경하는 마음이 느껴져서 기분이 좋을 것이고, 알맞지 않은 높임 표현을 들으면 어색하게 느껴질 것입니다.

국어 활동 59~60쪽

1 (1) ① (2) ①, ④ (3) ②, ③ (4) ③, ④
2 ③ **3** 높임말 **4** ②
5 높임말을 사용하면 상대를 높일 수 있다. / 내가 높임말을 사용하면 나 자신도 높아지기 때문이다. 등
6 (1) ② (2) ②

1 높임 표현을 살펴보고, 어떤 방법을 사용하여 높임 표현을 만들었는지 찾아봅니다.

2 범수는 엄마가 자신에게 높임말을 하는 것이 재미있고 신기해서 자꾸 말을 걸었다고 했습니다.

3 엄마는 범수가 웃어른께 높임말을 쓰지 않는 잘못을 깨닫게 하려고 범수에게 높임말을 사용했습니다.

4 범수는 엄마에게 반말을 하는데 엄마는 범수에게 높임말을 쓰자, 친구들이 엄마가 하녀냐고 놀렸습니다.

5 범수가 엄마에게 말을 낮추면 엄마가 낮아지는 것이라고 깨달은 부분에서 알 수 있습니다.

6 받침 'ㅎ'이 뒤에 오는 'ㄱ'을 만나서 [안코]로 소리 나고, 받침 'ㅎ'이 뒤에 오는 'ㅈ'을 만나서 [싸치]로 소리 납니다.

정답 친해지기 받침 'ㅎ'은 뒤따르는 소리에 따라 발음을 달리해야 합니다. 받침 'ㅎ'이 'ㄱ', 'ㄷ', 'ㅈ'을 만나면 각각 [ㅋ], [ㅌ], [ㅊ]으로 발음됩니다.

단원 마무리 61쪽

❶ 웃어른 ❷ 시 ❸ 낱말
❹ 바른 ❺ 물건

단원 평가 62~64쪽

1 (1) 진수 (2) 아버지 **2** (2) ○
3 -습니다 **4** (1) 선생님 (2) 어머니
5 ② **6** 께서 **7** ②, ⑤
8 부모님께 카네이션을 달아 드릴 거야.
9 할머니 **10** ①, ⑤
11 예 웃어른과 대화할 때에는 알맞은 높임 표현을 사용해 예의 바르게 말해야 해. / 바른 자세로 듣는 사람을 바라보면서 말해야 해.
12 정후
13 주문하신 커피 나왔습니다. 등
14 ⑤ **15** ③ **16** ⑤
17 께서, 하셨어
18 옆집 어른께 김치를 갖다드리는 것 등
19 ③
20 높임 표현을 알맞게 사용하니 공경하는 마음이 느껴져 기분이 좋으실 것이다. 등

1 대화 ㉮에서는 동생인 진수가 듣고 있고, 대화 ㉯에서는 아버지께서 듣고 계십니다.

2 듣는 사람이 말하는 사람보다 웃어른일 때 높임 표현을 사용해야 합니다.

정답 친해지기 **높임 표현을 사용하는 경우** • 듣는 사람이 말하는 사람보다 웃어른일 때 • 행동하는 사람이 말하는 사람보다 웃어른일 때 • '누구에게'에 해당하는 사람이 말하는 사람보다 웃어른일 때

3 문장의 끝부분에 '-습니다'를 써서 높임을 표현하였습니다.

정답 친해지기 **높임 표현을 사용하는 방법** • '-습니다' 또는 '요'를 써서 문장을 끝맺습니다. • 높임을 나타내는 -시-를 넣습니다. • 높임의 대상에게 '께서'나 '께'를 사용합니다. • 높임의 뜻이 있는 특별한 낱말을 사용합니다.

4 대화 **가**에서는 선생님이고, 대화 **나**에서는 어머니입니다.

5 '오시니?', '하시나요?'에서는 높임을 나타내는 '-시-'를 넣었습니다.

6 높임의 대상에게 '께서'를 사용합니다.

7 '밥, 주다, 물어보다'는 친구나 동생에게 사용하고, '진지, 드리다, 여쭈어보다'는 웃어른께 사용합니다.

8 높임의 뜻이 있는 특별한 낱말 '드리다'를 씁니다.

9 여자아이와 할머니가 대화를 하고 있습니다.

10 여자아이는 엎드린 자세로 스마트폰을 보면서 말하고 있습니다.

11 웃어른과 대화할 때의 바른 자세와 바른 표현을 알려 주는 말을 씁니다.

> **채점 기준** 여자아이가 잘못한 점을 알고 바른 언어 예절을 알려 주는 말을 잘 썼으면 정답으로 합니다.

12 커피 가게 점원은 커피를 가리켜 '나오셨습니다'라고 하여 커피를 높이는 말을 하였습니다.

13 물건에는 높임 표현을 사용하면 안 되므로, '나오셨습니다'를 '나왔습니다'로 고쳐야 합니다.

14 높임 표현을 사용할 때에는 상대에게 함부로 하지 않고 공경하는 마음을 지녀야 합니다.

15 듣는 사람이 나보다 웃어른이거나 여러 명의 친구들인 경우이므로 '좋아합니다'를 씁니다.

16 "선생님께서 너 오라고 하셔."라고 말하는 것이 알맞습니다. 줄여서 "선생님께서 너 오라셔."라고 말할 수도 있습니다.

17 선생님을 높여야 하므로 '께서'를 붙이고 문장을 끝맺는 말에 '-시-'를 넣어야 합니다.

18 어머니께서 옆집 어른께 김치를 갖다드리고 오라고 하셨습니다.

19 옆집 어른을 높여야 하므로, '옆집 어른께서 댁에 계실까요?'가 가장 알맞습니다.

20 알맞은 높임 표현을 사용하면 공경하는 마음이 느껴져서 기분이 좋을 것입니다.

> **채점 기준** 바른 높임 표현을 들으면 기분이 어떠할지 잘 썼으면 정답으로 합니다.

---

1 듣는 사람이 웃어른일 때 높임 표현을 쓴다. / 행동하는 사람이 웃어른일 때 높임 표현을 쓴다. / '누구에게'에 해당하는 사람이 웃어른일 때 높임 표현을 쓴다. 등

2 높임의 대상에게 '께'를 사용했다. / 높임의 뜻이 있는 특별한 낱말 '드릴게요'를 사용했다. 등

3 엎드린 자세로 말하고, 할머니께 높임 표현을 사용하지 않았다. / 할머니 대신 스마트폰을 보면서 말하고, 친구에게 사용하는 말로 대화했다. 등

4 물건을 높이는 높임 표현을 사용하지 않는데 '-시-'를 사용했기 때문이다. 등

5 아버지께서 뭐라고 하셨어? 등

---

1 듣는 사람이 웃어른일 때, 행동하는 사람이 웃어른일 때, '누구에게'에 해당하는 사람이 웃어른일 때 높임 표현을 사용합니다.

> **채점 기준** 높임 표현을 사용하는 경우 중 한 가지를 바르게 썼으면 정답으로 합니다.

2 높임의 대상인 할머니 뒤에 '께'를 사용하고, 높임의 뜻이 있는 특별한 낱말인 '드리다'를 사용하였습니다.

> **채점 기준** '께'를 사용했거나 높임의 뜻이 있는 특별한 낱말 '드릴게요'를 사용했다는 내용으로 썼으면 정답으로 합니다.

3 여자아이는 할머니와 대화하고 있으므로 바른 자세로 할머니를 쳐다보며 알맞은 높임 표현을 사용해 말해야 합니다.

> **채점 기준** 여자아이가 할머니와 대화하면서 잘못한 일을 잘 찾아 썼으면 정답으로 합니다.

4 신발은 물건이기 때문에 문장을 끝맺는 말에 '-시-'를 넣지 않습니다.

> **채점 기준** 물건인 신발을 높여서 사용한 상황임을 알고 알맞지 않은 까닭을 잘 썼으면 정답으로 합니다.

5 아버지를 높여야 하므로 아버지 뒤에 '께서'를 붙이고 문장을 끝맺는 말에 '-시-'를 넣어 '하셨어'라고 해야 합니다.

> **채점 기준** 아버지를 높이는 말을 사용해 알맞은 높임 표현으로 고쳐 썼으면 정답으로 합니다.

4. 내 마음을 편지에 담아

68쪽

핵심 확인 문제

1 ○　　**2** 축하　　**3** (1) ○ (2) ○
4 행동　　**5** 받을 사람

준비 마음을 전한 경험 나누기 69쪽

1 (1) 축하하는 마음　(2) 위로하는 마음
　(3) 고마운 마음　　(4) 미안한 마음
2 (1) ②　(2) ④　(3) ①　(4) ③
3 (1) 예 내가 잘 모르는 수학 문제를 서연이가 가르쳐 주었다.
　(2) 예 서연이에게 모르는 문제를 가르쳐 주어서 고맙다고 말했다. 그리고 친구들을 잘 도와주는 친절한 아이라고 친구들에게 이야기했다.
4 마음, 까닭

1 각 그림의 상황을 살펴보고 어떤 마음을 전하는 게 좋을지 생각해 봅니다.

2 각 그림의 상황에서 전할 수 있는 마음에 어울리는 말을 찾아봅니다.

3 마음을 전한 경험을 떠올려 그때 한 말을 써 봅니다.

> **채점 기준** 있었던 일과 그때 했던 마음을 전하는 말을 알맞게 썼으면 정답으로 합니다.

4 마음을 전하는 말을 할 때에는 어떤 마음을 전할지 먼저 떠올려야 하고 마음을 전하는 말을 할 때에는 그러한 마음을 전하는 까닭이 잘 드러나게 이야기합니다.

기본 편지를 읽고 마음을 나타내는 말 익히기 70~71쪽

1 (1) ③　(2) ②　(3) ①
2 가방을 들어 준 일 등　　**3** ③, ⑤
4 ①　　　　　　**5** ①, ⑤
6 많이 아쉬웠어요
7 ⑤　　　　　　**8** ③, ④
9 예 나도 처음에는 한자 쓰기를 잘 못했는데 열심히 연습해서 한자왕이 된 적이 있어. 좀 더 노력하면 더 좋은 결과를 얻을 수 있을 거야.

1 그림에 나타난 상황을 잘 살펴보고 각 그림에 맞는 내용을 찾아봅니다.

2 민경이는 어제 가방을 들어 주어서 고맙다고 편지를 썼습니다.

3 민경이는 나리에게 '너는 운동도 잘하고, 마음도 참 따뜻한 멋진 친구야.'라고 했습니다.

4 민경이는 나리와 있었던 일을 말하며 '고마웠어, 걱정했는데, 정말 기뻤어, 많이 속상했어, 미안했어, 고마워, 멋진 친구야, 친하게 지내자' 등의 마음을 나타내는 말을 썼습니다.

5 정혁이는 할아버지 생신을 축하드리고 할아버지 댁에 가면 반갑게 맞아 주시고 재미있는 이야기를 들려주셔서 감사하다고 했습니다.

6 작년 할아버지 생신 때 찾아뵙지 못한 일에 대해 많이 아쉬운 마음을 표현하였습니다.

7 민재는 호준이가 한 달 동안이나 저녁마다 줄넘기 연습을 열심히 했는데 상을 받지 못한 것을 위로하고 있습니다.

8 민재는 호준이에게 '기특하고 대단하다고 생각했어, 많이 속상했지, 더 좋은 결과가 있을 거야, 응원하고 있어' 등의 말을 써서 위로하고 있습니다.

9 자신이 경험한 일을 떠올려 경험을 말하면서 위로하는 마음을 나타내는 말로 바꾸어 써 봅니다.

> **채점 기준** 경험한 일을 바탕으로 친구를 위로하는 마음을 나타내는 말을 적절히 썼으면 정답으로 합니다.

기본 글을 읽고 글쓴이의 마음 짐작하기 72~73쪽

1 ②　　　　　　**2** ③
3 민서 탓이라고 하시며 등
4 어머니와 동생 때문에 화가 나 있는 상태이기 때문에 등
5 속상함 등　　**6** ⑤
7 예 죄송하다고 직접 말씀드릴 것이다. / 죄송하다고 말씀드리고 안마를 해 드릴 것이다. / 죄송하다고 편지를 써서 어머니께 드릴 것이다.
8 ㉠

정답과 해설

1 자기 머리핀인데 민주가 꽂고 가서 화난 마음이 ㉠에 나타나 있습니다.

2 어머니 말씀에 대꾸도 하지 않은 행동에서 민서의 서운하고 화난 마음을 짐작할 수 있습니다.

3 동생 민주가 민서의 머리핀을 꽂고 유치원에 가 버렸는데 어머니께서는 민서 탓을 하시며 동생 편을 드셨습니다.

4 민서는 머리핀 때문에 동생에게 화가 나고 어머니께 서운한 마음이었기 때문에 짝이 새로 산 물감을 자랑하자 짜증이 난 것입니다.

5 책상에 엎드린 행동에서 민서가 물감을 가져오지 않아서 속상한 마음임을 짐작할 수 있습니다.

6 어머니 말씀에 대꾸도 하지 않고 학교에 왔는데, 어머니께서는 출근하느라 바쁘신데도 학교까지 오셔서 물감을 주고 가셨습니다.

7 어머니께 죄송한 마음을 어떻게 표현하면 좋을지 생각하여 씁니다.

> **채점 기준** 어머니께 죄송한 마음을 표현하는 방법을 알맞게 썼으면 정답으로 합니다.

8 어머니께서 꾸중하셔서 뿌듯한 마음이 들었다기 보다는 속상하고 화가 났을 것입니다.

기본+실천 마음이 잘 드러나게 편지 쓰는 방법 익히고 편지 쓰기 74~75쪽

1 ⑤   **2** 도시에서 빵 가게를 했다. 등
3 ④
4 예 아버지가 일자리를 얻었으니 리디아에게 집으로 돌아오라는 소식일 것이다.
5 첫인사   **6** ⑤   **7** ②, ③
8 (1) 마음 (2) 생각이나 느낌
9 (1) 예 친구 (2) 예 글짓기 상을 받은 일
(3) 예 기쁘고 자랑스러웠다.

1 리디아는 아버지가 일자리를 잃고 생활이 어려워지자 외삼촌 댁으로 가게 되었습니다.

2 도시에서 빵 가게를 하는 외삼촌 댁으로 가게 됐다고 나타나 있습니다.

3 리디아는 일하는 틈틈이 빵 가게 옥상에 멋진 꽃밭을 가꾸었다고 했습니다.

4 집을 떠나 외삼촌 댁에서 생활하는 리디아에게 기쁜 소식은 무엇일지 생각하여 씁니다.

> **채점 기준** 집으로 돌아오라는 내용으로 예상하여 썼으면 정답으로 합니다.

5 편지는 받을 사람, 첫인사, 전하고 싶은 말, 끝인사, 쓴 날짜, 쓴 사람의 형식으로 이루어집니다.

6 리디아의 즐겁고 기쁜 마음이 나타나 있으므로 ⑤ 대신에 '하늘을 날 듯 신난다'가 어울립니다.

7 쓰임에 따라 '굉장한'과 뜻이 비슷한 낱말로 '근사한', '엄청난' 등이 있습니다.

> **보충 자료** 한 낱말을 되풀이해서 쓰기보다는 쓰임에 따라 뜻이 비슷한 다른 낱말로 바꾸어 사용하면 내용을 더 풍부하게 할 수 있습니다.

8 전하고 싶은 마음을 드러내는 표현을 사용하여 자신의 생각이나 느낌을 자세히 씁니다.

9 누구에게 마음을 전하고 싶은지, 어떤 일 때문에 마음을 전하고 싶은지, 그때의 생각이나 느낌을 떠올려 씁니다.

국어 활동   76쪽

1 ③
2 엄마가 예쁜 옷을 만들어 주신 것 / 할머니께서 꽃씨를 챙겨 주신 것 등
3 ⑤
4 예 네가 우산을 씌워 주지 않았다면 책가방도 옷도 다 젖었을 거야. 너도 내 도움이 필요할 때 언제든지 말해. 정말 고마워.

1 리디아의 편지에는 '고맙습니다'라는 말이 나타나 있습니다.

2 리디아는 엄마가 예쁜 옷을 만들어 주신 것과 할머니가 꽃씨를 챙겨 주신 것에 대해 고맙다고 했습니다.

3 지수가 쓴 편지에는 전하고 싶은 말의 내용이 부족합니다.

4 승현이가 우산을 씌워 준 일에 대해 어떤 마음을 전하는 말을 하면 좋을지 생각하여 씁니다.

단원 마무리 77쪽

❶ 미안   ❷ 화남   ❸ 속상

❹ 첫인사

단원 평가 78~80쪽

1 그림 ㉰   **2** (1) ③ (2) ④ (3) ② (4) ①

3 예 넘어져서 속상했지? / 다음에는 더 잘할 수 있을 거야.

4 팔을 다친 글쓴이의 가방을 들어 주었다. 등

5 ②   **6** ②, ④   **7** (1) ② (2) ①

8 위로하는   **9** 고마운 마음 등

10 ①, ④   **11** ⑤

12 출근하느라 바쁘신데도 학교까지 오셔서 물감을 주고 가셨다. 등

13 ④   **14** ①

15 리디아의 아빠가 취직이 되었다는 기쁜 소식을 전하기 위해서이다. 등

16 ⑤   **17** ⑤   **18** ②

19 ④   **20** ⑤

1 그림 ㉮는 할머니의 생신을 축하드리는 상황, 그림 ㉯는 친구가 달리기를 하다가 넘어진 상황, 그림 ㉰는 짝이 책을 빌려주는 상황, 그림 ㉱는 친구의 그림에 물통을 엎지른 상황입니다.

2 그림 ㉮에서는 축하하는 마음을, 그림 ㉯에서는 위로하는 마음을, 그림 ㉰에서는 고마운 마음을, 그림 ㉱에서는 미안한 마음을 전해야 합니다.

3 달리기를 하다가 넘어진 친구를 위로하려면 어떤 말을 해야 할지 생각해 봅니다.

4 나리는 팔을 다친 글쓴이의 가방을 들어 주었습니다.

5 나리에게 고마운 마음을 표현하기 위해 편지를 썼습니다.

6 '고마웠어, 정말 기뻤어'에서 글쓴이의 마음이 나타나 있습니다.

7 글쓴이는 할아버지의 생신을 축하해 드리기 위해서 편지를 쓰면서 감사한 마음을 표현했습니다.

8 글쓴이는 줄넘기 대회에서 상을 받지 못한 동생에게 다음에는 더 좋은 결과가 있을 거라고 위로하고 있습니다.

9 글쓴이는 '이렇게 예쁜 옷을 만들어 주셔서 고맙습니다.'라는 말로 자신의 마음을 표현하였습니다.

10 어머니 말씀에 대꾸를 하지 않은 행동에서 화나고 서운한 마음을 알 수 있습니다.

11 동생이 자신의 머리핀을 가져갔는데 어머니께서 동생 편만 드신다고 생각했기 때문입니다.

12 '나'는 어머니 말씀에 대꾸도 하지 않고 학교에 왔는데, 어머니께서는 학교까지 오셔서 물감을 주고 가시자 '나'는 죄송한 마음이 들었습니다.

> **채점 기준** 어머니께서 물감을 가져다주셨다는 내용으로 썼으면 정답으로 합니다.

13 '나'는 집에 가서 어머니께 죄송하다고 말씀드리겠다고 했습니다.

14 리디아의 편지에는 '받을 사람' 다음에 들어갈 '첫인사'가 빠져 있습니다.

15 외삼촌께서는 리디아의 아빠가 취직이 되었다는 기쁜 소식을 전하며 그 일을 축하하기 위해서 케이크를 들고 나타나셨습니다.

> **채점 기준** 리디아에게 리디아의 아빠가 취직을 하셨다는 소식을 전해 주기 위해서라는 내용으로 썼으면 정답으로 합니다.

16 리디아는 그리운 집으로 돌아갈 수 있게 되어서 기뻐하고 있습니다.

17 '엄청난', '근사한', '훌륭한', '대단한'은 쓰임에 따라 '굉장한'과 뜻이 비슷한 낱말입니다. '하찮은'은 '그다지 훌륭하지 아니한'이라는 뜻입니다.

18 리디아에게 축하하는 말을 해야 합니다. '안됐어'는 위로하는 마음을 전할 때의 말로 어울립니다.

19 자신의 생각이나 느낌, 전하고 싶은 마음이 잘 나타나게 쓰고, 편지의 형식에 맞게 씁니다.

20 나은이는 그리기 대회에서 금상을 받은 민지에게 축하하는 마음을 전하고 있습니다. 나은이는 민지에게 앞으로 더 노력해서 화가가 되고 싶다는 꿈을 이루길 바란다고 했습니다.

서술형 평가

1 어머니 말씀에 대꾸도 하지 않고 학교에 왔는데, 어머니께서는 출근하시느라 바쁘신데도 학교까지 오셔서 물감을 주고 가셨기 때문이다. 등

2 ⑩ 민서야, 나도 동생이 내가 아끼는 장난감을 망가뜨린 적이 있었어. 그래서 내가 동생에게 화를 냈는데 동생이 우니까, 어머니께서 사이좋게 놀지 않는다고 꾸중하셔서 속상했단다. 그래도 어머니께 화를 낸 것은 잘못한 것 같아. 집에 가서 꼭 어머니께 사과드리렴.

3 집으로 돌아가게 되었다. 등

4 ⑩ 아빠께서 취직을 하셨다니 정말 축하해. 엄마, 아빠, 할머니께서 계신 너의 집으로 돌아갈 수 있다니 내 일처럼 기뻤어.

아빠께서 오랫동안 취직을 못 하셔서 네가 외삼촌 댁에 가서 살게 되었을 때는 나도 마음이 아팠단다.

이제 집으로 돌아가면 할머니와 꽃 가꾸는 일을 하면서 행복하게 지내길 바랄게. 그럼 안녕.

1 민서는 화가 난 마음에 어머니 말씀에 대꾸도 하지 않고 학교에 왔는데, 어머니께서는 물감을 주고 가셨습니다.

> **채점 기준** 민서에게 있었던 일을 잘 파악하여 죄송한 마음이 든 까닭을 잘 썼으면 정답으로 합니다.

2 민서가 어머니께 죄송한 마음을 어떻게 표현하면 좋을지 민서와 비슷한 경험과 그때의 마음을 떠올린 다음, 민서에게 마음을 전하는 글을 써 봅니다.

> **채점 기준** 민서에게 어머니께 죄송한 마음을 어떻게 표현하면 좋을지 알려 주는 말을 적절히 썼으면 정답으로 합니다.

3 리디아는 생활이 어려워지자 외삼촌 댁에 가서 지내다가 아빠가 취직을 하셔서 집으로 돌아가게 되었습니다.

> **채점 기준** 리디아가 집으로 돌아갈 수 있게 됐다는 내용으로 썼으면 정답으로 합니다.

4 리디아가 어떤 마음일지 생각하며 리디아에게 마음을 나타내는 말이 잘 드러나게 편지를 써 봅니다.

> **채점 기준** 리디아의 상황을 잘 이해하고 마음을 전하는 말을 넣어 편지를 알맞게 썼으면 정답으로 합니다.

5. 중요한 내용을 적어요

핵심 확인 문제

1 메모 **2** 기억 **3** ○
4 중요한 **5** 책 제목 등

준비 메모했던 경험 나누기

1 옛이야기 속 과학 지식을 조사하는 것 등
2 ②, ⑤
3 (1) 「흥부와 놀부」 (2) 체험활동 (3) 이야기 세상
4 메모 **5** (1) ② (2) ③ (3) ①
6 녹음이나 메모를 한다. 등 **7** ③
8 ⑩ 현장 체험학습을 갈 때 가져가야 할 물건을 적어 본 적이 있다.

1 그림 ❶의 왼쪽 아이가 한 말에서 민건이네 모둠 과제를 알 수 있습니다.

2 민건이네 모둠이 선생님 말씀을 제대로 듣지 않았고, 선생님 말씀을 기억하지 못했기 때문입니다.

3 민건이는 선생님 말씀을 잘 듣고 중요한 내용만 썼습니다.

4 자신이 기억한 것을 잊지 않으려고 짧게 쓴 글을 '메모'라고 합니다.

> **보충 자료** 메모를 해 두면 시간이 많이 흐른 뒤에도 듣고 보고 생각한 것을 다시 떠올리는 데 도움이 됩니다.

5 그림 ㉮는 갑자기 좋은 생각이 떠오른 상황, 그림 ㉯는 심부름을 갈 때 기억할 게 많은 상황, 그림 ㉰는 공부를 하고 있는 상황입니다.

6 선생님 말씀을 잘 기억하기 위해 녹음을 하거나 메모를 하면 좋습니다.

7 한꺼번에 많은 내용을 들으면 오래 기억하지 못하기 때문에 메모가 필요합니다.

8 어떤 상황에서 메모를 했었는지 자신의 경험을 떠올려 씁니다.

> **채점 기준** 메모했던 경험을 떠올려 알맞게 썼으면 정답으로 합니다.

기본 내용을 간추리며 듣기 | 87~88쪽

1 복과 재물을 가져다주는 좋은 새 등
2 한비 3 ⑤
4 (1) 강남 (2) 홀수 5 ⑤
6 ②
7 질병이나 동물에 대한 전문적인 지식이 필요하기 때문에 등
8 ①, ③
9 예

수의사	동물을 진료하고 치료하는 직업
수의사가 되려면	• 질병이나 동물에 대해 공부를 많이 해야 함. • 동물을 사랑하는 마음과 생명을 소중하게 여기는 마음을 지녀야 함.

1 우리 조상은 제비를 복과 재물을 가져다주는 좋은 새로 여겼다고 했습니다.

2 한비는 들은 설명에서 중요한 낱말을 중심으로 짧게 썼습니다. 진호는 들은 설명을 모두 쓰려고 했고, 수영이는 중요한 내용을 알기 힘들게 썼습니다.

3 메모할 때는 중요한 내용을 쓰고, 간단하게 정리해야 합니다.

4 생각그물 형태로 중요한 내용을 간단하게 정리한 것입니다. 내용에 맞게 적어 봅니다.

5 이 설명에서 중요한 낱말은 '수의사'입니다.

6 수의사는 애완동물부터 가축, 야생 동물, 희귀 동물까지 모든 동물을 진료하고 동물의 병을 치료하는 일을 합니다.

7 수의사가 되려면 질병이나 동물에 대한 전문적인 지식이 필요하기 때문에 공부를 많이 해야 합니다.

8 수의사가 되려면 동물을 사랑하는 마음과 생명을 소중하게 여기는 마음을 지녀야 한다고 했습니다.

9 중요한 내용이 빠지지 않게, 중요한 낱말을 중심으로 짧게 적어 봅니다.

> **채점 기준** 수의사의 뜻이나 하는 일, 수의사가 되기 위한 방법 등 중요 내용이 들어가게 잘 썼으면 정답으로 합니다.

기본 글을 읽고 내용을 간추리는 방법 알기 | 89~90쪽

1 ①
2 (1) 장구, 큰북 (2) 가야금, 바이올린 (3) 단소, 트럼펫
3 (1) ③ (2) ① (3) ②
4 전체 내용을 간단하게 정리할 때 등
5 ②
6 (1) 동물 (2) 식물 (3) 상상의 동물
7 동물, 식물, 상상의 동물과 같은 다양한 소재를 사용했어요. 등
8 ②, ③, ⑤

1 악기의 종류에 대해 쓴 글입니다.

2 타악기, 현악기, 관악기의 예를 각각 찾아봅니다.

3 글 ㉔는 악기의 종류에 대해 자세히 썼고, 글 ㉕는 전체 내용을 한두 문장으로 짧게 간추렸고, 글 ㉖는 중요한 내용을 낱말 중심으로 짧게 썼습니다.

4 글 ㉔와 같은 쓰기 방식은 자세히 알려 주는 글을 쓸 때, 글 ㉖와 같은 쓰기 방식은 읽거나 들은 내용을 빠르게 정리할 때 필요합니다.

5 산수화처럼 오래 두고 감상하는 그림과 달리 민화는 어떤 특별한 목적을 위해 사용한 그림이라고 했습니다.

6 '호랑이, 까치' 등은 동물의 예, '소나무, 대나무' 등은 식물의 예, '해태, 용'은 상상의 동물의 예입니다.

7 문단 ❸의 중요한 내용을 간단하게 정리하여 씁니다.

> **채점 기준** 다양한 소재를 사용했다는 중요한 내용이 들어가게 썼으면 정답으로 합니다.

8 글을 간추릴 때 중요한 내용을 정리해서 써야 합니다.

기본 글을 읽고 내용 간추리기 | 91쪽

1 ①
2 물에 둥둥 떠다니는 생물을 '플랑크톤'이라고 한다. 등
3 그래서 등 4 정보

1 물에 사는 생물들은 바닥 생활을 하는 생물, 헤엄을 치는 생물, 떠다니는 생물로 나눌 수 있습니다.

2 문단 ❸에서 중요한 내용이 무엇인지 찾아봅니다.

> **채점 기준** 물에 떠다니는 생물을 플랑크톤이라고 한다는 중요한 내용이 들어가게 썼으면 정답으로 합니다.

3 '그래서'를 넣어 문장을 이을 수 있습니다.

4 정보를 전달하는 글에 대한 설명입니다.

실천 책 소개하기 92쪽

1 『세상을 돌고 도는 놀라운 물의 여행』
2 ①
3 우리가 사는 지구에는 몇십억 년 전부터 ~ 오래 전에 공룡이 발을 담근 물일지도 모른다고 합니다.
4 ④
5 (1) 예 『어린이를 위한 책의 역사』
(2) 예 조선 시대 사람들은 책 사랑이 유별났다. 책이 비싸고 귀했기 때문에 책을 읽고 싶은 사람은 책을 가진 사람에게 빌려 읽어야 하는 경우가 많았다. 책을 보여 주지 않으려고 꽁꽁 숨겨 두는 사람이 많았다고 한다. 조선 시대의 책 사랑을 보고 우리도 책을 아껴야겠다는 생각을 했다.

1 윤지는 『세상을 돌고 도는 놀라운 물의 여행』이라는 책을 읽고 소개하고 있습니다.

2 윤지는 물에 대한 정보를 소개하고 있습니다.

3 두 번째 문단에서 책 내용을 간추려 소개하였습니다.

4 책을 읽은 시간과 장소는 넣지 않아도 됩니다.

5 소개하고 싶은 책 제목과 소개할 내용을 씁니다.

국어 활동 93~94쪽

1 (1) 분류·정리·보존하기 (2) 정보를 검색할 수 있음.
2 ㉠   **3** ⑤   **4** 슐런
5 우리나라 전통 놀이를 새롭게 바꾸어 만든 운동에는 한궁이 있습니다. 등
6 (1) ① ○ (2) ② ○
7 (1) 짤따 (2) 얄따 (3) 떨따 (4) 널따

---

1 도서관에서 하는 일과 도서관에서 할 수 있는 일에서 중요한 내용을 정리해 봅니다.

2 ㉠ 문장이 문단 ❶에서 가장 중요한 내용을 담고 있습니다.

3 1980년대에 미국 어린이들이 종이컵으로 하던 놀이에서 생겨난 운동입니다.

4 문단 ❸의 첫 문장에 나타나 있습니다.

5 '한궁'이라는 낱말을 넣어 문단 ❹의 중요한 내용을 정리해 씁니다.

6 '짧고, 얇게, 엷고, 넓지, 여덟'의 'ㄼ'은 [ㄹ]로 소리 내고, '밟다, 밟고'의 'ㄼ'은 [ㅂ]으로 소리 냅니다.

7 'ㄼ'이 [ㄹ]의 소리가 나는지, [ㅂ]의 소리가 나는지 주의합니다.

단원 마무리 95쪽

❶ 메모   ❷ 간단   ❸ 중요한
❹ 내용

단원 평가 96~98쪽

1 옛이야기 전시관   **2** (1) ② (2) ①
3 ①   **4** 메모   **5** ⑤
6 중요한 낱말을 중심으로 짧게 썼다. 등
7 수의사
8 ①, ④   **9** ③, ⑤
10 악기의 종류에 대해 썼다. 등   **11** 글 ❹
12 ①   **13** ①   **14** 그리고 등
15 ①   **16** ⑤
17 물이 있는 곳에는 생물이 산다고 할 수 있습니다. 등
18 (2) ○   **19** ①, ⑤
20 물에 대한 정보

1 옛이야기 전시관 안으로 들어가면, '이야기 알기', '이야기 속으로', '이야기 세상' 구역으로 나누어진다고 말씀하시며 옛이야기 전시관에 대해 안내하셨습니다.

2 옛이야기의 줄거리를 그림으로 알아볼 수 있는 곳은 '이야기 알기'이고, 옛이야기에 나오는 체험활동을 할 수 있는 곳은 '이야기 속으로'입니다.

3 선생님 말씀을 들으며 공부를 하고 있는 상황입니다.

4 중요한 내용을 나중에 잘 기억하기 위해서 메모가 필요합니다.

5 제비가 들어와 둥지를 틀면 좋은 일이 생길 것이라 믿고 반겼다고 했습니다.

6 중요한 내용만 간단하게 정리해서 메모했습니다.

7 이 설명의 중요한 내용은 동물의 병을 치료해 주는 직업이 수의사라는 것입니다.

8 메모할 때에는 중요한 내용을 정리해 쓰고, 중요한 낱말을 중심으로 짧게 써야 합니다.

9 현악기에는 가야금이나 바이올린이 있습니다.

10 글 **㈎**와 **㈏**는 같은 내용에 대한 글이나 글 **㈎**는 자세히 썼고, 글 **㈏**는 짧게 간추려 썼습니다.

> **채점 기준** 악기의 종류에 대해 썼다는 내용으로 공통점을 잘 썼으면 정답으로 합니다.

11 글 **㈎**의 쓰기 방식은 자세히 알려 주는 글을 쓸 때 필요합니다.

12 민화의 쓰임새와 민화에 사용하는 다양한 소재에 대해 나타나 있습니다.

13 ㉠은 모두 동물의 예입니다.

14 각 문단의 중요한 내용을 이어서 하나로 만들 때에 이어 주는 말을 사용하기도 합니다.

15 이 글은 정보를 전달하는 글입니다.

> **보충 자료** 정보를 전달하는 글을 읽으면 궁금한 내용이나 새로운 사실을 알 수 있습니다.

16 빗물이 고인 작은 병 속에 생물이 살고 있으나 너무 작아서 안 보이는 것입니다.

17 문단 **❶**의 중요한 내용은 제시되어 있으므로, 문단 **❷**의 중요한 내용을 간추려 씁니다.

> **채점 기준** 물이 있는 곳에 생물이 산다는 중요한 내용이 들어가게 썼으면 정답으로 합니다.

18 각 문단의 중요한 내용을 이어서 전체 내용을 하나로 묶어야 합니다.

19 책 제목과 알게 된 내용을 썼습니다.

20 글쓴이는 물에 대한 정보를 소개하고 있습니다.

서술형 평가 99쪽

1 한꺼번에 많은 내용을 들으면 오래 기억하지 못하기 때문이다. / 나중에 기억하기 위해서이다. 등

2 **예** 복을 물어다 주는 제비
- 제비는 복과 재물을 가져다주는 새
- 좋은 날(홀수가 겹치는 날)에 떠나 좋은 날에 돌아옴. 그만큼 영리하고 행운을 가져다줄 것이라고 생각함.

3 살아가는 모습에 따라서 크게 바닥 생활을 하는 생물, 헤엄을 치는 생물, 떠다니는 생물 세 가지로 나눌 수 있다. 등

4 물에 둥둥 떠다니는 생물을 플랑크톤이라고 합니다. 스스로 헤엄칠 수 있는 큰 생물이라도 물의 흐름을 거슬러 헤엄칠 수 없다면 플랑크톤입니다. 등

5 궁금한 내용이나 새로운 사실을 알 수 있다. 등

1 아버지께서 가게에서 사야 할 물건을 말씀하고 있습니다. 심부름을 갈 때 기억할 게 많은 상황입니다. 나중에 기억하기 위해서 메모가 필요합니다.

> **채점 기준** 나중에 기억하기 위해서라는 내용으로 썼으면 정답으로 합니다.

2 메모를 할 때에는 생각그물 형태나, 표 형태로 적어도 됩니다. 중요한 내용을 간단하게 정리하면 됩니다.

> **채점 기준** 중요한 내용을 간단하게 정리해 썼으면 정답으로 합니다.

3 물에 사는 생물들은 살아가는 모습에 따라서 바닥 생활을 하는 생물, 헤엄을 치는 생물, 그리고 떠다니는 생물로 나눌 수 있다고 했습니다.

> **채점 기준** 물에 사는 생물들을 살아가는 모습에 따라 나눈 내용을 잘 썼으면 정답으로 합니다.

4 글을 간추릴 때에는 각 문단의 중요한 내용을 이어서 하나로 묶습니다.

> **채점 기준** 각 문단의 중요한 내용이 들어가게 잘 이어서 썼으면 정답으로 합니다.

5 정보를 전달하는 글을 읽으면 궁금한 내용이나 새로운 사실을 알 수 있습니다.

> **채점 기준** 궁금한 내용을 알 수 있거나 새로운 사실을 알 수 있다는 내용으로 썼으면 정답으로 합니다.

6. 일이 일어난 까닭

핵심 확인 문제 102쪽

1 원인	2 결과	3 (2) ○
4 때문에	5 원인, 결과	

준비 원인과 결과 알기 103~104쪽

1 쓰레기	2 ④, ⑤	3 ②
4 ③	5 쓰레기 정거장	
6 ②	7 ④, ⑤	

8 **예** 마을 골목이 더 깨끗해질 것이다. / 사람들이 더 철저하게 쓰레기 분리배출을 할 것이다.

1 쓰레기가 종류별로 나누어져 있지 않고 지저분하게 쌓여 있습니다.

2 쓰레기를 버릴 때 어두워지면 나가기가 무섭고, 골목 입구에 쓰레기가 쌓여 있어서 다닐 때 불편하다고 하였습니다.

3 골목 입구에 ㉠과 같이 쓰레기가 지저분하게 쌓여 있어 다니기 불편하다고 했으므로 쓰레기를 종류별로 나눠서 버리면 좋을 것입니다.

4 좁은 장소에 한꺼번에 쓰레기를 버리니까 몹시 지저분하고 다니기도 불편하고 쓰레기도 뒤죽박죽이라고 했습니다.

5 쓰레기를 깔끔하게 버릴 수 있는 쓰레기 정거장이 생겼습니다.

6 쓰레기를 종류별로 나눠서 버릴 수 있고 버스 정거장처럼 깨끗하고 환합니다.

7 쓰레기를 버릴 때 불편한 점을 해결하기 위해 쓰레기 정거장을 만들었습니다.

8 쓰레기를 버리러 가기 편리하고 쓰레기 분리배출을 잘할 수 있게 되어 있는 쓰레기 정거장이 생기면 어떤 일이 일어날지 생각해 봅니다.

> **채점 기준** 쓰레기를 버리러 가기 편리하게 하고 쓰레기 분리배출을 잘할 수 있게 하기 위해 쓰레기 정거장이 생긴 뒤에 일어날 일을 알맞게 썼으면 정답으로 합니다.

기본 원인과 결과에 따라 이야기하는 방법 알기 105~107쪽

1 야구공을 찾으려고 등	2 ③
3 ⑤	4 아기 참새가 잘 날지 못했다. 등
5 ②	6 ③	7 짹짹콩콩

8 **예** 교실에서 참새를 키우게 된 원인(까닭)을 말하지 않았기 때문이다. **9** 종석

10 ⑤	11 ㉡ → ㉢ → ㉣ → ㉠

12 까닭

1 야구공을 찾으려고 꽃밭에 들어갔던 승호는 장미꽃 속에서 야구공을 찾았고, 조심스럽게 아기 참새를 잡았습니다.

2 승호는 야구공을 찾아 던진 다음, 조심스럽게 참새를 잡았습니다.

3 승호가 잡은 참새를 놓아주었지만, 아기 참새는 길에서 깡충깡충 뛰어다니기만 했습니다.

4 승호는 아기 참새가 잘 날지 못했기 때문에 참새를 안고 교실로 갔습니다.

5 한 친구가 아기 참새를 교실에서 기르자고 말했고, 선생님은 그래야겠다고 대답하셨습니다.

6 선생님은 아기 참새가 날 수가 없으니 잘 날 수 있을 때까지만 교실에서 기르자고 하셨습니다.

7 아이들이 말한 이름 가운데에서 '짹짹콩콩'으로 부르자는 아이들이 가장 많았습니다.

8 원인과 결과를 생각하며 경험을 말해야 듣는 사람이 말하는 내용을 쉽게 이해할 수 있습니다. 승호는 참새를 키우게 된 원인을 함께 말해야 합니다.

> **채점 기준** 교실에서 참새를 키우게 된 원인을 말하지 않았기 때문이라는 내용을 썼으면 정답으로 합니다.

> **보충 자료** 원인과 결과를 생각하며 경험을 말하면 좋은 점
> • 겪은 일을 알기 쉽게 말할 수 있습니다.
> • 말하는 내용을 듣는 사람이 쉽게 이해할 수 있습니다.

9 교실에는 아기 참새가 걱정되어 선생님과 여러 명의 아이가 와 있었습니다.

10 원인과 결과를 이어 주는 말 '왜냐하면'이 들어가야 문장이 자연스럽게 연결됩니다.

11 이 글 전체에서 승호가 경험한 일을 차례대로 정리해 봅니다.

> **정답 친해지기** 승호가 경험한 일을 원인과 결과에 따라 정리하기
>
> | 원인 | 아기 참새가 잘 날지 못했다. |
> | --- | --- |
>
> ↓
>
> | 결과 | 승호는 아기 참새를 교실로 데려갔다. |
> | --- | --- |
>
> ↓
>
> | 원인 | 승호는 교실에 혼자 남은 아기 참새가 걱정되었다. |
> | --- | --- |
>
> ↓
>
> | 결과 | 승호는 저녁에 교실로 갔다. |
> | --- | --- |

12 먼저 그 일이 일어난 까닭을 찾고, 그 결과 어떤 일이 일어났는지 생각해 봅니다.

기본 원인과 결과를 생각하며 경험 말하기　108쪽

1 (1) ㉮ (2) ㉯
2 (1) 자전거 타는 연습을 열심히 했다. 등
(2) 혼자서도 탈 수 있게 되었다. 등
3 ㉞ 혼자 음식을 만들 때 어려워서 포기하고 싶었지만 인터넷을 찾아보며 천천히 한 결과 음식을 완성할 수 있었다.
4 ①

1 그림을 보고 각각 언제 어디에서 누구와 있었던 일인지, 어떤 상황인지 살펴봅니다.

2 자전거 타는 연습을 열심히 했기 때문에(원인) 자전거를 혼자서도 탈 수 있게 되었습니다.(결과)

3 슬펐던 일, 기뻤던 일, 화가 났던 일 등을 떠올려 보고 원인과 결과를 생각하며 써 봅니다.

> **채점 기준** 자신이 경험한 일을 원인과 결과가 잘 드러나게 썼으면 정답으로 합니다.

4 경험한 일을 글로 쓸 때 어려운 말을 사용해야 하는 것은 아닙니다. 원인과 결과를 생각해 경험한 일을 글로 쓸 때에는 원인을 찾아보고 결과에 어떤 영향을 주었는지 살펴보고 일의 차례가 원인과 결과에 따라 잘 드러났는지 확인합니다.

실천 원인과 결과를 생각하며 이야기 꾸미기　109쪽

1 ①　　　　**2** ④, ⑤　　　　**3** ㉞ ❸ → ❷
4 (1) ㉞ 이상한 곳에 떨어진 두 친구가 지도를 보는데 보라색 새가 이들을 발견함. (2) ㉞ 보라색 새의 안내로 두 친구는 큰 문에 옴.
5 ⑤

1 여자아이와 남자아이, 보라색 새, 할아버지가 나오는 그림입니다.

2 남자아이와 여자아이는 지도 같은 종이와 막대를 들고 있습니다.

3 그림 ❶에서 보라색 새가 아이들을 바라보다가 그림 ❹에서 아이들의 어깨에 앉아 있고, 아이들이 큰 문 앞에 도착했는데 그림 ❸에서 문이 열리고 할아버지가 나왔습니다.

4 그림 ❶에서 보라색 새가 두 친구를 발견하였고, 그림 ❹에서 두 친구의 어깨에 보라색 새가 앉아 있고 이들은 큰 문에 왔습니다.

5 그림 ❷에서 무지개가 뜨고 색깔을 되찾은 무지개 나라에서 모두 즐겁게 지내고 있습니다.

국어 활동　110~112쪽

1 (1) ② (2) ④ (3) ③ (4) ①
2 (1) 원인 (2) 결과　　　　**3** ④
4 (2) ○　　　**5** ②　　　**6** 생일 선물
7 우리말　　**8** ㉣ → ㉡ → ㉢
9 (1) 얘 (2) 쟤　　**10** 개

1 그림에 알맞은 원인과 결과를 생각해 봅니다.

2 '아니 땐 굴뚝에 연기 날까'는 아궁이에 불을 때지 않는데 굴뚝에 연기가 날 리 없다는 뜻으로 원인이 없으면 결과가 있을 수 없음을 빗댄 속담입니다.

3 콩 심은 곳에는 콩이 나고 팥 심은 곳에는 팥이 납니다.

4 선생님께서는 생일 파티와 생일 선물의 줄임 말인 '생파'와 '생선'을 진짜 파와 물고기로 잘못 생각하셨습니다.

5 '생파'는 '생일 파티'의 줄임 말입니다.

6 '생선'은 '생일 선물'의 줄임 말입니다.

7 줄임 말을 모르는 사람들한테 쓰면 대화를 제대로 이어 나갈 수 없고, 쉽고 고운 우리말을 망가뜨리게 된다고 했습니다.

8 사건의 흐름을 차례대로 나열해 봅니다.

9 '이 애'는 줄여서 '얘', '저 애'는 줄여서 '쟤'로 쓰는 것이 바른 표기입니다.

10 '그 애'는 줄여서 '걔'로 쓰는 것이 바른 표기입니다.

단원 마무리　　　　　　　　　　113쪽

❶ 원인　　　　❷ 결과　　　　❸ 왜냐하면
❹ 보라색

단원 평가　　　　　　　　　114～116쪽

1 ㉢, ㉣　　　　**2** ⑤　　　　**3** ⑤
4 (1) ×　　　　**5** 주하
6 (1) 원인 (2) 결과　　　　**7** ③
8 ①, ⑤　　　　**9** ③　　　　**10** ②
11 ⓔ 승호는 저녁에 교실로 갔다. 왜냐하면 교실에 혼자 남은 아기 참새가 걱정됐기 때문이다.
12 ②　　　　**13** ⑤　　　　**14** ③
15 ㉢　　　　**16** (1) ② (2) ①
17 ④, ⑤　　　　**18** ⑤
19 ⓔ 보라색 새의 안내로 두 친구는 큰 문에 옴.
20 ⓔ 환상의 무지개 나라를 찾아서

1 날이 어두워지면 쓰레기를 버리러 나가기 무섭고, 골목 입구에 쓰레기가 쌓여 있어서 다닐 때 불편하다고 하였습니다.

2 그림 ❷에서 남자아이가 쓰레기를 종류별로 나눠서 버릴 수 있으면 좋을 것이라고 하였습니다.

3 쓰레기를 깔끔하게 버릴 수 있는 쓰레기 정거장이 생겼습니다.

4 골목 입구에 쌓여 있는 쓰레기 때문에 생긴 문제를 해결하기 위해서 쓰레기 정거장이 생겼습니다.

5 쓰레기 정거장이 생기면 마을 골목이 더 깨끗해지고, 사람들이 더 철저하게 쓰레기 분리배출을 할 것입니다.

6 어떤 일이 일어난 까닭을 원인이라고 하고, 그 때문에 일어난 일을 결과라고 합니다.

7 승호와 친구들은 날지 못하는 아기 참새를 걱정하다가 선생님께 가져다드리기로 하였습니다.

8 승호는 깡충깡충 뛰어다니기만 하고 잘 날지 못하는 아기 참새를 안고 걱정하다가 참새를 안고 교실로 갔습니다.

9 이어 주는 말 '때문에'가 들어가야 자연스럽게 원인과 결과가 드러납니다.

10 선생님과 승호네 반 친구들은 아기 참새가 걱정되어서 교실에 온 것입니다.

11 '그래서', '때문에', '왜냐하면'과 같은 이어 주는 말을 사용하면 원인과 결과가 잘 드러나게 말할 수 있습니다.

> **채점 기준** 승호가 교실에 혼자 남은 아기 참새가 걱정되어 저녁에 교실에 간 일을 이어 주는 말을 사용하여 원인과 결과에 따라 알맞게 정리하여 썼으면 정답으로 합니다.

12 결과를 먼저 말하고 나서 '왜냐하면'이라는 말 뒤에 원인을 말해도 됩니다.

13 달리기 연습을 열심히 하면 그 결과 어떤 일이 일어나는 것이 어울릴지 생각해 봅니다.

14 날마다 반복되는 일을 기억에 남는 일로 보기 어렵습니다. 슬펐던 일, 기뻤던 일 등이 기억에 남습니다.

15 '그래서', '때문에', '왜냐하면'과 같은 이어 주는 말로 문장을 연결해야 원인과 결과가 잘 드러납니다.

16 어떤 일이 일어난 까닭을 원인이라고 하고, 그 때문에 일어난 일을 결과라고 합니다. 먼저 일어난 일이 어떤 영향을 줄지 생각해 봅니다.

17 남자아이와 여자아이는 보라색 새를 만나고, 큰 문 뒤에서 나온 주황색 옷을 입은 수염이 긴 할아버지를 만났습니다.

18 아이들이 빨간색, 보라색 막대를 들고 있고 할아버지도 주황색 막대를 들고 있는 것으로 보아 여러 색깔의 막대를 찾고 있을 것이라고 짐작할 수 있습니다.

19 그림 ❶에서 보라색 새가 두 아이를 발견하였고, 그림 ❷에서 아이들은 큰 문에 도착하였습니다.

> 채점 기준 보라색 새가 두 아이를 발견한 뒤에 일어났을 결과를 그림 ❷에 어울리게 상상하여 썼으면 정답으로 합니다.

20 그림에서 일어났을 일을 생각하여 어울리는 제목을 써 봅니다.

서술형 평가   117쪽

1 몹시 지저분하고 다니기도 불편하다. 등
2 쓰레기 정거장이 생겼다. 등
3 승호는 날지 못하는 참새가 다칠까 봐 걱정됐기 때문에 참새를 안고 교실로 갔다. 등
4 예 아이들은 큰 문 뒤에서 나온 주황색 옷을 입은 할아버지를 만나 함께 모험을 하게 되었고, 아이들이 색깔 막대를 다 찾아내어 제 색깔을 모두 되찾은 무지개 나라에서 모두 즐겁게 지내게 되었다.

1 좁은 장소에 한꺼번에 쓰레기를 버려서 몹시 지저분하고 다니기도 불편하다고 하였습니다.

> 채점 기준 몹시 지저분하고 다니기 불편하다는 내용 등을 알맞게 썼으면 정답으로 합니다.

2 쓰레기 때문에 생긴 문제를 해결하기 위해서 쓰레기 정거장이 생겼습니다.

> 채점 기준 쓰레기 정거장이 생겼다는 내용을 썼으면 정답으로 합니다.

3 글의 내용을 정리하여 '그래서', '때문에', '왜냐하면'과 같은 이어 주는 말을 사용하여 씁니다.

> 채점 기준 아기 참새가 잘 날지 못하자 승호가 아기 참새를 교실로 데려갔다는 내용을 이어 주는 말을 사용하여 원인과 결과에 따라 알맞게 정리하여 썼으면 정답으로 합니다.

4 그림을 살펴보고 이야기를 상상하여 원인과 결과가 자연스럽게 이어지도록 씁니다.

> 채점 기준 그림에 어울리는 내용을 원인과 결과에 따라 상상하여 자세히 썼으면 정답으로 합니다.

7. 반갑다, 국어사전

핵심 확인 문제   120쪽

1 국어사전   **2** 차례   **3** 가게
4 ×   **5** 먹다

준비   국어사전에 대해 알기   121~122쪽

1 ④   **2** 이름 등   **3** ④
4 ②   **5** ⑤
6 한글 맞춤법이나 표준어 규정과 같이 우리말에 대한 유용한 내용이 실려 있다. 등
7 ②

1 국어사전에서 낱말의 뜻을 찾으면 낱말의 뜻을 정확하게 알 수 있습니다.

2 국어사전 앞표지에는 사전 이름이 있습니다. 국어사전이라는 이름에 국어사전에 싣는 내용이나 국어사전을 사용하는 대상에 따라 다른 이름을 덧붙이기도 합니다.

3 낱말을 쉽게 찾을 수 있도록 한글 자음 차례대로 두었습니다.

4 국어사전에서 시작하는 쪽에는 해당하는 자음이 크게 표시되어 있습니다.

5 국어사전에 낱말이 생겨난 시기가 나타나 있지는 않습니다.

6 낱말과 낱말의 뜻 외에 국어사전 부록에 무엇이 실려 있는지 살펴봅니다.

> 채점 기준 한글 맞춤법이나 표준어 규정과 같이 우리말에 대한 유용한 내용이 실려 있다는 내용을 썼으면 정답으로 합니다.

7 「반」은 '반대말'이라는 뜻의 약호입니다.

> 정답 친해지기 국어사전에 있는 약호나 기호에 대해 알기
> • 약호는 '본말'을 「본」으로 나타내는 것처럼 간단하고 알기 쉽게 나타낸 부호입니다.
> • 기호는 발음 표시를 [ ]로 나타내는 것처럼 어떤 뜻을 나타내기 위한 문자나 부호를 말합니다.

기본 국어사전에서 낱말을 찾는 방법 알기   123~124쪽

1 자음자   **2** ④   **3** ②
4 ③   **5** (1) ㅊ (2) 모음자
6 가게 → 거미 → 하늘 → 학교 → 한국 → 한복
7 ④   **8** ③

1 국어사전에는 첫 번째 글자의 첫 자음자가 같은 낱말끼리 모아 놓았습니다.

2 국어사전에서 낱말의 뜻을 찾을 때에는 첫 번째 글자의 첫 자음자를 먼저 찾아야 합니다.

3 자음자 중 'ㄱ'이 국어사전에 가장 먼저 나옵니다.

4 ㉢에는 첫 자음자가 'ㅅ'인 낱말이 들어가야 합니다.

5 '친'의 첫 자음자는 'ㅊ'이고, 'ㅜ'는 '구'의 모음자입니다.

6 각 글자의 첫 자음자와 모음자, 받침 차례대로 비교하면 '가게, 거미, 하늘, 학교, 한국, 한복'의 차례임을 알 수 있습니다.

7 낱말을 이루는 글자 각각의 낱자가 짜인 차례대로 찾습니다.

> **오답 피하기**
> ① '삶 – 삶 – 상'의 차례입니다.
> ② '가을 – 두부 – 마을'의 차례입니다.
> ③ '사탕 – 새 – 소리'의 차례입니다.
> ⑤ '고구마 – 고슴도치 – 고양이'의 차례입니다.

8 첫 자음자, 모음자, 받침 차례대로 찾습니다.

기본 형태가 바뀌는 낱말을 국어사전에서 찾기   125~126쪽

1 (1) 잡다, 먹다, 웃다, 달리다, 일어서다 (2) 작다, 넓다, 많다, 높다   **2** ③
3 (1) 은데, 고, 은, 아서 (2) 높다
4 묶다   **5** ④   **6** 솜
7 (1) 입 (2) 입다 (3) 얇 (4) 얇다
8 ⑩ 좁다, 길이 매우 좁습니다.

1 형태가 바뀌는 낱말을 움직임을 나타내는 낱말과 성질이나 상태를 나타내는 낱말로 나누어 봅니다.

2 ㉡에는 '으면'이 들어가야 합니다.

3 형태가 바뀌지 않는 부분 '높'에 '–다'를 붙이면 기본형이 됩니다.

4 '묶고'와 '묶은'에서 형태가 바뀌지 않는 부분 '묶'에 '–다'를 붙여 기본형을 만듭니다.

5 여름에는 몸에 잘 붙지 않도록 까슬까슬한 옷감으로 한복을 만들었다고 하였습니다.

6 겨울에는 추위를 견딜 수 있도록 옷감 사이에 솜을 넣은 한복을 입었다고 하였습니다.

7 낱말이 형태가 바뀔 때에는 형태가 바뀌지 않는 부분에 '–다'를 붙여 기본형을 만듭니다.

8 형태가 바뀌지 않는 부분에 '–다'를 붙여 기본형을 만든 다음, 국어사전에서 낱말의 뜻을 찾습니다.

> **채점 기준** '좁다'를 쓰고, '너비가 작다.'의 뜻을 가진 '좁다'를 넣어 문장을 알맞게 만들어 썼으면 정답으로 합니다.

기본 국어사전을 활용하며 글 읽기   127~128쪽

1 눈으로 꽃을 보기도 하지만 꽃으로 요리를 만들어 먹기도 했다는 뜻이다. 등
2 ②, ③   **3** ④   **4** 삼짇날
5 ⑤   **6** ③
7 (1) ⑩ 천연 (2) ⑩ 원래 있었던 것
　　(3) ⑩ 사람의 힘을 가하지 아니한 상태
8 ⑩ 꽃으로 만든 음식에는 어떤 것이 더 있는지 알고 싶다. / 천연 색소로 쓸 수 있는 자연 재료에는 어떤 것이 더 있는지 알고 싶다.

1 '꽃을 눈으로도 즐기고 입으로도 즐겼습니다.'라는 말은 눈으로 꽃을 보기도 하지만 꽃으로 요리를 만들어 먹기도 했다는 뜻입니다.

2 삼짇날이 되면 진달래화전과 진달래화채를 만들어 먹었습니다.

3 진달래뿐만 아니라 벚꽃, 배꽃, 매화로도 화전을 만들어 먹었다고 하였습니다. 철쭉꽃은 진달래와 비슷하지만 먹을 수 없습니다.

4 앞뒤 내용이나 국어사전을 찾아보면 '삼짇날'의 뜻임을 알 수 있습니다.

5 농약을 친 꽃에는 독성이 있어서 잘못 먹으면 배탈이 나고 속이 나빠져서 크게 고생할 수 있습니다.

6 오미자·복분자로는 빨간색 물을, 보라색 고구마로는 보라색 물을 들였습니다.

7 모르는 낱말의 앞뒤 내용을 통해 낱말의 뜻을 짐작해 보고, 국어사전에서 그 뜻을 찾아봅니다.

> **보충 자료** **국어사전에서 낱말의 뜻을 찾으며 글을 읽으면 좋은 점**
> • 낱말의 뜻을 정확하고 깊이 이해할 수 있습니다.
> • 글의 내용을 더 쉽게 이해할 수 있습니다.
> • 중심 생각을 파악하는 데 도움이 됩니다.

8 꽃으로 만든 음식에 대한 글을 읽고 궁금한 점이나 더 알고 싶은 내용을 써 봅니다.

> **채점 기준** 먹을 수 있는 꽃 요리에 대한 글을 읽고 더 알고 싶은 내용을 자세히 정리하여 썼으면 정답으로 합니다.

실천 **나만의 국어사전 만들기** 129쪽

1 ㉢ → ㉣ → ㉠ → ㉡   **2** ⑤
3 (1) 예 재희의 첫 번째 국어사전
　 (2) 예 표지 그림, 만든 사람, 만든 날짜
4 ②

1 국어사전에 실을 낱말을 정한 후 싣는 차례대로 낱말을 정리하여 그 뜻을 찾고 예쁘게 꾸며 나만의 국어사전을 만듭니다.

2 '그윽하다'의 첫 글자의 첫 자음자가 'ㄱ'이므로 가장 먼저 싣습니다.

> **보충 자료** **하윤이가 국어사전에 실은 낱말의 뜻 알아보기**
> • 그윽하다: 깊숙하여 아늑하고 고요하다.
> • 누리: '세상'을 예스럽게 이르는 말
> • 지게: 짐을 얹어 사람이 등에 지는 우리나라 고유의 운반 기구
> • 햇귀: 해가 처음 솟을 때의 빛
> • 희나리: 채 마르지 아니한 장작

---

3 여러 가지 국어사전을 살펴보며 공통적으로 들어간 내용에는 어떤 것이 있는지 살펴봅니다.

4 낱말의 뜻은 국어사전에서 찾아 정확하게 씁니다.

국어 활동 130~131쪽

1 (1) 받다 (2) 솟다 (3) 낚아채다 (4) 뒤쫓다
2 낚아채다 → 뒤쫓다 → 받다 → 솟다
3 ③　　　　　　**4** (1) ㅅ (2) ㅓ (3) ㄴ
5 (1) 재다 (2) 자, 저울 등의 도구로 길이, 너비, 높이, 무게 등을 알아보다. 등
6 선물을 싼 포장지의 모서리를 정리한다. 등
7 (1) 사귀었던 (2) 사귀어 (3) 바뀌었는데
8 (1) 뛰었다 (2) 할퀴었다 (3) 쉬었다가

1 각각 형태가 바뀌지 않는 부분에 '-다'를 붙여 봅니다.

2 첫 글자의 첫 자음자를 살펴보면 알 수 있습니다.

3 지우개는 선물 상자를 포장할 때 필요한 준비물이 아닙니다.

4 '선'은 'ㅅ', 'ㅓ', 'ㄴ'의 차례대로 짜여 있습니다.

5 '재다'의 뜻을 찾아 씁니다.

6 선물 상자를 포장하는 차례에 맞게 내용을 정리해 봅니다.

7 '사귀었던', '사귀어', '바뀌었는데'는 줄여서 쓸 수 없는 말입니다.

8 '뛰었다', '할퀴었다', '쉬었다가'는 줄여서 쓰지 않습니다.

단원 마무리 132~133쪽

❶ 이름　　　❷ 자음　　　❸ 뜻
❹ 첫 자음자　❺ 움직임　　❻ 기본형
❼ 먹다　　　❽ 이해

단원 평가

134~136쪽

1 ③   **2** (1) ① (2) ②

3 ④   **4** ⑤   **5** ②

6 (1) ㅊ (2) ㅣ (3) ㄴ (4) ㄱ (5) ㅜ (6) 없음.

7 가게   **8** ①

9 사탕 → 새 → 소리   **10** ②, ⑤

11 (1) 먹 (2) 었다   **12** 높다

13 형태가 바뀌는 낱말을 모두 국어사전에 실을 수 없기 때문이다. 등   **14** ㉡

15 ②   **16** (1) ② (2) ①

17 ㉡ → ㉠ → ㉢

18 (1) 낚아채다 (2) ②   **19** ②

20 (1) 미처 찾아내지 못했거나 아직 알려지지 아니한 사물이나 현상, 사실 따위를 찾아냄. 등

(2) 아직까지 없던 기술이나 물건을 새로 생각해 만들어 냄. 등

(3) 가졌던 물건이 자신도 모르게 없어져 그것을 가지지 아니하게 됨. 등

(4) 한번 알았던 것을 기억하지 못하거나 기억해 내지 못함. 등

---

1 낱말의 뜻을 모를 때 국어사전을 찾아보면 그 뜻을 알 수 있습니다.

2 국어사전 앞표지에는 사전 이름이 있고 내용이나 대상에 따라 다른 이름을 덧붙이기도 합니다. 그리고 옆모습을 살펴보면 낱말을 쉽게 찾을 수 있도록 한글 자음 차례대로 두되, 색을 다르게 하거나 모양을 달리해 표시한 것을 알 수 있습니다.

3 낱말의 뜻풀이만으로 부족한 경우에는 그림이나 사진을 함께 싣기도 하지만 제시된 내용에는 나와 있지 않습니다.

4 [ ]는 발음을 표시하는 기호입니다. 긴소리(장음)는 ':' 부호로 나타냅니다.

5 국어사전에는 첫 번째 글자의 첫 자음자가 같은 낱말끼리 모아 놓았습니다. '나무, 농사, 누룽지'의 첫 번째 글자의 첫 자음자는 'ㄴ'입니다.

6 '친'과 '구'의 낱자가 짜인 차례에 맞게 씁니다.

7 '가게'는 첫 글자의 모음자가 'ㅏ'이므로 첫 글자의 모음자가 'ㅓ'인 '거미'보다 먼저 싣습니다.

8 첫 번째 글자에 받침이 없는 '하늘'과 '하마' 가운데에서 두 번째 글자를 살펴보도록 합니다. 두 번째 글자의 첫 자음자가 'ㄴ'인 '하늘'을 첫 자음자가 'ㅁ'인 '하마'보다 먼저 싣습니다.

9 첫 번째 글자의 첫 자음자가 같으므로 첫 번째 글자의 모음자를 살펴봅니다. '사탕-새-소리' 차례로 싣습니다.

10 '동생, 소금, 도서관'은 형태가 바뀌지 않는 낱말이고, '먹다, 일어서다'는 형태가 바뀌는 낱말입니다.

11 움직임을 나타내는 낱말은 상황에 따라 형태가 바뀌는데, '먹'이 형태가 바뀌지 않았습니다.

12 낱말이 형태가 바뀔 때에는 형태가 바뀌지 않는 부분에 '-다'를 붙여 기본형을 만듭니다.

13 형태가 바뀌는 낱말은 국어사전에 낱말의 기본형만 싣습니다.

> **채점 기준** 형태가 바뀌는 낱말을 모두 국어사전에 실을 수 없기 때문이라는 내용을 썼으면 정답으로 합니다.

14 '읽고', '읽으니'의 기본형은 '읽다'입니다.

15 형태가 바뀌지 않는 '묶'에 '-다'를 붙여 기본형을 만듭니다.

16 기후에 따라 입는 옷이 다릅니다. 추운 겨울에는 몸의 열을 빼앗기지 않으려고 가죽옷이나 두꺼운 털옷을 입지만, 무더운 여름에는 몸에서 생기는 열을 내보내려고 얇고 성긴 옷을 입습니다.

17 ㉡의 기본형인 '얇다', ㉠의 기본형인 '입다', ㉢의 기본형인 '좁다'의 차례대로 나옵니다.

18 '낚아채다'의 뜻을 국어사전에서 찾아봅니다.

> **오답 피하기**
> ① '뒤를 따라 쫓다.'는 '뒤쫓다'의 뜻입니다.
> ③ '다른 사람이 주거나 보내오는 물건 따위를 가지다.'는 '받다'의 뜻입니다.

19 진달래는 수술에 약한 독성이 있으므로 반드시 꽃술을 제거하고 꽃잎만 깨끗한 물에 씻은 뒤에 먹어야 합니다.

20 각각의 낱말을 국어사전에서 찾아 써 봅니다.

> **채점 기준** '발견', '발명', '잃다', '잊다'의 뜻을 국어사전에서 찾아 정확하게 썼으면 정답으로 합니다.

서술형 평가

1 낱말의 발음, 낱말의 뜻, 낱말이 사용되는 예와 같은 정보가 들어 있다. 등

2 첫 번째 글자가 같으면 두 번째 글자의 첫 자음자가 'ㄱ'인 '한국'을 첫 자음자가 'ㅂ'인 '한복'보다 먼저 싣는다. 등

3 '먹다, 달리다'는 움직임을 나타내는 낱말이고, '많다, 높다'는 성질이나 상태를 나타내는 낱말이다. 등

4 (1) 얇다 (2) 두께가 두껍지 아니하다. 등

5 예 여름에는 더워서 얇은 옷을 입는다.

6 (1) 꽃을 넣어 만든 떡 등
(2) 찹쌀가루를 반죽하여 진달래나 개나리, 국화 따위의 꽃잎이나 대추를 붙여서 기름에 지진 떡 등

1 국어사전에 어떤 내용이 실려 있는지 살펴봅니다.

> **채점 기준** 낱말의 발음, 낱말의 종류, 낱말의 뜻, 비슷한 말, 낱말이 사용되는 예와 같은 정보가 들어 있다는 내용을 썼으면 정답으로 합니다.

2 글자 차례대로 살펴봅니다.

> **채점 기준** '한국'을 '한복'보다 먼저 싣는다고 쓰고, 그 까닭을 알맞게 썼으면 정답으로 합니다.

3 형태가 바뀌는 낱말을 기준에 따라 나누어 봅니다.

> **채점 기준** '먹다, 달리다'를 움직임을 나타내는 낱말, '많다, 높다'를 성질이나 상태를 나타내는 낱말로 나누어 썼으면 정답으로 합니다.

4 '얇고'에서 형태가 바뀌지 않는 부분에 '−다'를 붙인 기본형으로 낱말의 뜻을 찾습니다.

> **채점 기준** (1)에 '얇다'를 쓰고, (2)에 '얇다'의 뜻을 국어사전에서 찾아 정확히 썼으면 정답으로 합니다.

5 낱말의 뜻에 어울리게 문장을 만들어 봅니다.

> **채점 기준** '두께가 두껍지 아니하다.'의 뜻을 가진 '얇다'를 넣어 문장을 알맞게 만들어 썼으면 정답으로 합니다.

6 '화전'의 뜻을 짐작해 보고 국어사전에서 뜻을 찾습니다.

> **채점 기준** (1)에 '화전'의 뜻을 짐작하여 쓰고, (2)에 국어사전에서 그 뜻을 찾아 정확하게 썼으면 정답으로 합니다.

8. 의견이 있어요

핵심 확인 문제

1 의견 **2** 말, 행동 **3** ○
4 중심 문장 **5** ㉠

준비 의견의 뜻 알기

1 감은 누구의 것인가 등
2 ⑤ **3** 그 감은 우리 것이네. 등
4 ② **5** 오성의 팔이다 등
6 ⑤ **7** (2) ○
8 예 하인이 빗자루로 힘들게 감나무 잎을 쓸었다면 하인의 말도 일리가 있는 것 같다.

1 오성과 옆집 하인은 감이 서로 자기의 것이라고 말하고 있습니다.

2 옆집 하인은 감이 자기네 집으로 넘어온 가지에 달렸기 때문에 자기네 감이라고 하였습니다.

3 오성은 자기네 집에서 감나무를 심고 가꾸었기 때문에 감이 자기네 것이라고 하였습니다.

4 오성과 한음은 오성의 옆집에 사는 권 판서 댁으로 갔습니다.

5 이어지는 내용을 살펴보면 권 판서 대감은 오성의 팔이라고 했습니다.

6 팔이 어디에 있든 내 몸에 붙어 있어서 내 것인 것처럼 감나무의 가지도 감나무의 일부라는 것을 말하기 위해서입니다.

7 권 판서 대감은 가지가 일부분 넘어왔더라도 감나무의 뿌리는 오성의 집에 있기 때문에 감이 오성의 것이라고 했습니다.

8 옆집 하인과 오성, 권 판서 대감이 어떤 의견을 냈는지 떠올려 보고, 그에 대한 자신의 의견을 자유롭게 씁니다.

> **채점 기준** 옆집 하인과 오성, 권 판서 대감의 의견과 그 까닭에 대한 자신의 의견을 자세히 썼으면 정답으로 합니다.

기본 글을 읽고 인물의 의견과 그 까닭 알기
143~145쪽

1 ② **2** ① **3** ④
4 가위 (색시) **5** ⑤ **6** ③
7 실이 있어야 바늘이 일을 할 수 있으므로 내가 가장 중요하다. 등 **8** ④
9 (1) ② (2) ① **10** ④ **11** 소윤
12 예 연필, 연필이 없으면 공책에 배운 것을 쓸 수가 없어서 기억하기 힘들어진다.

1 자, 가위, 바늘, 실, 골무, 인두, 다리미입니다.

2 아씨가 낮잠을 잘 때 일곱 동무가 서로 자기 자랑을 했습니다.

3 자 부인이 한 말을 살펴보면 자 부인의 의견에 대한 까닭을 알 수 있습니다.

4 가위 색시가 한 말에서 알 수 있습니다.

5 아무리 좋은 것이라도 쓸모 있게 만들지 않으면 가치가 없다는 의미입니다.

6 바늘 각시는 자기가 이 솔기 저 솔기 꿰매고 나서야 입을 옷이 된다고 하였습니다.

7 홍실 각시는 바늘이 옷감을 꿰매기 위해서는 실이 필요하므로 실이 가장 중요하다고 생각합니다.

> **채점 기준** 실이 있어야 바늘이 일을 할 수 있기 때문에 내가 가장 중요하다는 내용을 썼으면 정답으로 합니다.

8 골무 할미는 아씨의 손을 다치지 않게 하는 자신이 가장 중요하다고 생각합니다.

9 울퉁불퉁 바느질한 것을 살피고 다듬는 것은 인두, 구겨지고 접힌 곳을 펴 주는 것은 다리미입니다.

10 일곱 동무는 바느질에서 서로 자기가 가장 중요하다고 자랑을 하며 다투었습니다.

11 '가위'는 옷감을 잘라야 바느질을 할 수 있기 때문에 자신이 가장 중요하다고 하였습니다.

12 자신이 사용하는 학용품을 떠올려 보고, 그 학용품이 되어 자신이 왜 중요한지를 써 봅니다.

> **채점 기준** 학용품을 한 가지 떠올린 후 그 학용품이 되어 자신이 중요하다고 생각하는 까닭을 알맞게 썼으면 정답으로 합니다.

기본 글쓴이의 의견을 파악하는 방법 알기
146~147쪽

1 ⑤ **2** 병든다 등 **3** ⑤
4 ㉠, ㉢, ㉤ **5** ⑤ **6** 우리 모두 등
7 윤서
8 예 음식을 먹을 만큼 덜어서 먹는다.

1 지구는 앞으로도 우리가 살아갈 터전이기 때문에 깨끗이 가꾸어야 합니다.

2 일회용품은 지구를 병들게 한다고 하였습니다.

3 지구의 환경을 오염시키지 말자고 말하려고 지은 제목일 것입니다.

4 각 문단의 중심 문장은 ㉠, ㉢, ㉤입니다.

5 일회용 나무젓가락을 만들려면 나무를 많이 베어야 하기 때문입니다.

6 우리 모두가 해야 할 일이라고 하였습니다.

7 우리 모두 일회용품을 덜 써서 깨끗한 지구를 만들기 위하여 노력하자고 하였습니다.

8 지구를 깨끗이 하기 위해 생활 속에서 실천할 수 있는 일을 생각해 봅니다.

> **채점 기준** 지구를 깨끗이 하기 위해 우리가 생활 속에서 실천할 수 있는 일을 알맞게 썼으면 정답으로 합니다.

기본 의견을 파악하며 글 읽기
148~149쪽

1 습관 **2** ⑤ **3** ②, ⑤
4 (1) 우리는 좋은 습관을 길러야 합니다.
　 (2) 약속을 잘 지키는 습관을 기릅시다.
5 ② **6** ㉢ **7** (3) ○
8 예 고마움을 표현하는 습관을 기르고 싶다. 고마움을 표현할수록 나도 기분이 좋아지기 때문이다.

1 글 제목을 보고 어떤 내용일지 짐작해 봅니다.

> **보충 자료** '좋은 습관을 기르자'라고 제목을 지은 까닭 짐작하기 예
> 사람들에게 습관의 중요성을 알려 주려고, 자신에게 도움이 되는 습관을 기르자고 말하려고, 나쁜 습관을 기르지 말자고 말하려는 것 같습니다.

2 밤에 늦게 자는 것은 좋은 습관으로 볼 수 없습니다.

3 약속을 잘 지키면 주변 사람들에게 믿음을 주고, 따라서 사람들과 사이도 좋아집니다.

4 문단 ❶과 ❷에서 중심 문장을 찾아봅니다.

5 날마다 운동하면 몸과 마음이 건강해진다고 했습니다.

6 문단 ❸~❺의 중심 문장은 ㉠, ㉡, ㉣입니다.

7 좋은 습관을 기르자는 것이 글쓴이의 의견입니다.

8 기르고 싶은 좋은 습관을 떠올려 까닭과 함께 씁니다.

실천 아름답고 즐거운 학교를 가꾸기 위한 알림 활동 하기 150쪽

1 ④　　　**2** (1) 예 복도에서는 오른쪽으로 다니고 사뿐사뿐 걸으면 좋겠다. (2) 예 복도를 사용할 때 규칙이 있으면 뛰지 않을 것 같기 때문이다.

3 예 고운 말로 말해요　　　**4** (1) ○

1 운동장에 쓰레기가 많이 떨어져 있어 지저분하다는 문제점이 나타나 있습니다.

2 그림 ❹에는 복도에서 뛰어다니는 문제점이 나타나 있습니다.

> **채점 기준** (1)에 복도에서 뛰어다니는 문제점에 대한 의견을 쓰고, (2)에 그 까닭을 알맞게 썼으면 정답으로 합니다.

3 그림 ❹에는 친구끼리 말을 함부로 하는 등의 문제점이 나타나 있습니다.

4 급식실이 시끄럽다는 것이 문제점이므로 조용히 하자는 말이 어울립니다.

국어 활동 151~152쪽

1 ⑤　　　**2** ③

3 (1) ② (2) ③ (3) ①　　　**4** ㉡

5 ④　　　**6** 예 자전거를 안전하게 탑시다

7 ①, ③, ⑤

1 먹음직스러운 도토리를 하나 주운 다람쥐 세 마리는 서로 자기 것이라고 우겼습니다.

---

2 뭐니 뭐니 해도 눈 밝은 게 제일이라서 먼저 본 다람쥐가 도토리 주인이라고 하였습니다.

3 각 인물의 의견을 찾습니다.

4 문단 ❷의 중심 문장은 '안전 장비를 갖추고 타야 합니다.'입니다.

5 자전거를 탈 때 안전 수칙을 잘 지키며 타자고 하였습니다.

6 자전거를 안전하게 타자는 의견이 나타난 글에 어울리는 제목을 생각해 봅니다.

7 전기를 만들려면 돈이 많이 들고 전기를 낭비하면 꼭 필요한 곳에 쓰지 못하므로 아껴 써야 합니다.

단원 마무리 153쪽

❶ 오성　　　**❷** 중요　　　**❸** 인두

❹ 일회용품　　　**❺** 지구

단원 평가 154~156쪽

1 ③　　　**2** 옆집 하인　　　**3** ④

4 예 오성의 말이 맞는 것 같다. 오성이 정성스럽게 키운 감이니까 가지가 넘어왔다고 하인이 자기 것이라고 우기는 것은 너무하기 때문이다.

5 ⑤　　　**6** 옷감을 자르는 일 등

7 ⑤　　　**8** ⑤

9 ④　　　**10** 중요하다 등

11 먼저 말한 다람쥐가 도토리 주인이다. 등

12 (3) ○　　　**13** ③, ④, ⑤

14 ㉠　　　**15** ①

16 지구를 깨끗이 가꾸고 유지하자. 등

17 ㉠, ㉡　　　**18** ⑤

19 예 좋은 습관을 기르자

20 예 운동장에서 쓰레기는 쓰레기통에 버리면 좋겠다. 운동장에 쓰레기를 그냥 버리면 운동장이 더러워지기 때문이다.

1 옆집으로 넘어간 가지의 감이 서로 자기의 것이라고 우기고 있습니다.

2 옆집 하인의 말에서 옆집 하인의 의견과 까닭을 알 수 있습니다.

3 오성은 자기 집에서 감나무를 심고 가꾸었기 때문에 자기네 감이라고 말하였습니다.

4 감나무는 자기네 집에서 심고 가꾸었기 때문에 감은 자기네 것이라는 오성의 말에 대해 어떻게 생각하는지 써 봅니다.

> 채점 기준 오성의 의견에 대한 자신의 의견을 썼으면 정답으로 합니다.

5 자신이 가장 중요하다는 의견을 내고 있습니다.

6 '내가 나서서 옷감을 잘라야 일이 된다고요.'에서 짐작할 수 있습니다.

7 자신이 있어야 꿰매고 옷을 만들 수 있다는 것이 바늘 각시가 바느질에서 자신이 가장 중요하다는 의견에 대해 든 까닭입니다.

8 실이 있어야 바늘이 일을 할 수 있다고 하였습니다.

9 골무 할미는 아씨의 손을 다치지 않게 하는 자신의 역할을 들어 자신이 가장 중요하다고 하였습니다.

10 바느질을 하는 데 있어서 자기가 가장 중요하다는 의견을 내고 있습니다.

11 앵무새는 먼저 말한 다람쥐가 도토리 주인이라고 하였습니다.

12 제목을 통해 글쓴이의 의견을 파악할 수 있습니다.

13 일회용품에는 비닐봉지, 일회용 컵, 일회용 나무젓가락 따위가 있습니다.

14 '우리는 지구를 깨끗이 하려고 노력해야 합니다.'가 중심 문장입니다.

15 일회용 컵 재료가 되는 나무나 플라스틱이 많이 필요하기 때문에 환경을 더 파괴할 수 있습니다.

16 일회용품을 덜 써서 깨끗한 지구를 만들자고 말하고 있습니다.

17 책을 많이 읽으면 좋은 점을 까닭으로 들어야 합니다. 책은 우리가 궁금한 것을 알려 주지 않는다는 것은 책을 읽으면 좋은 점과 관련이 없습니다.

18 약속을 지킴으로써 다른 사람에게 신뢰를 줄 수 있기 때문에 지켜야 한다고 하였습니다.

19 좋은 습관을 길러야 한다는 의견이 나타난 글이므로, 그에 어울리는 제목을 붙입니다.

20 문제점을 해결할 수 있는 의견과 그 까닭을 씁니다.

> 채점 기준 운동장에 쓰레기가 많이 떨어져 있는 문제점을 해결하기 위한 의견과 그 까닭을 알맞게 썼으면 정답으로 합니다.

서술형 평가 157쪽

1 감은 오성의 것이다. 등
2 가지가 일부분 넘어왔더라도 뿌리는 오성의 집에 있기 때문이다. 등
3 들쑥날쑥 울퉁불퉁 바느질한 것을 구석구석 살피고 다듬어 제 모양을 잡아 주기 때문에 내가 가장 중요하다. 등
4 우리 모두 좋은 습관을 기를 수 있도록 꾸준히 노력합시다. 등
5 계단에서는 뛰지 않아요. 등

1 권 판서 대감은 감나무가 오성의 것이라고 생각하였습니다.

> 채점 기준 감은 오성의 것이라고 바르게 썼으면 정답으로 합니다.

2 권 판서 대감은 나무의 뿌리가 오성의 집에 있기 때문에 감은 오성의 것이라고 하였습니다.

> 채점 기준 가지가 일부분 넘어왔더라도 뿌리는 오성의 집에 있기 때문이라는 내용을 썼으면 정답으로 합니다.

3 자신이 들쑥날쑥 울퉁불퉁한 구석을 살펴 모양을 잡아 주기 때문에 바느질에서 중요하다고 하였습니다.

> 채점 기준 울퉁불퉁한 구석을 살펴 모양을 잡아 주기 때문에 내가 가장 중요하다는 내용을 썼으면 정답으로 합니다.

4 글 제목을 살펴보고 글쓴이의 의견을 찾아봅니다.

> 채점 기준 '우리 모두 좋은 습관을 기를 수 있도록 꾸준히 노력합시다.' 등의 내용을 썼으면 정답으로 합니다.

5 계단에서 뛰어다니면 생길 수 있는 문제점이 나타나 있습니다.

> 채점 기준 계단에서 뛰어다니면 생길 수 있는 문제점에 대한 알맞은 의견을 썼으면 정답으로 합니다.

9. 어떤 내용일까

진도
교재

핵심 확인 문제　160쪽

1 ㉠　　　　2 (2) ✕
3 (1) 단서 (2) 경험　　　4 짐작

준비　낱말의 뜻을 짐작했던 경험 나누기　161쪽

1 ②　　　　2 (1) ② (2) ①
3 예 텔레비전 뉴스를 볼 때 낱말의 뜻을 몰라 뉴스의 내용을 잘 이해하지 못했다.
4 ④

1　○○ 폭포는 물에 빠질 경우 사고가 발생할 수 있는 장소이므로 수영이나 물놀이를 삼가 주시기 바란다고 했습니다.

2　'수심'은 '강이나 바다, 호수 따위의 물의 깊이.'를 뜻하고, '발생'은 '어떤 일이나 사물이 생겨남.'을 뜻합니다.

3　텔레비전 뉴스를 볼 때, 신문을 볼 때, 어려운 책을 볼 때 등 일상생활에서 낱말의 뜻을 몰라 내용을 잘 이해하지 못했던 경험을 떠올려 씁니다.

4　글을 읽다가 뜻을 모르는 낱말이 나오면 어른께 여쭈어보거나 인터넷에서 검색해 봅니다. 또, 국어사전을 찾아볼 수도 있고, 앞뒤 내용을 보고 미루어 짐작해 보는 방법도 있습니다.

기본　낱말의 뜻을 짐작하는 방법 알기　162쪽

1 다람쥐 등　　2 ①
3 짧아지게 / 작아지게 등　　　　4 ③

1　다람쥐가 쉬지 않고 딱딱한 것을 갉아 대는 까닭, 다람쥐가 좋아하는 먹이, 다람쥐가 가을이 되면 먹이를 많이 먹어 두는 까닭 등에 대해 설명하고 있습니다.

2　가을이 되면 다람쥐는 겨울잠을 자려고 먹이를 많이 먹어 둔다고 했습니다.

3　'닳게'의 앞부분과 뒷부분에 있는 내용으로 보아, '계속해서 자라나지 않도록', '계속 길어지지 않도록' 등이라는 뜻으로 짐작할 수 있습니다.

> **정답 친해지기** '닳게'의 뜻을 국어사전에서 찾아보고 짐작한 뜻과 비교해 보기
> • '닳게'를 국어사전에서 찾으려면 '닳게'의 기본형인 '닳다'를 찾아야 합니다.
> • '닳다'를 국어사전에서 찾으면 '닳다: 갈리거나 오래 쓰여서 어떤 물건이 낡아지거나, 그 물건의 길이, 두께, 크기 따위가 줄어들다.'라고 되어 있습니다.
> • 자신이 짐작한 뜻과 국어사전에서 찾은 뜻이 비슷한지 비교해 봅니다.

4　낱말을 소리 내어 읽는다고 뜻을 짐작할 수 없습니다.

기본　낱말의 뜻을 짐작하며 글 읽기　163~164쪽

1 (까만색) 프린들　　　　2 ④
3 볼펜　　　4 ②, ⑤
5 (1) 볼펜 (2) 프린들　　　　6 ③
7 예 나는 앞으로 절대 지각하지 않겠다고 서약서에 서명했다.　　　8 ⑤
9 예 계획이 성공하여 학교의 아이들이 모두 펜 대신 프린들이라는 말을 사용하게 될 것 같다.

1　닉은 페니 팬트리 가게에 가서 계산대에 있는 아주머니에게 '프린들'을 달라고 했습니다.

2　아주머니는 '프린들'이 무엇인지 몰라서 닉에게 다시 물어보려고 닉에게 몸을 더 가까이 기울였습니다.

3　아주머니는 닉에게 볼펜을 주었고, 닉은 아주머니에게 45센트를 건네주고는 가게를 나섰습니다.

4　'프린들'의 앞뒤 내용 가운데에서 그 뜻을 짐작하게 하는 표현을 찾아봅니다.

5　닉을 포함한 여섯 명의 아이들이 계속해서 볼펜을 '프린들'이라고 부르며 사러 왔기 때문입니다.

6　'어엿한'은 '분명한', '확실한'과 바꾸어 쓸 수 있습니다.

7　'서약서'는 '맹세하고 약속하는 글. 또는 그런 문서.'를 뜻합니다. 그 낱말을 사용한 예를 떠올려 써 봅니다.

> **채점 기준** '맹세하고 약속하는 글. 또는 그런 문서.'를 뜻하는 '서약서'를 넣어 한 문장을 알맞게 만들어 썼으면 정답으로 합니다.

8 여섯 명의 아이들 모두는 영원히 펜이라는 말을 쓰지 않고, 그 대신 프린들이라는 말을 쓸 것이라고 써 있는 서약서에 서명했습니다.

9 닉을 비롯한 여섯 명의 비밀 요원들은 다른 사람들도 펜 대신 프린들이라는 말을 사용하도록 최선을 다하겠다고 서약했습니다. 그러므로 프린들이라는 말을 학교의 아이들이 모두 사용하게 된다거나 사람들이 프린들이라는 말을 모두 사용해 사전에도 나오게 된다는 내용 등을 상상해 볼 수 있습니다.

기본	생략된 내용을 짐작하는 방법 알기	165~166쪽

1 ②　　　　　　　**2** (1) ② (2) ①

3 달팽이 전문 사냥꾼　　　　**4** 어두운 밤 등

5 ①, ⑤　　　　　　**6** 개똥벌레

7 **예** 옛날보다 애벌레의 먹이가 줄어들고, 물이 더러워졌기 때문이다.

1 반딧불이는 소리를 내거나 냄새를 잘 맡지 못하기 때문에 빛으로 서로의 생각을 전달한다고 했습니다.

2 어른이 된 반딧불이는 이슬을 먹고, 반딧불이의 애벌레는 다슬기나 달팽이를 먹고 삽니다.

3 반딧불이 애벌레는 달팽이 전문 사냥꾼이라고 불릴 정도로 먹성이 대단하다고 하였습니다.

4 글에서 찾은 단서와 빛은 어두운 밤에 잘 보인다는 경험을 바탕으로 반딧불이를 관찰할 때 주의할 점을 써 봅니다.

5 반딧불이는 애벌레의 먹이가 많고 물이 깨끗한 곳에서 살기 때문에 만나기가 쉽지 않다고 했습니다.

6 반딧불이는 흔히 부르는 이름이고, 개똥벌레는 경기도 지역에서 반딧불이를 일컫는 또 다른 이름이라고 했습니다.

7 글에서 찾은 단서와 경험을 바탕으로 우리나라에서 반딧불이가 사라져 가는 까닭을 짐작해 봅니다.

> **채점 기준** 옛날보다 애벌레의 먹이가 줄어들고 물이 더러워지는 등 자연환경이 변했기 때문이라는 내용을 썼으면 정답으로 합니다.

기본	생략된 내용을 짐작하며 글 읽기	167~169쪽

1 ①　　　　　　**2** 지리산팔랑나비

3 **예** 재미있고 신나는 일이 있으면 시간 가는 줄도 모르고, 배가 고픈 줄도 모르며 집중해서 그 일을 한다.

4 우리나라가 일본에 나라를 빼앗긴 시대 등

5 ③　　　　**6** ④　　　　**7** ⓒ

8 (3) ×　　　　**9** 영국왕립도서관

10 ②, ⑤

1 석주명이 나비를 채집하려고 지리산에 갔을 때의 일입니다.

2 석주명은 어렵게 잡은 우리나라에서는 처음 발견한 나비에게 '지리산팔랑나비'라는 이름을 붙였습니다.

3 글에서 찾은 단서와 비슷한 자신의 경험을 써 봅니다.

> **채점 기준** 나비를 좋아하기 때문에 오랫동안 몸을 다쳐 가며 나비를 잡았던 석주명의 상황과 비슷한 자신의 경험을 떠올려 썼으면 정답으로 합니다.

4 석주명은 우리나라가 일본에 나라를 빼앗긴 시대에 살았습니다.

5 석주명은 친구들과 어울려 다니며 뛰어놀기를 좋아하는 개구쟁이이기도 했습니다.

6 석주명은 일본에서 공부하던 스물한 살 때, 일본인 선생님의 말씀을 듣고 우리나라 나비를 연구하기로 결심했습니다.

7 석주명은 언제 어디에서나 오직 나비만을 생각하며 연구에만 몰두하였습니다. 외국 나비를 우리나라에 들여왔다는 내용은 없습니다.

8 석주명은 영국왕립아시아학회에서 책을 써 달라는 편지를 받았을 때 뿌듯하고 자랑스러웠을 것이고 우리나라 나비에 대해 일본 학자들이 잘못 쓴 부분도 모두 찾아 고치겠다고 다짐했을 것입니다.

9 우리나라에 사는 나비에 대한 책을 완성하여 영국왕립도서관으로 보냈습니다.

10 석주명은 나비 75만여 마리를 모았고, 일본어로 된 나비 이름을 우리말 이름으로 바꾸어 붙였습니다. 그리고 나라를 빼앗겨 어두웠던 시대에 우리 민족의 훌륭함을 온 세계에 알렸습니다.

실천 안내문 읽기　170쪽

1 ⑤
2 (1) 통하지 않게 함. 등 (2) 액체나 기체 따위의 흐름 또는 통로를 막거나 끊어서 통하지 못하게 함. 등
3 예 질서를 지키기 위해 줄을 맞추어 걸었다.
4 지안

1 해안에서 지진 해일 특보가 발령되면 높은 곳으로 이동합니다.

2 앞뒤 내용을 살펴보고 비슷한 뜻을 가진 낱말을 넣어 봅니다.

3 머리를 보호하기 위해 가방으로 머리를 가리거나 건물 밖으로 나가서 운동장으로 갔던 경험 등을 써 봅니다.

4 승강기가 불이 난 곳에 멈춰서 문이 열리면 불이나 연기를 맞닥뜨릴 수 있고, 많은 사람이 승강기에 몰리는 경우에 정상적으로 운행하기가 불가능하기 때문입니다.

국어 활동　171~172쪽

1 ③
2 떨어지지 않게 붙임. 또는 그렇게 붙이거나 닮. 등
3 ④　　**4** (2) ○　　**5** (개) 털보
6 ④
7 예 미야는 과수원에 가서 털보와 털보에게 소개받은 친구들과 재미있게 놀았다.
8 좀　　**9** (1) 좀 (2) 좀

1 '흡반'은 다른 동물이나 물체에 달라붙기 위한 기관입니다.

2 '부착'은 '떨어지지 않게 붙이다.'라는 뜻으로 자신이 짐작한 뜻과 비교해 봅니다.

3 비탈에서 미야 발이 미끄러져 저수지에 빠졌습니다.

4 미요는 미야를 구하고 싶었지만 태어나서 한 번도 물에 들어가 본 적이 없고 물이 너무 무서워서 발만 동동 굴렀습니다.

5 저수지 근처를 어슬렁대던 개 털보가 미야를 구해 내었습니다.

6 생명의 은인인 털보에게 고마워하는 마음을 짐작할 수 있습니다.

7 털보와 미야처럼 평소 가깝지 않았던 친구와 도움을 주고받으며 친해진 경험을 떠올려 보고 앞으로 일어날 일을 짐작해 봅니다.

8 '조금'의 준말인 '좀'으로 써야 합니다.

9 '조금'의 준말은 '좀'으로 씁니다.

단원 마무리　173쪽

❶ 앞뒤　　❷ 예　　❸ 단서
❹ 경험　　❺ 나비

단원 평가　174~176쪽

1 (1) ⓒ (2) ⊙　　**2** 미소
3 ④　　**4** ④
5 겨울잠을 자려고 등　　**6** ③
7 (1) ○　　**8** ③
9 분명하고 확실한 등
10 예 나는 이제 어엿한 형이 되었다.
11 ②　　**12** ⓒ, ⓒ　　**13** ④
14 (1) 단서 (2) 경험　　**15** ②
16 ③　　**17** ④　　**18** ①, ⑤
19 확보
20 예 많은 사람이 승강기에 몰리는 경우에 정상적으로 운행하기가 어렵다.

1 국어사전에서 '수심'과 '발생'의 뜻을 찾아봅니다.

2 낱말의 뜻을 알기 위한 방법과 거리가 먼 것을 찾아봅니다.

3 다람쥐가 딱딱한 것을 갉아 대는 까닭, 다람쥐가 좋아하는 먹이 등에 대하여 설명한 글입니다.

4 다람쥐는 도토리, 밤, 땅콩, 호두, 잣과 같이 대부분 껍질이 딱딱한 열매를 좋아합니다.

5 다람쥐는 가을이 되면 겨울잠을 자려고 먹이를 많이 먹어 둔다고 하였습니다.

6 앞뒤 문장이나 낱말을 살펴보며 낱말의 뜻을 짐작해 보거나 그 낱말을 사용한 예를 떠올려 봅니다.

7 '닳다'는 '갈리거나 오래 쓰여서 어떤 물건이 낡아지거나, 그 물건의 길이, 두께, 크기 따위가 줄어들다.'라는 뜻입니다.

8 닉은 볼펜을 가리키며 '프린들'을 달라고 하였습니다.

> **정답 친해지기** '프린들'의 앞뒤 내용 가운데에서 그 뜻을 짐작하게 하는 표현
> • 닉은 아주머니 뒤쪽 선반에 있는 볼펜을 가리켰다.
> • 아주머니는 닉에게 볼펜을 주었다.
> • 재닛이 프린들을 달라고 하자, 아주머니는 볼펜 쪽으로 손을 뻗으며 물었다.
> • '프린들'은 이제 펜을 가리키는 어엿한 낱말이다.

9 '어엿한'은 '행동이 거리낌 없이 아주 당당하고 떳떳한'이라는 뜻의 낱말입니다.

10 '행동이 거리낌 없이 아주 당당하고 떳떳한'의 뜻을 가진 '어엿한'을 넣어 알맞은 문장을 만들어 봅니다.

> **채점 기준** '행동이 거리낌 없이 아주 당당하고 떳떳한'을 뜻하는 '어엿한'을 넣어 문장을 알맞게 만들어 썼으면 정답으로 합니다.

11 서로의 생각을 전달하고 암수가 서로 짝을 찾기 위해서 반짝반짝 빛을 내는 것입니다.

12 반딧불이가 반짝반짝 빛을 낸다는 단서를 통해 어두운 밤에 관찰해야 한다는 것을 짐작할 수 있습니다.

13 빛은 밤에 잘 보이므로 반딧불이가 빛을 내는 모습을 보려면 어두운 밤에 관찰해야 합니다.

14 글에서 찾을 수 있는 단서를 확인하고, 자신의 경험을 떠올려 글에서 생략된 내용을 짐작할 수 있습니다.

15 털보가 미야를 구해 줬다는 내용을 바탕으로, 누군가의 도움을 받았을 때 어떤 마음이 들지 생각해 봅니다.

16 지금까지 발견하지 못한 나비를 보자 석주명은 가슴이 두근거렸습니다.

17 석주명은 처음 보는 나비를 찾으려고 풀숲도 헤쳐 보고 나뭇가지도 흔들어 보며 온 산을 헤매고 다녔습니다. 그리고 여기저기 부딪혀 멍이 들고 나뭇가지에 살갗이 긁혀 피를 흘리기도 했습니다.

18 석주명은 나비를 좋아하고 특히 새로운 나비를 찾는 일을 아주 중요하게 생각해서 오랫동안 몸을 다쳐 가며 나비를 잡았습니다.

19 '확보'는 확실히 보증하거나 가지고 있다는 뜻입니다.

20 안내문의 내용을 단서로 지진이 났을 때 승강기를 타면 위험한 까닭을 짐작해 봅니다. 예를 들어 소화전 호스나 자동 물뿌리개의 물이 승강기의 전기와 만나 고장이 날 수 있습니다.

> **채점 기준** 지진이 났을 때 승강기를 타면 위험한 까닭을 알맞게 짐작하여 썼으면 정답으로 합니다.

서술형 평가 　　　　　　　　177쪽

1 (1) 약속장, 계약서 등
　　(2) 약속을 하고 서명을 하는 것. 등
2 맹세하고 약속하는 글. 또는 그런 문서. 등
3 예 부모님이나 선생님께서 중요한 일을 맡기시면 책임감이 생기고 열심히 하고 싶어진다.
4 예 책임감이 느껴졌을 것 같다.

1 앞뒤 문장이나 낱말을 살펴보고 '서약서'의 뜻을 짐작해 봅니다.

> **채점 기준** (1)에 '서약서'와 뜻이 비슷한 낱말을 쓰고, (2)에 '서약서'의 뜻을 짐작하여 알맞게 썼으면 정답으로 합니다.

2 국어사전에서 '서약서'의 뜻을 찾아보고 자신이 짐작한 뜻과 비교해 봅니다.

> **채점 기준** '서약서'의 뜻을 국어사전에서 찾아 바르게 썼으면 정답으로 합니다.

3 중요한 일을 하게 된 석주명과 비슷한 자신의 경험을 떠올려 써 봅니다.

> **채점 기준** 영국왕립아시아학회에서 책을 써 달라는 편지를 받은 석주명의 상황과 비슷한 자신의 경험을 자세히 썼으면 정답으로 합니다.

4 글에서 찾은 단서와 자신의 경험을 바탕으로 석주명의 마음을 짐작해 써 봅니다.

> **채점 기준** 뿌듯하고 자랑스러웠을 것이라거나 책임감이 느껴졌을 것이라거나 우리나라 나비에 대해 일본 학자들이 잘못 쓴 부분도 모두 찾아 고치겠다고 다짐했을 것이라는 내용 등을 알맞게 썼으면 정답으로 합니다.

10. 문학의 향기

진도
교재

핵심 확인 문제　180쪽

1 소개　　**2** ○　　**3** ⓛ
4 역할

준비　재미있게 읽었거나 감동받은 책 소개하기　181쪽

1 ⓛ　　　**2** ②, ③　　　**3** ③
4 (1) 예 『내 동생 싸게 팔아요』
(2) 예 이 책을 읽고 동생을 시장에 팔려고 한 주인공의 생각이 무척 우스웠다.

1 초희는 『훨훨 간다』에서 농부가 황새를 보고 이야기를 만드는 장면을 생각하니 웃음이 났다고 했습니다.

2 사람마다 생각과 경험이 다르고, 알고 있는 것이 다르기 때문에 같은 책을 읽어도 느낌이 다릅니다.

3 책을 소개할 때 줄거리, 소개하는 까닭, 재미를 느낀 부분이나 감동받은 부분 등을 이야기하면 좋습니다.

4 자신이 읽은 책 가운데에서 소개하고 싶은 책 제목과 재미를 느낀 내용을 떠올려 씁니다.

> **채점 기준** (1)에 친구들에게 소개하고 싶은 책 제목을 쓰고, (2)에 재미를 느낀 내용을 썼으면 정답으로 합니다.

기본　재미나 감동을 느낀 부분을 생각하며 시 읽기　182~183쪽

1 ②　　　**2** 예 미안한 마음에 그러는 것이 느껴져서 우산을 더 기울여 주고 싶었다.
3 ⓛ　　　　　**4** ⑤
5 (1) ① (2) ④ (3) ② (4) ③
6 행복 등　　**7** (1) ○　　**8** 지민

1 비 오는 날에 친구와 함께 우산을 쓰고 나란히 길을 걷는 두 아이의 모습이 떠오릅니다.

2 인물이 한 행동으로 인물의 마음을 짐작할 수 있습니다.

> **채점 기준** 친구가 어깨를 우산 밖으로 더 내밀 때 어떤 마음에서 친구 쪽으로 우산을 더 기울여 주었는지를 알맞게 짐작해 썼으면 정답으로 합니다.

3 비 오는 날, 우산을 쓰고 걸었던 일과 거리가 먼 것을 찾습니다.

4 시에 나오는 인물의 마음을 헤아리며 읽은 것을 찾습니다.

5 하루 종일 말똥구리는 말똥을 굴리게, 베짱이는 푸른 나무 그늘에서 노래 부르게, 사과나무는 사과 열매가 열리게, 달팽이는 느릅나무 잎에서 꿈을 꾸게 놔두라고 하였습니다.

6 자신이 좋아하는 일을 할 때 가장 행복하고 잘하는 일을 하는 것이 좋기 때문에 그냥 놔두라고 한 것입니다.

7 시를 읽고 어떤 장면이 떠오르는지 말하였습니다.

8 말똥구리는 말똥을 굴리는 것이 좋아하고 잘하는 일이기 때문에 즐거운 마음으로 굴리고 있을 것입니다.

기본　이야기를 읽고 재미나 감동을 느낀 부분 찾기　184~188쪽

1 ②　　　　**2** 입에 척 들러붙어 말을 못 하게 되는 찹쌀떡　**3** ⑤
4 ①　　　　**5** (1) ○　　　**6** ⑤
7 고맙다. 등　**8** 수현, 소미　**9** ⑤
10 ③, ⑤　　**11** 친구들이 자기를 싫어한다. 등
12 ③　　　**13** ④, ⑤　　　**14** ②
15 선생님은 만복이가 요즘 아주 착해졌다고 생각하셨고, 초연이는 만복이를 좋아하게 되었다. 등
16 ④　　　**17** ⑤　　　**18** ④, ⑤
19 예 이야기를 읽고 나니 툭하면 싸우는 형이 떠오른다. 속마음은 안 그런데 자꾸 버릇없이 굴게 되고 형과 싸우게 된다.
20 (1) 예 달콤한 꿀떡 (2) 예 달콤한 꿀떡을 먹으면 달콤하고 예쁜 말이 술술 나오게 된다.

1 만복이는 걸핏하면 친구들과 싸워서 욕쟁이, 깡패, 심술쟁이로 이름났다고 했습니다. 만복이가 떡을 잘 만든다는 내용은 나와 있지 않습니다.

2 만복이는 '입에 척 들러붙어 말을 못 하게 되는 찹쌀떡'을 먹고 온종일 나쁜 말을 안 해서 주변 사람들한테 칭찬을 받았습니다.

3 만복이는 무지개떡을 먹자 저절로 재미있는 이야기들이 머릿속에 몽실몽실 떠올랐습니다.

4 웃으며 자신의 이야기를 듣는 아이들을 보면 만복이도 즐거울 것입니다.

5 어떤 일이 일어났는지 물었습니다.

6 만복이는 배고파하는 강아지의 생각을 듣고, 엄마가 간식으로 싸 준 소시지빵을 강아지에게 던져 주었습니다.

7 강아지는 소시지빵이 맛있고, 만복이가 정말 고마운 아이라고 생각했습니다.

8 '키득키득'은 '참다못하여 입 속에서 자꾸 새어 나오는 웃음소리나 그 모양을 흉내 내는 말입니다.

9 동환이의 부끄러워하는 마음을 알자 만복이는 여기저기 떠벌리고 다니고 싶은 마음이 사라졌습니다.

10 만복이는 종호와 지현이가 서로 좋아하는 것과 교실 뒤에 걸려 있는 거울을 깨뜨린 범인도 알게 되었습니다.

11 은지는 친구들이 자기를 싫어해서 말도 잘 안 건다고 생각했습니다.

12 은지를 도와주고 싶은 마음에 만복이는 은지에게 먼저 다가가서 말을 걸어 주었습니다.

13 선생님은 평소처럼 바지를 입지 않고 치마를 입고 온 것과 저녁에 데이트가 있는데 화장도 이상한 것 같아 고민했습니다.

14 만복이가 선생님한테 조용히 다가가서 치마를 입는 것도 잘 어울리고, 얼굴도 오늘 더 예뻐 보인다고 말했습니다.

15 선생님은 만복이가 요즘 아주 착해졌다고 생각하셨고, 초연이는 요즘 만복이가 좋아진다고 했습니다.

> **채점 기준** 만복이에 대한 선생님과 초연이의 생각을 알맞게 썼으면 정답으로 합니다.

16 초연이의 마음을 안 만복이가 다른 친구들한테 들리지 않게 작은 소리로 말했습니다.

17 쥐고 있던 주먹을 푼 만복이의 행동을 통해 만복이를 때린 것을 미안해하는 장군이를 용서하고 싶은 만복이의 마음이 느껴집니다.

18 이제 만복이에게는 신기한 떡이 필요 없어졌고, 장군이가 착한 아이가 될 차례가 되었기 때문입니다.

19 만복이와 장군이 등과 비슷한 자신의 경험을 비교해서 써 봅니다.

> **채점 기준** 이야기에 나오는 인물과 비슷한 경험을 알맞게 썼으면 정답으로 합니다.

> **보충 자료** 「만복이네 떡집」에 나오는 인물이 한 경험과 비슷한 경험 떠올리기 예
> • 친구를 도와주고 기분이 좋았던 일
> • 다른 사람을 오해했던 일
> • 친구에게 마음에 없는 말을 한 뒤에 후회했던 일

20 신기한 능력을 가질 수 있는 떡의 이름을 지어 쓰고, 떡을 먹으면 어떤 일이 일어날지도 상상해 씁니다.

기본 만화 영화를 보고 재미와 감동 표현하기 189쪽

1 ②, ③, ⑤   **2** ②
3 (1) 미안함 등 (2) 기쁨 등   **4** 예 「강아지 똥」이 더 재미있고 감동적으로 느껴질 것 같다.

---

1 강아지 똥은 참새, 흙덩이, 민들레 등을 만났습니다.

2 강아지 똥이 거름이 되어 꽃을 피운 것에서 사랑, 행복, 즐거움, 기쁨, 희생 등을 느낄 수 있습니다.

3 자신을 위해 거름이 되어 달라고 하는 민들레는 강아지 똥에게 미안할 것이고, 자신이 쓸모 있는 존재라는 생각에 강아지 똥은 기쁠 것입니다.

4 「강아지 똥」에서 느낀 재미와 감동을 다양하게 표현해 보면 어떤 생각이 들지 써 봅니다.

실천 우리 반 독서 잔치 열기 190쪽

1 독서 잔치   **2** ③   **3** (2) ○
4 ⑤

---

1 덕무의 말에서 알 수 있습니다.

2 종이에 시를 쓰고 남은 공간에 어울리는 그림을 그린 후 작품을 교실에 전시하고 감상합니다.

3 친구에게 책 읽어 주기 활동의 방법입니다.

4 독서 잔치 계획을 세울 때에는 먼저 활동을 정하고, 시간과 장소, 준비물, 참가자를 정합니다. 그리고 활동 차례를 정해야 합니다.

---

1 부끄럽다. 등   **2** (1) ② (2) ① (3) ③
3 ②   **4** ②   **5** 아기별
6 민서   **7** ⑤   **8** (1) ② (2) ①
9 📝 아기별이 바위나리가 걱정되어 울던 장면이 감동적이다. 바위나리를 걱정하고 사랑하는 아기별의 마음이 느껴졌기 때문이다.
10 (1) 돼서 (2) 됐다고
11 (1) 돼 (2) 잘돼야 (3) 됐다

1 다른 사람에게 미안하고 부끄러운 동주의 마음을 알 수 있습니다.

2 각각 어떤 방법으로 재미나 감동을 느낀 부분을 생각하며 시를 읽었는지 생각해 봅니다.

3 바위나리는 파란 바다와 흰 모래벌판 사이에 피어난 오색 꽃입니다.

4 바위나리는 친구를 기다렸지만, 아무도 오지 않아 훌쩍훌쩍 울었습니다.

5 울음소리를 따라 바닷가로 내려간 아기별이 바위나리를 만났습니다.

6 바위나리는 어찌나 좋은지 어쩔 줄을 모르고 이리저리 몸을 흔들며 외쳤다고 하였습니다.

7 바위나리는 아기별이 자신을 떠나지 않기를 바랐습니다.

8 ㉠에서는 화를 내는 임금님을 두려워하는 아기별의 마음, ㉡에서는 밤마다 울어 빛을 잃은 아기별에게 화가 난 임금님의 마음을 느낄 수 있습니다.

9 인물의 말과 행동에서 감동을 느낀 장면을 써 봅니다.

10 'ㅚ'와 'ㅓ'가 만나서 줄어들면 'ㅙ'로 써야 합니다.

11 '되어'는 '돼', '잘되어야'는 '잘돼야', '되었다'는 '됐다'로 줄여 쓸 수 있습니다.

---

❶ 장면   ❷ 우산   ❸ 말
❹ 경험   ❺ 행동   ❻ 민들레
❼ 인물

1 ㉢   **2** ④, ⑤
3 비 오는 날, 길에서 일어난 일이다. 등
4 ②
5 📝 미안해하는 '나'의 마음을 눈치채고 친구가 우산을 기울여 주는 부분이 감동적이었다.
6 (3) ○   **7** ⑤   **8** ①
9 📝 부끄러워하는 동환이의 마음을 알게 되었기 때문에 배려하는 것이다.   **10** ⑤
11 만복이는 쥐고 있던 주먹을 풀었어.
12 ⑤   **13** 📝 장군이의 마음을 알자 미운 마음이 눈 녹듯 사라져 버렸거든.
14 경험   **15** ⑤   **16** (1) ㉠ (2) ㉡
17 ㉡   **18** ⑤   **19** (1) ○
20 유라

1 지은이의 생김새를 소개할 필요는 없습니다.

2 친구들에게 책을 소개하면서 읽은 내용을 다시 떠올릴 수 있고, 친구들이 소개한 책을 찾아서 읽을 수 있으며 그때의 재미나 감동을 다시 떠올릴 수 있습니다.

3 비 오는 날, 길에서 친구와 우산을 함께 쓰고 가면서 있었던 일과 그때 들었던 마음을 나타낸 시입니다.

4 시의 표현에서 재미를 느끼고 시에 담긴 내용에서 감동을 느낄 수 있습니다. 지은이의 다른 작품은 떠올리지 않습니다.

> **정답 친해지기** 시에서 감동을 느낀 부분을 찾는 방법
> • 시를 읽고 어떤 장면이 떠오르는지 생각해 봅니다.
> • 시에 나오는 인물이 한 경험과 비슷한 자신의 경험을 떠올려 봅니다.
> • 시에 나오는 인물의 마음이 어떠한지 생각해 봅니다.
> • 시에서 특별히 기억에 남는 부분을 떠올려 봅니다.

5 이 시는 서로를 배려하는 친구의 마음이 느껴져서 감동을 줍니다. 자신이 재미나 감동을 느낀 부분을 써 봅니다.

> **채점 기준** 비 오는 날, 친구와 하나의 우산을 쓰고 가며 서로를 배려하는 모습에서 느낄 수 있는 재미나 감동을 알맞게 썼으면 정답으로 합니다.

6 시에 나오는 동주의 마음을 헤아려 감동을 느낀 부분을 찾았습니다.

7 만복이는 동환이를 방귀쟁이라고 떠벌리고 다니지 않았습니다.

8 동환이는 방귀 뀐 것을 만복이가 눈치 채고 소문내고 다닐까 봐 걱정하고 있습니다.

9 만복이는 부끄러워하는 동환이의 마음을 알자 친구들에게 말하고 싶은 마음이 싹 사라졌다고 했습니다.

> **채점 기준** 만복이가 동환이의 부끄러워하는 마음을 알았기 때문이라는 내용을 썼으면 정답으로 합니다.

10 만복이는 미안해하는 장군이의 마음을 알자 미운 마음이 눈 녹듯 사라져 버렸습니다.

11 화가 나서 꼬옥 쥐었던 주먹을 푼 만복이의 행동에서 장군이를 용서하고 싶은 마음을 알 수 있습니다.

12 미안해하는 장군이의 속마음을 알게 되어 만복이는 장군이와 싸우지 않았습니다.

13 장군이의 마음을 알고 만복이가 장군이를 용서하는 내용에서 재미나 감동을 느낀 부분을 찾아봅니다.

14 바위나리가 아기별을 보고 기뻐하는 상황과 비슷한 경험을 떠올렸습니다.

15 강아지 똥은 민들레를 만났습니다.

16 강아지 똥이 꽃이 될 수 있다며 기뻐하는 마음, 민들레가 강아지 똥에게 거름이 되어 달라고 해서 미안해하는 마음을 느낄 수 있습니다.

17 강아지 똥이 거름이 되어 달라고 말하는 민들레를 꼭 껴안고, 그 덕분에 민들레가 노란 꽃을 피운 장면이 가장 감동적입니다.

18 재미나 감동을 느낀 부분과 그 까닭을 글로 써 보거나 친구에게 소개하며 말로 표현하는 방법도 있습니다.

19 책 속 인물 초청하기 활동을 하는 방법입니다.

20 지후는 친구에게 책 읽어 주기 활동, 민주는 책을 읽고 문제 알아맞히기 활동을 하며 느낀 점을 말했습니다.

서술형 평가   **199쪽**

1 예 어머니께 「반쪽이」 책을 소개해 드린 일이 있다.

2 예 푸른 나무 그늘에서 노래 부르는 베짱이의 모습이 떠오른다.

3 예 하루 종일 말똥구리는 말똥을 굴리게 그냥 놔두라는 부분이 재미있었다. 말똥구리가 즐겁게 말똥을 굴리는 장면이 떠올랐기 때문이다.

4 예 은지의 고민을 알자 만복이는 그냥 지나칠 수가 없었어. / "선생님은 바지를 입는 것도 예쁘지만, 치마를 입는 것도 잘 어울려요. 얼굴도 오늘 더 예뻐 보여요."

5 예 만복이가 착한 행동을 하려고 노력하는 부분에서 감동을 느꼈다.

---

1 읽은 책 가운데에서 어떤 사람에게 책을 소개했는지, 누구에게 책을 소개받았는지 떠올려 씁니다.

> **채점 기준** 다른 사람에게 책을 소개받거나 소개해 본 경험을 자세히 썼으면 정답으로 합니다.

2 말똥구리, 베짱이, 사과나무, 달팽이가 자신이 좋아하는 일을 하고 있습니다.

> **채점 기준** 말똥구리, 베짱이, 사과나무, 달팽이의 어떤 모습이 떠오르는지 알맞게 썼으면 정답으로 합니다.

3 느낀 재미나 감동을 그 까닭과 함께 써 봅니다.

> **채점 기준** 재미있는 표현, 특별히 기억에 남는 부분 등을 찾아 왜 그런 생각이 들었는지 썼으면 정답으로 합니다.

4 만복이가 한 행동, 만복이와 비슷한 경험, 가슴이 뭉클해지는 부분 등을 찾습니다.

> **채점 기준** 글에서 재미나 감동을 느낀 부분을 알맞게 찾아 썼으면 정답으로 합니다.

5 만복이는 외로워하는 은지를 도와주려고 은지한테 먼저 다가가서 말을 걸었고, 선생님을 칭찬하였습니다.

> **채점 기준** 만복이가 걱정하는 사람들의 마음을 알고 배려하는 말을 하는 모습 등에서 재미나 감동을 느낀 까닭을 알맞게 썼으면 정답으로 합니다.

정답과 해설

1. 재미가 톡톡톡

단원 평가 1회 2~3쪽

1 ④　　　**2** 감각적 표현　　**3** ⑤
4 유주, 미영　**5** (1) ①　(2) ②　**6** ③
7 ②
8 예 이대로 마을을 영영 떠나게 될까 봐 두렵고 슬
펐습니다.
9 요요요 / 요요요요　　　　　**10** ③

1 개나리가 피는 소리를 "폭!", 진달래가 피는 소리를
'팡!'이라고 표현하였습니다.

2 우리는 눈으로 보고, 귀로 듣고, 입으로 맛보고, 코로
냄새 맡고, 손으로 만지면서 사물을 느낄 수 있습니
다. 어떤 대상이나 사물의 느낌을 생생하게 표현한
것을 감각적 표현이라고 합니다.

3 소나기가 오는 소리를 잘 익은 콩이 쏟아지는 소리라
고 표현한 것입니다.

4 2연에서 '또로록'이라는 표현을 넣어 읽으면 비(소나
기)가 내리는 모습이 더 생생하고 실감 나게 느껴집니
다.

5 샘물이 솟아나는 모양을 '송송송', 샘물이 고여 넘쳐
흐를 때의 소리를 '졸졸졸'이라고 감각적으로 표현하
였습니다.

6 '우리(갈매기)'는 '바삭바삭'을 먹고 싶어서 '바삭바삭'
을 주지 않는 사람들 때문에 화가 났습니다.

7 ㉠에서는 귀로 들은 소리를 생생하게 표현하고 있습
니다.

8 멋쟁이가 되어 이야기 속 상황에서 어떤 기분이 들
었을지 써 봅니다.

> **채점 기준** 멋쟁이의 입장이 되어 어떤 기분이 들었을지
> 이야기 속 상황에 어울리게 썼으면 정답으로 합니다.

9 강아지를 부르듯이 '요요요 / 요요요요'라고 부른다고
하였습니다.

10 강아지풀이 만져지는 느낌이 잘 드러나도록 낭송해
봅니다.

단원 평가 2회 4~5쪽

1 ④, ⑤　　　**2** ③　　　**3** ⑤
4 ㉣　　　　**5** ⑤　　　**6** ①
7 움직이는 장승을 보고 깜짝 놀라서 등
8 예 장승 친구들은 서로 힘을 합쳐서 멋쟁이를 구
했다는 점 때문에 더 기뻤을 것 같다.
9 바동바동　　　**10** ⑤

1 바다나 파도를 감각적으로 생생하게 표현한 것을 찾
습니다.

2 말하는 이는 학교에도 못 가고 이틀째 앓아누워 있습
니다.

3 골목에서 아이들이 공 튀기는 소리가 방 안에 누워 있
는 말하는 이의 귀에까지 들리는 것을 나타내는 것입
니다.

4 ㉣은 코로 맡은 냄새를 감각적으로 생생하게 표현한
것입니다. ㉠~㉢은 귀로 들은 소리를 감각적으로 생
생하게 표현한 것입니다.

5 감각적 표현을 사용하면 마치 사물을 눈으로 보거나,
귀로 듣거나, 입으로 맛보거나, 코로 냄새 맡거나, 손
으로 만지는 듯한 느낌이 듭니다.

6 도둑들은 옹기와 멋쟁이를 트럭에 싣고 가고 있었습
니다. 장승 친구들은 멋쟁이를 구하기 위해 도둑들을
놀래 주기로 하였습니다.

7 도둑들은 도깨비처럼 살아 움직이는 장승들을 보고
너무 놀라 도망쳤습니다. 장승 친구들은 도둑들을 물
리치고 멋쟁이를 구해 냈습니다.

8 이야기 속 상황, 일어난 일, 인물의 말이나 행동 등
에 대해 떠오른 생각이나 느낌을 자유롭게 씁니다.

> **채점 기준** 멋쟁이가 도둑들에게 잡혀간 상황에서 장승
> 친구들이 도둑들을 물리친 내용에 대한 생각이나 느낌
> 을 알맞게 썼으면 정답으로 합니다.

9 1연에 '뭐든 제멋대로 되지 않으면 / 온몸을 바동바동'
이라고 나타나 있습니다. 동생이 떼를 쓰면서 몸을
비트는 모습을 '바동바동'이라고 표현하였습니다.

10 떼를 쓰며 우는 동생을 보다가 아기 고래를 발견한 것
처럼 신기하고 놀란 느낌이 잘 드러나게 뒷부분을 올
려서 낭송합니다.

서술형 평가 6쪽

1 예 '또로록'이라는 표현을 넣으면 비가 내리는 모습이 더 생생하고 실감 나게 느껴진다.

2 예 빗방울을 콩이라고 표현한 게 재미있다. / 소나기가 그치고 하늘을 쳐다보았을 때 높고 파란 하늘을 보았던 경험이 떠오른다.

3 예 "뿌우우우웅.", 배에서 나는 소리를 표현해 생생하다. / 비릿한 냄새, 부둣가에서 나는 냄새를 표현해 생생하다.

4 예 장승 친구들이 밤에 신나게 노는 장면이 재미있다.

5 예 강아지를 부르는 것처럼 낭송한다.

1 '또로록'은 소나기가 내리는 소리가 들리듯이 감각적으로 표현한 부분입니다.

채점 기준	점수
'또로록'을 넣었을 때 더 생생하고 실감 난다는 내용으로 쓴 경우	6점

> **보충 자료** 시에 나타난 감각적 표현은 대상을 직접 보거나 듣는 것처럼 생생하게 느껴지도록 합니다.

2 시에서 재미있게 느껴진 부분, 시와 관련된 자신의 경험 등을 자유롭게 쓸 수 있습니다.

채점 기준	점수
시의 내용과 표현을 잘 이해하고 떠오르는 생각이나 느낌을 알맞게 쓴 경우	6점
단순히 시의 내용을 옮겨 적은 경우	2점

3 귀로 들리는 소리나 코로 맡는 냄새나 입에서 느껴지는 맛이나 손으로 만졌을 때 느낌이 생생하게 표현된 부분을 찾고 그 표현의 느낌을 써 봅니다.

채점 기준	점수
"뿌우우우웅"이나 '비릿한 냄새' 등의 표현을 찾아 쓰고 그 느낌을 알맞게 쓴 경우	6점
표현을 찾아 쓰기만 하고 느낌을 알맞게 쓰지 못한 경우	3점

4 장승 친구들은 밤이 되면 마음껏 뛰어놀 수 있습니다. 장승 친구들이 밤에 신나게 노는 장면을 떠올리며 이에 대한 자신의 생각이나 느낌을 씁니다.

채점 기준	점수
이야기 속 장면과 상황을 잘 이해하고 이야기를 읽고 떠오른 생각이나 느낌을 알맞게 쓴 경우	6점
단순히 글의 내용을 옮겨 적은 경우	2점

5 '요요요 / 요요요요'는 강아지를 부를 때 내는 소리이므로, 감각적 표현의 재미를 살려 강아지를 부르듯이 낭송하면 어울립니다.

채점 기준	점수
소리가 들리듯이 감각적으로 표현한 부분인 것을 알고 강아지를 부르는 것처럼 낭송한다는 내용으로 쓴 경우	6점

수행 평가 7쪽

1 (1) 예 풀숲을 걷다가 강아지풀을 보았다.
　(2) 예 강아지풀이 마치 복슬복슬한 꼬리를 가진 강아지 같아서 정답게 부르면 진짜 강아지처럼 따라올 것 같다는 생각을 했다.

2 (1) 예 요요요
　　요요요요
　　정답게 부르면
　(2) 예 솜털같이 복슬복슬한
　　꼬리를 살랑살랑

3 예 향긋한 꽃향기가 코를 간질였다. / 산들산들 바람 따라 꽃들이 춤을 춘다. / 알록달록 꽃들이 노래를 한다.

1 시에서 말하는 이는 풀숲을 걷다가 강아지풀을 보고 복슬복슬한 꼬리를 가진 귀여운 강아지를 떠올리고 있습니다.

채점 기준	점수
(1)에 강아지풀을 보고 있거나 만진다는 내용으로 쓰고 (2)에 강아지를 떠올렸다는 내용으로 쓴 경우	10점
(1)과 (2) 중 한 가지만 바르게 쓴 경우	5점

2 강아지를 부르는 소리와 강아지풀의 복슬복슬한 느낌을 표현한 부분을 찾아 쓰입니다.

채점 기준	점수
(1)에 '요요요 / 요요요요'가 들어가게 쓰고 (2)에 '솜털같이 복슬복슬한'이 들어가게 쓴 경우	10점
(1)과 (2) 중 한 가지만 바르게 쓴 경우	5점

3 꽃을 만질 때의 느낌, 꽃의 냄새를 맡은 느낌, 꽃이 피어 있는 모습을 보았을 때의 느낌 등을 실감 나게 표현해 봅니다.

채점 기준	점수
모습이 보이는 것처럼, 소리가 들리는 것처럼, 손으로 만지는 것처럼 생생하게 감각적 표현으로 꽃에 대해 표현한 경우	10점

2. 문단의 짜임

1 ⑤   **2** ㉠   **3** 두 가지

4 ①   **5** ㉤, ㉢   **6** ⑤

7 ②

8 동물들은 보호색으로 자신의 몸을 지킵니다.

9 ④

10 예 제가 좋아하는 놀이는 딱지치기입니다. 딱지치기에 참여하는 사람의 수는 두 명입니다. 딱지치기를 할 때의 준비물은 딱지를 접을 수 있는 신문지나 두꺼운 종이입니다. 그리고 딱지치기를 하는 방법은 종이 두 개를 엇갈리게 접어 네모 모양으로 만든 뒤 바닥에 있는 상대의 딱지를 쳐서 넘기는 것입니다.

1 감시용 로봇, 해양 탐사 로봇, 의료용 로봇의 예를 들어 로봇이 하는 여러 가지 일을 설명하고 있습니다.

2 로봇은 여러 가지 일을 한다는 첫 문장이 가장 중심이 되는 문장입니다.

3 장승의 구실에 대한 내용과 장승의 얼굴 모습에 대한 내용으로 구분할 수 있습니다.

4 ①이 첫 번째 문단 내용을 대표하는 중심 문장이고, ②, ④, ⑤는 뒷받침 문장입니다. ③은 두 번째 문단의 뒷받침 문장입니다.

5 ㉠은 두 번째 문단의 중심 문장이고, ㉡과 ㉢은 뒷받침 문장입니다.

6 옛날에는 새, 물고기 같은 모양으로 약과를 만들었지만, 지금은 국화 모양을 본떠서 많이 약과를 만듭니다.

7 ㉠과 ㉢은 각 문단의 중심 문장이고, 나머지는 뒷받침 문장입니다.

8 첫 문장이 문단 전체 내용을 대표하는 중심 문장입니다.

9 '우리는 바다에서 많은 것을 얻습니다.'라는 중심 문장에 어울리는 뒷받침 문장을 생각해 봅니다. 생각 그물에 있는 '물고기'가 나오는 문장이 뒷받침 문장으로 어울립니다.

10 완성된 글을 살펴보고 중심 문장과 뒷받침 문장을 넣어 문단을 썼는지 점검합니다.

> **채점 기준** 자신이 좋아하는 놀이에 대한 설명을 중심 문장과 뒷받침 문장으로 이루어진 한 문단으로 잘 썼으면 정답으로 합니다.

1 ④   **2** ⑤

3 예 줄을 바꾼 다음에 한 칸 들여 시작했다.

4 ③

5 불은 원시인의 삶을 크게 바꾸어 놓았습니다.

6 (1) 엿 (2) 강정   **7** ④

8 (1) ○   **9** 나는 햄스터를 좋아합니다.

10 민지

1 로봇이 하는 여러 가지 일을 설명하는 글입니다.

2 '장승은 나무나 돌에 사람 얼굴 모습을 조각해 만들었습니다.'가 두 번째 문단의 중심 문장입니다.

3 각 문단에서 첫 문장의 첫 글자는 한 칸 들여 쓴 위치입니다. 문단이 바뀔 때 줄을 바꾸면 문단 구분을 하기 쉬워집니다.

> **채점 기준** 줄을 바꾼 다음에 한 칸 들여 시작했다는 내용으로 문단 사이의 특징을 알맞게 썼으면 정답으로 합니다.

4 뒷받침 문장에서는 우리나라에서 명절마다 하는 놀이가 무엇이 있는지 소개하고 있습니다. 그러므로 '우리나라에는 명절마다 하는 놀이가 있습니다.'가 중심 문장으로 알맞습니다.

5 첫 문장이 문단 내용을 대표하는 중심 문장입니다.

6 첫 번째 문단에서는 강정을, 두 번째 문단에서는 엿을 설명하고 있습니다.

7 ④는 첫 번째 문단의 중심 문장입니다.

8 '공으로 하는 운동에는 여러 가지가 있습니다.'라는 중심 문장을 뒷받침하면서, 농구에 대해 설명하는 문장이 들어가기에 알맞습니다.

9 '나는 햄스터를 좋아합니다.'가 중심 문장입니다.

10 중심 문장과 뒷받침 문장을 갖추어 문단을 씁니다.

서술형 평가 12쪽

1 (1) 장승은 여러 가지 구실을 했습니다.
(2) 장승은 나무나 돌에 사람 얼굴 모습을 조각해 만들었습니다.

2 예 문단 구분을 잘할 수 있다.

3 우리나라에는 명절마다 하는 놀이가 있습니다.

4 엿은 곡식이나 고구마 녹말에 엿기름을 넣어 달 게 졸인 과자입니다.

5 가락엿을 부러뜨려, 그 속의 구멍이 더 많고 더 큰 쪽이 이기는 놀이이다. 등

6 예 우리 주변에는 다양한 직업이 있습니다. 우리 의 안전을 지켜 주시는 경찰관이 있습니다. 우리 를 가르쳐 주시는 선생님이 있습니다. 또 맛있는 음식을 만들어 주시는 요리사도 있습니다.

1 각 문단 내용을 대표할 수 있는 중심 문장을 찾습니다.

채점 기준	점수
(1)에 첫 번째 문단의 중심 문장을 잘 찾아 쓰고, (2)에 두 번째 문단의 중심 문장을 잘 찾아 쓴 경우	5점
(1)과 (2) 중 한 가지만 바르게 쓴 경우	3점

2 다음 문단을 시작할 때 줄을 바꾸지 않으면 문단 구 분이 잘되지 않습니다.

채점 기준	점수
문단 구분을 잘할 수 있다는 내용으로 쓴 경우	5점

3 우리나라에서 명절마다 하는 놀이에 대해 설명한 글입니다. 중심 문장이 늘 문단 첫머리에 있는 것은 아닙니다.

채점 기준	점수
문단의 마지막 문장이 중심 문장임을 알고, 그대로 잘 찾아 쓴 경우	5점

4 엿에 대해 설명하고 있는 문단으로 첫 문장이 중심 문장입니다.

채점 기준	점수
문단의 첫 문장이 중심 문장임을 알고, 그대로 잘 찾 아 쓴 경우	5점

5 엿치기는 가락엿 속의 구멍이 더 많고 큰 것으로 승 부를 겨루는 놀이입니다.

채점 기준	점수
글에 나타난 엿치기에 대한 내용을 잘 찾아 쓴 경우	5점
엿치기에 대한 내용을 썼으나 다소 내용이 빠진 경우	2점

6 문단에서 가장 중요한 내용을 중심 문장으로 삼고, 뒷받침 문장의 내용이 중심 문장을 덧붙여 설명하 도록 씁니다.

채점 기준	점수
다양한 직업이 들어가게 중심 문장을 쓰고 경찰관, 선생님, 요리사가 들어가게 뒷받침 문장을 쓴 경우	5점
한 문단으로 글을 썼으나 다소 내용이 부족한 경우	2점

수행 평가 13쪽

1 (1) 뒷받침 (2) 중심 (3) 뒷받침 (4) 뒷받침

2 ㉠ 예 공부 시간에 공부하기
㉡ 예 체육 시간에 운동하기
㉢ 예 점심시간에 급식 먹기

3 예 학교에서는 여러 가지 일을 합니다. 공부 시간 에는 열심히 공부를 합니다. 학교에서 가장 많은 시간이 공부 시간입니다. 체육 시간에는 체육관이 나 운동장에서 운동을 합니다. 그리고 점심시간 이 되면 맛있는 급식을 먹습니다. 매일 바뀌는 급 식 메뉴가 참 맛있습니다.

1 글의 내용을 대표할 수 있는 문장과 중심 문장을 뒷받 침하는 문장을 찾아봅니다.

채점 기준	점수
(2)에 '중심'이라고 쓰고, (1), (3), (4)에 '뒷받침'이라고 쓴 경우	10점
(1)~(4) 중 세 가지를 바르게 쓴 경우	7점
(1)~(4) 중 두 가지를 바르게 쓴 경우	5점
(1)~(4) 중 한 가지를 바르게 쓴 경우	2점

2 학교에서 하는 일 중에서 세 가지를 떠올려 씁니다.

채점 기준	점수
학교에서 하는 일을 떠올려 간단하게 세 가지를 모 두 쓴 경우	10점
학교에서 하는 일을 떠올려 간단하게 두 가지를 쓴 경우	6점
학교에서 하는 일을 떠올려 간단하게 한 가지를 쓴 경우	3점

3 학교에서 하는 일에 대한 내용으로 중심 문장과 뒷받 침 문장을 넣어 한 문단의 글을 씁니다.

채점 기준	점수
학교에서 하는 일을 중심 문장과 뒷받침 문장이 어 울리게 한 문단으로 알맞게 쓴 경우	10점
학교에서 하는 일을 한 문단으로 썼으나 중심 문장 과 뒷받침 문장 중 일부가 자연스럽지 않은 경우	5점

44 한끝 초등 국어 3-1

3. 알맞은 높임 표현

1 (1) ② (2) ①　**2** ⑤　　　　**3** −시−
4 할아버지께서 오셨어요. 등　　**5** ①
6 기분이 좋지 않으실 것이다. / 화가 나실 것이다. 등
7 ④　　　　**8** 이에요　　**9** ⑤
10 예 높여서 말할 대상이 선생님인데, 선생님께서 말씀하신 것이므로 문장을 끝맺는 말에 '−시−'를 넣고 '께서'도 붙여야 하기 때문이다.

1 대화 가에서는 동생인 진수가 듣고 있고, 대화 나에서는 아버지께서 듣고 계십니다.

2 듣는 사람이 말하는 사람보다 웃어른일 때 높임말을 사용합니다.

> **정답 친해지기** 대화 가에서는 듣는 사람이 동생인 진수로, 말하는 사람보다 어리므로 높임 표현을 사용하지 않습니다.

3 높임을 나타내는 '−시−'를 넣어 높임을 표현하였습니다.

4 할아버지는 웃어른이므로 높임의 대상에게 '께서'를 사용하여야 합니다.

5 '−습니다' 또는 '요'를 써서 문장을 끝맺는 것으로 높임을 표현할 수 있습니다.

6 여자아이가 버릇이 없다고 생각해 할머니께서는 화가 나실 것입니다.

7 꾸미는 말은 언어 예절과 관련이 없습니다.

> **오답 피하기**
> ① 여자아이는 엎드린 자세로 대화하고 있으므로 바른 자세로 말해야 합니다.
> ② 여자아이는 높임 표현을 사용하지 않았으므로 예의 바르게 말해야 합니다.
> ③ 여자아이는 '지난겨울에 찍은 제 사진이에요. 할머니께서도 한번 보시겠어요?'라고 알맞은 높임 표현을 사용해야 합니다.
> ⑤ 여자아이는 스마트폰에 있는 사진을 보며 대화하고 있으므로 듣는 사람인 할머니를 바라보면서 말해야 합니다.

8 '이세요'라고 '−시−'를 넣어 표현하면 물건을 높이는 것이 됩니다. 물건에는 높임 표현을 쓰지 않습니다.

9 선생님께는 높임 표현을 쓰고, 친구인 수현이는 높이지 않습니다.

10 선생님을 높여서 말해야 되는 것과 수현이는 높이지 않는다는 것에 주의합니다.

> **채점 기준** 선생님을 높여야 해서 '께', '−시−'를 넣었다는 내용으로 썼으면 정답으로 합니다.

1 (1) 어머니 (2) 께, 드릴　　**2** ③
3 진지　　　**4** ⑤　　　**5** 드릴
6 ③
7 예 이 구두는 특별 할인 제품입니다.
8 ⑤
9 아버지께서 장바구니 좀 챙기라고 하셨어. 등
10 예 높임의 뜻이 있는 특별한 낱말을 사용하여 '갖다주래요'를 '갖다드리래요' 또는 '갖다드리라고 하셨어요'로 표현해야 한다.

1 선물을 줄 대상이 말하는 사람보다 웃어른인 어머니이고, '께', '드릴'의 높임 표현을 사용했습니다.

2 '다녀왔습니다', '좋겠습니다'와 같이, 두 대화에서 모두 '−습니다'로 끝나고 있습니다.

3 웃어른께는 '밥'이라고 하지 않고 '진지'라고 표현해야 합니다.

4 '밥' 대신 높임의 뜻이 있는 특별한 낱말인 '진지'를 사용하였습니다.

5 '주다'는 높임의 뜻이 있는 특별한 낱말 '드리다'로 써야 높임 표현이 됩니다.

6 '특별 할인 제품이시고요.'에서 '−시−'를 사용해서 구두를 높이는 표현이 되었습니다.

7 물건에는 높임 표현을 사용하지 않습니다.

8 아버지를 높여야 하므로 '께서'와 '−시−'를 넣어 말해야 합니다.

9 아버지를 높이고 여자아이는 높이지 않도록 주의하여 '께서'와 '−시−'를 넣어 표현합니다.

평가 교재

정답과 해설

10 '어머니께서 갖다드리래요.(갖다드리라고 하셨어요.)'가 알맞은 높임 표현입니다.

> **채점 기준** '갖다주래요' 대신 '갖다드리래요', '갖다드리라고 하셨어요'로 바꾼다는 내용이 들어가게 썼으면 정답으로 합니다.

서술형 평가   18쪽

1 📝 교문 안으로 들어가는 사람이 말하는 사람보다 웃어른이기 때문이다.

2 📝 높임의 대상에게 '께서'나 '께'를 사용한다.

3 📝 바른 자세로 말한다. / 듣는 사람을 바라보면서 말한다. / 알맞은 높임 표현을 사용한다. / 예의 바르게 말한다.

4 📝 네, 거실에 계세요.

5 📝 물건인 쟁반을 높이고 있다.

6 📝 옆집 어른께서 고맙다고 하셨어요.

1 선생님을 높여서 '께서, 가신다'와 같은 높임 표현을 쓴 것입니다.

채점 기준	점수
행동하는 사람이 말하는 사람보다 웃어른이라는 내용으로 쓴 경우	5점

2 '할아버지가'가 아니라 '할아버지께서'라고 표현하였습니다.

채점 기준	점수
높임의 대상에게 '께서'나 '께'를 사용한다는 내용으로 쓴 경우	5점

3 여자아이는 바르지 않은 자세로 높임 표현을 사용하지 않고 말하고 있습니다.

채점 기준	점수
여자아이가 잘못한 점을 알고 지켜야 할 바른 언어 예절을 쓴 경우	5점

4 듣는 사람이 어머니이므로 '네'를 쓰고, 거실에 있는 사람이 할머니이기 때문에 높임 표현을 사용해야 합니다. '있어' 대신 높임의 뜻이 있는 특별한 낱말 '계세요'를 사용합니다.

채점 기준	점수
'네, 거실에 계세요.' 또는 '네, 거실에 계십니다.'로 알맞은 높임 표현을 사용하여 쓴 경우	5점

5 '예쁘세요'에서 '-시-'를 사용하여 쟁반을 높였습니다. 물건인 쟁반을 높일 필요는 없으므로 '쟁반이 너무 예뻐요.'라고 해야 합니다.

채점 기준	점수
물건에게 높임 표현을 썼다는 내용으로 쓴 경우	5점

6 옆집 어른을 높이기 위해 '께서'와 '-시-'를 넣고, 듣는 사람을 높이기 위해 문장을 끝맺는 말에 '요'를 넣습니다.

채점 기준	점수
'께서', '-시-', '요'를 넣어 높임 표현으로 잘 고친 경우	5점
높임 표현으로 고친 것 중 일부만 바르게 쓴 경우	2점

수행 평가   19쪽

1 📝 누나, 어머니께서 부엌으로 오라고 하셨어.

2 📝 어른께서 댁에 계실까요?

3 📝 어머니, 선생님께서 이 통신문을 어머니께 갖다드리래요.(갖다드리라고 하셨어요.)

1 어머니께서 하신 말씀을 누나에게 전하는 상황에 알맞은 높임 표현을 생각해 봅니다.

채점 기준	점수
영수의 말을 '께서', '-시-'를 넣어 높임 표현으로 바르게 쓴 경우	10점
높임 표현으로 고친 것 중 일부만 바르게 쓴 경우	5점

2 어른을 높여서 말하고 '집' 대신 높임의 뜻이 있는 특별한 낱말인 '댁'을 사용합니다.

채점 기준	점수
훈민이의 말을 '께서', '댁', '계시다'를 넣어 높임 표현으로 바르게 쓴 경우	10점
높임 표현으로 고친 것 중 일부만 바르게 쓴 경우	5점

3 선생님이 하신 말씀을 어머니께 전해 드리는 상황이므로 선생님과 어머니 둘 다 높여야 합니다.

채점 기준	점수
'께서', '께', '갖다드리다'를 사용하여 높임 표현으로 바르게 쓴 경우	10점
높임 표현으로 고친 것 중 일부만 바르게 쓴 경우	5점

4. 내 마음을 편지에 담아

1 ④

2 예 넘어져서 속상했지? / 다음에는 더 잘할 수 있을 거야.

3 ③　　　　**4** ④

5 기특하고 대단하다고 생각했어 / 많이 속상했지

6 ①, ②　　**7** ③　　　**8** 상점 등

9 ⑤

10 예 친구 수정이가 글짓기 대회에서 상을 받아서 축하하는 마음을 전하고 싶다.

---

1 친구가 달리기에서 넘어졌으니 속상할 것입니다. 친구를 위로하기에 알맞은 상황이므로 위로하는 마음을 전할 수 있습니다.

2 넘어져서 속상할 친구의 마음을 헤아려 위로하는 말을 해야 합니다.

3 민경이는 달리기 경주를 해서 진 일로 나리에게 말도 제대로 하지 않았는데 팔을 다쳤을 때 나리가 가방을 들어 주어서 고마워하고 있습니다.

4 '내가 졌잖아'는 마음을 나타내는 말이 아니라 있었던 일을 그대로 쓴 것입니다.

5 어떤 마음을 표현하기 위해 쓴 편지인지 생각하여 마음을 나타내는 말을 찾습니다.

6 민주가 '내' 물건을 마음대로 가져간 건데 어머니께서는 '내' 탓이라고 하셨습니다. 동생 편을 드시는 어머니께 화나고 서운한 마음입니다.

7 매우 기쁘고 즐거운 마음이라는 것을 짐작할 수 있습니다.

8 서로 바꾸어 써도 뜻이 바뀌지 않는 말을 떠올려 씁니다.

9 '전하고 싶은 말' 부분에 영주를 위로하는 마음이 잘 드러나게 써야 합니다.

10 주변에서 축하, 격려, 칭찬, 위로하는 마음 등을 전하고 싶은 사람을 떠올려 써 봅니다.

> **채점 기준** 마음을 전하고 싶은 사람과 전하고 싶은 마음을 구체적으로 잘 썼으면 정답으로 합니다.

---

1 (1) ② (2) ③ (3) ①

2 할아버지의 생신을 축하드리기 위해서이다. 등

3 ①　　　　　**4** ②　　　　**5** 고마운 마음

6 ⑤　　　　　**7** ②, ④

8 그리운 집으로 돌아갈 수 있다는 기쁜 마음을 전하기 위해서이다. 등

9 엄청난, 근사한, 훌륭한, 대단한 등

10 ②

---

1 (1)은 축하하는 마음, (2)는 고마운 마음, (3)은 미안한 마음을 전하기에 알맞은 상황입니다.

> **정답 친해지기** (1)은 할머니의 생신을 축하드리는 상황이고, (2)는 짝이 책을 빌려주는 상황이고, (3)은 친구의 그림에 물통을 엎지른 상황입니다.

2 손자 정혁이가 할아버지의 생신을 축하드리는 내용의 편지입니다.

3 '축하드려요, 감사합니다, 많이 아쉬웠어요, 정말 기뻐요, 건강하시길 바랄게요'가 정혁이의 마음을 나타내는 말입니다.

4 민재는 줄넘기 대회에서 상을 받지 못한 호준이에게 위로하는 마음을 담아서 편지를 썼습니다.

5 엄마가 입던 옷으로 예쁜 옷을 만들어 주셔서 고맙다는 내용의 편지입니다.

6 민서는 어머니 말씀에 대꾸도 하지 않고 학교에 왔는데, 어머니께서 학교까지 오셔서 물감을 가져다주셨습니다.

7 어머니께서 학교로 물감을 가져다주셔서 고마웠을 것이고, 어머니 말씀에 대꾸도 하지 않은 것이 죄송할 것입니다.

8 글쓴이는 아빠가 취직을 하셔서 집으로 돌아가게 되었다는 기쁜 마음을 편지에 썼습니다.

> **채점 기준** 집으로 돌아간다는 기쁜 마음이나 소식을 전하기 위해서라는 내용으로 썼으면 정답으로 합니다.

9 바꾸어 써도 뜻이 바뀌지 않는 쓰임에 따라 뜻이 비슷한 낱말을 떠올려 봅니다.

10 문장의 길이는 중요하지 않습니다.

1 예 나리에게 고마운 마음과 미안한 마음을 표현하기 위해서이다.

2 예 줄넘기 대회에서 상을 받지 못한 호준이를 위로하기 위하여 편지를 썼다.

3 예 나도 처음에는 한자 쓰기를 잘 못했는데 열심히 연습해서 한자왕이 된 적이 있어. 좀 더 노력하면 더 좋은 결과를 얻을 수 있을 거야.

4 어머니 말씀에 대꾸도 하지 않고 집을 나선 것 등

5 예 어머니와 동생 때문에 화가 나 있는 상태이기 때문이다.

1 민경이는 나리가 가방을 들어 준 것에 대한 고마움과 달리기에서 져서 말도 제대로 하지 않은 것에 대한 미안함을 표현하고 있습니다.

채점 기준	점수
나리에게 고마운 마음이나 미안한 마음을 전하거나 표현하기 위해라는 내용으로 쓴 경우	6점

2 줄넘기 대회에서 상을 받지 못한 호준이를 위로하기 위해 쓴 편지입니다.

채점 기준	점수
호준이를 위로하기 위해서라는 내용으로 쓴 경우	6점

3 친구를 위로하는 내용을 자신이 경험한 일을 바탕으로 써 봅니다.

채점 기준	점수
자신의 경험을 바탕으로 위로하는 말을 잘 쓴 경우	6점
위로하는 말을 쓰긴 했으나 경험이 다소 어울리지 않는 경우	3점

4 민서는 동생이 자기 물건을 마음대로 가져간 건데, 동생 편만 드는 어머니께 서운한 마음이었기 때문에 어머니 말씀에 대꾸도 하지 않은 것입니다.

채점 기준	점수
어머니 말씀에 대꾸도 하지 않고 집을 나섰다는 내용으로 쓴 경우	6점

5 민서는 어머니와 동생 때문에 화가 나 있어서 새로 산 물감을 가방에서 꺼내며 자랑하는 짝 정아에게 짜증이 난 것입니다.

채점 기준	점수
아침에 집에서 있었던 일로 민서의 기분이 좋지 않아서 짝의 말에 괜히 짜증이 난 것을 잘 파악하여 쓴 경우	6점

1 (1) 예 누나

(2) 예 누나가 좋아하는 책을 실수로 찢었다.

(3) 예 당황스러웠고 누나에게 미안했다.

2 예 누나에게

누나, 안녕? 나 ○○이야.

누나, 저번에 내가 누나가 좋아하는 책을 찢어서 속상했지? 그때는 정말 미안했어. 나도 그 책을 읽어 보고 싶어서 책장을 넘기다가 그만 실수로 찢은 거였어. 그때 너무 당황해서 아무 말도 못 했어. 그래서 누나가 더 화가 났을 거야. 나도 누군가가 내 물건을 만지다가 망가뜨리면 화가 났을 거야.

앞으로는 누나 물건에 함부로 손을 대지 않을게. 정말 미안해. 이제 더 이상 화내지 말고 나랑 예전처럼 재미있게 놀자. 그럼 안녕.

20○○년 ○월 ○일

누나랑 즐겁게 놀고 싶은 동생 ○○

1 자신이 겪은 일을 떠올려 누군가에게 고마웠거나 미안했던 경험, 또는 위로하고 싶거나 축하하고 싶은 일을 떠올려 씁니다.

채점 기준	점수
(1)~(3)에 마음을 전하고 싶은 사람과 있었던 일, 생각이나 느낌을 잘 쓴 경우	10점
(1)~(3) 중 두 가지를 바르게 쓴 경우	6점
(1)~(3) 중 한 가지를 바르게 쓴 경우	3점

2 마음을 전하고 싶은 사람과 있었던 일을 떠올리며 마음을 나타내는 말을 써서 편지를 씁니다. 편지를 쓸 때는 편지의 형식에 맞게 받을 사람, 첫인사, 전하고 싶은 말, 끝인사, 쓴 날짜, 쓴 사람 등이 들어가도록 합니다.

채점 기준	점수
마음을 나타내는 말을 넣어 편지의 형식에 맞게 글을 잘 쓴 경우	20점
마음을 나타내는 말을 넣었으나 편지의 형식이 잘 맞지 않는 경우	10점

> **정답 친해지기 마음이 드러나게 편지 쓰는 방법**
> • 전하고 싶은 마음이 잘 나타나게 씁니다.
> • 전하고 싶은 마음을 드러내는 표현을 사용하고, 그때 자신의 생각이나 느낌을 자세히 씁니다.
> • 편지의 형식에 맞게 씁니다.

5. 중요한 내용을 적어요

단원 평가 1회　26~27쪽

1 (1) ②　(2) ③　(3) ①　　**2** 민수
3 ②　　　　　　**4** 복, 재물　**5** (1) ○　(3) ○
6 ①
7 민화는 옛날 사람들이 널리 사용하던 그림이에요. 등
8 ⑤
9 예 물에 둥둥 떠다니는 생물을 플랑크톤이라고 합니다. 스스로 헤엄칠 수 있는 큰 생물이라도 물의 흐름을 거슬러 헤엄칠 수 없다면 플랑크톤입니다.
10 책을 고른 까닭, 소개할 내용, 책을 읽고 느낀 점 등

1 그림 **가**에서는 좋은 생각이 떠오르는 상황이, 그림 **나**에서는 심부름을 가면서 기억할 것이 많은 상황이, 그림 **다**에서는 교실에서 공부를 하는 상황이 나타나 있습니다.

2 모든 것을 기억할 수는 없으므로 녹음이나 메모를 하면 기억하는 데 도움이 될 것입니다.

3 중요한 내용만 간단하게 정리해야 하는데 들은 내용을 모두 적었습니다.

4 우리 조상은 제비를 복과 재물을 가져다주는 좋은 새라고 여겼습니다.

> **정답 친해지기** 메모하는 방법
> • 중요한 내용을 정리해 씁니다.
> • 중요한 낱말을 중심으로 짧게 씁니다.

5 어제 본 만화 영화에 대해 이야기할 때에는 메모가 필요한 상황이라고 보기 어려우므로 굳이 메모가 필요하지 않습니다.

6 선비들이 그린 격조 높은 산수화나 솜씨 좋은 화원이 그린 작품들은 오래 두고 감상하는 그림이지만, 민화는 어떤 특별한 목적을 위해 사용한 그림이라고 하였습니다.

7 문단 안에서 가장 중요하다고 생각하는 내용을 정리해 봅니다. 중요한 내용을 찾기 힘들다면 글의 중심 문장을 찾아봅니다. 중심 문장에 글 속에 있는 다른 정보를 붙이거나, 중심 문장을 줄여서 중요한 내용을 정리할 수도 있습니다.

8 해파리처럼 제법 큰 생물이라도 물의 흐름을 거슬러 헤엄칠 수 없다면 모두 플랑크톤으로 분류한다고 나타나 있습니다.

9 각 문단의 중요한 내용을 이어서 글 전체 내용을 하나로 묶습니다.

> **채점 기준** 두 문단의 중요한 내용을 찾아서 그 내용을 이어서 글 전체 내용을 잘 간추려 썼으면 정답으로 합니다.

10 책 제목, 소개하는 까닭, 책을 고른 까닭, 소개할 내용, 책을 읽고 느낀 점 등이 들어갈 수 있습니다.

단원 평가 2회　28~29쪽

1 옛이야기 속 과학 지식을 조사하는 것
2 ②　　　　**3** 수의사　　　**4** ⑤
5 ③, ⑤　　**6** ①　　　　　**7** 글 **나**
8 예 물이 있는 곳에는 생물이 산다.
9 ⑤　　　　**10** ㉡

1 '우리 모둠 과제는 옛이야기 속 과학 지식을 조사하는 것이지?'라는 말에서 민건이네 모둠 과제를 알 수 있습니다.

2 민건이네 모둠의 아이들은 선생님 말씀을 잘 기억하지 못해서 어디로 가야 할지 몰랐습니다. 들은 내용을 모두 기억하기 어려우므로 메모가 필요합니다.

3 동물의 병을 치료해 주는 직업인 '수의사'에 대해 설명하고 있습니다.

4 수의사는 애완동물부터 가축, 야생 동물, 희귀 동물까지 진료한다고 하였습니다.

5 메모할 때 모든 내용을 다 적으면 안 됩니다. 중요한 내용이 빠지지 않게 중요한 낱말을 중심으로 짧게 씁니다.

6 악기를 타악기, 현악기, 관악기로 나누어 악기의 종류에 대해 쓴 글입니다.

7 글 **나**가 전체 내용을 한두 문장으로 짧게 간추려 썼습니다. 글 **가**는 전달하고 싶은 내용을 자세히 썼고, 글 **다**는 중요한 내용을 낱말 중심으로 짧게 썼습니다.

8 문단에서 중요한 내용을 찾아 간단하게 정리합니다.

> **채점 기준** 문단에서 중요한 내용이 무엇인지 알고 잘 정리하여 썼으면 정답으로 합니다.

9 중요한 내용을 찾아 그 중요한 내용을 이어서 전체를 간추립니다.

10 ㉠은 책 제목과 책을 읽고 알게 된 점입니다.

서술형 평가

30쪽

1 한꺼번에 많은 내용을 들으면 오래 기억하지 못하기 때문이다. / 나중에 기억하기 위해서이다. / 중요한 내용을 표시해 두기 위해서이다. 등

2 예 너무 간추려서 중요한 내용을 알기 힘들다.

3 예 글 ㉮는 자세히 알려 주는 글을 쓸 때 필요하고, 글 ㉯는 전체 내용을 간단하게 정리할 때 필요하다.

4 (1) 민화는 옛날 사람들이 널리 사용하던 그림이에요. 등

(2) 민화의 쓰임새는 여러 가지였어요. 등

(3) 민화는 동물, 식물, 상상의 동물과 같은 다양한 소재를 사용했어요. 등

5 예 민화는 옛날 사람들이 널리 사용하던 그림으로, 쓰임새가 여러 가지였어요. 그리고 동물, 식물, 상상의 동물과 같이 다양한 소재를 사용했어요.

1 모든 내용을 다 외울 수는 없으므로 메모가 필요합니다.

채점 기준	점수
메모가 왜 필요한지 한 가지를 바르게 쓴 경우	6점

2 수영이의 메모를 보고, 중요한 내용을 알기 힘듭니다.

채점 기준	점수
중요한 내용을 알기 힘들다는 내용으로 쓴 경우	6점

3 글 ㉮는 전달하고 싶은 내용을 자세히 썼고, 글 ㉯는 전체 내용을 한두 문장으로 짧게 간추려 썼습니다.

채점 기준	점수
글 ㉮와 ㉯와 같은 쓰기 방식이 각각 필요한 경우를 정확히 쓴 경우	6점
글 ㉮와 ㉯와 같은 쓰기 방식이 필요한 경우를 한 가지만 바르게 쓴 경우	3점

4 각 문단에서 중요하다고 생각하는 내용을 정리합니다. 묶을 수 있는 낱말을 이용해서 간단하게 정리하는 게 좋습니다.

채점 기준	점수
세 문단의 중요한 내용을 바르게 정리한 경우	6점
두 문단의 중요한 내용을 바르게 정리한 경우	3점
한 문단의 중요한 내용을 바르게 정리한 경우	1점

5 각 문단의 중요한 내용을 이어서 하나로 만들 때 이어 주는 말을 사용하기도 합니다.

채점 기준	점수
각 문단의 중요한 내용을 빠짐없이 이어서 하나로 묶어 잘 쓴 경우	6점

수행 평가

31쪽

1 예 악기는 타악기, 현악기, 관악기로 나눌 수 있다.

2 • 현악기: 가야금, 바이올린
• 관악기: 단소, 트럼펫

3 예 생물이 생명을 유지하는 데 물은 반드시 필요하다.

1 이 글의 중요한 내용을 한 문장으로 간단하게 정리하여 봅니다.

채점 기준	점수
악기는 타악기, 현악기, 관악기로 나눌 수 있다는 내용으로 한 문장으로 잘 정리하여 쓴 경우	10점

2 악기의 종류인 현악기, 타악기, 관악기를 낱말 중심으로 정리하여 써 봅니다.

채점 기준	점수
현악기, 관악기를 쓰고 예까지 쓴 경우	10점
현악기, 관악기만 쓰고 예를 쓰지 않은 경우	5점

3 생물에게 물이 반드시 필요한 물질이라는 내용이 중요한 내용입니다.

채점 기준	점수
생물이 생명을 유지하는 데 물이 반드시 필요하다는 내용으로 쓴 경우	10점

6. 일이 일어난 까닭

32~33쪽

단원 평가 1회

1 쓰레기 정거장　　　　　　2 ⑤
3 (아기) 참새　　　　　　　4 ③
5 승호는 아기 참새를 교실로 데려갔다. 등
6 ⑤
7 (1) 예 자전거 타는 연습을 열심히 하였다.
　 (2) 예 혼자서도 자전거를 잘 탈 수 있게 되었다.
8 예 친구 / 쌍둥이　　　　　9 ⑤
10 민아

---

1 쓰레기를 버리러 갈 때 어두워지면 나가기 무섭고, 골목 입구에 쓰레기가 쌓여 있어서 다닐 때 불편한 문제를 해결하기 위해서 쓰레기 정거장을 마련했다고 하였습니다.

2 쓰레기를 버리러 가기 편리하게 하기 위해서 쓰레기 정거장이 생겼습니다.

3 승호는 길에서 깡충깡충 뛰어다니기만 하고 잘 날지 못하는 아기 참새를 잡았습니다.

4 아기 참새가 잘 날 수가 없으니 잘 날 수 있을 때까지만 키우자고 하였습니다.

5 아기 참새가 잘 날지 못했다는 원인 때문에 승호가 아기 참새를 교실로 데려가 키우기로 한 결과가 일어났습니다.

6 리코더 연습을 열심히 했기 때문에(원인) 학예회에서 자신 있게 리코더를 연주했다(결과)는 것이 자연스럽습니다.

7 기억에 남는 경험을 떠올린 뒤, 그 일을 원인과 결과로 나누어 정리해 봅니다.

> **채점 기준** 기억에 남는 경험한 일을 원인과 결과로 나누어 알맞게 썼으면 정답으로 합니다.

8 이 그림에는 남자아이와 여자아이가 나옵니다. 두 아이는 친구일 수도 있고, 쌍둥이 남매일 수도 있습니다. 그림을 보고 자유롭게 상상해 봅니다.

9 그림 ①에서 보라색 새가 두 친구를 발견하고, 그림 ②에서 보라색 새의 안내로 두 친구가 큰 문에 도착하는 내용으로 이어집니다.

10 그림 ④를 보면 온 세상이 제 색깔을 다 찾았다는 것을 알 수 있습니다.

34~35쪽

단원 평가 2회

1 (1) ① (2) ②　　　2 ④, ⑤
3 쓰레기 정거장이 생겼다. 등　　　4 ⑤
5 원인(까닭)　　　6 ⑤　　　　7 ④
8 예 동화책 속의 세계로 이동할 때 있었던 일이다.
9 ④
10 예 환상의 무지개 나라를 찾아서

---

1 어떤 일이 일어난 까닭을 원인이라고 하고, 그 때문에 일어난 일을 결과라고 합니다.

2 어두워지면 쓰레기를 버리러 나가기가 무섭고, 골목 입구에 쓰레기가 쌓여 있어서 다닐 때 불편하다고 했습니다.

3 쓰레기 때문에 생긴 불편함을 해결하기 위해 쓰레기 정거장을 만들었습니다.

4 승호는 짹짹콩콩이가 걱정되었기 때문에(원인) 저녁에 교실에 간 것입니다(결과).

5 원인과 결과를 생각하며 말해야 말하는 내용을 듣는 사람이 쉽게 이해할 수 있습니다.

6 비슷한 속담으로 "아니 때린 장구 북소리 날까.", "뿌리 없는 나무에 잎이 필까." 따위가 있습니다.

> **오답 피하기**
> ① 쉬운 일이라도 협력하여 하면 훨씬 쉽다는 말입니다.
> ② 값이 같거나 같은 노력을 한다면 품질이 좋은 것을 택한다는 말입니다.
> ③ 소를 도둑맞은 다음에서야 빈 외양간의 허물어진 데를 고치느라 수선을 떤다는 뜻으로, 일이 이미 잘못된 뒤에는 손을 써도 소용이 없음을 비꼬는 말입니다.
> ④ 무슨 일이나 그 일의 시작이 중요하다는 말입니다.

7 원인과 결과가 모두 잘 드러나게 씁니다.

8 그림을 보고 자유롭게 상상해 봅니다.

> **채점 기준** 그림 ①~④에 어울리게 언제 어디에서 있었던 일일지 상상해 썼으면 정답으로 합니다.

9 그림 ③에서 문에서 나온 주황색 옷의 할아버지가 주황색 막대를 꺼냈고, 그림 ④에서 온 세상이 아름다운 색깔을 다 찾게 되었습니다.

10 두 친구가 여러 가지 색깔의 막대를 찾아내어 온 세상이 제 색깔을 다 찾게 되는 내용에 어울리는 제목을 생각해 봅니다.

서술형 평가   36쪽

1 예 어두워지면 쓰레기를 버리러 나가기가 무서웠다. / 골목 입구에 쓰레기가 쌓여 있어서 다닐 때 불편했다.
2 예 쓰레기를 버리러 가기 편리하게 하기 위해서이다. / 쓰레기 분리배출을 잘할 수 있게 하기 위해서이다.
3 아무도 없을 줄 알았던 교실에 선생님과 여러 명의 아이가 와 있었기 때문이다. 등
4 승호는 저녁에 교실로 갔다. 등
5 예 겪은 일을 알기 쉽게 말할 수 있다. / 말하는 내용을 듣는 사람이 쉽게 이해할 수 있다.

1 쓰레기를 버리러 나갈 때 어두워지면 무서웠고, 쌓여 있는 쓰레기 때문에 다니는 것이 불편했습니다.

채점 기준	점수
어두워지면 쓰레기를 버리러 나가기가 무섭다거나 골목 입구에 쓰레기가 쌓여 있어서 다닐 때 불편하다는 내용 등을 알맞게 쓴 경우	6점

2 쓰레기를 버리는 것이 불편했고 쓰레기 분리배출이 제대로 되지 않았기 때문에 쓰레기 정거장이 생긴 것입니다.

채점 기준	점수
쓰레기를 버리러 가기 편리하게 하기 위해서라는 내용 등으로 쓰레기 정거장이 생긴 원인을 알맞게 쓴 경우	6점

3 저녁이어서 교실에 아무도 없을 줄 알았는데 선생님과 여러 명의 아이가 와 있는 것을 보고 놀랐습니다.

채점 기준	점수
교실에 선생님과 여러 명의 아이가 와 있었기 때문이라는 내용을 쓴 경우	6점

4 승호가 아기 참새를 걱정하여(원인) 저녁에 교실로 갔습니다(결과).

채점 기준	점수
승호가 저녁에 교실로 갔다는 내용으로 결과를 바르게 정리하여 쓴 경우	6점

5 원인과 결과를 알맞게 말하지 않으면 일이 일어난 까닭이 무엇인지, 그 결과 어떤 일이 일어났는지 파악하기 어렵습니다.

채점 기준	점수
원인과 결과를 생각하며 경험을 말하면 좋은 점을 알맞게 쓴 경우	6점

수행 평가   37쪽

1 예 ❶ → ❹ → ❸ → ❷
2 (1) 예 커다란 문이 갑자기 열리고 노인이 나타났다. / 아이들이 여러 가지 색깔의 막대를 모았다.
(2) 예 아이들이 깜짝 놀라 뒤로 넘어졌다. / 세상이 알록달록하게 예쁜 색으로 변했다.
3 예 두 아이는 어두워진 세상을 아름답게 만들기 위해 마법의 색깔 막대를 찾으러 다녔다. 마법의 색깔 막대가 있는 지도를 보며 길을 떠난 두 아이는 보라색 새를 만났다. 보라색 새가 길을 안내해 주어 아이들은 어느 커다란 문 앞에 도착했다. 갑자기 문이 열리며 할아버지가 나와서 아이들에게 주황색 색깔 막대를 주었다. 아이들은 색깔 막대를 모두 찾아서 마침내 세상을 알록달록 예쁘게 만들었다.

1 보라색 새가 아이들과 멀리 떨어져 있다가 아이들 곁으로 갔고, 커다란 문이 열리자 할아버지가 나타나고 그 뒤에 세상의 색이 알록달록하게 변했습니다.

채점 기준	점수
일어났을 일의 차례를 알맞게 짐작해 쓴 경우	5점

2 그림의 한 장면, 또는 여러 장면에 걸쳐서 일어났을 일의 흐름을 보고 원인과 결과가 되는 일을 찾아봅니다.

채점 기준	점수
일의 원인과 결과를 찾아내 (1)에 원인, (2)에 결과를 알맞게 쓴 경우	10점
(1)과 (2) 중 한 가지만 쓴 경우	5점

3 아이들이 어디에서 누구를 만나 어떤 일이 일어났는지 상상하여 차례대로 써 봅니다.

채점 기준	점수
일의 원인과 결과에 맞게 완성된 이야기를 만들어 쓴 경우	15점
완성된 이야기를 만들었지만 일의 원인과 결과가 다소 어색한 경우	5점

7. 반갑다, 국어사전

1 ①   **2** ①   **3** ②
4 ①   **5** 묶다   **6** ⑤
7 솟다
8 (1) 조심성 없이. 등 (2) 조심하거나 깊이 생각하지 아니하고 마음 내키는 대로 마구. 등
9 ⑤
10 그윽하다 → 누리 → 지게 → 햇귀 → 희나리

1 국어사전에 싣는 낱말 차례는 한글 자음과 모음 차례입니다.

	정답 친해지기 국어사전 특징	
겉모습	앞표지	• 사전 이름이 있음. • 국어사전에 싣는 내용이나 국어사전을 사용하는 대상에 따라 다른 이름을 덧붙임.
	옆모습	낱말을 쉽게 찾을 수 있도록 한글 자음 차례대로 둠.

2 '가을 – 고슴도치 – 두부 – 라디오 – 발등'의 차례로 싣습니다.

3 '소금'은 형태가 바뀌지 않는 낱말입니다. 움직임을 나타내거나 성질이나 상태를 나타내는 낱말은 상황에 따라 형태가 바뀝니다.

4 밑줄 그은 부분에서 '먹' 부분은 모두 형태가 바뀌지 않았습니다.

5 형태가 바뀌지 않는 부분에 '–다'를 붙여 기본형을 만들 수 있습니다.

6 '붙지'의 기본형은 '붙다'입니다.

7 형태가 바뀌지 않는 부분인 '솟'에 '–다'를 붙여 기본형을 만들 수 있습니다.

8 앞뒤 내용을 통해 낱말 뜻을 짐작해 보고 국어사전을 통해 바른 뜻을 알아둡니다.

> **채점 기준** (1)에 '함부로'의 뜻을 짐작하여 쓰고, (2)에 국어사전에서 그 뜻을 찾아 정확하게 썼으면 정답으로 합니다.

9 이 글을 통해 새로 안 내용이 무엇인지 정리해 봅니다.

10 첫 글자의 첫 자음자를 살펴보고, 첫 글자의 첫 자음자가 같으면 모음자를 살펴봅니다.

1 예 국어사전을 찾아본다.   **2** ①
3 예 '가게'는 첫 글자의 모음자가 'ㅏ'이므로 첫 글자의 모음자가 'ㅓ'인 '거미'보다 국어사전에 먼저 싣는다.   **4** ⑤
5 (1) 높 (2) 고 (3) 은 (4) 높 (5) 아서
6 ②   **7** ⑤   **8** 삼짇날
9 ⓛ → ⓔ → ⓒ → ㉠   **10** ②

1 낱말의 뜻을 알고 싶을 때에는 국어사전을 찾아볼 수 있습니다.

2 국어사전에서 낱말을 찾을 때에는 '낱말의 첫 글자의 첫 자음자, 모음자, 받침, 그리고 두 번째 글자의 첫 자음자, 모음자, 받침'과 같은 차례대로 찾습니다.

3 한글 글자는 첫 자음자, 모음자, 받침으로 이루어지는데, 국어사전에는 글자 각각에 쓰인 낱자 차례대로 낱말을 싣습니다.

> **채점 기준** 모음자는 'ㅓ'보다 'ㅏ'가 먼저 나오기 때문에 '거미'보다 '가게'를 국어사전에 먼저 싣는다는 내용 등으로 바르게 썼으면 정답으로 합니다.

4 ①은 '가을, 두부, 마을', ②는 '사슴, 사슴, 사진', ③은 '사탕, 새, 소리', ④는 '바다, 발등, 발자국'의 차례로 국어사전에 싣습니다.

5 '높'이 형태가 바뀌지 않는 부분입니다. 여기에 '–다'를 붙인 '높다'가 기본형이 됩니다.

6 '먹다 – 생기다 – 얇다 – 입다 – 있다'의 차례로 국어사전에 싣습니다.

7 바로 이어지는 내용에 꽃으로 음식을 만들어 먹은 내용이 나옵니다.

8 '음력 삼월 초사흗날'은 '삼짇날'의 뜻입니다.

9 첫 글자의 자음자 'ㄱ–ㅅ–ㅇ–ㅍ'의 차례로 국어사전에 싣습니다.

10 낱말의 뜻은 국어사전에서 찾아 바르고 정확하게 써야 합니다.

서술형 평가   42쪽

1 예 모르는 낱말의 뜻을 정확하게 알기 위해서이다. / 낱말의 뜻을 모를 때 글을 이해하기 쉽게 하기 위해서이다.

2 예 받침이 없는 '하'로 시작하는 '하늘'을 받침이 있는 '학'으로 시작하는 '학교'보다 먼저 싣는다.

3 예 국어사전에 형태가 바뀐 낱말을 모두 실으면 국어사전이 너무 두꺼워지기 때문이다.

4 예 입다, 겨울에는 두꺼운 옷을 입습니다.

5 (1) 예 조상
   (2) 예 자기 세대 이전의 모든 세대.

6 예 천연 색소로 쓸 수 있는 자연 재료에는 어떤 것이 더 있는지 알고 싶다.

---

1 낱말의 뜻을 모를 때 국어사전을 사용하면 편리합니다.

채점 기준	점수
낱말의 뜻을 정확하게 알기 위해서라는 내용 등을 알맞게 쓴 경우	5점

2 국어사전에는 받침이 없는 글자를 받침이 있는 글자보다 먼저 싣습니다.

채점 기준	점수
첫 자음자, 모음자가 같을 경우 받침이 없는 글자를 받침이 있는 글자보다 먼저 싣는다는 내용으로 알맞게 쓴 경우	5점

3 국어사전에 형태가 바뀐 낱말을 모두 싣기에는 너무 많기 때문에 기본형만 싣는 것입니다.

채점 기준	점수
형태가 바뀌는 낱말을 모두 실으면 국어사전이 두꺼워지기 때문이라는 내용 등을 바르게 쓴 경우	5점

4 '입다'는 '옷을 몸에 꿰거나 두르다.'의 뜻을 가진 낱말입니다.

채점 기준	점수
기본형 '입다'를 쓰고, '옷을 몸에 꿰거나 두르다.'의 뜻을 가진 '입다'를 넣어 문장을 알맞게 만들어 쓴 경우	5점
기본형 '입다'만 바르게 쓴 경우	2점

5 뜻을 모르는 낱말을 찾아 국어사전에서 찾아봅니다.

채점 기준	점수
(1)에 뜻을 모르거나 자세히 알고 싶은 낱말을 쓰고, (2)에 그 낱말의 뜻을 국어사전에서 찾아 정확히 쓴 경우	5점
(1)만 찾아 쓴 경우	2점

---

6 글을 읽고 알고 있는 내용, 새로 안 내용을 떠올려 보고 더 알고 싶은 내용을 정리합니다.

채점 기준	점수
먹을 수 있는 꽃 요리에 관한 글과 관련하여 더 알고 싶은 내용을 자세히 쓴 경우	5점

수행 평가   43쪽

1 (1) 예 우리 조상은 꽃으로 음식을 만들어 먹었다.
   (2) 예 삼짇날에는 진달래화채를 만들어 먹었다.

2 (1) 즐기고, 둥글납작하게, 부쳐서
   (2) 삼짇날, 화전, 번철

3 (1) 예 즐기고 / 예 즐기다 / 예 즐겁게 누리거나 맛보다.
   (2) 예 둥글납작하게 / 예 둥글납작하다 / 예 생김생김이 둥글고 납작하다.
   (3) 예 부쳐서 / 예 부치다 / 예 프라이팬에 기름을 바르고 빈대떡 같은 음식을 익혀서 만들다.

---

1 글을 읽고 새로 안 내용을 정리하여 두 가지 써 봅니다.

채점 기준	점수
글을 읽고 새로 안 내용을 모두 알맞게 쓴 경우	5점
글을 읽고 새로 안 내용을 한 가지 알맞게 쓴 경우	2점

2 움직임을 나타내는 낱말과 성질이나 상태를 나타내는 낱말은 상황에 따라 형태가 바뀝니다.

채점 기준	점수
형태가 바뀌는 낱말과 형태가 바뀌지 않는 낱말을 모두 바르게 나누어 쓴 경우	10점
형태가 바뀌는 낱말과 형태가 바뀌지 않는 낱말을 대부분 바르게 나누었으나 1~2개 정도 틀린 경우	5점

3 기본형을 찾아 국어사전에서 낱말을 찾은 뒤에, 글의 내용에 어울리는 뜻을 찾아 씁니다.

채점 기준	점수
'즐기고', '둥글납작하게', '부쳐서'의 기본형을 모두 알맞게 쓰고 국어사전에서 낱말의 뜻도 찾아 정확하게 쓴 경우	15점
'즐기고', '둥글납작하게', '부쳐서' 중 두 가지의 기본형과 낱말의 뜻을 바르게 쓴 경우	10점
'즐기고', '둥글납작하게', '부쳐서' 중 한 가지의 기본형과 낱말의 뜻을 바르게 쓴 경우	5점
'즐기고', '둥글납작하게', '부쳐서'의 기본형만 바르게 쓰고 낱말의 뜻을 바르게 쓰지 못한 경우	5점

8. 의견이 있어요

1 ②　　　　　　　　**2** 오성
3 넓고 좁음, 길고 짧음 등　　　**4** ②
5 (1) ① (2) ③ (3) ②　　　　**6** ①
7 예 지구를 깨끗이 가꾸자
8 약속을 잘 지키는 습관을 기릅시다.
9 ①　　　　**10** 예 복도를 사용할 때 규칙이
있으면 뛰지 않을 것 같기 때문입니다.

1 옆집 하인은 가지가 자기네 집으로 넘어왔기 때문에 감이 자기네 것이라며 오성이 감을 따지 못하게 하였습니다.

정답 친해지기		옆집 하인과 오성의 의견과 까닭
옆집 하인	의견	감은 우리 것이다.
	까닭	우리 집으로 가지가 넘어왔기 때문이다.
오성	의견	감은 우리 것이다.
	까닭	감나무는 우리 집에서 심고 가꾸었기 때문이다.

2 오성의 말에서 오성의 의견과 까닭을 알 수 있습니다.

3 자 부인은 옷감의 길이와 넓이를 재는 데 자신이 필요하기 때문에 자신이 가장 중요하다고 하였습니다.

4 가위가 하는 일은 옷감을 자르는 일입니다. 가위 색시는 옷감을 잘라야 일이 된다고 하였습니다.

5 부엉이는 먼저 본 다람쥐가, 앵무새는 먼저 말한 다람쥐가, 토끼는 먼저 주운 다람쥐가 주인이라고 하였습니다.

6 '우리는 지구를 깨끗이 하려고 노력해야 합니다.'가 ⑦ 문단의 중심 문장입니다.

7 글쓴이의 의견이 무엇인지 생각하여 어울리는 제목을 붙일 수 있습니다.

8 약속을 잘 지키는 습관을 기르자는 것이 이 글에서 가장 중요한 내용입니다.

9 약속을 잘 지키면 규칙적인 생활을 할 수 있다는 내용은 나오지 않습니다.

10 의견에 어울리는 까닭을 들어야 합니다.

> **채점 기준** 복도에서는 오른쪽으로 사뿐사뿐 걸으면 좋겠다는 의견에 대한 까닭을 알맞게 썼으면 정답으로 합니다.

1 ⑤　　　　　　　　**2** ③
3 바느질에서 자신이 가장 중요하다. 등
4 ④
5 예 나도 홍실 각시와 생각이 같다. 왜냐하면 실이 없으면 바늘도 소용이 없고, 실이 있어야 천을 튼튼히 묶을 수 있기 때문이다. 　　**6** ②
7 지구를 깨끗이 가꾸고 유지하자. 등
8 ④　　　　**9** 고마워하는 마음을 표현하는 습관을 기릅시다. 　　　　**10** ②

1 오성이 창호지를 바른 방문 안으로 팔을 쑥 들이밀자 책을 읽고 있던 권 판서 대감은 방문을 뚫고 들어온 팔을 보고 깜짝 놀랐습니다.

2 권 판서 대감은 감나무 뿌리가 오성의 집에 있기 때문에 감이 오성의 것이라고 하였습니다.

3 바늘 각시와 홍실 각시는 바느질을 하는 데 있어서 자신이 가장 중요하다고 말하고 있습니다.

4 바늘 각시는 옷을 꿰매고 만드는 데 바늘이 꼭 필요하다는 까닭을 들었습니다.

5 바느질에서 실이 가장 중요하다는 홍실 각시의 의견에 대해 자신은 어떻게 생각하는지 까닭과 함께 써 봅니다.

> **채점 기준** 실이 있어야 꿰매고 옷을 만들 수 있으므로 자신이 가장 중요하다는 홍실 각시의 의견에 대한 자신의 의견을 자세히 썼으면 정답으로 합니다.

6 일회용 나무젓가락은 나무로 만들기 때문에 환경에 피해를 주지 않을 것이라고 생각하기 쉽지만 일회용 나무젓가락을 만들 때 잘 썩지 않도록 약품 처리를 하기 때문에 환경에 피해를 준다고 하였습니다.

7 문단의 중심 문장을 찾아 정리하고 글쓴이가 글을 쓴 목적이 무엇인지 짐작하여 글쓴이의 의견을 파악해 봅니다.

평가 교재

8 책을 많이 읽으면 좋은 점을 까닭으로 들어야 합니다. 책에 좋지 않은 정보가 많다는 것은 책을 읽으면 좋은 점과 관련이 없습니다.

9 고마워하는 마음을 표현하는 습관을 기르자는 첫 번째 문장이 중심 문장입니다.

10 운동장에 쓰레기가 떨어져 있는 문제점이 나타난 그림입니다.

서술형 평가 (48쪽)

1 팔이 어디에 있든 내 몸에 붙어 있어서 내 것인 것처럼 감나무의 가지도 감나무의 일부라는 것을 말해서 감이 자기네 것이라고 말하기 위해서이다. 등

2 감은 오성의 것이다. 등

3 자신이 구겨지고 접힌 곳을 펴 줘야 옷의 맵시가 나기 때문이다. 등

4 지구가 병든다고 하였다. 등

5 예 사람들에게 일회용품을 덜 쓰자고 말하기 위해서이다. / 사람들에게 지구의 환경을 깨끗하게 유지하자고 말하기 위해서이다.

1 오성은 자신의 몸을 감나무에, 팔을 감나무의 가지에 빗대어 감나무의 가지도 감나무의 일부라는 것을 말하였습니다.

채점 기준	점수
감나무의 가지도 감나무의 일부라는 것을 말해서 감이 자기네 것이라고 말하기 위해서라는 내용 등으로 알맞게 쓴 경우	6점

2 권 판서 대감의 말에 의견이 담겨 있습니다. 권 판서 대감은 가지가 일부분 넘어왔더라도 뿌리는 오성의 집에 있기 때문에 감이 오성의 것이라고 하였습니다.

채점 기준	점수
감이 오성의 것이라고 바르게 쓴 경우	6점

3 다리미 소저는 구겨지고 접힌 곳을 자신이 펴 주어서 옷의 맵시가 나게 하기 때문에 바느질에서 자신이 가장 중요하다는 의견을 내고 있습니다.

채점 기준	점수
'자신이 가장 중요하다.'라는 의견에 대한 까닭으로 자신이 구겨지고 접힌 곳을 펴 줘야 옷의 맵시가 나기 때문이라는 내용 등을 알맞게 쓴 경우	6점

4 한 번 쓰고 난 뒤에 무심코 버리는 일회용품은 지구를 병들게 한다고 하였습니다.

채점 기준	점수
지구가 병든다고 하였다는 내용을 바르게 쓴 경우	6점

5 일회용품을 덜 써서 지구를 깨끗이 가꾸자고 말하기 위해서 이 글을 썼을 것입니다.

채점 기준	점수
일회용품을 덜 써서 사람들에게 지구의 환경을 깨끗하게 유지하자 등을 말하기 위해서라는 내용을 알맞게 쓴 경우	6점

수행 평가 (49쪽)

1 고마워하는 마음을 표현하는 습관을 기릅시다. 등

2 우리 모두 좋은 습관을 기를 수 있도록 꾸준히 노력합시다. 등

3 (1) 예 해야 할 일은 미루지 말고 미리 해 두어야 한다.

(2) 예 해야 할 일을 자꾸만 미루면 결국 한꺼번에 해야 하기 때문에 힘들어지고, 할 일을 제대로 못할 수도 있기 때문이다.

1 고마워하는 마음을 표현하면 주변 사람과 자기 자신 모두를 행복하게 만들 수 있다고 하였습니다.

채점 기준	점수
고마워하는 마음을 표현하는 습관을 기르자는 내용 등을 알맞게 쓴 경우	5점

2 자주 하다 보면 습관이 되어 우리 삶을 바꿀 수 있으므로 우리 모두 좋은 습관을 기를 수 있도록 꾸준히 노력하자고 하였습니다.

채점 기준	점수
좋은 습관을 기를 수 있도록 노력하자는 내용 등을 알맞게 쓴 경우	10점
습관을 기르자고 썼으나 좋은 습관이라는 내용이 없는 경우	5점

3 자신이 기르고 싶은 좋은 습관에는 무엇이 있는지 생각해 보고, 그 까닭을 함께 씁니다.

채점 기준	점수
(1)에 자신이 기르고 싶은 좋은 습관을 쓰고, (2)에 그 까닭을 알맞게 쓴 경우	15점
(1)에 자신이 기르고 싶은 좋은 습관이 무엇인지만 간단히 쓴 경우	5점

9. 어떤 내용일까

1 ④   **2** ①   **3** 닳다
4 ⑤   **5** 분명한 / 확실한 등
6 예 끈끈이 / 달라붙게 하는 것
7 다슬기나 달팽이   **8** ⑤
9 ⑤   **10** 예 지진 때문에 발생한 정전으로 승강기가 멈춰서 사람이 갇히게 될 수 있다.

1 국어사전이나 다른 사람의 도움을 받아 뜻을 찾거나, 앞뒤 내용을 보고 미루어 짐작해 볼 수 있습니다.

2 이빨이 계속 자란다고 하였고, 쉬지 않고 나무를 쏠거나 딱딱한 열매를 갉아 먹는다고 하였으므로 이빨을 짧게하고 줄어들게 한다는 뜻을 가진 낱말로 바꾸어야 합니다.

3 형태가 바뀌지 않는 부분인 '닳'에 '-다'를 붙여 기본형을 만들 수 있습니다.

4 여섯 명이 계속해서 볼펜을 '프린들'이라고 부르자 아주머니는 볼펜을 '프린들'이라고 알게 되었습니다.

5 '어엿한' 대신 바꾸어도 내용이 바뀌지 않는 낱말을 생각해 봅니다.

6 담쟁이덩굴을 착 붙어 있게 해 준다는 내용을 통해 짐작할 수 있습니다.

7 어른 반딧불이는 이슬을 먹고, 반딧불이의 애벌레는 다슬기나 달팽이를 먹고 삽니다.

8 반딧불이는 애벌레의 먹이가 많고 물이 깨끗한 곳에서 산다고 한 내용의 단서와 민수의 경험에서 반딧불이는 자연환경이 맑고 깨끗한 곳에 가야 관찰할 수 있다는 것을 짐작할 수 있습니다.

9 석주명은 지금까지 발견하지 못한 나비를 보고 가슴이 두근거렸다고 하였고, 몸을 다쳐 가며 나비를 잡고 있습니다.

10 지진이 나면 승강기가 정상적으로 작동하지 않을 수도 있습니다.

> **채점 기준** 승강기 문 앞에서 기다려야 할 경우에 화재, 연기에 위험해질 수 있다는 내용 등을 알맞게 짐작하여 썼으면 정답으로 합니다.

1 강이나 바다, 호수 등의 물의 깊이. 등
2 ③   **3** 예 연필이 닳아서 짧아졌다.
4 프린들   **5** ④   **6** ③
7 예 반딧불이가 빛을 내는 모습을 보려면 어두운 밤에 관찰해야 한다.
8 우리나라에 사는 나비에 대한 책 등
9 ⑤   **10** 예 특별히 알림.

1 '수심'의 뜻을 국어사전에서 찾아봅니다.

2 채소의 싹을 먹기도 하지만 다람쥐가 좋아하는 먹이는 도토리, 밤, 땅콩, 호두, 잣과 같이 껍질이 딱딱한 열매입니다.

3 '닳다'는 '갈리거나 오래 쓰여서 어떤 물건이 낡아지거나, 그 물건의 길이, 두께, 크기 따위가 줄어들다.'의 뜻입니다.

4 아이들은 '펜' 대신에 '프린들'이라는 말을 쓸 것이며 다른 사람들도 그렇게 하도록 최선을 다할 것을 맹세하였습니다.

5 '서약서' 대신 넣어도 내용이 바뀌지 않는 낱말을 찾습니다. '서약서'는 '맹세하고 약속하는 글, 또는 그런 문서.'를 뜻합니다.

6 '떨어지지 않게 붙임.'은 '부착'의 뜻입니다.

7 어두운 밤이 되어야 반딧불이가 내는 빛을 제대로 관찰할 수 있음을 짐작할 수 있습니다.

> **채점 기준** 어두운 밤에 관찰해야 반딧불이가 빛을 내는 모습을 관찰할 수 있다는 내용 등을 알맞게 썼으면 정답으로 합니다.

8 석주명은 영국왕립아시아학회의 부탁을 받아 우리나라에 있는 모든 나비를 연구한 내용을 담은 책을 썼습니다.

9 석주명이 책을 쓰는 데 온갖 정성을 쏟은 점을 단서로 생각해 봅니다. 또, 친구가 모르는 것을 물어보면 잘 가르쳐 주고 싶고 친구가 나를 인정해 주는 것 같아 뿌듯한 기분이 들었던 경험을 떠올려서 짐작할 수도 있습니다.

10 글의 앞뒤 내용을 통해 짐작해 보거나 짐작한 뜻과 뜻이 비슷한 낱말을 넣어 봅니다. '특보'는 '특별히 보도함. 또는 그런 보도.'라는 뜻입니다.

1 📮 신문을 읽다가 뜻을 모르는 말이 나와 기사의 내용을 전혀 이해하지 못한 일이 있다.

2 겨울잠을 자려고이다. 등

3 📮 다람쥐는 이빨이 계속해서 자라기 때문에 쉬지 않고 나무를 쏠거나 딱딱한 열매를 갉아 먹는다는 것에서 짐작하였다.

4 (1) 약속을 하고 서명을 하는 것. 등
(2) 📮 나는 앞으로 절대 지각을 하지 않겠다고 서약서에 서명했다.

5 📮 옛날보다 애벌레의 먹이가 줄어들고, 물이 더러워졌기 때문이다.

1 뜻을 모르는 낱말이 나오면 전체 내용을 이해하기 어렵습니다. 국어사전을 찾아보거나 앞뒤 내용을 보고 미루어 짐작해야 합니다.

채점 기준	점수
뜻을 모르는 낱말이 있어 고민했던 자신의 경험을 떠올려 자세히 쓴 경우	6점

2 겨울잠을 자려고 가을에 먹이를 많이 먹어 둡니다.

채점 기준	점수
겨울잠을 자려고라는 내용을 쓴 경우	6점

3 다람쥐가 나무와 딱딱한 열매를 이용해서 하는 일을 살펴보면 '닳게'의 뜻을 짐작할 수 있습니다.

채점 기준	점수
'닳게'의 앞뒤 문장이나 낱말을 살펴보고 어떤 내용을 통해 짐작한 것인지 알맞게 쓴 경우	6점

4 아이들이 엄숙하게 맹세하고 서명을 하는 것에서 짐작할 수 있습니다.

채점 기준	점수
(1)에 '서약서'의 뜻을 짐작하여 쓰고, (2)에 '맹세하고 약속하는 글. 또는 그런 문서.'의 뜻을 가진 '서약서'를 넣어 문장을 알맞게 만들어 쓴 경우	6점
(1)과 (2) 중 한 가지만 바르게 쓴 경우	3점

5 환경 오염으로 애벌레의 먹이를 구하기 어렵고 물이 더러워졌기 때문에 우리나라에서 반딧불이가 사라지고 있다는 것을 짐작할 수 있습니다.

채점 기준	점수
옛날보다 애벌레의 먹이가 줄어들고 물이 더러워졌기 때문이라는 내용을 알맞게 쓴 경우	6점
옛날보다 애벌레의 먹이가 줄어들었다거나 물이 더러워졌기 때문이라는 내용 중 한 가지만 쓴 경우	3점

1 (1) 📮 별로 중요하지 않고. / 별로 좋지 않고. / 훌륭하지 않고.
(2) 📮 아주 흔함. / 너무 많아서 귀하지 않음.

2 📮 반딧불이는 자연환경이 깨끗한 곳에서만 사는데 옛날보다 반딧불이 애벌레의 먹이가 줄어들고, 물이 더러워졌기 때문이다.

3 (1) 📮 너무 흔해서 별로 귀하게 생각하지 않았다. 왜냐하면 반딧불이를 '개똥벌레'라고 했을 정도로 보잘것없게 여겼기 때문이다.
(2) 📮 아주 신기하게 생각한다. 왜냐하면 요즘은 반딧불이 서식지를 천연기념물로 정할 정도로 자연환경이 나빠져서 반딧불이를 잘 볼 수 없기 때문이다.

1 앞뒤 문장이나 낱말을 살펴보거나 짐작한 뜻과 뜻이 비슷한 낱말을 넣어 보고 낱말의 뜻을 짐작해 봅니다.

채점 기준	점수
(1)에 '보잘것없고', (2)에 '지천'의 뜻을 모두 바르게 짐작하여 쓴 경우	10점
(1)과 (2) 중 한 가지만 바르게 쓴 경우	5점

2 반딧불이 애벌레의 먹이인 다슬기나 달팽이가 많고 물이 깨끗한 곳에서 산다는 내용과 자신의 경험을 바탕으로 우리가 반딧불이를 만나기 어려운 까닭을 짐작해 봅니다.

채점 기준	점수
반딧불이 애벌레의 먹이가 줄어들고 물이 더러워졌기 때문이라는 내용 등을 바르게 짐작하여 쓴 경우	10점
반딧불이 애벌레의 먹이가 줄어들었다거나 물이 더러워졌기 때문이라는 내용 중 한 가지만 바르게 쓴 경우	5점

3 옛날에는 반딧불이를 흔하게 볼 수 있었지만, 요즘은 자연환경이 오염되어 도시에서는 반딧불이를 보기가 매우 어려워졌습니다.

채점 기준	점수
(1)에 '개똥벌레'라고 부를 정도로 반딧불이가 흔해서 귀하게 여기지 않았다는 내용 등을 쓰고, (2)에 반딧불이 서식지를 천연기념물로 정할 정도로 반딧불이를 보기 힘들어 신기하게 생각한다는 내용 등을 알맞게 짐작하여 쓴 경우	10점
(1)과 (2) 중 한 가지만 알맞게 짐작하여 쓴 경우	5점
옛날 사람들과 요즘 사람들이 반딧불이를 어떻게 생각하는지만 짐작하여 쓴 경우	5점

10. 문학의 향기

단원 평가 1회   56~57쪽

1 개구리가 편지를 쓰는 장면   2 ①, ②
3 ⑤   4 ③
5 예 미안해하는 주인공의 마음을 눈치채고 친구가 우산을 기울여 주는 부분이 특히 감동적이었다.
6 (1) ◯   7 ③
8 외로워하는 은지를 도와주고 싶은 마음 등
9 ②
10 우리가 읽은 책으로 여러 가지 활동을 하는 것

1 초희는 개구리가 편지를 쓰는 장면에서 감동을 받았다고 했고, 덕무는 두꺼비가 편지를 받는 부분에서 눈물이 났다고 하였습니다.

2 사람마다 경험과 생각, 알고 있는 것이 다르기 때문입니다.

3 비 오는 날, 우산이 없는 친구에게 우산을 씌워 주었거나 자신이 도움을 받은 경험 등을 떠올릴 수 있는 시입니다.

4 자신에게 우산을 씌워 주느라 비를 맞는 친구에게 미안한 마음이 드러납니다.

5 시를 읽고 어떤 장면이 떠오르는지, 시에 나오는 인물의 마음은 어떠한지, 인물과 비슷한 자신의 경험 등을 떠올립니다.

> **채점 기준** 비 오는 날, 친구와 우산을 함께 쓰고 걸어가며 서로 배려하는 내용의 시를 읽고 느낀 재미나 감동을 자세히 썼으면 정답으로 합니다.

6 비슷한 경험을 떠올려서 말하고 있습니다.

7 친구들이 말을 잘 걸어 주지 않아 자기를 싫어한다고 생각하였습니다.

8 은지의 생각을 들은 만복이는 은지의 고민을 알고 먼저 말을 걸어 주었습니다.

9 쓸모 없는 강아지 똥이라고 생각한 자신이 꽃이 된다는 것에 기뻤을 것입니다.

> **보충 자료** 민들레의 "너의 몸뚱이를 고스란히 녹여 내 몸속으로 들어와야 해."라는 말에서는 강아지 똥에게 미안해하는 민들레의 마음을 느낄 수 있습니다.

---

10 덕무의 설명을 통해 '우리가 읽은 책으로 여러 가지 활동을 하는 것'을 독서 잔치라고 한다는 것을 알 수 있습니다.

단원 평가 2회   58~59쪽

1 ③   2 민아, 종우   3 ③
4 자신이 좋아하는 일을 하고 있을 때 가장 행복하기 때문이다. 등   5 ③
6 ①   7 예 장군이의 마음을 알고 용서하는 만복이의 모습이 감동적이다. / 장군이의 생각을 만복이가 들을 수 있는 것이 재미있다.
8 ④   9 예 사랑 / 희생 / 행복
10 ⑤

1 지은이가 사는 곳을 소개할 필요는 없습니다.

> **정답 친해지기** 책을 소개할 때 들어가면 좋은 내용
> 제목, 줄거리, 소개하는 까닭, 재미를 느낀 부분, 감동받은 부분, 지은이, 책 분량, 그림 등

2 친구들에게 자신이 책을 많이 읽었다고 자랑하기 위해 읽은 책을 소개하는 것은 아닙니다.

> **정답 친해지기** 친구들과 서로 읽은 책을 소개하면 좋은 점
> • 친구들에게 책을 소개하면서 읽은 내용을 다시 떠올릴 수 있습니다.
> • 친구들이 소개한 책을 찾아서 읽을 수 있습니다.
> • 혼자 읽었을 때 잘 이해되지 않는 부분도 이해할 수 있습니다.
> • 책을 읽었을 때의 감동을 다시 떠올릴 수 있습니다.

3 말똥구리는 하루 종일 말똥을 굴리게 그냥 놔두라고 하였습니다. 그리고 베짱이는 푸른 나무 그늘에서 노래 부르게, 사과 나무에는 사과 열매가 열리게, 달팽이는 느릅나무 잎에서 꿈을 꾸게 놔두라고 하였습니다.

4 좋아하는 일, 잘하는 일을 하도록 그냥 놔두라는 내용의 시입니다.

5 시를 읽고 떠오르는 장면, 비슷한 경험, 인물의 마음 등을 생각하며 읽을 수 있습니다.

6 장군이에게 좋은 뜻으로 말했다가 얻어맞고는 화가 났는데, 장군이의 진심을 알고는 장군이를 용서하고 싶어진 것입니다.

7 글에서 재미를 느낀 부분, 가슴이 뭉클해지는 부분 등을 찾습니다.

> **채점 기준** 만복이와 장군이의 말과 행동에서 느낄 수 있는 재미나 감동을 알맞게 썼으면 정답으로 합니다.

8 아기별은 겁을 먹고 두려움에 벌벌 떨면서 말하고 있습니다.

9 강아지 똥의 희생으로 아름다운 꽃이 피어난 것에 대한 감동을 나타낼 수 있는 낱말을 생각해 봅니다.

10 독서 잔치에 대한 감상을 계획 단계에서 미리 생각할 필요는 없습니다.

서술형 평가 · 60쪽

1 **예** 『휠휠 간다』에서 "기웃기웃 살핀다.", "콕 집어 먹는다."라는 말에 도둑이 깜짝 놀라는 부분이 재미있었다.

2 **예** 자신에게 우산을 씌워 주느라 비를 맞는 친구에게 미안했기 때문이다. / 친구를 위해 자신이 빗물 고인 자리를 밟고 가고 싶었기 때문이다.

3 **예** 우산이 없는 친구에게 우산을 씌워 주었던 일이 있다. / 동생과 함께 우산을 쓰고 걸어가면서 장난을 쳤던 일이 떠오른다.

4 **예** 걱정하던 것이 사라지고 기분이 좋다.

5 **예** 만복이가 선생님의 고민을 듣고 배려하는 말을 하는 부분이 감동적이다.

1 읽은 책 가운데에서 재미를 느끼거나 기억에 남는 부분 등을 떠올려 써 봅니다.

채점 기준	점수
자신이 읽은 책 가운데에서 재미를 느낀 부분을 자세히 쓴 경우	6점

2 친구가 빗물 고인 자리를 밟지 않도록 배려하고 있는 행동입니다.

채점 기준	점수
좁은 길에 왔을 때 친구를 위하는 마음으로 빗물 고인 자리를 디뎠다는 내용 등을 알맞게 쓴 경우	6점

3 비 오는 날, 친구와 다정하게 우산을 나누어 쓴 경험 등을 떠올릴 수 있습니다.

채점 기준	점수
비 오는 날, 친구와 우산을 함께 쓰고 걸어간 일과 비슷한 경험을 자세히 쓴 경우	6점

4 자신이 고민하던 부분을 위로하고 배려하는 말을 해 준 만복이 덕분에 기분이 좋아져 싱글벙글 웃었습니다.

채점 기준	점수
자신의 모습이 이상한 것 같아 걱정하고 있을 때 자신의 모습을 칭찬해 주는 만복이의 말을 듣고 어떤 기분이 들었을지 알맞게 쓴 경우	6점

5 글에서 재미를 느낀 부분, 인물과 비슷한 자신의 경험, 기억에 오래 남는 부분 등을 찾습니다.

채점 기준	점수
선생님을 배려하기 위해 칭찬하는 말을 하는 만복이의 모습 등에서 느낀 재미나 감동을 알맞게 쓴 경우	6점

수행 평가 · 61쪽

1 말똥구리 – ㉠, 베짱이 – ㉡, 사과나무 – ㉣, 달팽이 – ㉢

2 (1) **예** 하루 종일 / 말똥구리는 / 말똥을 굴리게.
　(2) **예** 말똥구리가 즐겁게 말똥을 굴리는 장면이 떠오르기 때문이다.

3 **예** 재미있는 놀이터에서
　　친구들과 마음껏 놀 수 있게.

1 말똥구리, 베짱이, 사과나무, 달팽이가 하루 종일 무엇을 하도록 그냥 놔두라고 했는지 살펴봅니다.

채점 기준	점수
말똥구리, 베짱이, 사과나무, 달팽이가 하는 일을 모두 바르게 연결한 경우	10점
말똥구리, 베짱이, 사과나무, 달팽이가 하는 일을 두세 가지 바르게 연결한 경우	5점
말똥구리, 베짱이, 사과나무, 달팽이가 하는 일을 한 가지 바르게 연결한 경우	2점

2 시에서 재미나 감동을 느낀 부분을 쓰고 그렇게 생각한 까닭을 씁니다.

채점 기준	점수
(1)에 시에서 재미나 감동을 느낀 부분을 쓰고, (2)에 그 까닭을 알맞게 쓴 경우	10점
(1)만 바르게 쓴 경우	5점

3 자신이 다른 사람의 참견 없이 하루 종일 하고 싶은 일을 떠올려 시로 표현해 봅니다.

채점 기준	점수
자신이 하루 종일 하고 싶은 일을 시의 흐름에 맞게 바꾸어 쓴 경우	10점
자신이 하루 종일 하고 싶은 일을 썼으나 연결이 자연스럽지 않은 경우	5점

평가
교재

중간 평가   62~64쪽

1 ①
2 소나기가 내리면 맑고 깨끗한 하늘이 되기 때문이다. 등
3 갈매기   **4** ①   **5** ②
6 나무, 돌   **7** ㉠   **8** (3) ○
9 ②
10 (1) 아버지 (2) 선생님과 친구들
11 ④   **12** 스마트폰 / 사진 등
13 예 할머니와 대화할 때에는 바르게 앉아서 말하면 좋겠어. / 할머니께 말씀드릴 때에는 알맞은 높임 표현을 사용하자.
14 ④   **15** ㉡   **16** 고마운 마음
17 ③   **18** ③, ⑤   **19** ③
20 예 민화는 동물, 식물, 상상의 동물과 같은 다양한 소재를 사용했어요.

1 소나기가 내리는 소리와 콩을 쏟는 소리가 비슷하게 느껴져 그렇게 표현한 것입니다.

2 소나기가 내리고 나면 구름 낀 하늘이 아닌 맑고 깨끗한 하늘을 볼 수 있습니다.

3 '나'는 갈매기로, 바위섬에서 살고 물고기를 잡아서 먹는다고 하였습니다.

4 ①은 귀로 들은 소리를 생생하게 표현한 부분입니다.

5 문단은 문장이 몇 개 모여서 만들어집니다.

6 장승은 나무나 돌에 사람 얼굴 모습을 조각해 만들었다고 하였습니다.

7 ㉡과 ㉢은 뒷받침 문장입니다.

8 뒷받침 문장으로 불이 원시인의 삶을 바꾸어 놓은 내용이 뒤에 이어집니다.

9 햄스터의 좋은 점이 뒷받침 문장으로 나왔으므로 햄스터를 좋아한다는 것이 중심 문장으로 어울립니다.

10 대화 ㉮에서는 아버지께 인사를 하고 있고, 대화 ㉯에서는 선생님과 친구들 앞에서 발표를 하고 있습니다.

11 두 대화 모두 '-습니다'로 문장을 끝맺고 있습니다.

12 여자아이는 스마트폰 / 사진을 보느라 할머니를 바라보지 않고 대화하고 있습니다.

13 여자아이에게 지켜야 할 바른 언어 예절에 대해 알려 주는 말을 할 수 있습니다.

> **채점 기준** 여자아이가 잘못한 점을 알고 바른 언어 예절에 대해 알려 주는 말을 썼으면 정답으로 합니다.

14 호준이를 위로하기 위해 쓴 편지입니다.

15 '어제 있었던'에는 마음이 드러나 있지 않습니다.

16 꽃씨를 챙겨 주신 것에 대한 고마운 마음을 표현했습니다.

17 편지는 '받을 사람, 첫인사, 전하고 싶은 말, 끝인사, 쓴 날짜, 쓴 사람'의 형식을 갖춥니다.

18 쓰임에 따라 '굉장하다'와 뜻이 비슷한 낱말로는 '훌륭하다, 근사하다, 엄청나다, 대단하다' 등이 있습니다.

19 소나무와 대나무, 모란, 불로초, 연꽃, 석류 등이 민화에 사용된 식물 소재에 해당합니다.

20 민화의 다양한 소재에 대한 것이 이 글의 중요한 내용입니다.

> **채점 기준** 민화는 다양한 소재를 사용했다는 내용으로 중요한 내용이 빠지지 않게 간단하게 잘 정리하여 썼으면 정답으로 합니다.

중간 이후 기말 평가   65~67쪽

1 ⑤   **2** 아기 참새가 잘 날지 못했다. 등
3 ④   **4** ①   **5** ④
6 ①   **7** 자   **8** 먹다
9 예 먹을 수 있는 꽃은 어떻게 요리를 해서 먹을 수 있는지 알고 싶다.
10 내가 가장 중요하다. 등   **11** ②
12 (2) ○ (3) ○
13 우리 모두 좋은 습관을 기를 수 있도록 꾸준히 노력합시다. 등
14 ④   **15** 다람쥐 등   **16** ③
17 조선에 있는 모든 나비를 연구해 책으로 써 달라는 것   **18** (3) ○   **19** ⑤
20 예 '하루 종일 / 말똥구리는 / 말똥을 굴리게.'가 재미있었다. 말똥구리가 즐겁게 말똥을 굴리는 장면이 떠오르기 때문이다.

정답과 해설

1 아기 참새는 잘 날지 못하고 뛰어다니기만 했습니다.

2 아기 참새가 잘 날지 못했기 때문에 승호는 선생님께 가져다드리려고 아기 참새를 교실로 데려갔습니다.

3 원인과 결과를 생각하며 이야기를 해야 말하는 내용을 듣는 사람이 쉽게 이해할 수 있습니다.

4 양치질을 잘하지 않은 결과로 이가 아픈 것이 가장 잘 어울립니다.

5 '고구마 – 나비 – 두부 – 발자국 – 삶'의 차례로 국어사전에 실습니다.

6 '높다'는 '높고, 높으니, 높아서'와 같이 형태가 바뀌는 낱말입니다.

7 모두 '자' 부분이 형태가 바뀌지 않습니다.

8 형태가 바뀌지 않는 부분 '먹'에 '–다'를 붙여 기본형을 만들 수 있습니다.

9 글을 읽고 알고 있는 내용이나 새로 안 내용을 정리해 보고, 더 알고 싶은 내용도 생각해 봅니다.

> **채점 기준** 먹을 수 있는 꽃을 먹을 때 주의할 점 등에 대한 글을 읽고 더 알고 싶은 내용을 썼으면 정답으로 합니다.

10 '자신이 바느질을 하는 데 가장 중요하다.'라는 의견을 말하였습니다.

11 골무 할미는 아씨의 손을 다치지 않게 시중드는 것이 자신이 하는 일이라고 하였습니다.

12 전기를 얼마든지 만들 수 있다는 것은 전기를 아껴 써야 한다는 의견과 관련이 없습니다.

13 좋은 습관을 기르자는 것이 글쓴이의 의견입니다.

14 책을 읽을 때에는 좋은 책을 잘 선택해서 읽어야 합니다.

15 다람쥐의 이빨이 계속 자라는 것, 다람쥐의 먹이 등을 설명하고 있습니다.

16 이빨을 짧아지게 하거나 줄어들게 한다는 뜻이 어울립니다.

17 영국왕립아시아학회에서는 석주명에게 조선에 있는 모든 나비를 연구해 책으로 써 달라는 편지를 보냈습니다.

18 영국왕립아시아학회에서 책을 써 달라는 편지를 받고 책을 쓰려고 온갖 정성을 쏟은 것 등에서 석주명이 책임감이 생기고 열심히 하고 싶을 것이라는 마음을 짐작할 수 있습니다.

19 '하루 종일 / 베짱이는 / 푸른 나무 그늘에서 / 노래 부르게.'라고 하였습니다.

20 재미를 느낀 부분, 감동받은 부분을 찾아 그 까닭과 함께 씁니다.

> **채점 기준** 재미나 감동을 느낀 부분을 쓰고, 그 까닭을 알맞게 썼으면 정답으로 합니다.

전 범위 기말 평가   68~70쪽

1 ⑤
2 떼를 쓰듯 몸을 비틀면서 낭송한다. 등
3 강정, 엿 **4** ③ **5** ③
6 이 신발이 요즘 인기 있는 신발이에요.
7 정말 기뻤어 **8** 두근거리는 등
9 ②, ⑤ **10** (2) ○
11 승호는 교실에 혼자 남은 짹짹콩콩이가 걱정되었다. 등 **12** ⑤
13 가게 – 고양이 – 바다 – 사슴 – 하늘
14 ⑤ **15** 입다 **16** ④
17 가지가 일부분 넘어왔더라도 뿌리는 오성의 집에 있기 때문이다. 등
18 ① **19** ②, ④ **20** ⑤

1 울음을 내뿜는 동생을 물을 내뿜는 아기 고래라고 표현했습니다.

2 바동바동거리는 모습에 어울리는 동작을 표현하며 낭송합니다.

3 강정과 엿을 설명하고 있습니다.

4 ㉠과 ㉣이 각 문단의 중심 문장입니다.

5 문장을 끝맺는 말에 '–시–'를 넣어서 물건인 신발을 높여서 말했습니다.

6 신발을 높일 필요가 없으므로 '신발이세요'는 '신발이에요'로 고칩니다.

7 나리가 가방을 들어 주어서 고맙고 기쁜 마음을 표현하는 편지입니다.

8 '뛰는' 대신 넣어 보고 뜻이 바뀌지 않는지 확인해 봅니다.

9 중요한 내용이 빠지지 않게 중요한 낱말을 중심으로 간단하게 씁니다.

10 읽거나 들은 내용을 빠르게 정리할 때 필요한 쓰기 방식의 글입니다.

11 승호는 교실에 혼자 남겨 두고 온 짹짹콩콩이가 걱정되어 저녁에 교실로 갔습니다.

> **채점 기준** 교실에 혼자 남은 짹짹콩콩이가 걱정되었기 때문이라는 내용 등을 알맞게 썼으면 정답으로 합니다.

12 도서관에서 책을 많이 읽은 일에 대한 결과로 어울리는 것은 어려운 낱말을 많이 알고 있다는 것입니다.

13 첫 글자의 첫 자음자 차례를 보고 국어사전에 싣는 차례를 생각합니다.

14 '작다, 넓다, 많다, 높다'는 성질이나 상태를 나타내는 낱말입니다.

15 형태가 바뀌지 않는 부분인 '입'에 '-다'를 붙여서 기본형을 만들 수 있습니다.

16 오성의 몸은 감나무를, 오성의 팔은 그 감나무에서 뻗어 나와 권 판서 대감 댁으로 넘어간 감나무 가지를 가리킵니다.

17 권 판서 대감은 감나무 뿌리가 오성의 집에 있기 때문에 감이 오성의 것이라고 하였습니다.

> **채점 기준** 가지가 일부분 넘어왔더라도 나무의 뿌리는 오성의 집에 있기 때문이라는 의견에 대한 까닭을 알맞게 썼으면 정답으로 합니다.

18 재닛이 '프린들'을 달라고 하자 아주머니가 볼펜 쪽으로 손을 뻗었다는 것에서 '프린들'이 '볼펜'이라는 것을 짐작할 수 있습니다.

19 앞뒤 문장이나 낱말을 살펴보고 짐작한 뜻과 뜻이 비슷한 낱말을 넣어 봅니다. '어엿한'을 '분명한', '확실한'으로 바꾸어도 내용이 바뀌지 않습니다. '어엿한'은 '행동이 거리낌 없이 아주 당당하고 떳떳한.'의 뜻입니다.

20 만복이는 외로워하는 은지를 도와주고 싶어서 먼저 다가가서 말을 걸어 주었습니다.

MEMO

독해력 한 단계 높여 주는 초등 수능독해

visang

초등 수준에 맞춘
수능형 지문과 문제

초등
수능
독해

초등부터 시작하는 수능대비 국어독해, **초등 수능독해**

비문학 시작편 1~2권	수능 비문학 독해에 꼭 필요한 **독해 원리 학습과 지문 적용** | 초등 3, 4, 5학년
비문학 1~2권	고난도 지문과 문제로 수능 국어 비문학 독해의 기초 학습 | 초등 5, 6학년, 예비 중등
문학 1~3권	중등, 고등, 수능까지 반복해서 나오는 **대표 문학 작품 학습** | 초등 5, 6학년, 예비 중등

한·끝·시·리·즈 교과서 학습부터 평가 대비까지 한 권으로 끝! 국어 공부의 진리입니다.

대표전화 1544-0554

주소 서울특별시 구로구 디지털로33길 48 대룡포스트타워 7차 20층

협의 없는 무단 복제는 법으로 금지되어 있습니다.

비상 누리집에서 더 많은 정보를 확인해 보세요.
http://book.visang.com/

15개정 교육과정

한끝 평가
교재

초등국어

3·1

단원 평가 대비	• 단원 평가 2회
	• 서술형 평가
	• 수행 평가

중간·기말 평가 대비	• 중간 평가
	• 기말 평가 (중간 이후)
	• 기말 평가 (전 범위)

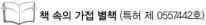 책 속의 가접 별책 (특허 제 0557442호)
'평가 교재'는 본책에서 쉽게 분리할 수 있도록 제작되었으므로
유통 과정에서 분리될 수 있으나 파본이 아닌 정상제품입니다.

ABOVE IMAGINATION

우리는 남다른 상상과 혁신으로
교육 문화의 새로운 전형을 만들어
모든 이의 행복한 경험과 성장에 기여한다

한끝 평가 교재

3·1

초등 국어

1~2 그림을 보고, 물음에 답하시오.

봄이 오는 소리는 폭! 폭! 폭! 팡! 팡! 팡!

응? 그게 무슨 말이야?

개나리는 "폭!" 하고 꽃이 피어나고, 진달래는 "팡!" 하고 꽃이 피어난다는 말씀.

와! 우리 진수가 봄이 오는 모습을 감각적으로 말했네.

1 진수가 표현한 "폭!", "팡!"은 무슨 소리입니까? ( )

① 폭죽이 터지는 소리
② 아이들이 꽃을 꺾는 소리
③ 봄이 와서 얼음이 녹는 소리
④ 개나리와 진달래가 피는 소리
⑤ 아이들이 봄 노래를 부르는 소리

2 진수가 표현한 것과 같이, 사물의 느낌을 생생하게 표현한 것을 무엇이라고 하는지 쓰시오.
( )

3~4 시를 읽고, 물음에 답하시오.

소나기

㉠누가 잘 익은 콩을
저렇게 쏟고 있나

또로록 마당 가득 / 실로폰 소리 난다

소나기 그치고 나면 / 하늘빛이 더 맑다

3 ㉠과 같이 표현한 까닭은 무엇입니까? ( )

① 누가 정말로 콩을 쏟아서
② 실로폰 소리가 시끄러워서
③ 물에 콩이 떠내려가는 것이 보여서
④ 소나기 내리는 소리가 들리지 않아서
⑤ 소나기가 내리는 소리와 콩을 쏟는 소리가 비슷하게 느껴져서

4 이 시에 대해 알맞게 말한 친구의 이름을 모두 쓰시오.

유주: '실로폰 소리'는 비가 내리는 소리를 감각적으로 표현한 거야.
미영: 3연을 읽으면 소나기가 내리고 나서 햇빛이 더 강하게 비추는 장면이 떠올라.
종우: '또로록'이라는 표현을 빼고 읽으면 비가 내리는 모습이 더 생생하게 느껴져.

( )

국어 활동

5 다음 시에 나타난 감각적 표현을 각각 찾아 선으로 이으시오.

산 샘물

바위 틈새 속에
쉬지 않고 송송송.

맑은 물이 고여선
넘쳐흘러 졸졸졸.

(1) 샘물이 바위 틈새에서 솟아나는 모양을 표현한 말 •

• ① 송송송

(2) 샘물이 넘쳐흐를 때 들리는 소리를 표현한 말 •

• ② 졸졸졸

6~7 글을 읽고, 물음에 답하시오.

> 큰 배에서는 더 이상 바삭바삭이 나오지 않았지.
> "짭조름하고 고소해!"
> "물고기처럼 비린내도 안 나고, 물컹하지도 않아!" / "끼룩! 더 먹고 싶어!"
> 우리는 바삭바삭 이야기로 정신이 없었어.
> 우리는 한동안 바삭바삭을 맛볼 수 없었지만, 잊을 수가 없었어.
> 사람들 마을 이곳저곳을 찾아다녔지.
> 비슷해 보이는 것은 앞다투어 깨물어 보았고, 운이 좋으면 부스러기 같은 것을 발견할 때도 있었어.
> 때로는 부둣가에 모여 소리쳤어.
> ㉠"꺄악! 꽉! 끼룩! 끽!"
> 사람들은 먹다 남은 생선 대가리 같은 것만 던져 줬어.
> 그건 끈적거리고 비린내만 나지, 맛이 없었어.
> 자꾸만 화가 났어.
> "고소하고 짭조름하고 바삭바삭한 그걸 달라고!"

6 '우리'가 화가 난 까닭은 무엇입니까? (　　)

① 사람들이 시끄럽게 소리쳐서
② '바삭바삭'에서 비린내가 나서
③ 사람들이 '바삭바삭'을 주지 않아서
④ 사람들이 생선을 던져 주지 않아서
⑤ 간신히 구한 '바삭바삭'의 부스러기를 사람들이 빼앗아 가서

7 ㉠은 무엇을 감각적으로 표현하고 있습니까?
（　　）

① 눈으로 본 장면
② 귀로 들은 소리
③ 코로 맡은 냄새
④ 입에서 느껴지는 맛
⑤ 손으로 만졌을 때 느낌

8 _{논술형}
이야기에 나오는 인물이 되어 친구들과 이야기 나누기 놀이를 할 때, 다음 글 속 멋쟁이가 된 친구에게 **보기**의 물음을 한다면 무엇이라고 답할지 생각하여 쓰시오.

> ㉮ 바람만 아는 깊은 산골에 장승 마을이 있어요. / 이곳에 장승 친구들이 살고 있지요.
> ㉯ 며칠이 지난 뒤, 멋쟁이한테 놀러 갔던 짱구가 헐레벌떡 달려와서 말했어요.
> "없어졌어, 멋쟁이가 감쪽같이 사라져 버렸어!"
> ㉰ "사람들이 자꾸 옹기를 가져가더니 멋쟁이도 데려간 것 같아."

> **보기**
> 도둑들에게 잡혀갔을 때 어떤 기분이 들었나요?

_____

_____

9~10 시를 읽고, 물음에 답하시오.

> ### 강아지풀
>
> 풀숲에서 / 귀여운 강아지를 만났다.
>
> ㉠<u>솜털같이 복슬복슬한</u> / <u>꼬리를 살랑살랑</u>
>
> <u>요요요 / 요요요요</u>
> 정답게 부르면

9 강아지풀을 어떻게 부른다고 하였는지 쓰시오.
（　　　　　）

10 ㉠을 감각적 표현의 재미를 살려 낭송하는 방법은 무엇인지 번호를 쓰시오.

> ① 강아지를 부르는 것처럼 읽는다.
> ② 귀로 소리가 들리는 것처럼 읽는다.
> ③ 손으로 만져지는 느낌이 드러나게 읽는다.

（　　　　　）

3학년   반   점수

이름

1 다음 그림에 어울리는 감각적 표현을 두 가지 고르시오. (,   )

① 총총 내리는 봄비
② 새싹의 초록빛 발차기
③ 쩌억 쩍쩍 녹아내리는 얼음
④ 쉬이익쉬이익 파도의 숨소리
⑤ 샤아악샤아악 바다가 들려주는 이야기

[2~3] 시를 읽고, 물음에 답하시오.

이틀째 앓아누워
학교에 못 갔는데, 누가 벌써
학교 갔다 돌아왔는지
골목에서 공 튀는 소리 들린다.

탕탕―
땅바닥을 두들기고
탕탕탕―
담벼락을 두들기고
탕탕탕탕―
꽉 닫힌 창문을 두들기며
골목 가득 울리는 / 소리

㉠내 방 안까지 들어와
이리 튕기고 저리 튕겨 다닌다.

2 말하는 이는 무엇을 하고 있습니까? (   )

① 학교에 가고 있다.
② 공놀이를 하고 있다.
③ 방 안에서 앓아누워 있다.
④ 방 안에서 뛰어놀고 있다.
⑤ 친구 집 창문을 두드리고 있다.

3 ㉠은 무엇을 표현한 것이겠습니까? (   )

① 말하는 이의 몸이 다 나은 것
② 말하는 이가 공놀이를 싫어하는 것
③ 말하는 이가 학교에 가고 싶어 하는 것
④ 밖에서 공이 말하는 이의 방에 날아 들어온 것
⑤ 공 튀는 소리가 창문을 넘어 방에 있는 말하는 이의 귀에 들리는 것

4 ㉠~㉢ 중 귀로 들은 소리를 감각적으로 표현한 것이 아닌 것을 찾아 기호를 쓰시오.

㉠"쿵작 뿡짝 띠리리리라라."
노랫소리와 함께 큰 배가 바위섬 옆을 지났지.
소리를 지르고, 손을 흔들고, 뽀뽀를 하고, 노래를 부르는 많은 사람이 있었어.
큰 배 뒤쪽에서는 아이들이 무언가를 던지고 있었어.
㉡툭툭! ㉢바스락! / 어, 이게 뭐지?
콕콕 쪼아 봤어.
㉣짭조름하고 고소한 냄새에 코끝이 찡했어. / 조심스럽게 한 입 깨물어 보았지.
와그작. / 바삭! 바삭!

(   )

국어 활동

5 감각적 표현을 생각하며 이야기를 읽으면 좋은 점은 어느 것입니까? (   )

① 이야기 전체를 읽지 않아도 된다.
② 이어질 이야기를 쉽게 알 수 있다.
③ 이야기 흐름을 정확하게 이해할 수 있다.
④ 이야기의 길이가 짧아져 빠르게 읽을 수 있다.
⑤ 직접 보거나 듣는 것처럼 장면이 생생하게 그려진다.

6~8 글을 읽고, 물음에 답하시오.

> 자동차 불빛을 따라가 보니, 트럭에 실려 가는 멋쟁이가 보였어요.
> 장승 친구들은 옹기랑 멋쟁이를 싣고 가는 도둑들을 놀래 주기로 했어요.
> "크아악!"
> "가르르륵."
> "으악, 도깨비다!"
> 도둑들은 도깨비처럼 살아 움직이는 장승들을 보고 너무 놀라 도망쳤어요.
> 장승 친구들은 도둑들을 물리치고 멋쟁이를 구해 냈어요.
> 뻐드렁니가 말했어요.
> "멋쟁이야, 놀렸던 것 미안해. 우리가 힘을 합치면 이렇게 널 찾고 마을을 지킬 수 있다는 것을 몰랐어."
> 멋쟁이도 웃으며 말했지요.
> "고마워, 애들아. 마을로 돌아간다는 것이 정말 꿈만 같아. 나 좀 꼬집어 봐."

6 이 이야기에서 일어난 일은 무엇입니까?

( )

① 도둑들이 멋쟁이를 가져갔다.
② 도둑들이 멋쟁이와 친구가 되었다.
③ 멋쟁이가 도둑들과 싸워서 도망쳤다.
④ 장승 친구들이 도둑들을 피해 도망갔다.
⑤ 장승 친구들이 도둑들에게 멋쟁이를 돌려 달라고 부탁했다.

7 도둑들이 도망친 까닭은 무엇입니까?

( )

논술형

8 이 이야기를 읽고 떠오른 생각이나 느낌을 쓰시오.

_____

_____

9~10 시를 읽고, 물음에 답하시오.

> 뭐든 제멋대로 되지 않으면
> 온몸을 바동바동
>
> 울지 마 울지 마
> 달래면 달랠수록 더 큰
> 울음을 내뿜는 / 내 동생
>
> ㉠아기 고래다!
>
> 대왕오징어였으면
> 큰일 날 뻔했다
>
> 식구 모두 시커멓게
> 먹물을 뒤집어썼을 테니까
> 앞이 캄캄했을 테니까

9 동생이 자기 뜻대로 되지 않아 몸을 비틀면서 떼쓰는 모습을 표현한 네 글자의 말을 찾아 쓰시오.

( )

10 ㉠'아기 고래다!'를 느낌을 살려 낭송하는 방법으로 가장 알맞은 것은 어느 것입니까?

( )

① 심드렁한 목소리로 낭송한다.
② 작고 힘없는 목소리로 낭송한다.
③ 울면서 떼쓰는 것처럼 낭송한다.
④ 슬픈 마음이 느껴지도록 낭송한다.
⑤ 신기한 것을 발견한 듯이 뒷부분을 올려서 낭송한다.

1~2 시를 읽고, 물음에 답하시오.

소나기

누가 잘 익은 콩을
저렇게 쏟고 있나

㉠또로록 마당 가득
실로폰 소리 난다

소나기 그치고 나면
하늘빛이 더 맑다

1 ㉠'또로록'이라는 표현을 넣고 읽을 때와 빼고
읽을 때 느낌이 어떻게 다른지 쓰시오. [6점]

_____

_____

2 이 시를 읽고 떠오르는 생각이나 느낌을 쓰시
오. [6점]

_____

_____

3 다음 이야기에서 감각적 표현을 한 가지 찾아
쓰고, 그 표현의 느낌을 쓰시오. [6점]

아침 해가 뜨고 있었어.
"뿌우우우웅."
친구들은 여전히 큰 배 주위에 몰려 있었어.
먼 바다에서 따뜻한 바람이 불어왔어.
부둣가의 비릿한 냄새도 사람들의 복잡한
냄새도 나지 않았지.

_____

_____

4 다음 이야기를 읽고 떠오른 생각이나 느낌을
쓰시오. [6점]

　밤이 되면 장승 친구들은 신바람이 나요.
팔다리가 생겨 마음껏 뛰어놀 수 있거든요.
날아서 훨훨, 헤엄치며 첨벙첨벙.
　그렇지만 날이 밝기 전에 꼭 제자리로 돌아
와야 해요. 그 약속을 어기면 다시는 움직일
수 없게 되니까요.
　장승 친구들은 환한 보름달 아래에서 숨바
꼭질도 해요.
"꼭꼭 숨어라. 머리카락 보인다."
"야, 이빨 보인다."
"아이고, 넌 배꼽 보여."
"주먹코도 보인다!"
　별빛처럼 맑은 웃음소리가 밤하늘을 수놓
아요.

_____

_____

_____

5 다음 시의 ㉠을 감각적 표현의 재미를 살려
낭송하는 방법을 쓰시오. [6점]

강아지풀

풀숲에서 / 귀여운 강아지를 만났다.

솜털같이 복슬복슬한
꼬리를 살랑살랑

㉠요요요 / 요요요요
정답게 부르면

우리 집까지 / 따라올 것 같아
자꾸만 숲길을 뒤돌아보았다.

_____

_____

수행 평가

1. 재미가 톡톡톡

3학년	반	점수
이름		/30점

정답과 해설 ● 42쪽

1 단원

관련 성취 기준	시각이나 청각 등 감각적 표현에 주목하며 작품을 감상한다.
평가 목표	시를 읽고 감각적 표현을 찾을 수 있다.

1~2 감각적 표현을 생각하며 다음 시를 읽어 봅시다.

강아지풀

풀숲에서
귀여운 강아지를 만났다.

솜털같이 복슬복슬한
꼬리를 살랑살랑

요요요
요요요요
정답게 부르면

우리 집까지
따라올 것 같아
자꾸만 숲길을 뒤돌아보았다.

1 시 속의 말하는 이는 무엇을 하고 어떤 생각을 하고 있는지 생각해 봅시다. [10점]

(1) 하고 있는 것	
(2) 생각	

2 다음에 해당하는 감각적 표현을 시에서 찾아 써 봅시다. [10점]

(1) 소리가 들리는 것처럼 표현했어.	
(2) 손으로 만지는 것처럼 표현했어.	

3 예쁜 꽃의 모습을 떠올려 감각적 표현이 들어간 문장으로 써 봅시다. [10점]

1~2 글을 읽고, 물음에 답하시오.

> ㉠로봇은 여러 가지 일을 합니다. ㉡감시용 로봇은 도둑이 집에 들어오는지 살피는 일을 합니다. ㉢해양 탐사 로봇은 바다 깊은 곳에 가서 그곳 상태를 조사합니다. ㉣정확하게 수술할 수 있도록 도와주는 의료용 로봇도 있습니다.

1 무엇을 설명하는 글입니까?   ( )

① 집을 지키는 방법
② 바다에 사는 생물
③ 병원에서 하는 일
④ 해양 탐사의 어려움
⑤ 로봇이 하는 여러 가지 일

2 ㉠~㉣ 중 이 글에서 가장 중심이 되는 문장의 기호를 쓰시오.

( )

3~5 글을 읽고, 물음에 답하시오.

> 장승은 여러 가지 구실을 했습니다. 우리 조상은 장승이 나쁜 병이나 기운이 마을로 들어오는 것을 막아 준다고 믿었습니다. 장승은 나그네에게 길을 알려 주기도 했습니다. 또 장승은 마을과 마을 사이를 나누는 구실도 했습니다.
> ㉠장승은 나무나 돌에 사람 얼굴 모습을 조각해 만들었습니다. ㉡할아버지처럼 친근한 얼굴도 있고, 도깨비처럼 무서운 얼굴도 있습니다. ㉢우스꽝스러운 장난꾸러기 얼굴을 한 장승도 있습니다.

3 이 글은 크게 몇 가지 내용으로 구분할 수 있는지 쓰시오.

( )

4 첫 번째 문단 내용을 대표하는 문장은 어느 것입니까?   ( )

① 장승은 여러 가지 구실을 했습니다.
② 장승은 나그네에게 길을 알려 주기도 했습니다.
③ 우스꽝스러운 장난꾸러기 얼굴을 한 장승도 있습니다.
④ 또 장승은 마을과 마을 사이를 나누는 구실도 했습니다.
⑤ 우리 조상은 장승이 나쁜 병이나 기운이 마을로 들어오는 것을 막아 준다고 믿었습니다.

5 ㉠~㉢ 중 다음에 해당하는 문장을 모두 찾아 기호를 쓰시오.

> • 중심 문장을 덧붙여 설명하거나 예를 드는 방법으로 도와주는 문장입니다.
> • '뒷받침 문장'이라고 합니다.

( )

6~7 글을 읽고, 물음에 답하시오.

> ㉠우리 조상은 여러 가지 한과를 만들어 먹었습니다. ㉡한과는 전통 과자를 말합니다. 한과는 약과, 강정, 엿처럼 여러 가지가 있습니다. 요즘에는 한과를 주로 시장에서 사 먹지만, 옛날에는 한과를 집에서 만들어 먹었습니다.
>
> ㉢약과는 밀가루를 꿀과 기름 따위로 반죽해 기름에 지진 과자입니다. ㉣꿀물이나 조청에 넣어 두어 속까지 맛이 배면 꺼내어 먹습니다. 지금은 국화 모양을 본떠서 많이 만들지만, 옛날에는 새, 물고기 같은 모양으로 만들었다고 합니다. ㉤약과를 만들 때에는 만들고 싶은 모양으로 나무를 파서, 반죽한 것을 그 속에 넣어 찍어 냅니다.

6 이 글에서 설명한 내용으로 알맞지 않은 것은 어느 것입니까? ( )

① 한과는 전통 과자를 말한다.
② 옛날에는 한과를 집에서 만들어 먹었다.
③ 요즘에는 한과를 주로 시장에서 사 먹는다.
④ 한과는 약과, 강정, 엿처럼 여러 가지가 있다.
⑤ 지금은 약과를 새, 물고기 모양을 본떠서 많이 만든다.

7 ㉠~㉤ 중 중심 문장끼리 묶인 것은 어느 것입니까? ( )

① ㉠, ㉡ ② ㉠, ㉢
③ ㉡, ㉣ ④ ㉢, ㉣
⑤ ㉣, ㉤

8 다음 글에서 중심 문장을 찾아 밑줄을 그으시오.

> 동물들은 보호색으로 자신의 몸을 지킵니다. 나뭇잎을 기어 다니는 애벌레는 초록색이어서 눈에 잘 띄지 않습니다. 나방은 나무껍질과 비슷한 보호색으로 천적을 속입니다. 개구리도 사는 곳에 따라 녹색이나 갈색으로 색깔을 바꾸어 자신을 보호합니다.

9 다음 보기 를 참고해 문단을 완성할 때 빈칸에 들어갈 문장은 무엇입니까? ( )

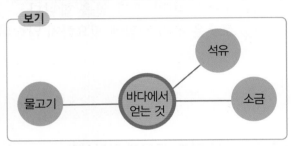

> 우리는 바다에서 많은 것을 얻습니다. 바닷물로 소금을 만들 수 있습니다. 바다에서 석유도 얻을 수 있습니다. _____

① 석유는 중요한 자원입니다.
② 예전에는 소금이 귀했습니다.
③ 물고기는 영양가가 높습니다.
④ 바다에서 물고기를 잡을 수 있습니다.
⑤ 석유는 육지에서도 얻을 수 있습니다.

10 자신이 좋아하는 놀이에 대한 설명을 한 문단으로 글을 쓰시오.

3학년   반   점수

이름

1 다음 글에서 빈칸에 들어갈 중심이 되는 문장은 무엇이겠습니까?   (   )

> (   ) 감시용
> 로봇은 도둑이 집에 들어오는지 살피는 일을 합니다. 해양 탐사 로봇은 바다 깊은 곳에 가서 그곳 상태를 조사합니다. 정확하게 수술할 수 있도록 도와주는 의료용 로봇도 있습니다.

① 로봇의 생김새는 다양합니다.
② 강아지 모양의 로봇도 있습니다.
③ 집안일을 하는 로봇도 있습니다.
④ 로봇은 여러 가지 일을 합니다.
⑤ 로봇은 우리 생활에 필요하지 않습니다.

2~3 글을 읽고, 물음에 답하시오.

> 장승은 여러 가지 구실을 했습니다. 우리 조상은 장승이 나쁜 병이나 기운이 마을로 들어오는 것을 막아 준다고 믿었습니다. 장승은 나그네에게 길을 알려 주기도 했습니다. 또 장승은 마을과 마을 사이를 나누는 구실도 했습니다.
> 장승은 나무나 돌에 사람 얼굴 모습을 조각해 만들었습니다. 할아버지처럼 친근한 얼굴도 있고, 도깨비처럼 무서운 얼굴도 있습니다. 우스꽝스러운 장난꾸러기 얼굴을 한 장승도 있습니다.

2 두 번째 문단에서 글쓴이가 주로 말하고자 하는 내용은 무엇입니까?   (   )

① 장승이 장난꾸러기라는 것
② 할아버지 얼굴은 친근하다는 것
③ 장승의 얼굴은 모두 우스꽝스럽다는 것
④ 도깨비처럼 무서운 얼굴의 장승이 많다는 것
⑤ 장승은 나무나 돌에 사람 얼굴 모습을 조각해 만들었다는 것

서술형
3 문단의 특징을 떠올려, 문단 사이는 어떻게 되어 있는지 쓰시오.

_____

_____

4 다음 글의 뒷받침 문장으로 볼 때, 빈칸에 들어가기에 알맞은 중심 문장은 무엇입니까?
   (   )

> 설날에는 연날리기나 제기차기를 합니다. 정월 대보름에는 쥐불놀이를 합니다. 단오에는 씨름이나 그네뛰기를 합니다. 이처럼
> (   )

① 설날은 그 해를 시작하는 날입니다.
② 설날에는 떡국을 먹고 세배를 했습니다.
③ 우리나라에는 명절마다 하는 놀이가 있습니다.
④ 쥐불놀이를 할 때에는 불조심을 해야 합니다.
⑤ 씨름은 주로 남자가, 그네뛰기는 주로 여자가 한 놀이입니다.

5 다음 글에서 중심 문장을 찾아 쓰시오.

> 불은 원시인의 삶을 크게 바꾸어 놓았습니다. 원시인들은 불을 피워 추위를 이겨 냈습니다. 불을 피워 사나운 동물의 공격도 피할 수 있었습니다. 원시인들은 불로 음식을 익혀 먹기도 했습니다.

(   )

[6~7] 글을 읽고, 물음에 답하시오.

강정은 찹쌀가루를 반죽해 기름에 튀긴 뒤에 고물을 묻힌 과자입니다. 찹쌀가루를 반죽할 때에는 꿀과 술을 넣습니다. 그런 다음에 끈기가 생길 때까지 반죽을 쳐서 갸름하게 썰어 말린 뒤 기름에 튀깁니다. 깨, 잣가루, 콩가루와 같은 고물을 묻혀 먹습니다.

엿은 곡식이나 고구마 녹말에 엿기름을 넣어 달게 졸인 과자입니다. 엿을 만드는 데 쓰이는 곡식으로는 쌀, 찹쌀, 옥수수, 조 따위가 있습니다. 엿을 만들 때 호두나 깨, 콩 따위를 섞으면 더욱 맛있습니다. 옛날에는 가락엿을 부러뜨려, 그 속의 구멍이 더 많고 더 큰 쪽이 이기는 엿치기를 하기도 했습니다.

6 다음 설명에 알맞은 한과를 각각 쓰시오.

(1) 곡식이나 고구마 녹말에 엿기름을 넣어 달게 졸인 과자
(   )

(2) 찹쌀가루를 반죽해 기름에 튀긴 뒤에 고물을 묻힌 과자
(   )

7 다음 중, 이 글에서 뒷받침 문장이 <u>아닌</u> 것은 어느 것입니까? (   )

① 찹쌀가루를 반죽할 때에는 꿀과 술을 넣습니다.
② 깨, 잣가루, 콩가루와 같은 고물을 묻혀 먹습니다.
③ 엿을 만들 때 호두나 깨, 콩 따위를 섞으면 더욱 맛있습니다.
④ 강정은 찹쌀가루를 반죽해 기름에 튀긴 뒤에 고물을 묻힌 과자입니다.
⑤ 엿을 만드는 데 쓰이는 곡식으로는 쌀, 찹쌀, 옥수수, 조 따위가 있습니다.

8 보기 를 참고해 문단을 완성할 때 빈칸에 들어가기에 알맞은 문장에 ○표를 하시오.

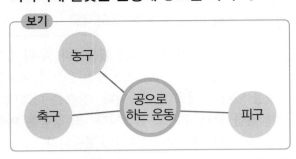
보기

공으로 하는 운동에는 여러 가지가 있습니다. 축구는 발로 공을 차서 골대에 넣는 운동입니다. _____ 피구는 공을 던져 상대를 맞히는 운동입니다.

(1) 농구는 손으로 공을 상대편 골대에 던져서 넣는 운동입니다. (   )
(2) 축구에서는 발만 사용하고 손을 사용하면 안 됩니다. (   )
(3) 운동에는 공을 사용하는 운동과 공 없이 할 수 있는 운동이 있습니다.(   )

국어 활동

9 다음 글에서 중심 문장을 찾아 밑줄을 그으시오.

나는 햄스터를 좋아합니다. 햄스터는 작고 귀엽게 생겼습니다. 햄스터는 영리해서 똥오줌도 스스로 가립니다. 또 햄스터는 자기 집을 늘 깨끗하게 청소합니다. 햄스터는 종류도 다양합니다. 그래서 내가 키우고 싶은 종류를 선택해서 기를 수 있습니다.

10 문단 만드는 놀이를 할 때 주의할 점을 바르게 말한 친구는 누구인지 쓰시오.

준우: 문장을 길게 써야 해.
현호: 꾸미는 말을 꼭 넣어 써야 해.
민지: 중심 문장과 뒷받침 문장을 갖추어 설명해야 해.

(   )

1~2 글을 읽고, 물음에 답하시오.

> 장승은 여러 가지 구실을 했습니다. 우리 조상은 장승이 나쁜 병이나 기운이 마을로 들어오는 것을 막아 준다고 믿었습니다. 장승은 나그네에게 길을 알려 주기도 했습니다. 또 장승은 마을과 마을 사이를 나누는 구실도 했습니다.
>
> 장승은 나무나 돌에 사람 얼굴 모습을 조각해 만들었습니다. 할아버지처럼 친근한 얼굴도 있고, 도깨비처럼 무서운 얼굴도 있습니다. 우스꽝스러운 장난꾸러기 얼굴을 한 장승도 있습니다.

1 문단의 중심 문장을 각각 쓰시오. [5점]

(1) 첫 번째 문단: _____

_____

(2) 두 번째 문단: _____

_____

2 이 글과 같이 한 칸 들여 써서 문단을 시작하고 다음 문단을 시작하기 전에 줄을 바꾸면 어떤 점이 좋은지 쓰시오. [5점]

_____

_____

3 다음 글의 중심 문장은 무엇인지 쓰시오. [5점]

> 설날에는 연날리기나 제기차기를 합니다. 정월 대보름에는 쥐불놀이를 합니다. 단오에는 씨름이나 그네뛰기를 합니다. 이처럼 우리나라에는 명절마다 하는 놀이가 있습니다.

_____

_____

4~5 글을 읽고, 물음에 답하시오.

> 엿은 곡식이나 고구마 녹말에 엿기름을 넣어 달게 졸인 과자입니다. 엿을 만드는 데 쓰이는 곡식으로는 쌀, 찹쌀, 옥수수, 조 따위가 있습니다. 엿을 만들 때 호두나 깨, 콩 따위를 섞으면 더욱 맛있습니다. 옛날에는 가락엿을 부러뜨려, 그 속의 구멍이 더 많고 더 큰 쪽이 이기는 엿치기를 하기도 했습니다.

4 이 글의 중심 문장을 쓰시오. [5점]

_____

_____

5 엿치기는 어떻게 하는 놀이인지 쓰시오. [5점]

_____

_____

_____

6 보기 를 참고해 중심 문장과 뒷받침 문장을 넣어 한 문단으로 글을 쓰시오. [5점]

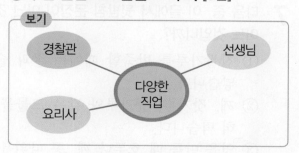

보기

경찰관   선생님

다양한 직업

요리사

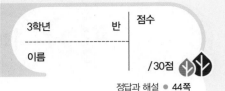
수행 평가

2. 문단의 짜임

관련 성취 기준	중심 문장과 뒷받침 문장을 갖추어 문단을 쓴다.
평가 목표	중심 문장과 뒷받침 문장을 갖추어 문단을 쓸 수 있다.

1 다음 중 중심 문장이 될 문장에는 '중심', 뒷받침 문장이 될 문장에는 '뒷받침'이 라고 써 봅시다. [10점]

(1) 바닷물로 소금을 만들 수 있습니다.	
(2) 우리는 바다에서 많은 것을 얻습니다.	
(3) 바다에서 석유도 얻을 수 있습니다.	
(4) 바다에서 물고기를 잡을 수 있습니다.	

2~3 보기 를 보고 중심 문장과 뒷받침 문장을 생각해 봅시다.

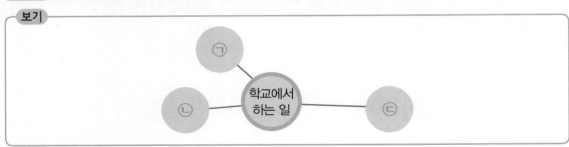

2 생각그물의 빈칸에 들어갈 내용을 써 봅시다. [10점]

㉠	㉡	㉢

3 2번 문제에서 정리한 내용을 바탕으로 중심 문장과 뒷받침 문장을 넣어 한 문단 으로 글을 써 봅시다. [10점]

1~2 그림을 보고, 물음에 답하시오.

가
진수야, 이 책이 재미있을 것 같아.

나
아버지, 이 책이 재미있을 것 같아요.

1 대화 가와 나에서 듣는 사람은 누구인지 각각 선으로 이으시오.

(1) 대화 가 •   • ① 아버지

(2) 대화 나 •   • ② 동생 진수

2 대화 나에서 말하는 사람이 높임 표현을 사용한 까닭은 무엇입니까? (   )

① 책이 재미있기 때문이다.
② 말을 길게 할 수 있기 때문이다.
③ 말하는 사람의 나이가 가장 많기 때문이다.
④ 누구에게나 높임 표현을 사용해야 하기 때문이다.
⑤ 듣는 사람이 말하는 사람보다 웃어른이기 때문이다.

3 다음 대화 가와 나에서 밑줄 그은 끝맺는 말에 공통으로 쓴 높임을 표현한 방법은 무엇인지 빈칸에 쓰시오.

가
선생님께서도 여기로 <u>오시니?</u>

아마 그러실 거야.

나
어머니, 오늘은 출근 안 <u>하시나요?</u>

응, 오늘은 회사 쉬는 날이야.

• 높임을 나타내는 (   )을/를 넣었다.

4 다음 말을 알맞은 높임 표현으로 고쳐 쓰시오.

할아버지가 오셨어요.

(   )

5 밑줄 그은 부분으로 볼 때, 다음에서 높임을 표현한 방법은 무엇입니까? (   )

① '요'를 써서 문장을 끝맺는다.
② 문장의 순서를 바꾸어 표현한다.
③ 높임을 나타내는 '-시-'를 넣는다.
④ 높임의 뜻이 있는 특별한 낱말을 사용한다.
⑤ 높임의 대상에게 '께서'나 '께'를 사용한다.

6~7 그림을 보고, 물음에 답하시오.

6 여자아이와 대화하는 할머니의 마음은 어떠하실지 쓰시오.

(   )

7 여자아이가 할머니와 대화할 때 지켜야 할 언어 예절이 아닌 것은 어느 것입니까? (   )

① 바른 자세로 말한다.
② 예의 바르게 말한다.
③ 알맞은 높임 표현을 사용한다.
④ 꾸미는 말을 많이 넣어 말한다.
⑤ 듣는 사람을 바라보면서 말한다.

8 다음 대화의 파란색으로 쓰인 말 가운데에서 알맞은 표현에 ○표를 하시오.

9~10 글을 읽고, 물음에 답하시오.

선생님께서 수업 시간에 쓴 학생들의 활동지를 보고 계셨습니다. 그러다가 수현이를 찾으셨습니다.

선생님: 김수현, 수현이 어디 있니?
훈민: 조금 전에 화장실에 간 것 같던데요.
선생님: 그럼 수현이가 교실에 들어오면 좀 오라고 하렴.
훈민: 네.

9 훈민이가 수현이에게 선생님 말씀을 전하며 사용해야 할 높임 표현은 무엇입니까? (   )

① 선생님이 너 오래.
② 선생님이 너 오시래.
③ 선생님께서 너 오시래.
④ 선생님이 너 오라고 하셔.
⑤ 선생님께서 너 오라고 하셔.

서술형
10 9번 문제에서 고른 높임 표현이 알맞다고 생각하는 까닭은 무엇인지 쓰시오.

_____

_____

1 다음 대화에서 말하는 사람이 높인 대상과 사용한 높임 표현을 정리해 보시오.

어머니께 드릴 선물이야.

높인 대상	(1)
사용한 높임 표현	(2)

2 다음 대화 ㉮와 ㉯에서 문장의 끝부분에 공통으로 쓴 표현은 무엇입니까? (   )

㉮ 아버지, 학교에 다녀왔습니다.

㉯ 친구에게 고운 말을 사용하면 좋겠습니다.

① −왔다   ② −겠다
③ −습니다   ④ −좋겠다
⑤ −다녀왔다

3~4 그림을 보고, 물음에 답하시오.

할아버지, (㉠) 잡수세요.

3 ㉠에 들어갈 알맞은 말을 골라 ○표를 하시오.

(밥, 진지)

4 3번 문제의 답으로 볼 때, 이 대화에서 높임을 표현한 방법은 무엇입니까? (   )

① 높임의 대상에게 '께'를 사용한다.
② 높임을 나타내는 '−시−'를 넣는다.
③ '−습니다'를 써서 문장을 끝맺는다.
④ 높임의 대상에게 '께서'를 사용한다.
⑤ 높임의 뜻이 있는 특별한 낱말을 사용한다.

국어 활동
5 알맞은 높임 표현을 생각하여 밑줄 그은 부분을 바르게 고쳐 쓰시오.

부모님께 카네이션을 달아 줄 거야.

• 달아 줄 거야. → 달아 (   ) 거야.

6~7 글을 읽고, 물음에 답하시오.

> 백화점, 편의점 등에서 물건을 높이는 말, 들어 보셨나요?
>
> 구두 판매원: ㉠이 구두는 특별 할인 제품이시고요.
> 구두: 뭐? 내가 제품이시라고?
>
> 커피 가게 점원: 주문하신 아메리카노 나오셨습니다.
> 커피: 뭐? 내가 나오셨다고?
>
> 휴대 전화 판매원: 이 핸드폰은 매진되셨어요.
> 핸드폰: 뭐? 내가 매진되셨다고?
>
> 사회자: 이분들은 왜 이러시는 걸까요? 백화점이나 편의점 같은 매장에서 물건을 고객처럼 존대하는 이 불편한 현실. 여러분은 어떠십니까?

6 ㉠의 표현이 잘못된 까닭은 무엇입니까?
( )

① 물건에 '-님' 자를 넣어서
② 외국말을 섞어서 사용해서
③ '-시-'를 사용해 물건을 높여서
④ 상대를 무시하는 마음이 담겨서
⑤ '-습니다'를 써서 문장을 끝맺지 않아서

7 알맞은 높임 표현을 생각하여 ㉠을 고쳐 쓰시오.
( )

8~9 그림을 보고, 물음에 답하시오.

8 ㉠을 바르게 고친 것은 어느 것입니까?
( )

① 아버지가 뭐래요?
② 아버지께서 뭐래?
③ 아버지가 뭐라고 하셨어?
④ 아버지가 뭐라고 했어요?
⑤ 아버지께서 뭐라고 하셨어?

9 남동생이 사용해야 할 알맞은 높임 표현을 생각하여 ㉡에 들어갈 말을 쓰시오.
( )

서술형

10 ㉠을 알맞은 높임 표현으로 바꾸는 방법을 생각하여 쓰시오.

_____

_____

1 다음 대화에서 말하는 사람이 높임 표현을 사용한 까닭은 무엇인지 쓰시오. [5점]

_____

_____

2 밑줄 그은 말로 보아 다음에서 높임을 표현한 방법은 무엇인지 쓰시오. [5점]

_____

_____

3 여자아이가 할머니와 대화할 때 지켜야 할 언어 예절은 무엇인지 쓰시오. [5점]

4 다음 대화에서 여자아이의 말을 알맞은 높임 표현을 사용하여 고쳐 쓰시오. [5점]

_____

_____

5~6 그림을 보고, 물음에 답하시오.

5 ㉠의 높임 표현에서 잘못된 것은 무엇인지 쓰시오. [5점]

_____

_____

6 ㉡을 알맞은 높임 표현을 사용해 바르게 고쳐 쓰시오. [5점]

_____

_____

관련 성취 기준	높임 표현을 알고 언어 예절에 맞게 사용한다.
평가 목표	높임 표현을 사용해 대화를 할 수 있다.

1 다음 대화에서 영수는 밑줄 그은 말을 어떻게 말해야 할지 써 봅시다. [10점]

> 영수: <u>누나, 어머니가 부엌으로 오래.</u>
> 누나: 그래. 그런데 높임 표현을 바르게 써야지.
> 영수: 그럼 어떻게 말해야 하지?

(　　　　　　　　　　　　　　　　　　　　　　　　　　　　　)

2 다음 파란색으로 쓰인 말을 알맞은 높임 표현을 사용해 바르게 고쳐 써 봅시다.

[10점]

(　　　　　　　　　　　　　　　　　　　　　　　　　　　　　)

3 다음 대화를 알맞은 높임 표현을 사용해 바르게 고쳐 써 봅시다. [10점]

> 어머니, 선생님이 이 통신문을 어머니한테 갖다주래.

(　　　　　　　　　　　　　　　　　　　　　　　　　　　　　)

3학년   반   점수

이름

1~2 그림을 보고, 물음에 답하시오.

1 이와 같이 달리기를 하다가 넘어진 친구에게 전할 수 있는 마음은 무엇입니까? ( )

① 고마운 마음   ② 미안한 마음
③ 칭찬하는 마음   ④ 위로하는 마음
⑤ 축하하는 마음

2 이와 같은 경우에 넘어진 친구에게 마음을 전하려면 어떤 말을 해야 하는지 쓰시오.

( )

3~4 글을 읽고, 물음에 답하시오.

　나리야, 안녕? 나 민경이야.
　나리야, 어제 네가 내 가방을 들어 주어서 고마웠어. 내가 팔을 다쳐서 가방을 어떻게 들까 걱정했는데 네가 와서 도와준다고 했을 때 정말 기뻤어. 그런데 어제는 고맙다는 말을 제대로 하지 못해서 이렇게 편지를 써.
　지난 체육 시간에 너와 달리기 경주를 해서 내가 졌잖아. 달리기만큼은 자신 있었는데 내가 지니까 많이 속상했어. 그래서 그동안 너한테 말도 제대로 하지 않았어. 그런데 너는 오히려 나를 걱정해 주고 가방도 들어 주어서 미안했어.

3 민경이는 나리에게 무엇을 고마워하고 있습니까? ( )

① 달리기 연습을 도와준 것
② 먼저 고맙다고 편지를 보내 준 것
③ 팔을 다친 자신의 가방을 들어 준 것
④ 달리기 경주를 해서 이긴 것을 칭찬해 준 것
⑤ 서로 다투었을 때 먼저 사과하고 말을 걸어 준 것

4 이 편지에서 마음을 나타내는 말이 <u>아닌</u> 것은 어느 것입니까? ( )

① 고마웠어.   ② 미안했어.
③ 정말 기뻤어.   ④ 내가 졌잖아.
⑤ 많이 속상했어.

5 다음 편지에서 마음을 나타내는 말을 <u>모두</u> 찾아 쓰시오.

　호준아, 나 민재 형이야.
　한 달 동안이나 저녁마다 줄넘기 연습을 열심히 하는 너를 보면서 네가 기특하고 대단하다고 생각했어. 그런데 어제 있었던 줄넘기 대회에서 상을 받지 못했다는 소식을 들었어. 많이 속상했지?

( )

6 다음 ㉠에서 '나'의 행동에 나타난 마음을 두 가지 고르시오. (,   )

> 민주가 내 물건을 마음대로 가져간 건데 어머니께서는 내 탓이라고 하신다.
> 어머니께서는 늘 동생 편만 드신다.
> "오늘 물감 가져가야 한다고 하지 않았니? 가방에 잘 넣었어?"
> 가방을 메고 방을 나서는데 어머니께서 또 말씀하셨다. ㉠나는 어머니 말씀에 대꾸도 하지 않고 집을 나섰다.

① 화남
② 서운함
③ 후회됨
④ 미안함
⑤ 부러움

7~8 글을 읽고, 물음에 답하시오.

> 엄마, 아빠, 할머니께
> ㉠가슴이 너무 쿵쿵거려서 아래층 손님들한테까지 제 심장 뛰는 소리가 들릴 것만 같아요.
> 오늘 점심때 짐 외삼촌이 ㉡가게 문에 '휴업'이라는 팻말을 걸고는 에드 아저씨와 엠마 아줌마와 저에게 위층으로 올라가서 기다리라고 하셨어요. 외삼촌은 제가 지금까지 한 번도 보지 못한 굉장한 케이크를 들고 나타나셨어요. 꽃으로 뒤덮인 케이크였어요. 저한테는 그 케이크 한 개가 외삼촌이 천 번 웃으신 것만큼이나 의미 있었어요.

7 ㉠에 드러난 글쓴이의 마음을 나타내는 말로 가장 어울리지 않는 것은 어느 것입니까?
(   )

① 즐겁다.
② 기쁘다.
③ 불안하다.
④ 가슴이 벅차다.
⑤ 하늘을 날 듯 신난다.

---

8 다음은 ㉡'가게'의 낱말 뜻입니다. 낱말 뜻을 생각하며 '가게'와 뜻이나 쓰임이 비슷한 다른 낱말을 쓰시오.

> 뜻: 물건을 차려 놓고 파는 집.

(   )

국어 활동

9 다음 편지에서 마음이 잘 드러나게 쓰려면 어떤 내용을 더 넣으면 좋겠습니까? (   )

> 영주에게
> 안녕! 나, 지수야.
> 네가 다리를 다쳐서 병원에 입원했다는 소식을 들었어.
> 그럼 안녕!
> 　　　　　　20○○년 4월 17일
> 　　　　　　　　지수가

① 끝인사
② 첫인사
③ 쓴 사람
④ 받을 사람
⑤ 전하고 싶은 말

논술형

10 주변에서 마음을 전하고 싶은 사람을 떠올려 어떤 마음을 전하고 싶은지 쓰시오.

_____

_____

3학년　　반　점수
이름

1 그림과 같은 상황에서 마음을 전하기 위해 어떤 말을 해야 할지 선으로 이으시오.

(1)  ・　・ ① 잘못이야. 미안해.

(2)  ・　・ ② 할머니, 생신 축하드려요!

(3)  ・　・ ③ 책을 빌려줘서 고마워.

2~3 글을 읽고, 물음에 답하시오.

　할아버지, 그동안 안녕하셨어요?
　할아버지, 생신 축하드려요.
　할아버지 댁에 가면 항상 반갑게 맞아 주시고, 재미있는 이야기도 많이 들려주셔서 감사합니다.
　작년 할아버지 생신에는 제가 다리를 다쳐서 찾아뵙지 못해 많이 아쉬웠어요. 그런데 이번 생신에는 가족 모두 모여서 즐거운 시간을 보낼 수 있어서 정말 기뻐요.
　할아버지, 다시 한번 생신 축하드려요. 항상 건강하시길 바랄게요.

20○○년 4월 14일
손자 정혁 올림

2 정혁이가 편지를 쓴 까닭은 무엇인지 쓰시오.

(　　　　　　　　　　　　　)

3 이 편지에서 정혁이의 마음을 나타내는 말을 찾은 것으로 알맞지 **않은** 것은 어느 것입니까?
(　　　)

① 반갑게　　　　② 축하드려요
③ 감사합니다　　④ 정말 기뻐요
⑤ 많이 아쉬웠어요

4 다음 편지에서 민재가 편지를 쓴 까닭은 무엇입니까?
(　　　)

　호준아, 나 민재 형이야.
　한 달 동안이나 저녁마다 줄넘기 연습을 열심히 하는 너를 보면서 네가 기특하고 대단하다고 생각했어. 그런데 어제 있었던 줄넘기 대회에서 상을 받지 못했다는 소식을 들었어. 많이 속상했지? 그래도 포기하지 않고 꾸준히 연습하면 다음에는 더 좋은 결과가 있을 거야.
　형은 언제나 너를 응원하고 있어. 그럼 안녕.

① 줄넘기 대회가 있다는 것을 알리려고
② 상을 받지 못한 호준이를 위로하려고
③ 줄넘기 연습을 하는 방법을 알려 주려고
④ 상을 받지 못해 실망한 마음을 전하려고
⑤ 줄넘기 대회에 나간 호준이를 축하하려고

국어 활동

5 다음 편지에는 어떤 마음이 잘 드러나 있는지 쓰시오.

　엄마가 입던 옷으로 이렇게 예쁜 옷을 만들어 주셔서 고맙습니다. 이 옷을 입고 있어서인지 제가 무척이나 예쁘게 보입니다.

(　　　　　　　　　　　　　)

4 단원

6~7 글을 읽고, 물음에 답하시오.

그때 단짝 친구 소은이가 나를 불렀다.
"민서야, 너희 어머니께서 이거 너 주라고 하셨어."
내 물감이었다.
"우리 어머니 만났어?"
"교문 앞에서 만났는데, 시간이 없어서 그러신다며 나한테 대신 전해 달라고 하셨어."
나는 어머니 말씀에 대꾸도 하지 않고 학교에 왔는데, 어머니께서는 출근하느라 바쁘신데도 학교까지 오셔서 물감을 주고 가셨나 보다. 집에 가서 어머니께 죄송하다고 말씀드려야겠다.

6 이 글에서 있었던 일로 알맞은 것은 무엇입니까? ( )

① 소은이가 물감을 가져오지 않았다.
② 민서는 집에 가서 물감을 가져왔다.
③ 소은이가 민서에게 물감을 빌려주었다.
④ 민서가 어머니께 물감을 가져다 달라고 전화를 했다.
⑤ 민서는 어머니 말씀에 대꾸도 하지 않고 학교에 왔는데, 어머니께서 학교까지 오셔서 물감을 가져다주셨다.

7 민서가 어머니께 든 마음을 두 가지 고르시오. (,)

① 섭섭한 마음　　② 죄송한 마음
③ 부러운 마음　　④ 고마운 마음
⑤ 원망하는 마음

8~9 글을 읽고, 물음에 답하시오.

엄마, 아빠, 할머니께
가슴이 너무 쿵쿵거려서 아래층 손님들한테까지 제 심장 뛰는 소리가 들릴 것만 같아요.
오늘 점심때 짐 외삼촌이 가게 문에 '휴업'이라는 팻말을 걸고는 에드 아저씨와 엠마 아줌마와 저에게 위층으로 올라가서 기다리라고 하셨어요. 외삼촌은 제가 지금까지 한 번도 보지 못한 ㉠굉장한 케이크를 들고 나타나셨어요. 꽃으로 뒤덮인 케이크였어요. 저한테는 그 케이크 한 개가 외삼촌이 천 번 웃으신 것만큼이나 의미 있었어요.
그리고…… 그리고 외삼촌이 주머니에서 편지를 꺼내셨어요. 아빠가 취직을 하셨다는 소식이 담긴 편지였어요. 저, 이제 집으로 돌아가요.

서술형
8 글쓴이가 엄마, 아빠, 할머니께 편지를 쓴 까닭은 무엇인지 쓰시오.

_____

_____

9 쓰임에 따라 ㉠'굉장한'과 뜻이 비슷한 낱말을 두 가지 떠올려 쓰시오.
( )

10 마음을 담아 편지를 쓸 때 확인할 내용이 아닌 것은 무엇입니까? ( )

① 편지의 형식에 맞게 썼는가?
② 내용을 긴 문장으로 나타냈는가?
③ 생각이나 느낌을 자세히 썼는가?
④ 마음을 나타내는 말을 알맞게 썼는가?
⑤ 마음을 전하고 싶은 일을 잘 나타냈는가?

1 다음 편지에서 민경이가 편지를 쓴 까닭은 무엇인지 쓰시오. [6점]

> 나리야, 안녕? 나 민경이야.
> 나리야, 어제 네가 내 가방을 들어 주어서 고마웠어. 내가 팔을 다쳐서 가방을 어떻게 들까 걱정했는데 네가 와서 도와준다고 했을 때 정말 기뻤어. 그런데 어제는 고맙다는 말을 제대로 하지 못해서 이렇게 편지를 써.
> 지난 체육 시간에 너와 달리기 경주를 해서 내가 졌잖아. 달리기만큼은 자신 있었는데 내가 지니까 많이 속상했어. 그래서 그동안 너한테 말도 제대로 하지 않았어. 그런데 너는 오히려 나를 걱정해 주고 가방도 들어 주어서 미안했어.
> 나리야, 고마워! 너는 운동도 잘하고, 마음도 참 따뜻한 멋진 친구야. 앞으로도 친하게 지내자. 안녕.

_____

_____

2~3 글을 읽고, 물음에 답하시오.

> 호준아, 나 민재 형이야.
> 한 달 동안이나 저녁마다 줄넘기 연습을 열심히 하는 너를 보면서 네가 기특하고 대단하다고 생각했어. 그런데 어제 있었던 줄넘기 대회에서 상을 받지 못했다는 소식을 들었어. 많이 속상했지? ㉠그래도 포기하지 않고 꾸준히 연습하면 다음에는 더 좋은 결과가 있을 거야.

2 민재가 편지를 쓴 까닭은 무엇인지 쓰시오.

[6점]

_____

3 ㉠ 부분을 자신이 경험한 일을 바탕으로 하여 바꾸어 써 보시오. [6점]

_____

_____

_____

4~5 글을 읽고, 물음에 답하시오.

> 민주가 내 물건을 마음대로 가져간 건데 어머니께서는 내 탓이라고 하신다.
> 어머니께서는 늘 동생 편만 드신다.
> "오늘 물감 가져가야 한다고 하지 않았니? 가방에 잘 넣었어?"
> 가방을 메고 방을 나서는데 어머니께서 또 말씀하셨다. 나는 어머니 말씀에 대꾸도 하지 않고 집을 나섰다.
> 학교에 왔는데 기분이 좋지 않았다.
> "민서야, 이것 봐라. 어머니께서 새 물감 사 주셨다."
> 내 짝 정아가 새로 산 물감을 가방에서 꺼내며 자랑했다. 나는 괜히 짜증이 났다.

4 어머니에 대한 민서의 마음을 짐작할 수 있는 행동은 무엇인지 쓰시오. [6점]

_____

_____

5 짝이 새로 산 물감을 자랑하자 민서는 왜 괜히 짜증이 났겠는지 쓰시오. [6점]

_____

_____

4
단원

관련 성취 기준	읽는 이를 고려하며 자신의 마음을 표현하는 글을 쓴다.
평가 목표	마음을 담아 편지를 쓸 수 있다.

1 주변에서 마음을 전하고 싶은 사람을 떠올리고, 떠올린 사람에게 전하고 싶은 마음을 정리해 보시오. [10점]

(1) 누구에게 마음을 전하고 싶나요?	
(2) 어떤 일 때문에 마음을 전하고 싶은가요?	
(3) 그때 어떤 생각이나 느낌이 들었나요?	

2 1번 문제에서 정리한 내용을 바탕으로 마음을 나타내는 말로 전하고 싶은 마음이 잘 드러나게 편지를 써 봅시다. [20점]

1~2 그림을 보고, 물음에 답하시오.

가게에 가서 사야 할 게 콩나물이랑 파, 통조림……

갑자기 좋은 생각이 났어!

기억해야 할 게 너무 많아요.

가

나

'동물의 한살이'란 동물이 태어나서 어린 시절을 보내고 성장해서 자손을 남기고 죽을 때까지 그 과정을 말합니다.

다

1 그림 ㉮~㉰는 각각 어떤 상황인지 선으로 이으시오.

(1) ㉮ •

(2) ㉯ •

(3) ㉰ •

• ① 공부하는 상황

• ② 좋은 생각이 떠오른 상황

• ③ 심부름을 갈 때 기억할 게 많은 상황

2 이런 상황에서 기억을 잘하려면 무엇을 하면 좋을지 알맞게 말한 친구의 이름을 쓰시오.

민수: 녹음이나 메모를 하면 돼.
정희: 기억이 안 날 때마다 다른 사람에게 물어보면 돼.

(   )

3~4 글을 읽고, 물음에 답하시오.

복을 물어다 주는 제비

우리 조상은 제비를 복과 재물을 가져다주는 좋은 새라고 여겼습니다. 제비는 주로 음력 9월 9일 즈음 강남에 갔다가 3월 3일 즈음에 돌아오는데, 우리 조상은 이처럼 홀수가 겹치는 날을 운이 좋은 날이라 하여 길일이라고 불렀습니다. 따라서 좋은 날에 떠나 좋은 날에 돌아오는 제비는 그만큼 영리하고 행운을 가져다주는 동물일 것이라고 생각했던 것입니다. 그래서 집에 제비가 들어와 둥지를 틀면 좋은 일이 생길 거라고 믿고 반겼습니다.

3 이 설명을 들으며 보기 와 같이 메모했습니다. 보기 의 특징은 무엇입니까? (   )

보기

복을 물어다 주는 제비
우리 조상은 제비가 복과 재물을 가져다주는 좋은 새라고 여겼습니다. 제비는 주로 음력 9월 9일 즈음 강남에 갔다가 3월 3일 즈음에 돌아오는데, 우리 조상은 이처럼……

① 중요한 내용만 썼다.
② 들은 내용을 모두 쓰려고 했다.
③ 들은 내용을 간추려 짧게 썼다.
④ 같은 내용을 계속 반복해서 썼다.
⑤ 들은 내용과 전혀 다른 내용으로 썼다.

4 이 설명에서 중요한 내용을 정리하여 메모할 때 빈칸에 알맞은 말을 각각 쓰시오.

우리 조상이 생각한 제비	( )와/과 ( )을/를 가져다줌.
그렇게 여긴 까닭	좋은 날에 떠나고 돌아오므로 영리하고 행운을 가져다줄 것이라고 생각함.

국어 활동

5 다음 중 메모해야 할 상황에 <u>모두</u> ○표를 하시오.

(1) 선생님께서 현장 체험학습 준비물을 알려 주실 때   ( )

(2) 친구와 어제 본 만화 영화에 대해 이야기할 때   ( )

(3) 심부름할 내용을 잊을 것 같아 걱정될 때   ( )

6~7 글을 읽고, 물음에 답하시오.

민화는 옛날 사람들이 널리 사용하던 그림이에요. 따라서 민화 속에는 우리 조상의 삶과 신앙, 멋이 깃들어 있어요. 민화가 여느 그림과 다른 점은 생활에 필요한 실용적인 그림이라는 것이에요. 다시 말해, 선비들이 그린 격조 높은 산수화나 솜씨 좋은 화원이 그린 작품들은 오래 두고 감상하는 그림이지만, 민화는 어떤 특별한 목적을 위해 사용한 그림이지요.

6 민화에 대한 설명으로 알맞지 <u>않은</u> 것은 어느 것입니까?   ( )

① 오래 두고 감상하는 그림이다.
② 생활에 필요한 실용적인 그림이다.
③ 옛날 사람들이 널리 사용하던 그림이다.
④ 우리 조상의 삶과 신앙, 멋이 깃들어 있다.
⑤ 어떤 특별한 목적을 위해 사용한 그림이다.

7 이 문단의 중요한 내용을 정리하시오.

( )

8~9 글을 읽고, 물음에 답하시오.

물에 사는 생물들은 살아가는 모습에 따라서 크게 세 가지로 나뉩니다. 바닥 생활을 하는 생물, 헤엄을 치는 생물, 그리고 떠다니는 생물이 있습니다. 이 가운데 물에 둥둥 떠다니는 생물을 통틀어서 '플랑크톤'이라고 합니다.

플랑크톤이라고 해서 모두 물에 가만히 떠 있기만 하는 것은 아니며, 어떤 종류는 스스로 헤엄치기도 합니다. 그러나 운동 능력이 워낙 약해서 물의 흐름을 거슬러 이동할 수는 없습니다. 그러므로 물속에 사는 아주 작은 생물들은 모두 플랑크톤이라고 생각할 수 있습니다. 해파리처럼 제법 큰 생물이라도 물의 흐름을 거슬러 헤엄칠 수 없다면 모두 플랑크톤으로 분류합니다.

8 플랑크톤에 대한 설명으로 알맞지 <u>않은</u> 것은 무엇입니까?   ( )

① 운동 능력이 워낙 약하다.
② 물에 둥둥 떠다니는 생물이다.
③ 어떤 종류는 스스로 헤엄치기도 한다.
④ 물의 흐름을 거슬러 이동할 수는 없다.
⑤ 해파리처럼 제법 큰 생물은 플랑크톤이 아니다.

논술형

9 이 글의 내용을 간추려 써 보시오.

10 책을 소개하는 글에 들어갈 내용을 한 가지 쓰시오.

• 책 제목, ( )

1~2 그림을 보고, 물음에 답하시오.

우리 모둠 과제는 옛이야기 속 과학 지식을 조사하는 것이지?

응. 선생님 말씀을 잘 듣고 과제부터 해결하러 가자.

옛이야기 전시관
이야기 알기
이야기 속으로
이야기 세상

지금부터 어린이 박물관을 안내하겠습니다.……

옛이야기 속 과학 지식을 배우려면 '이야기 속으로'에 가야 해!

아니야, '이야기 알기'로 가야 해.

모두 잘 들었지? 그럼 어디로 갈까?

들을 때에는 다 기억할 것 같았는데, 지금 떠올리니 잘 기억이 안 나네. 어디로 가야 할지 모르겠어.

나도 어느 쪽이 옳은지 모르겠어. 분명히 열심히 들었는데.

민건아, 너는 혹시 기억나니?

…….

1 민건이네 반은 어린이 박물관으로 견학을 갔습니다. 민건이네 모둠 과제는 무엇인지 쓰시오.

(   )

2 민건이네 모둠이 어디로 가야 하는지 모르는 까닭은 무엇이겠습니까?   (   )

① 전시관 안에 표지판이 없어서
② 선생님 말씀을 기억하지 못해서
③ 친구들이 서로 다른 설명을 들어서
④ 친구들이 해결해야 할 과제가 서로 달라서
⑤ 선생님께서 어디로 갈지 말씀해 주시지 않아서

3~5 글을 읽고, 물음에 답하시오.

흥부는 제비의 다리를 치료해 주고 복이 담긴 박씨를 얻었습니다. 요즘이라면 제비의 다리를 고치기 위해 동물 병원에 갔겠죠. 이렇게 동물 병원에서 동물의 병을 치료해 주는 직업을 '수의사'라고 합니다. 수의사는 애완동물부터 가축, 야생 동물, 희귀 동물까지 모든 동물을 진료하는 의사입니다.

여러분도 수의사가 되고 싶다고요? 수의사가 되려면 질병이나 동물에 대한 전문적인 지식이 필요하기 때문에 공부를 많이 해야 합니다. 또 흥부처럼 동물을 사랑하는 마음과 생명을 소중하게 여기는 마음을 지녀야 합니다.

3 어떤 직업에 대한 설명인지 쓰시오.

(   )

4 3번 문제의 답이 되려면 어떻게 해야 하는지 이 글에서 말한 내용이 <u>아닌</u> 것은 무엇입니까?   (   )

① 공부를 많이 해야 한다.
② 동물을 사랑하는 마음을 지닌다.
③ 생명을 소중하게 여기는 마음을 지닌다.
④ 질병이나 동물에 대한 전문적인 지식을 익힌다.
⑤ 동물 중에서 애완동물에 대한 것만 알아야 한다.

5 이 설명을 들으면서 메모하는 방법으로 알맞은 것을 <u>두 가지</u> 고르시오.   (,   )

① 모든 내용을 다 쓴다.
② 재미있게 내용을 바꾸어 쓴다.
③ 중요한 내용이 빠지지 않게 쓴다.
④ 각 문장에서 처음 나온 낱말만 쓴다.
⑤ 중요한 낱말을 중심으로 짧게 쓴다.

6~7 글을 읽고, 물음에 답하시오.

㉮ 악기는 타악기, 현악기, 관악기로 나눌 수 있어요. 타악기는 두드리거나 때려서 소리를 내는 악기로 타악기에는 장구나 큰북 등이 있으며, 현악기는 줄을 사용하는 악기로 현악기에는 가야금이나 바이올린 등이 있어요. 그리고 관악기는 입으로 불어서 소리를 내는 악기로 관악기에는 단소나 트럼펫 등이 있어요.

㉯ 악기는 타악기, 현악기, 관악기로 나눌 수 있다.

㉰

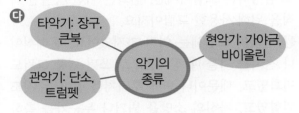

6 글 ㉮~㉰는 무엇에 대해 쓴 글입니까?

( )

① 악기의 종류
② 악기의 쓰임
③ 악기의 재료
④ 악기의 가격
⑤ 악기를 연주하는 때

7 글 ㉮~㉰ 중, **보기** 의 특징을 가진 글의 기호를 쓰시오.

> **보기**
> 전체 내용을 한두 문장으로 짧게 간추려 썼다.

( )

서술형

8 다음 글의 중요한 내용을 간단하게 정리하여 쓰시오.

> 빗물이 고인 작은 병 속에는 아무 생물도 없다고요? 혹시 너무 작아서 안 보이는 건 아닐까요? 맨눈으로는 볼 수 없는 작은 생물까지 포함하면 자연적인 상태의 물이 있는 곳에는 어떤 형태로든 생물이 산다고 보아도 좋을 것입니다.

_____

_____

국어 활동

9 글 전체 내용을 간추리는 방법을 바르게 말한 것은 어느 것입니까? ( )

① 마지막 문단만 간추린다.
② 글 전체를 그대로 다시 쓴다.
③ 문단에서 첫 문장을 이어서 쓴다.
④ 문단에서 가장 긴 문장을 이어서 쓴다.
⑤ 문단에서 중요한 내용을 찾아 이어서 전체를 간추린다.

10 책을 소개한 다음 글에서 ㉠, ㉡ 중 책 내용을 간추린 부분은 무엇인지 기호를 쓰시오.

> ㉠ 최근에 『세상을 돌고 도는 놀라운 물의 여행』을 읽고 물에 대한 정보를 알게 되었습니다. 그 책에 나온 물에 대한 정보를 소개하겠습니다.
>
> ㉡ 우리가 사는 지구에는 몇십억 년 전부터 물이 있었습니다. 그리고 그 물은 모양을 바꾸며 세상 곳곳을 끊임없이 돌아다니며 여행을 합니다. 물은 하늘에서 땅과 바다로, 그리고 우리 몸속이나 동물들 몸속으로 끊임없이 돌고 돕니다.

( )

1 메모가 왜 필요한지 쓰시오. [6점]

_____

_____

2 다음 설명을 듣고 수영이가 한 메모에서 잘못한 점은 무엇인지 쓰시오. [6점]

> 우리 조상은 제비를 복과 재물을 가져다주는 좋은 새라고 여겼습니다. 제비는 주로 음력 9월 9일 즈음 강남에 갔다가 3월 3일 즈음에 돌아오는데, 우리 조상은 이처럼 홀수가 겹치는 날을 운이 좋은 날이라 하여 길일이라고 불렀습니다.

> **수영이의 메모**
> • 9월 9일, 3월 3일
> • 제비 둥지

_____

_____

3 글 ㉮, ㉯와 같은 쓰기 방식이 필요한 상황을 각각 쓰시오. [6점]

> ㉮ 악기는 타악기, 현악기, 관악기로 나눌 수 있어요. 타악기는 두드리거나 때려서 소리를 내는 악기로 타악기에는 장구나 큰북 등이 있으며, 현악기는 줄을 사용하는 악기로 현악기에는 가야금이나 바이올린 등이 있어요. 그리고 관악기는 입으로 불어서 소리를 내는 악기로 관악기에는 단소나 트럼펫 등이 있어요.
> ㉯ 악기는 타악기, 현악기, 관악기로 나눌 수 있다.

4~5 글을 읽고, 물음에 답하시오.

> ❶ 민화는 옛날 사람들이 널리 사용하던 그림이에요. 따라서 민화 속에는 우리 조상의 삶과 신앙, 멋이 깃들어 있어요. 민화가 여느 그림과 다른 점은 생활에 필요한 실용적인 그림이라는 것이에요. 다시 말해, 선비들이 그린 격조 높은 산수화나 솜씨 좋은 화원이 그린 작품들은 오래 두고 감상하는 그림이지만, 민화는 어떤 특별한 목적을 위해 사용한 그림이지요.
> ❷ 민화의 쓰임새는 여러 가지였어요. 혼례식이나 잔치를 치를 때 장식용으로 쓰던 병풍 그림도 민화였고, 대문이나 벽에 부적처럼 걸어 둔 것도 민화였고, 자신의 소망을 빌거나 누군가를 축하하는 그림도 민화였어요.
> ❸ 민화는 호랑이, 까치, 물고기, 사슴, 학, 거북, 토끼, 매와 같은 동물이나 소나무와 대나무, 모란, 불로초, 연꽃, 석류 같은 식물 등의 다양한 소재를 사용했어요. 해태나 용 같은 상상의 동물도 있지요.

4 각 문단의 중요한 내용을 간단하게 정리해 보시오. [6점]

문단	중요한 내용
❶	(1)
❷	(2)
❸	(3)

5 각 문단의 중요한 내용을 이어서 전체 내용을 하나로 묶어 쓰시오. [6점]

_____

_____

관련 성취 기준	글의 유형을 고려하여 대강의 내용을 간추린다.
평가 목표	글을 읽고 내용을 간추리는 방법을 알고 간추릴 수 있다.

1~2 어떻게 간추릴지 생각하며 글을 읽어 봅시다.

악기는 타악기, 현악기, 관악기로 나눌 수 있어요. 타악기는 두드리거나 때려서 소리를 내는 악기로 타악기에는 장구나 큰북 등이 있으며, 현악기는 줄을 사용하는 악기로 현악기에는 가야금이나 바이올린 등이 있어요. 그리고 관악기는 입으로 불어서 소리를 내는 악기로 관악기에는 단소나 트럼펫 등이 있어요.

1 이 글 전체 내용을 한 문장으로 짧게 간추려 써 보시오. [10점]

_____

_____

2 이 글에서 중요한 내용을 낱말 중심으로 짧게 써 보시오. [10점]

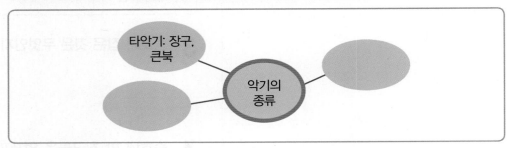

타악기: 장구, 큰북

악기의 종류

3 다음 글의 중요한 내용을 간단하게 정리해 한 문장으로 쓰시오. [10점]

우리가 아는 모든 생물에게 물은 생명을 유지하는 데 반드시 필요한 물질입니다. 그래서 바다와 강, 호수, 연못뿐만 아니라 빗물이 고인 작은 웅덩이까지 물이 있는 곳이라면 다양한 생물이 살아갑니다. 다만 어떤 종류의 생물이 사는지가 다를 뿐이지요.

_____

_____

1~2 만화를 읽고, 물음에 답하시오.

아, 맞다. 쓰레기를 버려야 하는데 벌써 어두워졌네. 무서워서 나가기 싫은데 어떡하지?

골목 입구에 쓰레기가 쌓여 있어서 다닐 때 너무 불편해.

이 문제를 해결할 수 있는 방법은 없을까?

❶

짜잔! 그래서 마련했어. 쓰레기를 깔끔하게 버릴 수 있는 쓰레기 정거장! 재활용품, 음식물 쓰레기, 일반 쓰레기로 나눠서 버릴 수 있지. 밤에는 환하게 불도 밝혀 놓았어.

우아! 이런 곳이 있다니!

❷

쓰레기를 깔끔하게 종류별로 나눠서 버릴 수 있잖아!

1 골목 입구에 새로 생긴 것은 무엇인지 쓰시오.

(　　　　　　　　)

2 1번 문제의 답이 생긴 원인은 무엇입니까?

(　　)

① 마을 골목이 깨끗하기 때문이다.
② 쓰레기를 버리면 안 되기 때문이다.
③ 버스 정거장에 쓰레기를 버리기 때문이다.
④ 쓰레기를 버릴 때 돈이 많이 들기 때문이다.
⑤ 쓰레기를 버리러 가기 편리하게 하기 위해서이다.

3~5 글을 읽고, 물음에 답하시오.

　그러나 아기 참새는 길에서 깡충깡충 뛰어다니기만 했습니다. 승호는 파닥거리는 아기 참새를 두 손으로 감싸 쥐었습니다.
　"참새를 어떻게 하지?"
　승호가 걱정스럽게 물었습니다.
　"선생님께 가져다드리자."
　"그래, 그게 좋겠다."
　승호는 참새를 안고 교실로 갔습니다.
　"선생님, 참새 잡았어요."
　승호를 뒤따라온 아이들이 승호보다 먼저 소란스럽게 말했습니다.
　"참새를 어떻게 잡았니?"
　"잘 날지 못하는 아기 참새예요."
　선생님께서는 승호가 내미는 참새를 받아 손바닥에 올려놓으셨습니다.
　"선생님, 교실에서 키워요."
　"그래야겠구나. 날 수가 없으니 잘 날 수 있을 때까지만 키우자."

3 승호가 잡은 것은 무엇인지 쓰시오.

(　　　　　　　　)

4 승호네 반 친구들은 언제까지 참새를 기르기로 하였습니까?　　　　　　　　(　　)

① 방학이 될 때까지
② 엄마 참새를 찾을 때까지
③ 참새가 잘 날 수 있을 때까지
④ 참새를 키울 사람을 찾을 때까지
⑤ 아기 참새가 어른 참새가 될 때까지

5 다음 원인으로 인하여 일어난 결과를 쓰시오.

아기 참새가 잘 날지 못했다.

(　　　　　　　　)

6
단원

6 다음 원인에 알맞은 결과는 무엇입니까?
( )

> 준서는 집에서 리코더 연습을 열심히 했다.

① 갑자기 비가 많이 내렸다.
② 책 읽는 것을 좋아하게 되었다.
③ 자전거 타는 연습을 꾸준히 했다.
④ 어려운 낱말을 많이 알게 되었다.
⑤ 학예회에서 자신 있게 리코더를 연주했다.

논술형
7 기억에 남는 경험을 떠올려 원인과 결과로 나누어 쓰시오.

(1) 원인	
(2) 결과	

8~10 그림을 보고, 물음에 답하시오.

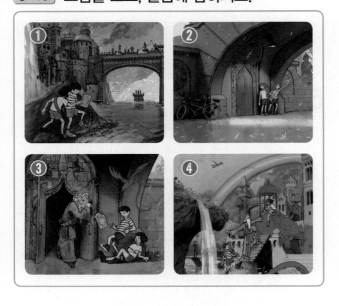

8 이 그림에서 주인공이 누구일지 상상해 쓰시오.
( )

9 그림 ❶, ❷에서 원인과 결과를 생각해 볼 때, 다음 원인에 어울리는 결과는 무엇이겠습니까?
( )

> 이상한 곳에 떨어진 두 친구가 지도를 보는데 보라색 새가 이들을 발견함.

① 두 친구가 잠에서 깨어남.
② 두 친구가 비밀지도를 잃어버림.
③ 두 친구가 보라색 괴물에게 쫓김.
④ 두 친구가 새가 되어 하늘을 날게 됨.
⑤ 보라색 새의 안내로 두 친구는 큰 문에 옴.

10 이 그림을 보고 이야기에서 일어난 일을 <u>잘못</u> 상상하여 말한 친구는 누구입니까?

> 서준: 아이들은 지도를 들고 여러 색깔의 막대를 찾고 있어.
> 민아: 아이들이 색깔 막대를 한 개도 찾지 못해 결국 온 세상이 어둠에 휩싸였어.
> 시윤: 아이들은 큰 문 뒤에서 나온 주황색 옷의 할아버지와 함께 모험을 하게 되었어.

( )

1 원인과 결과의 뜻에 알맞게 선으로 이으시오.

(1) 원인 ·   · ① 어떤 일이 일어난 까닭

(2) 결과 ·   · ② 어떤 일이 일어난 까닭 때문에 일어난 일

2~3 만화를 읽고, 물음에 답하시오.

아, 맞다. 쓰레기를 버려야 하는데 벌써 어두워졌네. 무서워서 나가기 싫은데 어떡하지?

골목 입구에 쓰레기가 쌓여 있어서 다닐 때 너무 불편해.

이 문제를 해결할 수 있는 방법은 없을까?

❶

짜잔! 그래서 마련했어. 쓰레기를 깔끔하게 버릴 수 있는 쓰레기 정거장! 재활용품, 음식물 쓰레기, 일반 쓰레기로 나눠서 버릴 수 있지. 밤에는 환하게 불도 밝혀 놓았어.

우아! 이런 곳이 있다니!

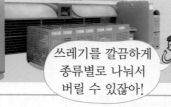

❷

쓰레기를 깔끔하게 종류별로 나눠서 버릴 수 있잖아!

2 쓰레기를 버릴 때 불편한 점은 무엇이었는지 두 가지를 고르시오. (,   )

① 고약한 냄새가 많이 났다.
② 재활용품을 버릴 수 있는 곳이 멀었다.
③ 고양이들이 있어서 놀라는 경우가 많았다.
④ 어두워지면 쓰레기를 버리러 나가기가 무서웠다.
⑤ 골목 입구에 쓰레기가 쌓여 있어서 다닐 때 불편했다.

---

3 다음 원인에 대한 결과를 쓰시오.

쓰레기를 버리러 가기 편리하게 하기 위해서이다.

(   )

4~5 글을 읽고, 물음에 답하시오.

그날 저녁이었습니다. 승호는 교실에 혼자 남겨 두고 온 짹짹콩콩이가 걱정되어 잠을 이룰 수가 없었습니다. 걱정을 하던 승호는 살그머니 밖으로 나왔습니다. 그리고 학교를 향해 달렸습니다. 승호는 조금 무서웠지만 조심조심 복도를 걸어 교실로 갔습니다. / "어?"
승호는 두 눈을 동그랗게 떴습니다. 교실에는 선생님과 여러 명의 아이가 와 있었습니다.
"너도 짹짹콩콩이가 걱정돼서 왔구나."

4 다음 결과의 원인은 무엇입니까? (   )

승호는 저녁에 교실로 갔다.

① 승호는 교실에서 깜짝 놀랐다.
② 선생님께서 짹짹콩콩이를 돌봐 주셨다.
③ 승호는 무서웠지만 복도를 조심조심 걸었다.
④ 승호는 친구들과 교실에서 만나기로 약속하였다.
⑤ 승호는 교실에 혼자 남은 짹짹콩콩이가 걱정되었다.

5 다음에서 어머니께서 승호가 하는 말을 이해하지 못하신 까닭은 무엇이겠는지 쓰시오.

승호: 저녁에 교실에 가 봤더니 선생님과 친구들이 와 있었어요.
어머니: 친구들이 저녁에 교실에 왔다고?

• 저녁에 교실에 선생님과 친구들이 모여 있었던 (   )을/를 말하지 않았기 때문이다.

국어 활동

6 원인이 없으면 결과가 있을 수 없음을 빗댄 속담은 어느 것입니까? ( )

① 백지장도 맞들면 낫다
② 같은 값이면 다홍치마
③ 소 잃고 외양간 고친다
④ 천 리 길도 한 걸음부터
⑤ 아니 땐 굴뚝에 연기 날까

7 원인과 결과를 생각하며 경험한 일을 글로 쓸 때 확인할 내용이 <u>아닌</u> 것은 어느 것입니까? ( )

① 경험한 일의 차례를 생각한다.
② 경험한 일의 원인이 무엇인지 생각한다.
③ 원인이 결과에 어떤 영향을 주었는지 생각한다.
④ 결과가 더 중요하므로 원인은 간단하게 줄여서 쓴다.
⑤ '그래서', '왜냐하면'과 같은 이어 주는 말을 사용한다.

8~10 그림을 보고, 물음에 답하시오.

서술형

8 이 그림은 언제 어디에서 있었던 일일지 상상해 쓰시오.

_____

_____

9 그림 ❸, ❹에서 원인과 결과를 생각해 볼 때, 다음과 같은 결과가 일어나게 된 원인은 무엇이겠습니까? ( )

> 비가 그치고 무지개가 뜨고 아름다운 곳으로 변함.

① 두 친구가 집으로 돌아감.
② 보라색 새가 두 친구를 발견함.
③ 두 친구가 다리 아래에서 비를 피함.
④ 문에서 나온 신기한 할아버지가 주황색 막대를 꺼냄.
⑤ 아이들이 빨간색, 보라색 자전거를 타고 큰 문에 도착함.

10 이 그림을 보고 상상한 이야기에 어울리는 제목을 생각하여 쓰시오.

( )

1~2 만화를 읽고, 물음에 답하시오.

아, 맞다. 쓰레기를 버려야 하는데 벌써 어두워졌네. 무서워서 나가기 싫은데 어떡하지?

골목 입구에 쓰레기가 쌓여 있어서 다닐 때 너무 불편해.

이 문제를 해결할 수 있는 방법은 없을까?

❶

좁은 장소에 한꺼번에 쓰레기를 버리니까 몹시 지저분하고 다니기도 불편해. 게다가 밤이 되면 으스스하기까지 해.

지저분해.

뒤죽박죽이야.

❷

짜잔! 그래서 마련했어. 쓰레기를 깔끔하게 버릴 수 있는 쓰레기 정거장! 재활용품, 음식물 쓰레기, 일반 쓰레기로 나눠서 버릴 수 있지. 밤에는 환하게 불도 밝혀 놓았어.

우아! 이런 곳이 있다니!

❸

쓰레기를 깔끔하게 종류별로 나눠서 버릴 수 있잖아!

1 쓰레기를 버릴 때 어떤 점이 불편했는지 쓰시오. [6점]

_____

_____

2 다음 결과가 일어나게 된 원인을 쓰시오. [6점]

원인	
결과	쓰레기 정거장이 생겼다.

3~4 글을 읽고, 물음에 답하시오.

　　그날 저녁이었습니다. 승호는 교실에 혼자 남겨 두고 온 짹짹콩콩이가 걱정되어 잠을 이룰 수가 없었습니다. 걱정을 하던 승호는 살그머니 밖으로 나왔습니다. 그리고 학교를 향해 달렸습니다. 승호는 조금 무서웠지만 조심조심 복도를 걸어 교실로 갔습니다.
　　"어?"
　　승호는 두 눈을 동그랗게 떴습니다. 교실에는 선생님과 여러 명의 아이가 와 있었습니다.
　　"너도 짹짹콩콩이가 걱정돼서 왔구나."
　　선생님께서 아기 참새를 두 손으로 감싸 쥐고 계셨습니다.

3 교실로 간 승호가 놀라 두 눈을 동그랗게 뜬 까닭은 무엇인지 쓰시오. [6점]

_____

_____

4 다음 일이 원인이 되어 일어난 결과를 쓰시오. [6점]

> 승호는 교실에 혼자 남은 아기 참새가 걱정되었다.

_____

_____

5 원인과 결과를 생각하며 경험을 말하면 어떤 점이 좋은지 쓰시오. [6점]

_____

_____

6단원

관련 성취 기준	시간의 흐름에 따라 사건이나 행동이 드러나게 글을 쓴다.
평가 목표	원인과 결과를 생각하며 이야기를 꾸밀 수 있다.

1~3 어떤 일이 일어났을지 상상하며 그림을 살펴봅시다.

1 그림 ❶~❹를 일이 일어났을 차례를 짐작해 차례대로 번호를 쓰시오. [5점]

( )

2 그림 ❶~❹에서 일의 원인과 결과를 찾아 한 가지 쓰시오. [10점]

(1) 원인	
(2) 결과	

3 이 그림에서 일어났을 일을 상상하여, 원인과 결과를 생각하며 이야기를 꾸며 쓰시오. [15점]

3학년   반   점수

이름

1 국어사전에 싣는 내용에 대한 설명으로 알맞지 <u>않은</u> 것은 어느 것입니까? ( )

① 긴 낱말에서 짧은 낱말 차례대로 싣는다.

② 한글 자음과 모음 차례대로 낱말을 싣는다.

③ 낱말의 발음, 낱말의 뜻, 낱말이 사용되는 예 따위의 정보가 들어 있다.

④ 낱말의 뜻풀이만으로 부족한 경우에는 그림이나 사진을 함께 싣기도 한다.

⑤ 부록으로 한글 맞춤법이나 표준어 규정과 같은 우리말에 대한 유용한 내용을 싣는다.

2 다음 낱말 중 국어사전에 가장 먼저 싣는 낱말은 어느 것입니까? ( )

① 가을   ② 두부
③ 발등   ④ 라디오
⑤ 고슴도치

3 다음 낱말 중 형태가 바뀌는 낱말이 <u>아닌</u> 것은 어느 것입니까? ( )

① 먹다   ② 소금
③ 웃다   ④ 달리다
⑤ 일어서다

4 다음 밑줄 그은 낱말에서 형태가 바뀌지 않는 부분은 무엇입니까? ( )

• 동생이 밥을 <u>먹는다</u>.
• 동생이 밥을 <u>먹었다</u>.
• 동생이 밥을 <u>먹으면</u> 나는 간식을 먹겠다.
• 동생이 밥을 <u>먹고</u> 이를 닦았다.

① 먹   ② 고
③ 는다   ④ 었다
⑤ 으면

5 다음 밑줄 그은 낱말의 기본형은 무엇인지 빈칸에 쓰시오.

친구들과 함께 소풍을 갔습니다. 넓은 잔디밭에서 둘씩 짝을 지어 서로의 한 발을 끈으로 <u>묶고</u> 달리기를 했습니다. 놀이가 끝난 뒤에 <u>묶은</u> 끈을 풀고 친구들과 함께 이야기했습니다.

낱말	형태가 바뀌지 않는 부분	기본형
묶고	묶	
묶은	묶	

6 낱말 ㉠~㉤의 기본형이 잘못 연결된 것은 어느 것입니까? ( )

> 기후에 따라 사람들이 생활하는 모습이 다릅니다. ㉠입는 옷, 먹는 음식, 사는 집도 기후와 ㉡깊은 관련이 있습니다. 기후에 따라 생활 모습이 어떻게 다른지 알아봅시다.
> 기후에 따라 입는 옷이 다릅니다. 추운 겨울에는 몸의 열을 빼앗기지 ㉢않으려고 가죽옷이나 두꺼운 털옷을 입습니다. 그러나 무더운 여름에는 몸에서 생기는 열을 내보내려고 ㉣얇고 성긴 옷을 입습니다.
> 한복도 여름에는 몸에 잘 ㉤붙지 않도록 까슬까슬한 옷감으로 만들었습니다.

① ㉠ – 입다
② ㉡ – 깊다
③ ㉢ – 않다
④ ㉣ – 얇다
⑤ ㉤ – 붙으다

국어 활동

7 다음 낱말의 기본형을 쓰시오.

> 솟고, 솟으니, 솟아서

( )

8~9 글을 읽고, 물음에 답하시오.

> 그렇지만 모든 꽃을 다 먹을 수 있는 것은 아닙니다. 진달래, 국화, 장미, 금잔화, 삼색제비꽃, 제비꽃처럼 먹을 수 있는 꽃을 골라 먹어야 합니다. 그리고 먹을 수 있는 꽃이라고 하더라도 꽃가루 등에 의한 알레르기를 일으킬 수 있으므로 암술, 수술, 꽃받침을 제거하고 먹어야 합니다. 특히 진달래는 수술에 약한 독성이 있으므로 반드시 꽃술을 제거하고 꽃잎만 깨끗한 물에 씻은 뒤에 먹어야 합니다.
> 꽃집에서 파는 꽃이나 정원의 꽃은 ㉠함부로 먹으면 안 됩니다. 농약을 친 꽃에는 독성이 있기 때문입니다.

서술형

8 ㉠'함부로'의 뜻을 짐작하여 쓰고, 국어사전에서 그 뜻을 찾아 쓰시오.

(1) 짐작한 뜻	
(2) 국어사전에서 찾은 뜻	

9 이 글을 읽고 새로 안 내용을 정리한 것으로 알맞은 것은 무엇입니까? ( )

① 모든 꽃은 다 먹을 수 있다.
② 꽃집에서 파는 꽃은 모두 먹어도 된다.
③ 진달래는 꽃술을 제거하지 않고 먹을 수 있다.
④ 정원의 꽃에는 농약을 치지 않기 때문에 먹어도 된다.
⑤ 진달래, 국화, 장미, 금잔화, 삼색제비꽃, 제비꽃은 먹을 수 있는 꽃이다.

10 다음은 나만의 국어사전에 실을 낱말입니다. 국어사전에 싣는 차례대로 낱말을 쓰시오.

> 누리 지게 그윽하다 희나리 햇귀

( )

1 다음과 같이 낱말의 뜻이 궁금할 때에는 어떻게 해야 하는지 쓰시오.

낱말의 뜻을 알고 싶을 때에는 어떻게 해야 할까?

다른 사람에게 물어보면 될 것 같아.

만약 물어볼 사람이 없으면 어떡하지?

(   )

2 국어사전에서 '친구'의 뜻을 찾을 때 가장 먼저 찾아야 할 낱자는 무엇입니까? (   )
① ㅊ   ② ㅣ
③ ㄴ   ④ ㄱ
⑤ ㅜ

서술형
3 두 낱말 '가게'와 '거미' 가운데에서 '가게'를 국어사전에 먼저 싣는 까닭은 무엇인지 쓰시오.

_____

_____

4 다음 중 낱말을 국어사전에 싣는 차례대로 바르게 쓴 것은 어느 것입니까? (   )
① 가을, 마을, 두부
② 사슴, 사진, 사슬
③ 새, 사탕, 소리
④ 발자국, 바다, 발등
⑤ 고구마, 고슴도치, 고양이

5 다음 밑줄 그은 낱말에서 형태가 바뀌지 않는 부분과 형태가 바뀌는 부분을 각각 쓰시오.

- 산은 <u>높은데</u> 언덕은 낮다.
- 산은 <u>높고</u> 바다는 넓다.
- 우리 마을에 <u>높은</u> 산이 있다.
- 산이 <u>높아서</u> 올라가기가 힘들다.

낱말	형태가 바뀌지 않는 부분	형태가 바뀌는 부분
높은데	높	은데
높고	(1)	(2)
높은	높	(3)
높아서	(4)	(5)

6 다음 글에서 밑줄 그은 낱말 중, 기본형을 국어사전에 가장 먼저 싣는 것은 어느 것입니까?
( )

> 기후에 따라 사람들이 생활하는 모습이 다릅니다. 입는 옷, 먹는 음식, 사는 집도 기후와 깊은 관련이 있습니다. 기후에 따라 생활 모습이 어떻게 다른지 알아봅시다.
> 기후에 따라 입는 옷이 다릅니다. 추운 겨울에는 몸의 열을 빼앗기지 않으려고 가죽옷이나 두꺼운 털옷을 입습니다. 그러나 무더운 여름에는 몸에서 생기는 열을 내보내려고 얇고 성긴 옷을 입습니다.

① 입는 ② 먹는 ③ 있습니다
④ 생기는 ⑤ 얇고

7~8 글을 읽고, 물음에 답하시오.

> 우리 조상은 ㉠꽃을 눈으로도 즐기고 입으로도 즐겼습니다. 삼짇날이 되면 진달래 꽃잎을 넣고 찹쌀가루를 둥글납작하게 부쳐서 만든 진달래화전을 먹었습니다. 오늘날의 프라이팬이라고도 할 수 있는 번철을 돌 위에 올리고 그 아래에 불을 피워 화전을 부쳤습니다. 번철 대신 솥뚜껑을 쓰기도 했습니다.
> 삼짇날에는 진달래화채도 만들어 먹었습니다. 진달래 꽃잎을 녹말가루에 묻혀 살짝 튀긴 뒤, 설탕이나 꿀을 넣어 달게 담근 오미자즙에 띄워 먹었습니다.

7 ㉠에서 꽃을 눈으로도 즐기고 입으로도 즐겼다는 것은 무슨 뜻이겠습니까? ( )

① 옷을 꽃으로 장식했다.
② 꽃을 눈으로 보기만 했다.
③ 꽃에 대한 이야기를 많이 했다.
④ 꽃 모양의 음식을 만들어 먹었다.
⑤ 눈으로 꽃을 보기도 하지만 꽃으로 요리를 만들어 먹기도 했다.

8 이 글에 나오는 낱말 가운데에서 뜻을 모르는 낱말을 국어사전에서 찾아보았습니다. 다음은 어떤 낱말의 뜻일지 찾아 쓰시오.

> 음력 삼월 초사흗날

( )

국어 활동

9 낱말 ㉠~㉣을 국어사전에 싣는 차례대로 기호를 쓰시오.

> 그런 다음 옆면을 포장합니다. 옆면 ㉠포장지를 상자 위쪽 ㉡가장자리에 맞추어 아래로 접고, 양옆 포장지를 가장자리에 맞추어 안쪽으로 접습니다. 아래쪽은 접은 선이 상자 가운데에 오도록 접으면 됩니다. 접은 부분에 ㉢양면테이프를 붙여 마무리합니다. 반대쪽도 같은 방법으로 합니다.
> ㉣선물 상자를 깔끔하고 예쁘게 포장하려면 포장지가 구겨지지 않도록 해야 합니다. 또 접는 부분은 손으로 힘을 주어 눌러서 접습니다.

( )

10 나만의 국어사전을 만들 때 주의할 점이 아닌 것은 어느 것입니까? ( )

① 낱말의 뜻을 정확하게 설명한다.
② 어려운 낱말은 뜻을 상상하여 쓴다.
③ 형태가 바뀌는 낱말은 기본형으로 넣는다.
④ 국어사전에 알맞은 형식을 갖추어 만든다.
⑤ 국어사전에 싣는 차례대로 낱말을 정리한다.

3학년   반   점수

이름   /30점

정답과 해설 ● 54쪽

1 국어사전이 필요한 까닭은 무엇인지 쓰시오.
[5점]

_____

_____

2 두 낱말 '하늘'과 '학교' 가운데에서 '하늘'을 국어사전에 먼저 싣는 까닭은 무엇인지 쓰시오. [5점]

_____

_____

3 국어사전에 형태가 바뀌는 낱말을 모두 싣지 않고 기본형만 싣는 까닭은 무엇이겠는지 쓰시오. [5점]

_____

_____

_____

4 다음 글에서 밑줄 그은 '입기도'의 기본형을 쓰고, 그 뜻에 알맞게 문장을 만들어 쓰시오.
[5점]

> 한복도 여름에는 몸에 잘 붙지 않도록 까슬까슬한 옷감으로 만들었습니다. 그리고 바람이 잘 통하도록 등나무로 만든 기구를 먼저 걸치고 저고리를 <u>입기도</u> 했습니다.

5~6 글을 읽고, 물음에 답하시오.

> 우리 조상은 자연에서 나오는 순수한 색소로 찹쌀가루에 물을 들여 화전을 만들기도 했습니다. 쑥·시금치·신감채·녹찻잎 등으로는 초록색 물을 들였고, 단호박·치자 등으로는 노란색 물을 들였습니다. 오미자·복분자로는 빨간색 물을, 보라색 고구마로는 보라색 물을, 당근으로는 주황색 물을 들였습니다. 검은깨나 검은콩으로는 검은색 물을 들였습니다.
>
> 자연에서 얻은 천연 색소는 음식을 돋보이게 할 뿐만 아니라 재료의 영양이 그대로 살아 있어 건강에도 무척 좋습니다. 이렇듯 화전에는 자연이 준 선물을 음식에 이용한 조상의 지혜가 담겨 있습니다.

5 이 글에 나오는 낱말 가운데에서 뜻을 모르거나 자세히 알고 싶은 낱말을 국어사전에서 찾아 그 뜻을 쓰시오. [5점]

(1) 낱말	
(2) 국어사전에서 찾은 뜻	

6 이 글을 읽고 더 알고 싶은 내용은 무엇이 있는지 쓰시오. [5점]

_____

_____

관련 성취 기준	낱말을 분류하고 국어사전에서 찾는다.
평가 목표	국어사전을 활용하며 글을 읽을 수 있다.

1~3 낱말 뜻을 생각하며 글을 읽어 봅시다.

> 우리 조상은 꽃을 눈으로도 즐기고 입으로도 즐겼습니다. 삼짇날이 되면 진달래 꽃잎을 넣고 찹쌀가루를 둥글납작하게 부쳐서 만든 진달래화전을 먹었습니다. 오늘날의 프라이팬이라고도 할 수 있는 번철을 돌 위에 올리고 그 아래에 불을 피워 화전을 부쳤습니다. 번철 대신 솥뚜껑을 쓰기도 했습니다.
>
> 삼짇날에는 진달래화채도 만들어 먹었습니다. 진달래 꽃잎을 녹말가루에 묻혀 살짝 튀긴 뒤, 설탕이나 꿀을 넣어 달게 담근 오미자즙에 띄워 먹었습니다.

1 이 글을 읽고 새로 안 내용을 두 가지 쓰시오. [5점]

(1) _____

(2) _____

2 밑줄 그은 낱말을 아래의 기준에 맞게 나누어 쓰시오. [10점]

(1) 형태가 바뀌는 낱말	
(2) 형태가 바뀌지 않는 낱말	

3 2번 문제에서 나눈 형태가 바뀌는 낱말의 기본형을 쓰고, 국어사전에서 낱말 뜻을 찾아 쓰시오. [15점]

낱말	기본형	국어사전에서 찾은 뜻
(1)		
(2)		
(3)		

1~2 글을 읽고, 물음에 답하시오.

> "무슨 말인가? 우리 감나무에 달린 감이야."
> "도련님 댁 감이라고요? ㉠그건 우리 감이에요. 보시다시피 우리 집으로 가지가 넘어왔잖아요."
> 옆집 하인이 그쪽으로 넘어간 감나무 가지를 자기네 것이라고 우기며 감을 따지 못하게 했습니다.
> "그런 경우가 어디 있나? 그 감은 우리 것이네. 아무리 담 너머로 가지가 넘어갔어도 감나무는 우리 집에서 심고 가꾸었기 때문이야."
> 오성은 어이없다는 듯이 옆집 하인에게 말했습니다.

1 옆집 하인이 ㉠과 같이 말한 까닭은 무엇입니까? (　　　)

① 감나무를 자기가 가꾸어서
② 자기네 집으로 가지가 넘어와서
③ 오성이 감나무를 직접 심지 않아서
④ 감을 몰래 따려는 오성을 혼내 주려고
⑤ 권 판서 대감이 자기네 감이라고 해서

2 다음은 누구의 의견에 대한 까닭입니까?

> 우리 집에서 심고 가꾸었기 때문이다.

(　　　　　　　)

3~4 글을 읽고, 물음에 답하시오.

> ㉮ 자 부인: 아씨가 바느질을 잘 해내는 것은 다 내 덕이라고. 옷감의 넓고 좁음, 길고 짧음은 내가 아니면 알 수 없어. 그러니까 우리 중에서 가장 중요한 것은 바로 나라고!
> ㉯ 가위 색시: 아니, 내 덕은 몰라라 하고 형님 자랑만 하는군요. 옷감을 잘 재어 본들 자르지 않으면 무슨 소용이 있나요? 내가 나서서 옷감을 잘라야 일이 된다고요.

3 자 부인의 의견에 대한 까닭은 무엇인지 빈칸에 알맞은 말을 쓰시오.

• 옷감의 (　　　　　　　　　)은/는 자신이 아니면 알 수 없기 때문이다.

4 가위 색시가 자신이 가장 중요하다고 한 까닭은 무엇입니까? (　　　)

① 자 부인이 일을 하지 않아서
② 옷감을 잘라야 일이 되어서
③ 옷감을 잘 재는 것이 중요한 일이어서
④ 옷감의 길고 짧음은 자신이 아니면 알 수 없어서
⑤ 아씨가 바느질을 잘하는지 자신만 알 수 있어서

국어 활동
5 다음에서 인물의 의견에 알맞게 선으로 이으시오.

> 부엉이는
> "뭐니 뭐니 해도 눈 밝은 게 제일이지. 먼저 본 다람쥐가 주인이야."
> 그다음 앵무새는
> "뭐니 뭐니 해도 말 잘하는 게 제일이지. 먼저 말한 다람쥐가 주인이야."
> 이번에는 토끼에게 물어보았어요.
> 토끼는
> "뭐니 뭐니 해도 재빠른 게 제일이지. 먼저 주운 다람쥐가 주인이야."

(1) 부엉이 •　　• ① 먼저 본 다람쥐가 주인이다.

(2) 앵무새 •　　• ② 먼저 주운 다람쥐가 주인이다.

(3) 토끼 •　　• ③ 먼저 말한 다람쥐가 주인이다.

6~7 글을 읽고, 물음에 답하시오.

가 우리는 지구를 깨끗이 하려고 노력해야 합니다. 왜냐하면 지구는 앞으로도 우리가 살아갈 터전이기 때문입니다. 그런데 우리가 한 번 쓰고 난 뒤에 무심코 버리는 일회용품은 지구를 병들게 합니다. 일회용품은 평소에 사람들이 자주 쓰는 비닐봉지, 일회용 컵, 일회용 나무젓가락 따위를 말합니다. 그러므로 일회용품을 덜 쓰려면 다음과 같은 일을 실천해야 합니다.

나 첫째, 비닐봉지를 적게 써야 합니다. 왜냐하면 전 세계에서 매년 사용하고 버리는 비닐봉지 양이 매우 많기 때문입니다. 이것을 처리하려면 돈이 많이 듭니다. 그냥 두면 없어지는 데 500년이 넘게 걸립니다.

6 **가** 문단의 중심 문장으로 알맞은 것은 무엇입니까? ( )

① 우리는 지구를 깨끗이 하려고 노력해야 합니다.

② 지구는 앞으로도 우리가 살아갈 터전이기 때문입니다.

③ 일회용품을 덜 쓰려면 다음과 같은 일을 실천해야 합니다.

④ 우리가 한 번 쓰고 난 뒤에 무심코 버리는 일회용품은 지구를 병들게 합니다.

⑤ 일회용품은 평소에 사람들이 자주 쓰는 비닐봉지, 일회용 컵, 일회용 나무젓가락 따위를 말합니다.

7 이 글에 붙이기에 알맞은 제목을 생각하여 쓰시오.

( )

8~9 글을 읽고, 물음에 답하시오.

첫째, 약속을 잘 지키는 습관을 기릅시다. 약속은 자신이나 다른 사람과 어떤 일을 지키기로 다짐한 것으로 신뢰를 줄 수 있기 때문입니다. 우리는 살면서 약속을 자주 합니다. 약속을 잘 지키면 주변 사람들에게 믿음을 줄 수 있습니다. 그리고 사람들과 사이도 좋아집니다. 약속을 잘 지키는 것은 지켜야 할 기본예절입니다. 그러므로 약속을 잘 지킬 수 있도록 노력해야 합니다.

8 이 글의 중심 문장은 무엇인지 쓰시오.

( )

9 이 글에서 알 수 있는 내용으로 알맞지 **않은** 것은 어느 것입니까? ( )

① 약속을 잘 지키면 규칙적인 생활을 할 수 있다.

② 약속을 잘 지키면 사람들과 사이가 좋아진다.

③ 약속을 잘 지키는 것은 지켜야 할 기본예절이다.

④ 약속을 잘 지키면 주변 사람들에게 믿음을 줄 수 있다.

⑤ 약속은 자신이나 다른 사람과 어떤 일을 지키기로 다짐한 것으로 신뢰를 줄 수 있다.

서술형

10 복도에서 뛰어다니는 문제점에 대한 다음 의견을 보고, 의견에 알맞은 까닭을 생각하여 쓰시오.

의견	복도에서는 오른쪽으로 다니고 사뿐사뿐 걸으면 좋겠습니다.
그렇게 생각한 까닭	

1~2 글을 읽고, 물음에 답하시오.

㉮ "대감님, 저의 무례함을 용서하십시오."
　오성은 창호지를 바른 방문 안으로 팔을 쑥 들이밀었습니다. 책을 읽고 있던 권 판서는 방문을 뚫고 들어온 팔을 보고 깜짝 놀랐습니다.
㉯ "그렇다면 한 말씀 더 여쭙겠습니다. 저 담 너머 감나무에서 뻗어 나와 이 댁에 넘어온 가지는 누구네 것입니까?"
　권 판서는 오성이 무엇 때문에 방문을 뚫고 팔을 들이밀었는지 그 뜻을 금방 깨달았습니다.
　"음, 그야 너희 것이지. 우리 집에 가지가 일부분 넘어왔어도 나무의 뿌리는 너희 집에 있지 않느냐." / "그렇다면 왜 이 댁 하인들이 저희에게 감을 못 따게 합니까?"
　"우리 집 하인들이 생각이 모자랐던 것 같구나. 다시는 그런 일이 없도록 하마."

1 오성이 권 판서 대감을 만나 어떤 행동을 했습니까? 　　　　(　)

① 큰 목소리로 책을 읽었다.
② 잘 익은 감을 선물로 드렸다.
③ 감나무 가지를 잘라 달라고 말했다.
④ 권 판서 댁 하인이 몰래 감을 먹었다고 말했다.
⑤ 창호지를 바른 방문 안으로 팔을 쑥 들이밀었다.

2 권 판서 대감의 다음 의견에 대한 까닭은 무엇입니까? 　　　　(　)

> 감은 오성의 것이다.

① 하인들이 감을 좋아하기 때문에
② 감나무 뿌리가 담을 넘어왔기 때문에
③ 감나무 뿌리가 오성의 집에 있기 때문에
④ 권 판서 대감이 감나무를 심었기 때문에
⑤ 권 판서 대감이 오성에게 감을 주었기 때문에

3~5 글을 읽고, 물음에 답하시오.

　그러자 앉아서 듣고만 있던 새침데기 바늘 각시가 따끔하게 쏘듯 한마디 합니다.
바늘 각시: 구슬이 서 말이라도 꿰어야 보배이지요. 내가 이 솔기 저 솔기 꿰매고 나서야 입을 옷이 되지 않나요? 내가 없으면 옷을 만드는 바느질은 절대로 할 수 없어요.
　멋쟁이 홍실 각시는 코웃음부터 한 번 치고 제법 여유 있게 자기 자랑을 늘어놓았습니다.
홍실 각시: 호호호, 실이 없는 바늘이 무슨 일을 하겠니? 한 땀 반 땀이라도 실이 들어가야 하지 않니? 그러니까 나야말로 진짜 주인공이 아니겠어? 호호호.

3 바늘 각시와 홍실 각시가 가지고 있는 공통된 의견은 무엇인지 쓰시오.

(　　　　　　　　　　　　)

4 바늘 각시의 의견에 대한 까닭으로 알맞은 것은 어느 것입니까? 　　　　(　)

① 구슬은 많아야 한다.
② 실이 없으면 바늘도 소용이 없다.
③ 홍실 각시의 도움이 반드시 필요하다.
④ 바늘이 있어야 꿰매고 옷을 만들 수 있다.
⑤ 한 땀 반 땀 정성스럽게 옷을 만들어야 한다.

논술형
5 자신은 홍실 각시의 의견에 대해 어떻게 생각하는지 까닭과 함께 쓰시오.

_____

_____

6~7 글을 읽고, 물음에 답하시오.

> 셋째, 일회용 나무젓가락을 적게 써야 합니다. 왜냐하면 나무젓가락을 만들려면 나무를 많이 베어야 하기 때문입니다. 일회용 나무젓가락은 나무로 만들기 때문에 환경에 피해를 주지 않을 것이라고 생각하기 쉽습니다. 그러나 일회용 나무젓가락을 만들 때 잘 썩지 않도록 약품 처리를 하기 때문에 그냥 두면 20년쯤 지나야만 자연으로 돌아간다고 합니다. 그러므로 여러 번 쓸 수 있는 젓가락을 사용해야 합니다.
>
> 우리는 일회용품을 덜 써서 깨끗한 지구를 만들어야 합니다. 지금까지 살펴본 것은 우리가 생활 속에서 실천할 수 있는 일입니다. 이 밖에도 우리가 할 수 있는 일을 찾아보면 여러 가지가 있습니다. 지구를 가꾸는 것은 우리 모두가 해야 할 일입니다. 우리가 함께 노력한다면 깨끗한 지구를 만들 수 있습니다.

6 일회용 나무젓가락에 대한 설명으로 알맞지 <u>않은</u> 것은 어느 것입니까? ( )

① 나무로 만든다.
② 환경에 피해를 주지 않는다.
③ 잘 썩지 않도록 약품 처리를 한다.
④ 그냥 두면 20년쯤 지나야만 자연으로 돌아간다.
⑤ 나무젓가락을 만들려면 나무를 많이 베어야 한다.

7 글쓴이의 의견은 무엇인지 쓰시오.

( )

8 다음 의견에 어울리지 않는 까닭은 어느 것입니까? ( )

> 책을 많이 읽어야 한다.

① 책을 읽으면 지식을 얻을 수 있기 때문이다.
② 책을 읽으면 생각하는 힘이 커지기 때문이다.
③ 책은 우리가 궁금한 것을 알려 주기 때문이다.
④ 책에는 우리에게 좋지 않은 정보가 많기 때문이다.
⑤ 재미있는 책을 읽으면 즐거움을 얻을 수 있기 때문이다.

9 다음 글의 중심 문장을 찾아 밑줄을 그으시오.

> 셋째, 고마워하는 마음을 표현하는 습관을 기릅시다. 작은 일에도 고마워하는 마음을 표현하면 주변 사람과 자기 자신 모두를 행복하게 만들 수 있기 때문입니다. 맛있는 음식을 먹을 수 있고, 안전한 곳에서 잠잘 수 있는 것처럼 우리에게는 고마워할 일이 참 많습니다.

10 다음에서 찾을 수 있는 문제점에 대한 의견으로 알맞은 것은 무엇입니까? ( )

① 복도에서는 뛰지 않습니다.
② 쓰레기는 쓰레기통에 버립시다.
③ 도서관의 책을 소중히 다룹시다.
④ 급식실에서 조용히 하면 좋겠습니다.
⑤ 친구들끼리 고운 말로 말해야 합니다.

1~2 글을 읽고, 물음에 답하시오.

"대감님, 지금 이 팔이 누구 팔입니까?"

"그야 네 팔이지, 누구 팔이겠느냐?"

"지금 이 팔은 방 안에 들어가 있지 않습니까?"

"방 안에 있다 해도 네 몸에 붙었으니까 네 팔이지."

권 판서는 오성의 당돌한 질문에 호기심을 느꼈습니다.

"그렇다면 한 말씀 더 여쭙겠습니다. 저 담 너머 감나무에서 뻗어 나와 이 댁에 넘어온 가지는 누구네 것입니까?"

권 판서는 오성이 무엇 때문에 방문을 뚫고 팔을 들이밀었는지 그 뜻을 금방 깨달았습니다.

"음, 그야 너희 것이지. 우리 집에 가지가 일부분 넘어왔어도 나무의 뿌리는 너희 집에 있지 않느냐."

"그렇다면 왜 이 댁 하인들이 저희에게 감을 못 따게 합니까?"

"우리 집 하인들이 생각이 모자랐던 것 같구나. 다시는 그런 일이 없도록 하마."

1 오성이 권 판서 대감의 방문에 팔을 들이민 까닭은 무엇일지 쓰시오. [6점]

_____

_____

2 권 판서 대감의 의견은 무엇인지 쓰시오. [6점]

_____

_____

3 다음 글에서 다리미 소저는 왜 자신이 중요하다고 했는지 쓰시오. [6점]

다리미 소저: 나도요. 인두 언니와 마찬가지인 걸요. 구겨지고 접힌 곳을 내가 말끔히 펴 주어야 하지요. 그래야 옷도 맵시가 나지요.

_____

_____

4~5 글을 읽고, 물음에 답하시오.

우리는 지구를 깨끗이 하려고 노력해야 합니다. 왜냐하면 지구는 앞으로도 우리가 살아갈 터전이기 때문입니다. 그런데 우리가 한 번 쓰고 난 뒤에 무심코 버리는 일회용품은 지구를 병들게 합니다. 일회용품은 평소에 사람들이 자주 쓰는 비닐봉지, 일회용 컵, 일회용 나무젓가락 따위를 말합니다. 그러므로 일회용품을 덜 쓰려면 다음과 같은 일을 실천해야 합니다.

첫째, 비닐봉지를 적게 써야 합니다. 왜냐하면 전 세계에서 매년 사용하고 버리는 비닐봉지 양이 매우 많기 때문입니다. 이것을 처리하려면 돈이 많이 듭니다. 그냥 두면 없어지는 데 500년이 넘게 걸립니다.

4 일회용품을 많이 쓰면 지구가 어떻게 된다고 하였는지 쓰시오. [6점]

_____

_____

5 글쓴이가 이 글을 쓴 목적은 무엇이겠는지 쓰시오. [6점]

_____

_____

3학년 반	점수
이름	/30점

정답과 해설 ● 56쪽

관련 성취 기준	문단과 글의 중심 생각을 파악한다.
평가 목표	의견을 파악하며 글을 읽을 수 있다.

1~3 글쓴이의 의견을 생각하며 글을 읽어 봅시다.

셋째, (㉠) 작은 일에도 고마워하는 마음을 표현하면 주변 사람과 자기 자신 모두를 행복하게 만들 수 있기 때문입니다. 맛있는 음식을 먹을 수 있고, 안전한 곳에서 잠잘 수 있는 것처럼 우리에게는 고마워할 일이 참 많습니다. 작은 일에도 고마워하는 마음을 표현하는 습관을 길러 봅시다.

습관은 우리 삶에서 아주 중요한 역할을 합니다. 처음에는 어려운 일도 자주 하다 보면 습관이 되어 우리 삶을 바꿀 수 있습니다. 자신의 삶을 발전하게 하는 좋은 습관이 있는가 하면 좋지 않은 습관도 있습니다. 여러분은 어떤 습관을 기르고 싶나요? 우리 모두 좋은 습관을 기를 수 있도록 꾸준히 노력합시다.

1 ㉠에 들어갈 알맞은 중심 문장을 쓰시오. [5점]

2 글쓴이의 의견을 파악하여 쓰시오. [10점]

3 글쓴이의 의견과 관련하여 자신이 실천하고 싶은 일과 그 까닭을 쓰시오. [15점]

(1) 자신이 실천하고 싶은 일	
(2) 그 까닭	

1 글을 읽다가 뜻을 모르는 낱말이 나왔을 때 할 수 있는 일로 알맞지 <u>않은</u> 것은 어느 것입니까? 　　(　　)

① 어른께 여쭈어본다.
② 국어사전을 찾아본다.
③ 인터넷에서 검색해 본다.
④ 그 낱말을 빼고 글을 읽는다.
⑤ 앞뒤 내용을 보고 미루어 짐작해 본다.

2~3 글을 읽고, 물음에 답하시오.

　다람쥐처럼 쥐 무리에 속하는 동물들은 이빨이 계속해서 자란다고 해요. 그렇기 때문에 이빨을 ㉠<u>닳게</u> 하려고 쉬지 않고 나무를 쏠거나 딱딱한 열매를 갉아 먹는 것이죠.
　그래서 다람쥐가 좋아하는 먹이는 도토리, 밤, 땅콩, 호두, 잣과 같이 대부분 껍질이 딱딱한 열매예요. 하지만 가끔은 채소의 싹을 잘라 먹기도 하고 곤충을 잡아먹기도 한대요.

2 ㉠'닳게'와 바꾸어도 내용이 바뀌지 않는 낱말은 어느 것입니까? 　　(　　)

① 줄게　　　　　② 굵게
③ 커지게　　　　④ 늘어나게
⑤ 아름답게

3 ㉠'닳게'의 뜻을 국어사전에서 찾으려고 합니다. '닳게'의 기본형을 쓰시오.

(　　　　　　　)

4~5 글을 읽고, 물음에 답하시오.

㉮ 닉은 페니 팬트리 가게에 가서 계산대에 있는 아주머니에게 '프린들'을 달라고 했다.
　아주머니는 눈을 가늘게 뜨고 물었다.
　"뭐라고?"
㉯ 엿새 뒤, 재닛이 그 계산대 앞에 서 있었다. 똑같은 가게, 똑같은 아주머니였다. 그 전날은 존이 다녀갔고, 그 전날은 피트가, 그 전날은 크리스가, 그 전날은 데이브가 다녀갔다. 재닛은 닉의 부탁을 받고 프린들을 사러 온 다섯 번째 아이였다.
　재닛이 프린들을 달라고 하자, 아주머니는 볼펜 쪽으로 손을 뻗으며 물었다.
　"파란색, 까만색?"
　닉은 옆에 있는 사탕 진열대 앞에 서 있다가 씨익 웃었다.
　'프린들'은 이제 펜을 가리키는 ㉠<u>어엿한</u> 낱말이다.

4 가게 아주머니는 '프린들'이 무엇인지 어떻게 알게 되었습니까? 　　(　　)

① 볼펜에 '프린들'이라는 글씨가 쓰여 있어서
② 닉이 사탕을 '프린들'로 바꿔 달라고 부탁해서
③ 예전부터 볼펜을 부르는 말이 '프린들'이어서
④ '프린들'은 아주머니가 볼펜에 붙인 이름이어서
⑤ 여섯 명이 계속해서 볼펜을 '프린들'이라고 불러서

5 앞뒤 문장이나 낱말을 살펴보고 ㉠'어엿한'의 뜻을 짐작하여 쓰시오.

(　　　　　　　)

9
단원

6 다음에서 ㉠'흡반'의 뜻을 짐작하여 쓰시오.

> 어떻게 그렇게 튼튼하게 붙어 있는지 담쟁이덩굴의 줄기를 들여다볼까요? 아니! 그런데 줄기에 돋아난 짧은 것이 줄기에서 나와 벽에 착 달라붙어 있네요. 마치 문어 다리에 있는 ㉠흡반처럼 생긴 것이 담쟁이덩굴을 착 붙어 있게 해 주네요.

(   )

7~8 글을 읽고, 물음에 답하시오.

> 어른이 된 반딧불이는 이슬을 먹고, 반딧불이의 애벌레는 다슬기나 달팽이를 먹고 삽니다.
> 반딧불이 애벌레는 달팽이 전문 사냥꾼이라고 불릴 정도로 먹성이 대단해요. 입에서 나오는 독으로 달팽이를 마비시킨 다음, 달팽이가 움직이지 못하면 그때부터 살살 녹여서 먹는답니다.
> 이야기를 듣다 보니 직접 반딧불이를 보고 싶지요? 그러나 반딧불이를 만나기는 그리 쉽지 않아요. 반딧불이는 애벌레의 먹이가 많고 물이 깨끗한 곳에서 살거든요.

7 반딧불이의 애벌레는 무엇을 먹고 산다고 하였는지 쓰시오.

(   )

8 이 글에서 찾을 수 있는 단서와 민수의 경험을 바탕으로 짐작할 수 있는 반딧불이를 관찰할 때 주의할 점은 무엇입니까? (   )

> 민수: 물이 깨끗하고 달팽이가 많이 사는 곳은 자연환경이 맑고 깨끗한 곳이야.

① 추운 겨울에 관찰할 수 있다.
② 환한 곳에 가야 관찰할 수 있다.
③ 조용하고 습한 곳에 가야 관찰할 수 있다.
④ 물이 빠르게 흐르는 곳에 가야 관찰할 수 있다.
⑤ 자연환경이 맑고 깨끗한 곳에 가야 관찰할 수 있다.

9 다음 글을 읽고 석주명이 오랫동안 몸을 다쳐 가며 나비를 잡았던 까닭을 알맞게 짐작한 것은 어느 것입니까? (   )

> **가** '저것은 지금까지 발견하지 못한 나비야.'
> 나비가 나는 모습만 보아도 암컷인지 수컷인지 알 수 있는 석주명이었습니다. 그는 가슴이 두근거렸습니다.
> **나** '어떻게 해서든지 저 나비를 꼭 잡아야 해.'
> 석주명은 나비를 찾으려고 풀숲도 헤쳐 보고 나뭇가지도 흔들어 보며 온 산을 헤매고 다녔습니다. 여기저기 부딪쳐 멍이 들고 나뭇가지에 살갗이 긁혀 피가 흘렀습니다.

① 우리나라에는 나비가 없다.
② 나비를 잡는 일은 매우 쉽다.
③ 석주명은 나비를 무서워한다.
④ 석주명은 몸이 튼튼하고 움직이는 것을 좋아한다.
⑤ 석주명은 나비를 좋아하고, 특히 새로운 나비를 찾는 일을 아주 중요하게 생각한다.

10 다음 '지진 발생 시 장소별 행동 요령'에 대한 안내문을 읽고, 지진이 났을 때 승강기를 타면 위험한 까닭을 짐작하여 쓰시오.

> **승강기 안에 있을 경우**
>
>
>
> 모든 숫자 단추를 눌러 가장 먼저 열리는 층에서 내린 뒤에 계단을 이용합니다.
> ※ 승강기를 타면 매우 위험합니다.

_____

_____

1 다음에서 ㉠'수심'의 뜻은 무엇인지 쓰시오.

> ### 수영 금지 안내문
>
> ○○ 폭포는 ㉠수심이 매우 깊어서 물에 빠질 경우 사고가 발생할 수 있는 장소이므로 수영이나 물놀이를 삼가 주시기 바랍니다.
>
> △△시공원관리사업소장 · △△소방서장

(   )

2~3 글을 읽고, 물음에 답하시오.

> 다람쥐처럼 쥐 무리에 속하는 동물들은 이빨이 계속해서 자란다고 해요. 그렇기 때문에 이빨을 ㉠닳게 하려고 쉬지 않고 나무를 쏠거나 딱딱한 열매를 갉아 먹는 것이죠.
>
> 그래서 다람쥐가 좋아하는 먹이는 도토리, 밤, 땅콩, 호두, 잣과 같이 대부분 껍질이 딱딱한 열매예요. 하지만 가끔은 채소의 싹을 잘라 먹기도 하고 곤충을 잡아먹기도 한대요.
>
> 가을이 되면 다람쥐는 겨울잠을 자려고 먹이를 많이 먹어 두어요.

2 이 글에서 다람쥐에 대해 설명한 내용으로 알맞지 <u>않은</u> 것은 어느 것입니까? (   )

① 곤충을 잡아먹기도 한다.
② 이빨이 계속해서 자란다.
③ 채소의 싹을 가장 좋아한다.
④ 가을이 되면 겨울잠을 자려고 먹이를 많이 먹어 둔다.
⑤ 이빨을 닳게 하려고 쉬지 않고 나무를 쏠거나 딱딱한 열매를 갉아 먹는다.

---

3 ㉠의 뜻과 같게 '닳다'를 넣어 문장을 만들어 쓰시오.

(   )

4~5 글을 읽고, 물음에 답하시오.

> 30분 뒤, 5학년 아이들이 심각한 표정을 지으며 닉의 방에서 회의를 했다. 존, 피트, 데이브, 크리스, 재닛이었다. 닉까지 합하면 여섯 명. 여섯 명의 비밀 요원이었다!
>
> 아이들은 오른손을 들고 닉이 쓴 ㉠서약서를 읽었다.
>
> > 나는 오늘부터 영원히 펜이라는 말을 쓰지 않겠다. 그 대신 프린들이란 말을 쓸 것이며, 다른 사람들도 그렇게 하도록 최선을 다할 것을 맹세한다.
>
> 여섯 명 모두 서약서에 서명을 했다. 닉의 프린들로.

4 아이들이 맹세한 것은 무엇인지 빈칸에 알맞게 쓰시오.

• '펜'이라는 말 대신 '(   )'(이)라는 말을 쓰는 것

5 ㉠'서약서'와 뜻이 비슷한 낱말은 어느 것입니까? (   )

① 볼펜   ② 교과서
③ 컴퓨터   ④ 계약서
⑤ 시험지

국어 활동

6 다음 글에서 **보기** 의 뜻을 가진 낱말은 무엇이겠습니까? ( )

> 이처럼 다른 것에 달라붙기 위해 줄기의 군데군데에서 나오는 뿌리를 부착 뿌리라고 해요. 다른 나무를 타고 올라가 사는 송악도 부착 뿌리를 가지고 있답니다. 부착 뿌리는 줄기에 힘이 없어서 혼자서는 똑바로 서지 못하는 식물들에 꼭 필요한 강력 접착제예요.

보기

> 떨어지지 않게 붙임. 또는 그렇게 붙이거나 닮.

① 줄기　　　　② 뿌리
③ 부착　　　　④ 송악
⑤ 강력

서술형

7 다음 '글에서 찾은 단서'와 '자신의 경험'을 바탕으로 하여 반딧불이를 관찰할 때 주의할 점을 짐작하여 쓰시오.

글에서 찾은 단서	• 수십, 수백 마리의 반딧불이가 반짝거리는 모습을 보면 말로는 설명이 안 될 정도로 황홀하다. • 반딧불이가 반짝반짝 빛을 내는 것은 서로 의견을 나누기 위해서이다.
자신의 경험	빛은 어두운 밤에 잘 보여.

8~9 글을 읽고, 물음에 답하시오.

> 석주명 선생님께
> 　조선에 있는 모든 나비를 연구해 책으로 써 주십시오.
> 　　　　　　　　　영국왕립아시아학회

　석주명은 책을 쓰기로 했습니다. 그는 이 책을 쓰려고 나비를 수만 마리나 모으며 온갖 정성을 쏟았습니다. 그리고 일본 학자들이 우리나라 나비에 대해 잘못 쓴 부분들을 찾아내 바로잡았습니다. 이렇게 하여 석주명은 우리나라에 사는 나비에 대한 책을 완성해 영국왕립도서관으로 보냈습니다.

8 석주명은 어떤 책을 완성해 영국왕립도서관으로 보냈습니까?

( )

9 영국왕립아시아학회에서 책을 써 달라는 편지를 받았을 때 석주명의 마음을 짐작한 것으로 알맞은 것은 어느 것입니까? ( )

① 외롭고 쓸쓸했을 것이다.
② 귀찮고 힘들었을 것이다.
③ 답답하고 억울했을 것이다.
④ 서운하고 안타까웠을 것이다.
⑤ 뿌듯하고 자랑스러웠을 것이다.

10 다음 안내문에 나오는 낱말 중, ㉠'특보'의 뜻을 짐작하여 쓰시오.

산이나 바다에 있을 경우

> 　산사태가 나거나 절벽이 붕괴될 수 있으니 안전한 곳으로 대피합니다. 해안에서 지진 해일 ㉠특보가 발령되면 높은 곳으로 이동합니다.

( )

1 뜻을 모르는 낱말이 있어 고민했던 경험을 떠올려 쓰시오. [6점]

_____

_____

2~3 글을 읽고, 물음에 답하시오.

다람쥐처럼 쥐 무리에 속하는 동물들은 이빨이 계속해서 자란다고 해요. 그렇기 때문에 이빨을 ㉠닳게 하려고 쉬지 않고 나무를 쏠거나 딱딱한 열매를 갉아 먹는 것이죠.

그래서 다람쥐가 좋아하는 먹이는 도토리, 밤, 땅콩, 호두, 잣과 같이 대부분 껍질이 딱딱한 열매예요. 하지만 가끔은 채소의 싹을 잘라 먹기도 하고 곤충을 잡아먹기도 한대요.

가을이 되면 다람쥐는 겨울잠을 자려고 먹이를 많이 먹어 두어요. 남은 먹이는 땅속에 먹이 창고를 만들어 감춰 두지요. 그리고 배고플 때마다 겨울잠에서 깨어나 먹이를 먹으며 겨울을 나지요.

2 다람쥐가 가을이 되면 먹이를 많이 먹어 두는 까닭은 무엇인지 쓰시오. [6점]

_____

_____

3 ㉠'닳게'의 뜻을 보기 와 같이 짐작하였습니다. 이 글의 어떤 내용을 통해 짐작한 것일지 쓰시오. [6점]

보기
계속해서 자라나지 않도록 / 짧아지게 / 줄어들게 / 작아지게

_____

_____

4 다음 글에서 ㉠'서약서'의 뜻을 짐작해 보고, 문장을 만들어 쓰시오. [6점]

아이들은 오른손을 들고 닉이 쓴 ㉠서약서를 읽었다.

나는 오늘부터 영원히 펜이라는 말을 쓰지 않겠다. 그 대신 프린들이란 말을 쓸 것이며, 다른 사람들도 그렇게 하도록 최선을 다할 것을 맹세한다.

여섯 명 모두 서약서에 서명을 했다. 닉의 프린들로.

(1) 짐작한 뜻	
(2) 문장	

5 다음 '글에서 찾은 단서'와 '자신의 경험'을 바탕으로 우리나라에서 반딧불이가 사라져 가는 까닭을 짐작하여 쓰시오. [6점]

글에서 찾은 단서	• 우리나라에서는 사라져 가는 반딧불이 서식지를 천연기념물로 정하고 있습니다. • 반딧불이는 애벌레의 먹이가 많고 물이 깨끗한 곳에서 살거든요. • 옛날에는 반딧불이가 너무 많아 지천으로 깔려 있다는 뜻으로 개똥벌레라고 했을 수 있습니다.
자신의 경험	나도 환경 오염이 심한 도시에서는 밤에 반딧불이를 본 적이 없어.

_____

_____

관련 성취 기준	글에서 낱말의 의미나 생략된 내용을 짐작한다.
평가 목표	생략된 내용을 짐작하며 글을 읽을 수 있다.

1~3 생략된 내용을 짐작하며 글을 읽어 봅시다.

㉮ 우리나라에서는 사라져 가는 반딧불이 서식지를 천연기념물로 정하고 있습니다. 전라북도 무주군 설천면 남대천 일대가 바로 그곳이에요. 여기에서는 매년 반딧불이 축제가 열립니다.
㉯ 도대체 반딧불이는 뭘 먹고 그토록 아름다운 빛을 내는 걸까요? 어른이 된 반딧불이는 이슬을 먹고, 반딧불이의 애벌레는 다슬기나 달팽이를 먹고 삽니다.
　반딧불이 애벌레는 달팽이 전문 사냥꾼이라고 불릴 정도로 먹성이 대단해요. 입에서 나오는 독으로 달팽이를 마비시킨 다음, 달팽이가 움직이지 못하면 그때부터 살살 녹여서 먹는답니다. / 이야기를 듣다 보니 직접 반딧불이를 보고 싶지요? 그러나 반딧불이를 만나기는 그리 쉽지 않아요. 반딧불이는 애벌레의 먹이가 많고 물이 깨끗한 곳에서 살거든요.
㉰ 우리나라 말에서 '개똥'이 들어가는 말은 ㉠보잘것없고 천한 것을 뜻합니다. '개똥참외'라고 하면 저절로 자라는 흔한 참외를 말하지요. 이것으로 미루어 볼 때, 옛날에는 반딧불이가 너무 많아 ㉡지천으로 깔려 있다는 뜻으로 개똥벌레라고 했을 수 있습니다.

1 ㉠'보잘것없고'와 ㉡'지천'의 뜻을 짐작하여 쓰시오. [10점]

(1) ㉠	
(2) ㉡	

2 글 ㉯에서 반딧불이를 만나기가 어렵다고 한 까닭을 짐작하여 쓰시오. [10점]

3 옛날과 요즘 사람들이 반딧불이를 어떻게 생각하는지 짐작하여 그 까닭과 함께 쓰시오. [10점]

(1) 옛날 사람들이 생각한 반딧불이	
(2) 요즘 사람들이 생각하는 반딧불이	

1~2 다음을 읽고, 물음에 답하시오.

1 초희는 『개구리와 두꺼비는 친구』를 읽으며 어떤 장면에서 감동을 받았는지 쓰시오.

(   )

2 초희와 덕무가 같은 책을 읽어도 느낌이 서로 다른 까닭을 두 가지 고르시오. (,   )

① 사람마다 경험이 다르기 때문이다.
② 사람마다 생각이 다르기 때문이다.
③ 사람마다 책을 산 곳이 다르기 때문이다.
④ 사람마다 책을 읽은 시간이 다르기 때문이다.
⑤ 사람마다 책을 읽는 속도가 다르기 때문이다.

3~5 시를 읽고, 물음에 답하시오.

친구의 우산을 함께 쓰고 왔다.

미안해서
㉠내가 비를 더 맞으려고
어깨를 우산 밖으로 내놓으면
친구가 우산을 내 쪽으로
더 기울여 주었다.

빗속을
우리는 나란히 걸었다.

좁은 길에선 일부러
내가 빗물 고인 자리를 디뎠다.
그걸 알았는지 친구는 나를
제 쪽으로 가만히 당겨 주는 것이었다.

3 이 시에는 어떤 경험이 나타나 있습니까?

(   )

① 비를 맞고 감기에 걸린 경험
② 비 오는 날, 친구와 다툰 경험
③ 비 오는 날, 우산을 잃어버린 경험
④ 빗물 고인 자리를 밟고 넘어진 경험
⑤ 비 오는 날, 친구와 함께 우산을 쓰고 걸어갔던 경험

4 ㉠에는 어떤 마음이 나타나 있습니까? (   )

① 부러운 마음   ② 섭섭한 마음
③ 미안한 마음   ④ 화가 난 마음
⑤ 부러운 마음

논술형

5 이 시를 읽고 어떤 부분에서 재미나 감동을 느꼈는지 쓰시오.

_____

_____

국어 활동

6 재미나 감동을 느낀 부분을 생각하며 다음 시를 읽을 때, 보기 는 어떤 방법으로 읽은 것인지 알맞은 것에 ○표를 하시오.

> 학교 오는 길에 따라왔다
> 공부 다 마칠 때까지
> 그곳에서 기다립니다.

보기

> 나를 졸졸 따라다니던 할머니 댁 강아지가 생각나.

(1) 비슷한 경험을 떠올린다. ( )

(2) 시를 읽고 떠오르는 장면을 상상한다. ( )

(3) 작품에 나오는 인물의 마음을 헤아려 본다. ( )

7~8 글을 읽고, 물음에 답하시오.

> 은지 옆을 지나자 은지의 생각이 쑥덕쑥덕 들렸어.
> '애들이 날 싫어하나 봐. 나한테 말도 잘 안 걸고……. 친구들이 함께 놀자고 하면 얼마나 좋을까?'
> 은지의 고민을 알자 만복이는 그냥 지나칠 수가 없었어. ㉠만복이는 은지한테 먼저 다가가서 말을 걸어 주었어.

7 은지의 고민은 무엇이었습니까? ( )

① 만복이가 자꾸 귀찮게 구는 것
② 친구와 다투고 화해하지 못한 것
③ 친구들이 말을 잘 안 걸어 주는 것
④ 자신의 생각이 쑥덕쑥덕 들리는 것
⑤ 친구들과 노느라 공부를 제대로 하지 못한 것

8 ㉠의 행동에서 알 수 있는 만복이의 마음을 헤아려 쓰시오.

( )

9 다음 ㉠에서 느낄 수 있는 강아지 똥의 마음은 무엇입니까? ( )

> 강아지 똥: 거름이 된다고?
> 민들레: (잎을 흔들며) 너의 몸뚱이를 고스란히 녹여 내 몸속으로 들어와야 해. 그래야만 예쁜 꽃을 피울 수 있단다.
> 강아지 똥: (놀라며) ㉠정말 내가 꽃이 된다고? 그럼 내가 별처럼 예쁜 꽃이 되는 거야? (민들레를 와락 껴안는다.)

① 화남 ② 기쁨
③ 쓸쓸함 ④ 우울함
⑤ 부끄러움

10 다음을 읽고 '독서 잔치'가 무엇인지 쓰시오.

( )

1 책을 소개할 때 들어가면 좋은 내용이 <u>아닌</u> 것은 어느 것입니까? (   )

① 제목
② 줄거리
③ 지은이가 사는 곳
④ 책을 소개하는 까닭
⑤ 재미나 감동을 느낀 부분

2 친구들과 서로 읽은 책을 소개하면 좋은 점을 바르게 말한 친구를 <u>모두</u> 쓰시오.

> 민아: 친구들이 소개한 책을 찾아서 읽을 수 있어.
> 다윤: 내가 얼마나 많은 책을 읽었는지 친구들에게 자랑할 수 있어.
> 종우: 친구들에게 책을 소개하면서 읽은 내용을 다시 떠올릴 수 있어.

(   )

3~5 시를 읽고, 물음에 답하시오.

> 그냥 놔두세요.
> 하루 종일
> 말똥구리는
> 말똥을 굴리게.
> 하루 종일
> 베짱이는
> 푸른 나무 그늘에서
> 노래 부르게.
> 하루 종일
> 사과나무에는
> 사과 열매가 열리게.
> 달팽이는
> 느릅나무 잎에서
> 하루 종일
> 꿈을 꾸게.

3 이 시에서 말똥구리가 하루 종일 무엇을 하도록 놔두라고 하였습니까? (   )

① 사과를 따게
② 노래 부르게
③ 말똥을 굴리게
④ 나무 그늘에서 쉬게
⑤ 느릅나무 잎에서 꿈을 꾸게

4 이 시에서 말하는 이가 "그냥 놔두세요."라고 말하는 까닭은 무엇이겠는지 쓰시오.

(   )

5 이 시를 읽고 재미나 감동을 느낀 부분을 찾는 방법이 <u>아닌</u> 것은 어느 것입니까? (   )

① 시를 읽고 어떤 장면이 떠오르는지 생각한다.
② 어떤 부분이 기억에 오래 남는지 떠올려 본다.
③ 시에 어려운 말이 많이 사용되었는지 찾아본다.
④ 시에 나오는 인물의 마음이 어떠한지 생각해 본다.
⑤ 시에 나오는 인물이 한 경험과 비슷한 자신의 경험을 떠올려 본다.

6~7 글을 읽고, 물음에 답하시오.

> "다음에는 시험 잘 볼 수 있게 내가 공부 좀 가르쳐 줄게."
> 만복이가 말을 마치자마자 곧바로 장군이의 주먹이 날아오지 뭐야.
> "너 나한테 죽고 싶어? 이게 어디서 잘난 척이야."
> 만복이는 또 코피가 터졌어. 만복이는 너무 화가 나서 주먹을 꼬옥 쥐었어. 그런데 장군이의 생각이 다시 들려오지 뭐야.
> '아이, 때리려고 그런 게 아닌데……. 만복이가 또 코피 나잖아. 정말 아프겠다. 난 왜 이렇게 만날 사고만 치지? 난 정말 나쁜 애야.'
> ㉠만복이는 쥐고 있던 주먹을 풀었어. 장군이의 마음을 알자 미운 마음이 눈 녹듯 사라져 버렸거든.

6 ㉠에서 알 수 있는 만복이의 마음은 무엇입니까? ( )

① 장군이를 용서하고 싶다.
② 장군이와 말도 하기 싫다.
③ 시험 공부를 하는 것이 싫다.
④ 장군이를 한 대 때려 주고 싶다.
⑤ 장군이에게 잘난 척을 하고 싶다.

논술형
7 이 글을 읽고 재미나 감동을 느낀 부분을 쓰시오.

_____

_____

국어 활동
8 다음 인물의 말과 행동에서 느낄 수 있는 마음은 무엇입니까? ( )

> 아기별은 무서워 몸을 벌벌 떨며 말했습니다.
> "용서해 주십시오. 다시는 밖에 나가지 않겠습니다."

① 슬픔   ② 기쁨
③ 화남   ④ 두려움
⑤ 행복함

9 만화 영화 「강아지 똥」에서 자신의 몸을 잘게 부수어 노란 꽃을 피운 강아지 똥을 통해 느낀 감동을 나타낼 수 있는 낱말을 한 가지 쓰시오.

( )

10 우리 반 독서 잔치 계획에 들어갈 내용으로 알맞지 않은 것은 어느 것입니까? ( )

① 준비물을 챙긴다.
② 참가자를 정한다.
③ 활동과 차례를 정한다.
④ 시간과 장소를 정한다.
⑤ 독서 잔치에 대한 감상을 쓴다.

1 자신이 읽은 책을 떠올려 보고 재미를 느낀 부분을 써 보시오. [6점]

_____

_____

2~3 시를 읽고, 물음에 답하시오.

> 친구의 우산을 함께 쓰고 왔다.
>
> 미안해서
> 내가 비를 더 맞으려고
> 어깨를 우산 밖으로 내놓으면
> 친구가 우산을 내 쪽으로
> 더 기울여 주었다.
>
> 빗속을
> 우리는 나란히 걸었다.
>
> 좁은 길에선 일부러
> ㉠내가 빗물 고인 자리를 디뎠다.
> 그걸 알았는지 친구는 나를
> 제 쪽으로 가만히 당겨 주는 것이었다.

2 이 시에 나오는 인물이 ㉠과 같이 행동한 까닭은 무엇일지 쓰시오. [6점]

_____

_____

3 이 시에 나오는 인물과 비슷한 자신의 경험을 떠올려 쓰시오. [6점]

_____

_____

4~5 글을 읽고, 물음에 답하시오.

> 선생님 곁을 지날 때도 선생님의 고민이 쑥덕쑥덕 들렸어.
> '평소처럼 바지를 입고 올걸, 괜히 치마를 입었나? 오늘따라 화장도 이상한 것 같고……. 저녁에 데이트가 있는데 어쩌지?'
> 만복이는 선생님한테 조용히 다가가서 말했어.
> "선생님은 바지를 입는 것도 예쁘지만, 치마를 입는 것도 잘 어울려요. 얼굴도 오늘 더 예뻐 보여요."
> 선생님은 기분이 좋은지 싱글벙글 웃었어.

4 만복이의 말을 들은 선생님의 마음은 어떠한지 쓰시오. [6점]

_____

_____

5 이 글을 읽고 재미나 감동을 느낀 부분을 쓰시오. [6점]

_____

_____

3학년	반	점수
이름		/30점

정답과 해설 ● 60쪽

10
단원

관련 성취 기준	재미나 감동을 느끼며 작품을 즐겨 감상하는 태도를 지닌다.
평가 목표	재미나 감동을 느낀 부분을 생각하며 시를 읽을 수 있다.

1~3 재미나 감동을 느낀 부분을 생각하며 시를 읽어 봅시다.

그냥 놔두세요. 하루 종일 말똥구리는 / 말똥을 굴리게. 하루 종일 / 베짱이는 푸른 나무 그늘에서 노래 부르게.	하루 종일 사과나무에는 사과 열매가 열리게. 달팽이는 / 느릅나무 잎에서 하루 종일 꿈을 꾸게.

1 이 시에서 누가 무엇을 좋아하는지 바르게 선으로 이으시오. [10점]

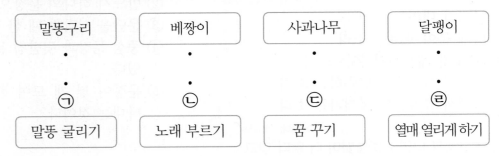

말똥구리	베짱이	사과나무	달팽이
·	·	·	·
·	·	·	·
㉠	㉡	㉢	㉣
말똥 굴리기	노래 부르기	꿈 꾸기	열매 열리게 하기

2 이 시에서 재미나 감동을 느낀 부분을 찾아 그 까닭과 함께 쓰시오. [10점]

(1) 재미나 감동 을 느낀 부분	
(2) 그 까닭	

3 자신이 하루 종일 하고 싶은 일을 생각하여 빈칸에 시를 바꾸어 쓰시오. [10점]

그냥 놔두세요.
하루 종일
내가

_____

_____

1~2 시를 읽고, 물음에 답하시오.

> ### 소나기
>
> 누가 잘 익은 콩을
> 저렇게 쏟고 있나
>
> 또로록 마당 가득
> 실로폰 소리 난다
>
> 소나기 그치고 나면
> 하늘빛이 더 맑다

1. 재미가 톡톡톡

1 무엇을 '잘 익은 콩을 쏟는 소리'라고 하였습니까? (   )

① 소나기가 내리는 소리
② 마당에 물이 흐르는 소리
③ 비가 오자 개구리가 우는 소리
④ 아이들이 실로폰을 연주하는 소리
⑤ 마당에서 콩알들이 굴러가는 소리

1. 재미가 톡톡톡

2 "소나기 그치고 나면 / 하늘빛이 더 맑다"라고 표현한 까닭은 무엇일지 쓰시오.

(   )

3~4 글을 읽고, 물음에 답하시오.

> 나는 갈매기야.
> 큰 바위섬에 살고 있지. 파란 하늘과 구름은 언제 봐도 좋아.
> 따뜻한 바람이 불면 높이 날아올라 물고기 떼를 찾고, 배가 부르면 친구들과 모여서 수다를 떨지.
> 잡은 물고기를 먹는 것도 아주 좋아해.
> 적어도 그때까지는 그랬어.
> "뿌우우우우웅!"
> 어느 날, 큰 배가 바위섬으로 다가왔어.

1. 재미가 톡톡톡

3 '나'는 무엇인지 쓰시오.

(   )

1. 재미가 톡톡톡

4 이 이야기에서 귀로 들은 소리를 생생하게 표현한 감각적 표현은 어느 것입니까? (   )

① 뿌우우우우웅!
② 큰 바위섬에 살고 있지.
③ 적어도 그때까지는 그랬어.
④ 큰 배가 바위섬으로 다가왔어.
⑤ 잡은 물고기를 먹는 것도 아주 좋아해.

2. 문단의 짜임

5 문단에 대한 설명으로 알맞지 <u>않은</u> 것은 어느 것입니까?
(   )

① 한 문단이 끝나면 줄을 바꾼다.
② 반드시 하나의 문장으로 되어 있다.
③ 문단을 시작할 때 한 칸을 들여 쓴다.
④ 중심 문장과 뒷받침 문장으로 이루어져 있다.
⑤ 문장이 몇 개 모여 한 가지 생각을 나타내는 것이다.

6~7 글을 읽고, 물음에 답하시오.

> ㉠장승은 나무나 돌에 사람 얼굴 모습을 조각해 만들었습니다. ㉡할아버지처럼 친근한 얼굴도 있고, 도깨비처럼 무서운 얼굴도 있습니다. ㉢우스꽝스러운 장난꾸러기 얼굴을 한 장승도 있습니다.

2. 문단의 짜임

6 장승은 어디에 사람 얼굴 모습을 조각해 만들었는지 두 가지를 쓰시오.

(   )

2. 문단의 짜임

7 ㉠~㉢ 중, 중심 문장을 찾아 기호를 쓰시오.

(   )

8 다음 글의 빈칸에 들어가기에 알맞은 중심 문장에 ○표를 하시오.

2. 문단의 짜임

> (   ) 원시인들은 불을 피워 추위를 이겨 냈습니다. 불을 피워 사나운 동물의 공격도 피할 수 있었습니다. 원시인들은 불로 음식을 익혀 먹기도 했습니다.

(1) 불은 잘못 다루면 매우 위험합니다.
(   )(   )
(2) 원시인들은 사냥을 해서 먹고 살았습니다.
(   )
(3) 불은 원시인의 삶을 크게 바꾸어 놓았습니다.
(   )

국어 활동

9 다음 글의 빈칸에 들어가기에 알맞은 중심 문장은 무엇입니까? (   )

2. 문단의 짜임

> (   ) 햄스터는 작고 귀엽게 생겼습니다. 햄스터는 영리해서 똥오줌도 스스로 가립니다. 또 햄스터는 자기 집을 늘 깨끗하게 청소합니다. 햄스터는 종류도 다양합니다.

① 나는 동물을 좋아합니다.
② 나는 햄스터를 좋아합니다.
③ 햄스터는 키우기 어렵습니다.
④ 햄스터보다 토끼가 더 귀엽습니다.
⑤ 햄스터의 종류는 여러 가지입니다.

10~11 그림을 보고, 물음에 답하시오.

10 대화 **㉮**와 **㉯**에서 높임의 대상이 된 사람은 각각 누구인지 쓰시오.

3. 알맞은 높임 표현

(1) **㉮**: (   )
(2) **㉯**: (   )

11 대화 **㉮**와 **㉯**에서 높임을 표현한 방법은 무엇입니까? (   )

3. 알맞은 높임 표현

① 높임의 대상에게 '께'를 사용했다.
② 높임을 나타내는 '−시−'를 넣었다.
③ 높임의 대상에게 '께서'를 사용했다.
④ '−습니다'를 써서 문장을 끝맺었다.
⑤ 높임의 뜻이 있는 특별한 낱말을 사용했다.

12~13 그림을 보고, 물음에 답하시오.

3. 알맞은 높임 표현

12 여자아이는 무엇을 하고 있는지 쓰시오.

• (   )을/를 보면서 할머니와 대화하고 있다.

서술형

3. 알맞은 높임 표현

13 여자아이에게 바른 언어 예절을 알려 주는 말을 쓰시오.

_____

_____

14~15 글을 읽고, 물음에 답하시오.

> 호준아, 나 민재 형이야.
> 한 달 동안이나 저녁마다 줄넘기 연습을 열심히 하는 너를 보면서 네가 ㉠기특하고 대단하다고 생각했어. 그런데 ㉡어제 있었던 줄넘기 대회에서 상을 받지 못했다는 소식을 들었어. ㉢많이 속상했지? 그래도 포기하지 않고 꾸준히 연습하면 다음에는 더 ㉣좋은 결과가 있을 거야.
> 형은 언제나 너를 ㉤응원하고 있어.

4. 내 마음을 편지에 담아

14 이 편지에서는 어떤 마음을 주로 표현하고 있습니까? ( )

① 미안한 마음
② 고마운 마음
③ 꾸짖는 마음
④ 위로하는 마음
⑤ 축하하는 마음

4. 내 마음을 편지에 담아

15 ㉠~㉤ 중 마음을 나타내는 말이 아닌 것은 어느 것인지 기호를 쓰시오.

( )

국어 활동   4. 내 마음을 편지에 담아

16 다음 편지에서 글쓴이는 어떤 마음을 표현했는지 쓰시오.

> 챙겨 주신 꽃씨, 정말 고맙습니다. 기차가 흔들거리고 있어요. 졸음이 옵니다. 깜빡깜빡 잠이 들 때마다 저는 꽃 가꾸는 꿈을 꿉니다.

( )

4. 내 마음을 편지에 담아

17 편지의 형식에 들어가는 내용이 아닌 것은 어느 것입니까? ( )

① 첫인사
② 쓴 날짜
③ 쓴 장소
④ 받을 사람
⑤ 전하고 싶은 말

4. 내 마음을 편지에 담아

18 쓰임에 따라 '굉장하다'와 뜻이 비슷한 낱말로 알맞은 것을 두 가지 고르시오. (,)

① 슬프다
② 불안하다
③ 엄청나다
④ 부끄럽다
⑤ 근사하다

19~20 글을 읽고, 물음에 답하시오.

> 민화는 호랑이, 까치, 물고기, 사슴, 학, 거북, 토끼, 매와 같은 동물이나 소나무와 대나무, 모란, 불로초, 연꽃, 석류 같은 식물 등의 다양한 소재를 사용했어요. 해태나 용 같은 상상의 동물도 있지요. 우리 조상은 민화에 복을 기원하고, 악귀나 나쁜 것을 몰아내는 힘이 있다고 믿었던 거예요.

5. 중요한 내용을 적어요

19 민화의 소재 중에서 '식물'의 예로 든 것은 어느 것입니까? ( )

① 사슴
② 까치
③ 석류
④ 해태
⑤ 호랑이

서술형   5. 중요한 내용을 적어요

20 이 글의 중요한 내용을 간단하게 정리해 보시오.

_____

_____

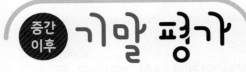

1~2 글을 읽고, 물음에 답하시오.

> "날려 줄 거야."
> 승호는 아기 참새를 쥔 두 손을 높이 들고 깡충 뛰며 놓아주었습니다. 그러나 아기 참새는 길에서 깡충깡충 뛰어다니기만 했습니다. 승호는 파닥거리는 아기 참새를 두 손으로 감싸 쥐었습니다.
> "참새를 어떻게 하지?"
> 승호가 걱정스럽게 물었습니다.
> "선생님께 가져다드리자."
> "그래, 그게 좋겠다."
> 승호는 참새를 안고 교실로 갔습니다.

6. 일이 일어난 까닭

1 승호가 잡은 참새를 놓아주자 참새는 어떻게 하였습니까? (   )

① 훨훨 날아갔다.
② 엄마를 찾으며 울었다.
③ 아이들의 손 위로 올라왔다.
④ 자리에 쓰러져 움직이지 않았다.
⑤ 길에서 깡충깡충 뛰어다니기만 했다.

6. 일이 일어난 까닭

2 다음과 같은 결과가 일어난 원인을 쓰시오.

> 승호는 아기 참새를 교실로 데려갔다.

(   )

6. 일이 일어난 까닭

3 원인과 결과를 생각하며 말하는 방법으로 알맞지 <u>않은</u> 것은 어느 것입니까? (   )

① 일이 일어난 까닭을 찾아본다.
② 원인 때문에 달라진 결과를 찾아본다.
③ 일이 일어난 까닭 때문에 생긴 일을 찾아본다.
④ 원인과 결과가 맞지 않더라도 재미있는 내용으로 이야기한다.
⑤ '그래서', '때문에', '왜냐하면'과 같은 이어 주는 말을 사용한다.

6. 일이 일어난 까닭

4 다음 원인에 어울리는 결과는 무엇입니까?

(   )

> 음식을 먹고 양치질을 잘하지 않았다.

① 이가 아팠다.
② 단 음식을 많이 먹었다.
③ 수업 시간에 계속 졸았다.
④ 달리기 대회가 열리게 되었다.
⑤ 축구 경기에서 공을 많이 넣었다.

7. 반갑다, 국어사전

5 다음 중 국어사전에 가장 먼저 싣는 낱말은 어느 것입니까? (   )

① 삶   ② 두부
③ 나비   ④ 고구마
⑤ 발자국

7. 반갑다, 국어사전

6 다음 중 형태가 바뀌는 낱말은 어느 것입니까? (   )

① 높다   ② 동생
③ 소금   ④ 도서관
⑤ 호랑이

7. 반갑다, 국어사전

7 다음 낱말에서 형태가 바뀌지 않는 부분을 쓰시오.

> 자고, 자니, 자서

(   )

중간
기말
평가

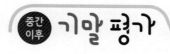

8~9 글을 읽고, 물음에 답하시오.

진달래, 국화, 장미, 금잔화, 삼색제비꽃, 제비꽃처럼 ㉠먹을 수 있는 꽃을 골라 ㉡먹어야 합니다. 그리고 먹을 수 있는 꽃이라고 하더라도 꽃가루 등에 의한 알레르기를 일으킬 수 있으므로 암술, 수술, 꽃받침을 제거하고 먹어야 합니다. 특히 진달래는 수술에 약한 독성이 있으므로 반드시 꽃술을 제거하고 꽃잎만 깨끗한 물에 씻은 뒤에 먹어야 합니다.

꽃집에서 파는 꽃이나 정원의 꽃은 함부로 ㉢먹으면 안 됩니다.

7. 반갑다, 국어사전

8 ㉠~㉢의 기본형을 쓰시오.

( )

논술형

7. 반갑다, 국어사전

9 이 글을 읽고 더 알고 싶은 내용을 쓰시오.

_____

_____

10~11 글을 읽고, 물음에 답하시오.

홍실 각시: 호호호, 실이 없는 바늘이 무슨 일을 하겠니? 한 땀 반 땀이라도 실이 들어가야 하지 않니? 그러니까 나야말로 진짜 주인공이 아니겠어? 호호호.

이들의 다툼을 지켜보던 골무 할미가 말합니다.

골무 할미: 에헴, 나도 말참견 좀 해야겠다. 중요함으로 치면 나만 한 이가 또 없지. 아씨 손 다칠세라 밤낮 시중드는 것도 바로 내 몸이야. 내가 빠져서는 안 되지. 암, 그렇고말고.

8. 의견이 있어요

10 홍실 각시와 골무 할미의 공통된 의견은 무엇인지 쓰시오.

( )

8. 의견이 있어요

11 골무 할미가 의견에 대한 까닭으로 든 것은 무엇입니까? ( )

① 다른 누구보다 말을 잘한다.
② 아씨 손을 다치지 않게 한다.
③ 바늘을 빠르게 움직이게 한다.
④ 실이 없는 바늘은 소용이 없다.
⑤ 홍실 각시에게 큰 도움이 된다.

국어 활동

8. 의견이 있어요

12 '전기를 아껴 써야 한다.'라는 의견에 어울리는 까닭에 모두 ○표를 하시오.

(1) 전기는 얼마든지 만들 수 있다. ( )

(2) 전기를 만들려면 돈이 많이 든다.

( )

(3) 전기를 낭비하면 꼭 필요한 곳에 쓰지 못한다. ( )

13~14 글을 읽고, 물음에 답하시오.

자주 하다 보면 습관이 되어 우리 삶을 바꿀 수 있습니다. 자신의 삶을 발전하게 하는 좋은 습관이 있는가 하면 좋지 않은 습관도 있습니다. 여러분은 어떤 습관을 기르고 싶나요? 우리 모두 좋은 습관을 기를 수 있도록 꾸준히 노력합시다.

8. 의견이 있어요

13 글쓴이의 의견은 무엇인지 쓰시오.

( )

8. 의견이 있어요

14 우리가 기르면 좋은 습관으로 가장 거리가 먼 것은 무엇입니까? ( )

① 약속을 잘 지키는 것
② 날마다 운동을 하는 것
③ 말을 바르고 곱게 하는 것
④ 해로운 책도 많이 읽는 것
⑤ 고마워하는 마음을 표현하는 것

15~16 글을 읽고, 물음에 답하시오.

> 다람쥐처럼 쥐 무리에 속하는 동물들은 이빨이 계속해서 자란다고 해요. 그렇기 때문에 이빨을 ㉠닳게 하려고 쉬지 않고 나무를 쏠거나 딱딱한 열매를 갉아 먹는 것이죠.
>
> 그래서 다람쥐가 좋아하는 먹이는 도토리, 밤, 땅콩, 호두, 잣과 같이 대부분 껍질이 딱딱한 열매예요.

9. 어떤 내용일까

15 이 글에서 설명하고 있는 것은 무엇입니까?

( )

9. 어떤 내용일까

16 ㉠'닳게'의 뜻을 짐작한 것으로 가장 알맞지 않은 것은 어느 것입니까? ( )

① 짧게 　　② 줄게
③ 길어지게 　　④ 작아지게
⑤ 계속 자라나지 않게

17~18 글을 읽고, 물음에 답하시오.

> 석주명 선생님께
> 　조선에 있는 모든 나비를 연구해 책으로 써 주십시오.
> 　　　　　　　　　영국왕립아시아학회
>
> 석주명은 책을 쓰기로 했습니다. 그는 이 책을 쓰려고 나비를 수만 마리나 모으며 온갖 정성을 쏟았습니다. 그리고 일본 학자들이 우리나라 나비에 대해 잘못 쓴 부분들을 찾아내 바로잡았습니다. 이렇게 하여 석주명은 우리나라에 사는 나비에 대한 책을 완성해 영국왕립도서관으로 보냈습니다.

9. 어떤 내용일까

17 영국왕립아시아학회에서 석주명에게 부탁한 것은 무엇인지 쓰시오.

( )

9. 어떤 내용일까

18 17번 문제의 답을 부탁받았을 때 석주명의 마음을 짐작한 것으로 알맞은 것에 ○표를 하시오.

(1) 나비를 연구하여 책으로 써 달라고 하였으니 귀찮고 싫었을 거야. ( )
(2) 일본 학자들이 잘못 쓴 부분을 바로잡으면서 두렵고 떨렸을 거야. ( )
(3) 이 책을 쓰려고 나비를 수만 마리나 모으며 온갖 정성을 쏟은 것으로 보아 책임감이 느껴졌을 거야. ( )

중간 기말 평가

19~20 시를 읽고, 물음에 답하시오.

> 그냥 놔두세요.
> 하루 종일
> 말똥구리는
> 말똥을 굴리게.
> 하루 종일 / 베짱이는
> 푸른 나무 그늘에서
> 노래 부르게.
> 하루 종일 / 사과나무에는
> 사과 열매가 열리게.
> 달팽이는 / 느릅나무 잎에서
> 하루 종일 / 꿈을 꾸게.

10. 문학의 향기

19 이 시에서는 베짱이가 무엇을 하도록 놔두라고 하였습니까? ( )

① 말똥을 굴리는 것
② 사과 열매를 먹는 것
③ 하루 종일 꿈을 꾸는 것
④ 시원한 나무 그늘에서 노는 것
⑤ 푸른 나무 그늘에서 노래 부르는 것

논술형　　　　　　　　　　　10. 문학의 향기

20 이 시를 읽고 재미나 감동을 느낀 부분을 그 까닭과 함께 쓰시오.

_____

_____

1~2 시를 읽고, 물음에 답하시오.

> 뭐든 제멋대로 되지 않으면
> ㉠온몸을 바동바동
>
> 울지 마 울지 마
> 달래면 달랠수록 더 큰
> 울음을 내뿜는 / 내 동생
>
> 아기 고래다!

1. 재미가 톡톡톡

1 동생과 아기 고래가 비슷한 점은 무엇입니까? ( )

① 잘 웃는 것
② 몸집이 큰 것
③ 물을 좋아하는 것
④ 음식을 많이 먹는 것
⑤ 아기 고래가 물을 뿜듯이 동생도 울음을 내뿜는 것

1. 재미가 톡톡톡

2 시 속의 동생이 되었다고 생각하고 ㉠은 어떤 동작으로 표현하며 낭송하면 좋을지 쓰시오.
( )

3~4 글을 읽고, 물음에 답하시오.

> ㉠강정은 찹쌀가루를 반죽해 기름에 튀긴 뒤에 고물을 묻힌 과자입니다. ㉡찹쌀가루를 반죽할 때에는 꿀과 술을 넣습니다. 그런 다음에 끈기가 생길 때까지 반죽을 쳐서 갸름하게 썰어 말린 뒤 기름에 튀깁니다. ㉢깨, 잣가루, 콩가루와 같은 고물을 묻혀 먹습니다.
> ㉣엿은 곡식이나 고구마 녹말에 엿기름을 넣어 달게 졸인 과자입니다. ㉤엿을 만드는 데 쓰이는 곡식으로는 쌀, 찹쌀, 옥수수, 조 따위가 있습니다.

2. 문단의 짜임

3 이 글에서 설명하는 한과를 모두 쓰시오.
( )

4 ㉠~㉤ 중 중심 문장끼리 묶인 것은 무엇입니까? ( )

① ㉠, ㉡   ② ㉠, ㉢
③ ㉠, ㉣   ④ ㉢, ㉣
⑤ ㉡, ㉤

5~6 그림을 보고, 물음에 답하시오.

요즘 어떤 신발이 인기 있나요?

이 신발이 요즘 인기 있는 신발이세요.

3. 알맞은 높임 표현

5 물건을 파는 사람이 잘못한 점은 무엇입니까? ( )

① '께'를 넣어 말하지 않았다.
② '요'로 문장을 끝맺지 않았다.
③ 물건에 높임 표현을 사용했다.
④ 어린 사람에게 높임 표현을 사용했다.
⑤ 높임을 나타내는 '-시-'를 쓰지 않았다.

3. 알맞은 높임 표현

6 물건을 파는 사람의 말을 바르게 고쳐 쓰시오.
( )

4. 내 마음을 편지에 담아

7 다음 편지에서 마음을 나타내는 말을 찾아 빈칸에 알맞은 말을 쓰시오.

> 나리야, 어제 네가 내 가방을 들어 주어서 고마웠어. 내가 팔을 다쳐서 가방을 어떻게 들까 걱정했는데 네가 와서 도와준다고 했을 때 정말 기뻤어.

• 고마웠어, 걱정했는데,
( )

8 ㉠'뛰는'과 뜻이나 쓰임이 비슷한 다른 낱말을 생각하여 쓰시오.

> 가슴이 너무 쿵쿵거려서 아래층 손님들한테까지 제 심장 ㉠뛰는 소리가 들릴 것만 같아요.

(   )

4. 내 마음을 편지에 담아

9 국어 활동   5. 중요한 내용을 적어요

메모하는 방법으로 알맞은 것을 두 가지 고르시오. (,   )

① 어려운 낱말만 모아서 쓴다.
② 중요한 내용을 정리해 쓴다.
③ 들은 내용을 빠짐없이 모두 쓴다.
④ 앞부분과 뒷부분의 내용을 꼭 쓴다.
⑤ 중요한 낱말을 중심으로 짧게 쓴다.

5. 중요한 내용을 적어요

10 다음 글의 특징으로 알맞은 것에 ○표를 하시오.

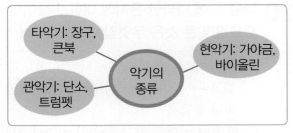

(1) 전달하고 싶은 내용을 자세히 썼다.
(   )
(2) 중요한 내용을 낱말 중심으로 짧게 썼다.
(   )
(3) 전체 내용을 한두 문장으로 짧게 간추려 썼다.
(   )

11 다음 글에서 승호가 저녁에 교실로 간 원인은 무엇인지 쓰시오.

> 그날 저녁이었습니다. 승호는 교실에 혼자 남겨 두고 온 짹짹콩콩이가 걱정되어 잠을 이룰 수가 없었습니다. 걱정을 하던 승호는 살그머니 밖으로 나왔습니다. 그리고 학교를 향해 달렸습니다. 승호는 조금 무서웠지만 조심조심 복도를 걸어 교실로 갔습니다.

6. 일이 일어난 까닭

12 국어 활동

다음 원인에 어울리는 결과는 무엇입니까?
(   )

> 미혜는 도서관에서 책을 많이 읽었어요.

① 달리기 연습을 열심히 했어요.
② 공기를 깨끗하게 해 주었어요.
③ 친구들과 사이가 더 좋아졌어요.
④ 자전거 대회에서 우승을 하였어요.
⑤ 그래서 어려운 낱말을 많이 알아요.

7. 반갑다, 국어사전

13 다음 낱말들을 국어사전에 싣는 차례대로 쓰시오.

> 가게   바다   사슴   하늘   고양이

(   )

7. 반갑다, 국어사전

14 다음 형태가 바뀌는 낱말 중 움직임을 나타내는 낱말은 어느 것입니까? (   )

① 작다   ② 넓다   ③ 많다
④ 높다   ⑤ 달리다

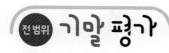

15 다음 낱말의 기본형을 쓰시오.

7. 반갑다, 국어사전

입고 입으니 입어서 입으면

( )

16~17 글을 읽고, 물음에 답하시오.

㉮ "대감님, 지금 이 팔이 누구 팔입니까?"

"그야 네 팔이지, 누구 팔이겠느냐?"

"지금 이 팔은 방 안에 들어가 있지 않습니까?"

"방 안에 있다 해도 네 몸에 붙었으니까 네 팔이지."

㉯ "그렇다면 한 말씀 더 여쭙겠습니다. 저 담 너머 감나무에서 뻗어 나와 이 댁에 넘어온 가지는 누구네 것입니까?"

권 판서는 오성이 무엇 때문에 방문을 뚫고 팔을 들이밀었는지 그 뜻을 금방 깨달았습니다.

"음, 그야 너희 것이지. 우리 집에 가지가 일부분 넘어왔어도 나무의 뿌리는 너희 집에 있지 않느냐."

"그렇다면 왜 이 댁 하인들이 저희에게 감을 못 따게 합니까?"

"우리 집 하인들이 생각이 모자랐던 것 같구나. 다시는 그런 일이 없도록 하마."

16 이 글에서 오성의 팔이 가리키는 것은 무엇입니까? ( )

8. 의견이 있어요

① 감
② 감나무 잎
③ 감나무 껍질
④ 감나무 가지
⑤ 감나무 뿌리

서술형

17 권 판서 대감의 의견을 정리할 때, 알맞은 까닭을 쓰시오.

8. 의견이 있어요

의견	감은 오성의 것이다.
까닭	

18~19 글을 읽고, 물음에 답하시오.

엿새 뒤, 재닛이 그 계산대 앞에 서 있었다. 똑같은 가게, 똑같은 아주머니였다. 그 전날은 존이 다녀갔고, 그 전날은 피트가, 그 전날은 크리스가, 그 전날은 데이브가 다녀갔다. 재닛은 닉의 부탁을 받고 ㉠프린들을 사러 온 다섯 번째 아이였다.

재닛이 프린들을 달라고 하자, 아주머니는 볼펜 쪽으로 손을 뻗으며 물었다.

"파란색, 까만색?"

닉은 옆에 있는 사탕 진열대 앞에 서 있다가 씨익 웃었다.

'프린들'은 이제 펜을 가리키는 ㉡어엿한 낱말이다.

9. 어떤 내용일까

18 이 글의 내용으로 볼 때, ㉠'프린들'이 가리키는 것은 무엇입니까? ( )

① 볼펜
② 사탕
③ 가게
④ 계산대
⑤ 아이들

9. 어떤 내용일까

19 ㉡'어엿한'과 바꾸어 쓸 수 있는 비슷한 낱말을 두 가지 고르시오. (,)

① 쉬운
② 분명한
③ 어려운
④ 확실한
⑤ 애매한

10. 문학의 향기

20 다음 ㉠에 나타난 은지에 대한 만복이의 마음으로 알맞은 것은 무엇입니까? ( )

'애들이 날 싫어하나 봐. 나한테 말도 잘 안 걸고……. 친구들이 함께 놀자고 하면 얼마나 좋을까?'

은지의 고민을 알자 만복이는 그냥 지나칠 수가 없었어. ㉠만복이는 은지한테 먼저 다가가서 말을 걸어 주었어.

① 밉다.
② 귀찮다.
③ 부럽다.
④ 화가 난다.
⑤ 도와주고 싶다.

MEMO

MEMO

차례

『국어 활동』 학습 기본 학습 관련 활동 ≫ 기초 다지기

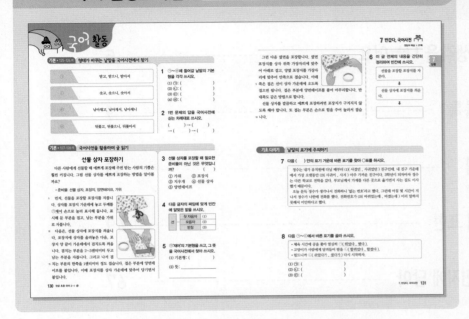

● 국어 활동은 기본에서 학습한 내용을 연습하고 다질 수 있는 문제와 국어 활동의 기초 다지기에 나오는 '쓰기, 발음, 어휘' 활동의 문제로 구성하였습니다.

단원 마무리

○ **단원 마무리**
단원에서 배운 내용을 빈 곳을 채우며 정리합니다.

○ **단원 평가**
꼭 나오는 핵심 문제로 단원에서 배운 내용을 확인합니다.

○ **서술형 평가**
답을 글로 쓰는 서술형 문제로 단원에서 배운 내용을 다시 한번 확인합니다.

○ **교과서 낱말 퀴즈**
교과서에 나오는 낱말을 재미있는 만화와 함께 퀴즈로 풀어 봅니다.

평가 교재

단원 평가 대비

[단원 평가]

[서술형 평가]

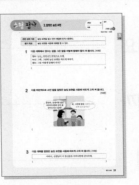

[수행 평가]

중간·기말 평가 대비

[중간·기말 평가]